中山年鉴

ZHONGSHAN YEARBOOK

2011

大连市中山区党史办公室 编

辽宁民族出版社

图书在版编目（CIP）数据

中山年鉴.2011/大连市中山区史志办公室编.-沈阳：辽宁民族出版社,2011.11

ISBN 978-7-5497-0235-0

Ⅰ.①中… Ⅱ.①大… Ⅲ.①区（城市）-大连市-2011-年鉴 Ⅳ.①Z523.13

中国版本图书馆CIP数据核字(2011)第235649号

出版发行者：辽宁民族出版社
地　　址：沈阳市和平区十一纬路25号　邮编：110003
印 刷 者：大连海大印刷有限公司
幅面尺寸：210mm×285mm
印　　张：26
字　　数：860千字
插　　页：14
印　　数：1-1000
出版时间：2011年11月第1版
印刷时间：2011年11月第1次印刷
责任编辑：吕　怡
封面设计：罗连坤
责任校对：林　松

标准书号：ISBN 978-7-5497-0235-0
定　　价：180.00元

联系电话：024-23284336　　　邮购热线：024-23284335
http：//www.lnmzcbs.com

ZHONGSHANNIANJIAN 2011

《中山年鉴（2011）》编审人员

主　　审　李向东　江亲瑜　周　勤

主　　编　王彦静

编　　辑　（以姓氏笔画为序）

王玉玲　石黎明　周建平　张纾平

地图供稿　大连市规划局中山分局

封面设计　罗连坤

目录翻译　甘　铭

《中山年鉴（2011）》撰稿单位审稿人员
（以姓氏笔画为序）

于德俊	卫天录	马莲英	孔繁强	尹兴宇	王　枢
王　钦	王文福	王立军	王宏茂	王言章	王洪齐
王相平	王黎昕	叶　平	刘　峰	刘　艳	刘长利
刘长凯	刘军海	刘觉民	刘增茂	吕春荣	孙中琦
孙世夫	孙永金	孙绍礼	孙继武	曲莉明	朱兰萍
朴　斐	毕凤有	汤艳新	许治强	闫利军	吴晓辉
宋　超	宋建龙	张力夫	张东红	张忠民	张美林
张荣荣	张恩晏	张晓琳	张艳君	李　超	李春胜
李洪敏	李赫楠	杜日春	杨　赤	杨志敏	杨桂春
杨晨光	谷艳敏	邵元秋	陈立军	陈维华	周　勤
孟泓禄	林　伟	林义伟	姜长贵	娄敬明	柏　林
柏茂泉	胡家耿	赵黎明	郝耀奇	原宜广	桑京哲
桑茂科	殷　虹	殷传军	崔富国	常　强	戚建成
曹　君	曹　松	梁俊海	董文录	董曙勤	满洪冰
訾玉茹	蔡旭平	魏思泉			

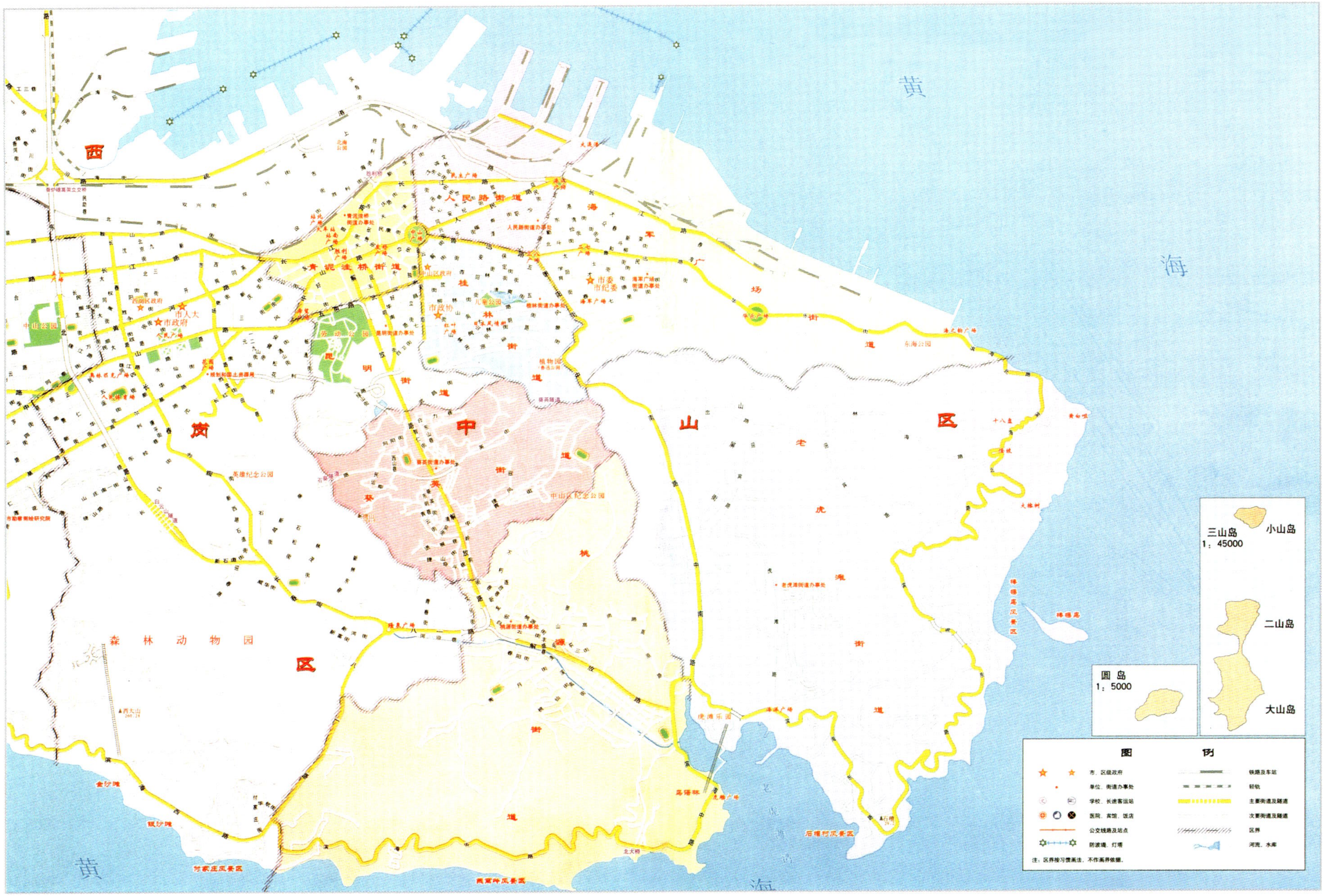

大连市中山区行政区划图

金融中山

JINRONGZHONGSHAN

承载百余年大连历史的中山区，以其优良的商务商贸环境，集聚了众多的银行、保险、证券等各类金融机构，成为各类金融机构落户大连的首选地。“十一五”末期，全区银行、保险等分行（分公司）级以上的金融服务机构占全市的70%以上，培育航运、科技、物流、金融、总部经济、进出口贸易、服务外包、小企业创业基地等12座专业大厦，成为大连现代服务业集聚区、总部经济集聚区、港航服务业集聚区，是大连建设区域性金融中心的重要核心功能区。“十二五”时期，中山区确立了加快建设“两圈一带”为重点的区域性金融商务核心区战略，并将之作为区域核心发展战略。

渤海银行

时尚中山

SHISHANGZHONGSHAN

大连这座城市，一直以来以市民服饰的时尚追求、特有的街区风貌等展现着特有的城市魅力和风格，也因此折射出独特的城市形象和时尚风情。20世纪初，位于中山区的天津街、青泥洼桥就成为大连最发达的商业区，聚集了许多大连标志性的百货店。如今，这里开启着商贸功能区建设的新篇章，一批高端商业集聚，众多综合性商业大厦和各种现代休闲娱乐设施引领着城市时尚消费潮流。"十二五"时期，中山区将加快建设区域性时尚消费旅游中心，并将之作为区域重点发展战略之一。

名店坊
The Galleria
时尚美食即将启幕

FIRE

欢度国庆
团圆过中秋
市场销售中心

文化中山

WENHUAZHONGSHAN

坐落在辖区的大连京剧院、宏济大舞台、大连人民文化俱乐部等艺术文化场所，是大连城市文化发展的标志性建筑，这当中孕育出的许多文化艺术，时至今日仍散发着城市特有的文化气韵和文化品格。以中山区美术馆为代表的一些新建文化体育设施让公共文化服务体系更加完善，“迎新春京剧晚会”、“棒棰岛艺术节”等现代文化品牌成为城市新的文化消费热点。

大连市第十五中学

Kason

绿色中山

LUSEZHONGSHAN

中山区海岸线长，低山丘陵多，陆地面积70%以上被丘陵山地覆盖。低山山体或平地而起或拔海而立，突兀挺拔，风光秀丽。临近海域的棒棰岛、三山岛、圆岛上山峦起伏、树木郁葱、礁石林立。整个城区形成“山、海、城”融为一体的独特风貌。“十一五”时期，中山区大力推进以中部生态宜居区和南部旅游观光带为重点的功能区建设，坚持建设与管理并重，一批新兴住宅和旅游项目成为城区绿色发展的新亮点。十二五”时期，中山区把“绿色中山”作为重点发展导向，确立了建设国际化生态宜居示范区的发展战略。

辉煌“十一五”

HUIHUANGSHIYIWU

“十一五”时期，中共中山区委、中山区人民政府带领全区人民，坚持以科学发展观为统领，抢抓机遇，开拓创新，经济和社会发展取得显著成就。城区“四大功能区”建设有序推进，现代服务业领率区建设成效显著，对外开放取得重大突破，综合经济实力大幅提升，呈现出经济增长、结构优化、民生改善、社会和谐、生态优良的良好局面。五年间，全区地区生产总值、地方财政收入年均增长分别为18%和24%，形成金融、航运物流、商务商贸等八大重点服务业产业格局，为“十二五”区域经济社会快速发展奠定坚实基础。

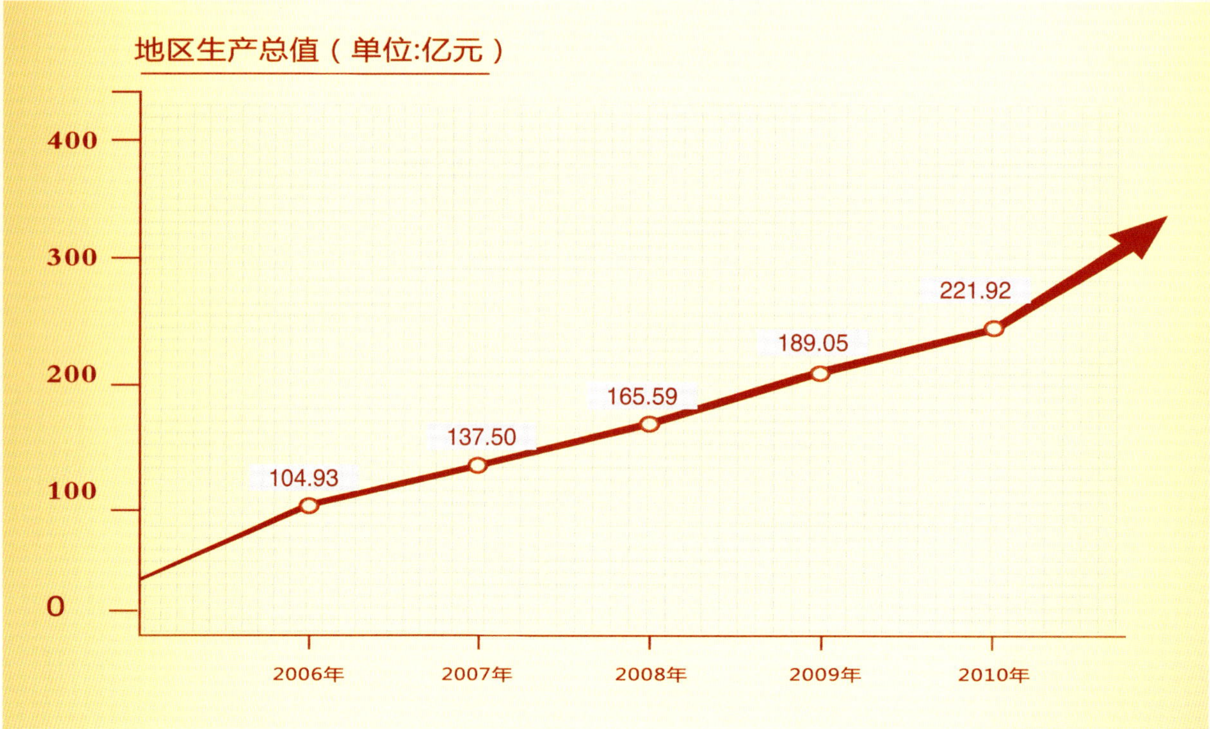

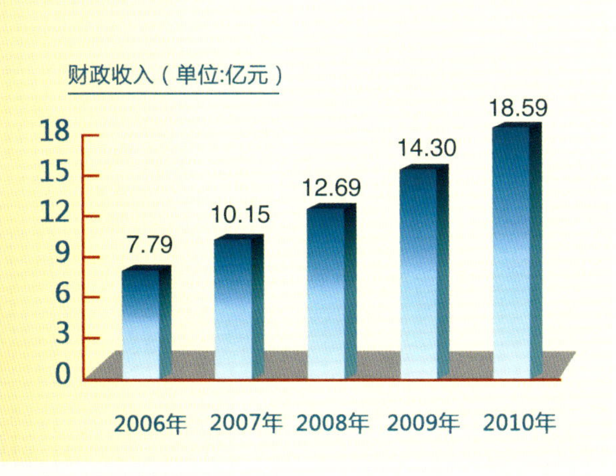
财政收入（单位:亿元）
18
15
12
9
6
3
0
7.79
10.15
12.69
14.30
18.59
2006年
2007年
2008年
2009年
2010年

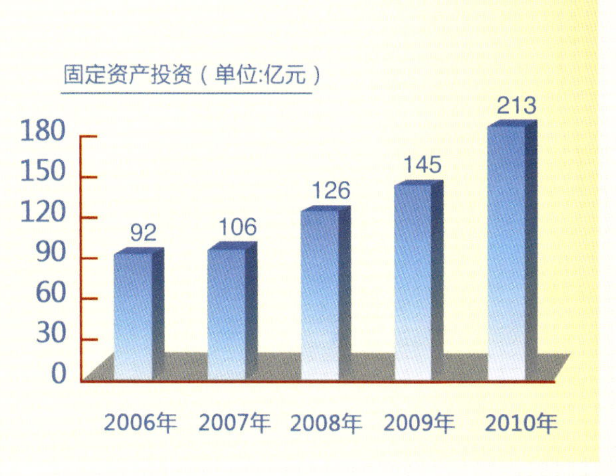
固定资产投资（单位:亿元）
180
150
120
90
60
30
0
92
106
126
145
213
2006年
2007年
2008年
2009年
2010年

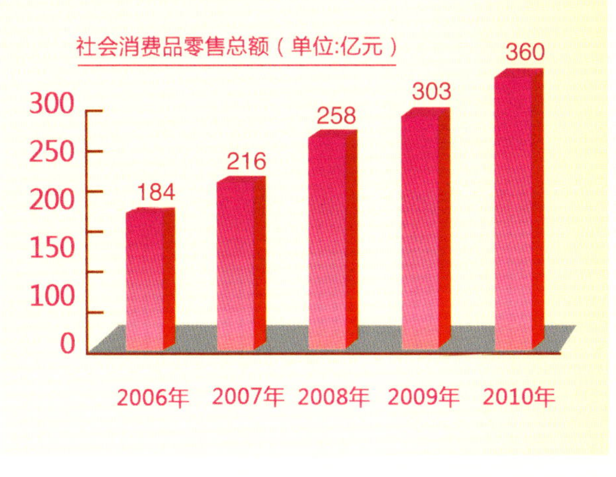
社会消费品零售总额（单位:亿元）
300
250
200
150
100
0
184
216
258
303
360
2006年
2007年
2008年
2009年
2010年

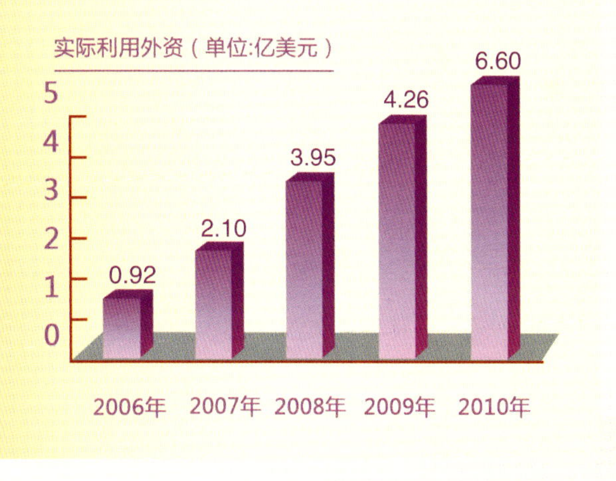
实际利用外资（单位:亿美元）
5
4
3
2
1
0
0.92
2.10
3.95
4.26
6.60
2006年
2007年
2008年
2009年
2010年

编辑说明

一、《中山年鉴》是大型综合性资料年刊，由中共大连市中山区委员会、中山区人民政府主办，中山区党史办公室编辑，国内外公开发行。《中山年鉴》创刊于1998年，之后每年出版1卷，旨在记述中山区改革开放、经济建设和社会发展情况，为国内外各界人士了解中山区提供全面、系统、翔实、准确、权威的资料。《中山年鉴（2011）》为第14卷。

二、《中山年鉴（2011）》采用分类编辑法，框架设计为类目、分目、条目3个层次，其中部分分目下设子分目。《中山年鉴（2011）》设特载、专文、大事记、概貌、党政机关、民主党派·群众团体、法治·武装、综合经济管理、财政·税务、经济建设、城区建设管理、教育、文化·体育、卫生、社会生活、街道、名录·人物、经济社会统计资料18个类目。类目下设分目79个，子分目72个，条目806个，图表87个，随文照片711幅。总字数86万字。

三、《中山年鉴（2011）》卷首刊印大连市中山区行政区划图及其他彩图，以图文并茂的形式反映中山区要事要闻。

四、《中山年鉴（2011）》的稿件由区直各部门、部分驻区单位提供，并经各供稿单位领导审阅。

五、《中山年鉴（2011）》反映国民经济和社会发展情况的数据，以中山区统计局编印的《中山区统计年鉴》为准。

六、《中山年鉴（2011）》的检索系统包括目录（中文、英文）和索引，目录在卷首，索引在卷尾。

《中山年鉴（2011）》的编纂工作得到各有关单位的大力支持和协助，在此表示诚挚谢意。

目录

中山区人民代表大会

中山区人民政府

政协中山区委员会

经济建设

中央商务区

外向型经济

民营经济

金 融

·银行·

·证券·

·保险·

商贸服务

航运物流 科技信息

·航运物流·

·科技信息·

文化创意

旅 游

疾病预防和控制

卫生监督

爱国卫生

社会生活

社区建设

劳动就业

·就业服务·

·劳动监察·

社会保障

·困难救助·

·养老事业·

·双拥优抚·

·民政事务·

计划生育

民族宗教

街　道

海军广场街道

人民路街道

桂林街道

青泥洼桥街道

昆明街道

葵英街道

桃源街道

老虎滩街道

街道·社区·企业图片资料

名录 · 人物

2010年中山区领导人员

先进集体 先进人物

部分先进人物介绍

经济社会统计资料

国民经济

劳动就业

人口与计划生育

科技 · 教育

文化 · 卫生

环境 · 绿化

索　引

Contents

Democratic Parties People's Organization

Legal & Military Affairs

Comprehensive Administration of Economy

Finance Tax

Economic Construction

Urban Area Constructive Administration

Education

Culture · Sport

Health

Social Life

Residents' Committees

Directory · People

Economic and Social Statistics Reference

Index

特载 TE ZAI

加快大连科学发展首善区建设步伐
努力开创“十二五”发展新局面

——2010年12月30日在中共大连市中山区委十二届十次全会上的报告

中共大连市中山区委书记　李向东

一、坚持科学发展，全年各项工作取得新成就

2010年是“十一五”发展规划收官之年，也是研究制定“十二五”发展规划，承前启后、继往开来的重要一年。在市委、市政府的正确领导下，区委常委会按照区委十二届八次、九次全会要求，紧紧围绕建设“大连科学发展首善区”奋斗目标，直面困难，应对挑战，创造性地开展工作，经济建设、政治建设、文化建设、社会建设和党的建设都取得了优异成绩。

（一）加强思想引领，推进发展的责任意识显著增强

常委会牢固树立政治意识和大局意识，始终把思想政治建设放在首位，确保全区上下思想和行动统一到党的路线方针政策上来。围绕贯彻落实党的十七届五中全会精神，及时召开常委扩大会议，专题研究中山区“十二五”发展规划，进一步明确未来五年的发展思路；广泛开展基层理论宣讲，大连方永刚社区宣讲团被中宣部评为“全国基层理论宣讲先进集体”。全面推进学习型党组织建设，制定《关于推进全区学习型党组织建设的实施意见》，老虎滩街道党工委成为全市唯一一个乡镇街道层面的省级学习型党组织示范点；持之以恒地开展两级党委中心组联组学习，全年举办11场专题学习，其中，常委带题授课8场。召开区委常委民主生活会议，对照制度要求，进一步规范从政行为。全面启动“创先争优”活动，突出抓好“党支部堡垒工程”建设，不断完善街道社区党建组织体系；突出抓好“大厦党建”，有效丰富新经济组织党员的组织生活；突出抓好“机关作风建设年”活动，有力增强机关效能，提高服务水平，全区深入学习实践科学发展观活动成果得到全面巩固和拓展。认真贯彻落实大连科学发展新跨越战略部署，通过组团外出学习考察，对比发达地区建设成就，引导各级干部充分把握形势、深化区情认识，全区上下加快发展的紧迫感和责任感显著增强。

（二）完善常委会工作制度，领导水平和执政能力不断提高

常委会坚持发挥“总揽全局、协调各方”的政治领导核心作用，严格执行民主集中制，对重大问题决策、重要干部任免、重大项目投资、大额资金使用等关键问题，广泛听取各方

面意见和建议，集体讨论决定，全年召开18次常委会，研究64个议题。在落实好五项制度的基础上，建立党政联席会议制度，坚持和完善区委常委月份重点工作制度和大班子季度工作通报制度，全年部署和完成67项重点工作，全区工作保持协调一致。加强党对人大、政协工作的领导，充分发挥人大、政协的重要作用，大班子整体效能更加突出。切实把政法工作纳入区委中心工作统筹部署推动，不断提高政法工作水平。组织实施政府机构改革，完成政府部门“三定”任务，进一步明确部门职能。落实区委、区政府与民主党派基层组织联系制度，定期听取意见和建议，充分调动各民主党派参与全区工作的积极性。解决群团组织实际困难，全面增强群团组织履职能力。专题研究武装工作，深入推进武装工作健康发展。

（三）发挥项目牵动作用，城区经济呈现良好发展态势

常委会高度重视项目建设，始终把项目作为发展的载体，把项目作为推进经济工作的主要抓手，通过项目建设不断拓展发展空间，加快产业结构调整，推进发展方式转变。建立区级领导联系重点项目制度，将全年80个重点项目责成23名区级领导加强联系，协调推进。建立区委常委会研究重点项目制度，先后召开两次区委常委扩大会议，深入项目建设一线拉练检查，及时研究解决突出问题，有力加快项目建设步伐。今年以来，在项目的牵动下，我区综合实力不断增强，预计全年完成地区生产总值222亿元，同比增长15%；区级财政收入17.9亿元（年终决算18.6亿元，同比增长30%），同比增长25%；固定资产投资170亿元，同比增长17%。招商引资有新突破，实际利用外资6亿美元，同比增长41%；引进内资52亿元，同比增长18%，超额完成市政府下达指标。土地储备更加充足，挂牌出让21个地块，占全市总量的45%；拆迁面积69万平方米，占全市总量的70%，为我区今后几年的可持续发展提供有力保证。我区荣获“中国商业名区”称号，步入全国十大商业名区之列。

（四）改善民计民生，始终保持社会和谐稳定

常委会坚持把解决群众最关心、最直接、最现实的利益问题作为首善区建设重要内容，深入基层广泛调研，扎实推进民生工作。就业和社会保障工作有新进步，全年安置就业1.7万人，困难家庭大学毕业生全部实现就业；建立低保集体审批制度和阳光低保监督机制，实现动态管理下的应保尽保；社区卫生服务中心实施国家基本药物制度，实行零差率销售。公共服务能力不断增强，疾控中心、宏济大舞台、35中和风景小学新校舍先后投入使用，美术馆主体竣工，全区61个健康家庭指导站全部达到“四统一”标准。城区面貌有新改善，开展交通秩序专项整治，提高管控能力，新建大型停车场，增加停车泊位，交通拥堵问题得到缓解；大力拆除违章建筑，全面开展楼院环境卫生整治和“健康楼宇”建设，居民生活环境明显改善。把争创“全国文明城市标兵”、“辽宁省科普工作示范城区”等活动与服务群众、改善民生紧密结合起来，不断提高城区文明程度。积极实施信访代理和领导大接访活动，重大疑难信访案件基本得到解决。不断完善社会治安防控体系，“平安稳定城区”建设成效明显。大力推广安全社区理念，努力营造安全健康的生产生活环境，我区全面进入“国际安全社区”行列。

（五）加强领导班子和干部队伍建设，干部管理工作进一步科学化、制度化和规范化

常委会坚持把选好人用好人作为重大责任，按照《干部选拔任用工作四项监督制度》要求，不断深化干部人事制度改革，树立正确用人导向，提高干部选拔任用公信力。以年终考核结果作为领导班子建设和领导干部选拔任用的重要依据，全年调整处级领导干部73人，涉及51个班子，区管处级领导干部的任免，坚持由区委常委票决产生，区管党政正职领导干部拟任、推荐人选，坚持由区委全委会票决产生。实施《中山区科级干部管理暂行规定》，研究修订处级干部管理相关规章制度，进一步完善干部管理体制。加大干部培训力度，利用党校、高校教学资源和网络优势进行培训，举办干部培训班10期，机关干部全部参加网络在线学习。老干部“四就近”工作有声有色，受到中组部和省、市委的高度评价。认真落实党风廉政建设责任制，深入推进惩防体系建设，围绕学习宣传《中国共产党党员领导干部廉洁从政若干准则》和创建廉政文化示范点活动，不断提高反腐倡廉的针对性、有效性。严肃查处违法违纪案件，切实纠正损害群众利益的不正之风。创新监督方式，在全市率先建立行政审批电子监察系统和电子监察网站，纪检监察能力全面提高。

在取得成绩的同时，区委常委会清醒地认识到，我们的工作与市委的要求和群众的期待还有不少差距，主要表现在：引领干部群众围绕建设“大连科学发展首善区”要求，解放思想、开拓创新，着力解决难点问题的办法还不够多；引领干部群众开展调查研究，了解社情民意，切实加强社会管理和公共服务还不到位，为民办实事的举措还需继续加强。这些问题，我们要在今后工作中抓紧研究解决。同时，也请同志们对常委会的工作提出意见和建议，帮助我们把工作做得更好。

二、统一思想，明确目标，全面推进“十二五”规划实施

“十一五”时期，区委坚持以科学发展观为指导，认真贯彻落实省、市委各项战略决策，积极应对各种风险和挑战，开拓创新，团结拼搏，圆满完成了“十一五”规划确定的各项目标任务。“四大功能区”建设有序推进，现代服务业领率区建设成效显著，综合经济实力明显提高；对外开放取得重大突破，创新活力不断增强；大力发展民生事业，居民生活品质持续改善；加快转变政府职能，服务型政府建设稳步推进；全面加强党的领导，领导科学发展的能力和水平不断提高。全区呈现出经济增长、结构优化、民生改善、社会和谐、生态优良的良好局面，大连科学发展首善区建设迈出坚实步伐。五年间，全区地区生产总值年均增长18%，地方财政收入年均增长23%。2010年实现人均可支配收入21200元。综合指标考核在市内城区连续保持第一。

区委常委会在总结过去五年发展成就中深刻认识到，必须始终把解放思想、改革创新作为推动城区科学发展的动力源泉，始终把改善民生作为发展的出发点和落脚点，始终处理好局部和全局、好与快、优势和劣势、率先发展和持续发展的关系，坚持敢于突破、敢为人先，团结一致、攻坚克难。

“十二五”时期，是我区全面建设大连科学发展首善区的攻坚时期，也是全面加快转型发展的关键时期。在此期间，世界正在进行国际金融危机后的大发展、大调整、大变革，我国仍处于大有作为的重要战略机遇期。我市作为辽宁沿海经济带的核心和龙头，全域城市化步伐进一步加快，呈现出城市功能、布局、产业等多重转型趋势。推动新时期的发展，我们必须认真贯彻落实中央和省、市委对“十二五”发展的新要求，充分把握新形势下产业结构、投资结构和消费结构调整，以及城市功能提升、社会管理模式转变和体制机制创新带来的发展机遇，积极应对提高服务经济质量和效益、提升城市功能国际化水平，打造一流城市生态环境和公共服务，维护和解决好人民群众的利益诉求等各种挑战，切实增强忧患意识、大局意识和责任意识，科学谋划我区“十二五”发展的新思路和新举措，努力谱写城区科学发展的新篇章。

“十二五”发展总的指导思想是：高举中国特色社会主义伟大旗帜，以邓小平理论和“三个代表”重要思想为指导，深入贯彻落实科学发展观，抢抓辽宁沿海经济带开发开放和大连全域城市化发展机遇，以“四大功能区”建设为载体，以建设区域性金融商务核心区为核心战略，着力提升城区核心功能，着力提高产业能级，着力优化生态宜居环境，着力改善居民生活品质，努力建设大连科学发展首善区，实现科学发展新跨越。

建设大连科学发展首善区是我区确定的一个长期的奋斗目标，就是要力争通过五到十年的努力，把中山区建设成为区域性金融中心的核心功能区，东北亚国际航运中心和东北亚国际物流中心的服务功能区，现代服务业和宜居城区的领率区，传承大连城市文化和社会和谐安定的文明城区，最终成为引领全市科学发展的首善之区。“十二五”时期，我们要紧紧围绕这一目标，抓住建设“区域性金融商务核心区、区域性时尚消费旅游中心和国际化生态宜居示范区”三大战略重点，坚持“转型发展、创新驱动、民生优先、低碳绿色”四大原则，全面推进“四大功能区”建设，实现“经济发展方式、经济结构、城区功能、政府职能”四大转变，即推动经济增长向投资、消费和创新共同拉动转变，服务业向高端化转变，城区功能向国际化、高水平转变，政府职能向服务型、法治型、责任型转变，形成资源共享、要素集聚、功能互补、辐射显著的发展格局，努力把我区建设成为最适宜居住、适宜就业、适宜成长、适宜投资、适宜旅游的首善之区。到“十二五”末期，力争实现地区生产总值和地方财政收入倍增，为首善之区建设打下坚实基础。

“十二五”规划目标和各项任务已经确定，全区上下要切实把思想和行动统一到规划的各项决策部署上来，统一到大连科学发展首善区建设的目标任务上来，结合实际调查研究，周密制定发展计划，创新工作方法，完善政策机制，加强工作协调，有序推进发展规划的落实。

三、全力做好明年工作，确保实现“十二五”良好开局

2011年工作的总体要求是：坚持以科学发展观为指导，深入贯彻落实市委十届十次全会精神，围绕建设“大连科学发展首善区”奋斗目标，全面实施“三大战略重点”，推进“四大功能区”建设，进一步改善民计民生，完善公共服务体系，提高党的建设科学化水平，圆满完成“十二五”开局之年的各项工作任务。

（一）加强领导，认真做好第十三次党代会各项组织工作

根据省、市委的统一部署，我区将于明年上半年召开中山区第十三次党代会。这次党代会是在我区改革发展关键时期召开的一次非常重要的会议。全区各级党组织和广大党员干部群众要讲政治、讲大局、讲党性，充分认识党代会的重要意义和做好各项组织工作的重要性，切实增强责任感、使命感和紧迫感，以对党的事业高度负责的态度、饱满的政治热情、良好的精神状态、一流的工作作风，扎扎实实地做好各项组织工作，努力把党代会开成民主和谐、求真务实、开拓创新的大会。严肃党的政治纪律、干部人事纪律、换届选举工作纪

律、财经纪律，确保换届选举工作顺利进行，向市委和广大党员群众交上一份满意的答卷。

（二）全面加快“四大功能区”建设，推动经济平稳较快发展

明年是“十二五”规划实施的开局之年，各项经济工作必须紧紧围绕规划确定的目标和“三大战略”重点，牢牢把握发展的主动权，坚持以“四大功能区”建设为载体，进一步理顺功能区和街道融合发展的工作运行机制，抓重点、抓实效，开好头、起好步。

加快建设区域性金融商务核心区。紧紧抓住大连“三个中心”建设的有利条件，以提升“两圈一带”金融核心功能为重点，以“优化功能载体、大项目带动、集聚人才科技要素、提高管理服务”为抓手，深化人民路CBD商务功能区的空间和形象定位，切实加大东港区、长江路、鲁迅路等重点改造区域项目招商力度，推进标志性商务楼宇建设；积极拓展股权投资和黄金、矿石等金融交易市场，大力发展金融后台、金融信息和航运交易等高端服务，提高各类金融、航运、物流企业集聚度，争创省金融服务业集聚区和国家级金融贸易区；落实科技知识城规划建设，大力发展创意设计、服务外包等新兴高端服务业；加大研发、营销、结算和供应链管理中心等总部企业的引进力度，进一步提高总部经济和楼宇经济集聚效益；增强内外资利用规模和质量，支持优势企业开展跨国投资和经营。

加快建设区域性时尚消费旅游中心。要以商贸功能区、旅游观光功能区建设为牵动，强化规划设计、业态培育和政策引导，着力推动天津街与青泥洼桥、人民路与东港区两大商业区域重大商贸综合体项目布局，盘活闲置项目；大力发展高端商业和电子商务，积极拓展时尚休闲、健康娱乐等新型商业业态，丰富社区商业，提升综合消费功能；增加特色商业业态比重，吸引时尚消费品牌，加快提升青泥洼桥商业核心区功能，实现天津街等特色街区功能再造和繁荣振兴。推进琥珀湾等重点旅游项目建设和老虎滩环境改造工程，促进商业、文化、旅游的互动发展。

加快建设国际化生态宜居示范区。按照我区生态宜居功能区建设规划要求，坚持因地制宜、环境优美、生态良好、节能环保、安全舒适、服务便捷的建设理念，发挥在资源节约型和环境友好型城市建设中的引领示范作用。进一步加大项目审批协调力度，完善动迁政策和服务机制，着力推进友好广场、天津街周边等基础设施薄弱房屋的动迁改造。加快解放路、中南路沿线已摘牌和拟挂牌项目进程，注重高品质公共服务配套设施建设和精致魅力特色，打造一批城市亮点工程和现代化示范小区。积极倡导低碳商务和低碳生活，提高节能减排和环境保护水平。

（三）着力抓好民生工作，积极促进和谐中山建设

牢固树立执政为民的理念，坚持发展经济与改善民生同步推进，注重经济政策与社会政策统筹协调，完善财力投入机制，努力让全区人民生活得更加幸福、更有尊严，让社会更加公正、更加和谐，让全区人民对中山这个大家庭感到更加温馨、更加自豪。

高度关注困难群众生活，全力提高民生保障水平。加大政策扶持，重点解决失业人员的创业培训、大中专毕业生和农民工的就业问题，实现以创业促进就业。坚持以“123工程”为牵动，发挥创业孵化基地和创业园区作用，完善公共就业服务平台和劳动力市场建设，帮助创业人员选项目、筹资金、找场地、学技能。用足用好各项民生保障政策，加大对低保对象、低保边缘户的分类施保力度。认真做好困难家庭的临时救助工作，及时解决困难群众生活中遇到的问题。大力推进社区养老中心、残疾人托养服务机构建设，探索研究后续管理机制，积极鼓励支持社会力量兴办福利机构和服务实体。编制好城区拆迁改造规划，统筹建设回迁用房和商品房，努力解决好中低收入群众的基本住房问题。

高水平发展社会事业，不断满足群众日益增长的精神文化需求。坚持“教育优先发展”战略，加快推进素质教育实践基地、早教中心、公办幼儿园以及小区配套学校建设，促进教育高水平均衡发展，切实办好人民满意的教育。加快医疗卫生事业发展，推进医药卫生体制改革和公共卫生服务体系、机构达标建设，确保基本医疗卫生保障到位。完善人口数字化管理，争创大连市人口计生综合改革示范区。以创建“全国文明城市标兵”为契机，办好各种特色活动，全面提高城区精神文明建设水平；发挥美术馆、少儿才艺中心等文化设施作用，盘活区内体育场所，夯实硬件设施基础。健全社区工作机制，把基层组织的工作重心切实转到社会管理和公共服务上来，把基层干部的主要精力切实转到为群众办实事上来。拓宽双拥领域，积极做好科技拥军、智力拥军、行业拥军。

高质量开展“城区建设与管理年”活动，为全区人民创造更加舒适宜居的生活环境。城区环境事关群众切身利益，事关地区发展和形象。我区环境虽然有了较大变化，但与群众期望还有一定差距。为此，区委决定明年全面开展“城区建设与管理年”活动，以更高的标准、更大的手笔，进一步提高城区建设与管理水平。要切实加强活动组织领导，强化责任意识，既要打好“突击战”，解决好突出问题，又要打好“持久战”，探索

出一条城区建设与管理长效机制。要把大规模造林绿化作为当前一项重要任务，以会战的精神状态，确保大规模造林绿化工作有力、有序、有效推进。以迎接夏季“达沃斯”会议为契机，大力推进城区基础设施建设和市容环境整治，加快建设数字化城管指挥系统，全面提高城区建设整体品位。强化交通组织与管理，科学规划建设停车场，改造提升路街环境，切实保证市民出行方便、顺畅。

高度重视社会公平正义，有效保障群众合法权益和生命财产安全。深入推进社会矛盾化解、社会管理创新和公正廉洁执法“三项重点工作”，支持法院、检察院依法独立行使审判权和检察权，全力维护司法公正。启动“六五”普法，积极营造良好的法治环境。进一步落实信访工作领导责任制，完善信访代理制度，健全社会舆情汇集和分析机制以及重大决策制定的社会稳定风险评估机制，坚决从源头上预防和减少矛盾的发生。强化基层基础建设，毫不松懈地抓好社会治安、安全生产、消防安全和食品安全，不断提高公共安全保障能力，有效巩固“国际安全社区”创建成果。

（四）加强和改进党的建设，为实现“十二五”发展良好开局提供坚强的政治和组织保证

面对新形势、新任务，我们必须要加强和改进党的建设，进一步提高科学化水平，使全区各级党组织始终成为推动发展的坚强领导核心。

认真组织开展“爱我中山，建设首善”主题活动，以饱满的精神状态迎接建党90周年。明年7月1日，是中国共产党成立90周年纪念日。为隆重而热烈地纪念建党90周年，大力宣传党的丰功伟绩，激励党员群众更好地继承和发扬党的优良传统和作风，根据省、市委的有关精神，区委决定开展“爱我中山，建设首善”纪念建党90周年系列主题活动。这项活动要按照隆重热烈、注重效果、勤俭节约的原则，突出活动的教育意义和感染力，精心组织，周密实施，务求实效。通过一系列纪念活动，全区上下要进一步坚定建设“大连科学发展首善区”的信念，切实把干部群众在活动中激发出来的政治热情，转化为强大的工作动力，抢抓机遇，争创一流，不断做出新贡献，赢得新胜利。

着力打造一支想干事、能干事、能干成事的干部队伍。优化领导班子素质结构，突出选好配强党政“一把手”，全面提高各级领导班子贯彻科学发展观的能力、驾驭全局的能力、处理利益关系的能力和务实创新的能力。抓好各层次后备干部队伍建设，重视和用好各年龄段的干部。推行竞争性选拔干部机制，适时在全区公开选拔副处级领导干部。大规模开展干部培训，科学制定干部教育培训管理考核办法，试行区管干部任前廉政法规考试制度。认真贯彻全市人才工作会议精神，进一步做好我区人才培养、引进和使用。安排照顾好老干部，为老干部提供更为优质便捷的服务。认真落实中央《关于实行党风廉政建设责任制的规定》、《关于实行党政领导干部问责的暂行规定》等规章制度，把行政不作为、乱作为、慢作为和损害群众利益等行为作为问责重点，不断加强政风行风建设，切实抓好权力运行制度实施。加大案件查办和监督检查力度，严厉惩办各类腐败和违纪案件，营造风清气正的干事创业氛围。

不断增强基层党组织的凝聚力和战斗力。深入开展“创先争优”活动，进一步创出特色，争出水平，全面营造学习先进、崇尚先进、争当先进的良好氛围。扎实推进学习型党组织建设，着力完善制度，培育典型，使学习在制度的约束下和典型的引领下，更加规范化和常态化。积极探索基层组织建设的新机制、新方法，社区党建要高点定位，打造亮点，不断深化社区党建品牌建设；加快新经济组织和新社会组织党组织组建步伐，做到“两新”组织开办到哪里，党组织就组建到哪里，党的工作就开展到哪里，努力实现百分之百“双覆盖”；全面落实《大连市贯彻落实〈中国共产党和国家机关基层组织工作条例〉实施办法》，形成有利于推进机关党建工作科学发展的正确导向和制度体系。精心筹备第八届社区换届选举工作。

同时，我们要不断加强常委会自身建设，严格执行党内政治生活准则，完善区委议事决策机制。大力发展党内民主，加强党内监督，扎实推进党务公开。全面支持人大、政协履行宪法和法律赋予的职责，充分调动人大、政协同志参与中心工作的积极性和主动性。认真听取各民主党派的意见和建议，团结一切可以团结的力量。支持群团组织更好地发挥各自优势，积极参与社会公共事务管理，共同推进首善区建设。

同志们，回首过去，我们无比自豪，展望未来，我们信心百倍。让我们在党的十七大、十七届五中全会精神指引下，肩负起历史使命，众志成城、开拓进取，为早日把我区建设成为大连科学发展首善区而努力奋斗！

大连市中山区人民代表大会常务委员会工作报告

——2011年1月7日在大连市中山区第十六届人民代表大会第四次会议上

大连市中山区人民代表大会常务委员会主任　宋国伟

2010年主要工作回顾

2010年是全面实现“十一五”规划时期经济社会发展目标的收官之年，也是区人大常委会围绕中心、服务大局，各项工作都取得新进展的一年。一年来，在区委的正确领导下，常委会认真履行宪法和法律赋予的各项职责，努力加快民主法制建设进程，积极推进经济平稳较快发展，全力维护和保障民生，不断促进社会和谐稳定，为中山区建设大连科学发展首善区做出了积极努力。全年共举行常委会会议6次，听取和审议“一府两院”工作报告14项，作出决议决定8项，依法任免干部16人；召开主任会议18次，研究议题58项，圆满完成区十六届人大三次会议确定的各项任务。

一、围绕全区工作大局，积极推动经济平稳较快发展

常委会紧密围绕区“十一五”规划各项经济指标的完成和区委十二届八次、九次全会精神的贯彻落实，运用多种监督方式，开展扎实有效的监督工作。

加强对“十一五”规划目标完成的工作监督，推动大连科学发展首善区建设。常委会成立专题调研组，就“十一五”规划各项指标完成情况以及“十二五”规划编制情况，先后对区发改局、财政局、商务局、文体局、教育局等政府职能部门进行调研走访，听取工作汇报，召开代表座谈会讨论分析，提出工作意见和建议。常委会第二十次会议审议了区政府关于落实人大常委会对“十一五”规划中期评估报告审议意见情况的报告。常委会认为，“十一五”期间，面对国际金融危机的巨大冲击和国内外经济环境的复杂多变，区政府能够积极应对，采取一系列扎实有效的措施，保持了全区经济和社会各项事业平稳较快发展的良好态势。区政府较好地落实了常委会的审议意见，全面完成了“十一五”确定的各项工作指标和任务，为我区高标准、高质量编制和实施“十二五”规划奠定了坚实基础。

加强对国民经济、财政预决算的审查监督，提升经济运行质量。常委会听取和审议了区政府关于2009年本级财政决算报告、关于2009年本级预算执行及其他财政收支的审计工作报告、关于2010年上半年国民经济和社会发展计划执行情况报告、关于2010年上半年本级财政预算执行情况报告，作出了关于批准2009年区本级决算的决议，要求区政府进一步加强对财政预算的管理和监督力度，加强对财务主管领导专业知识的培训和财经纪律的教育，继续探讨区街财政管理体制和部门预算编制的细化、优化和深化，加快完善全区国库集中支付制度，提高国有资产管理的科学化水平。针对金融危机后续影响导致我区财政收入比较困难的实际情况，常委会听取和审议了区政府关于区本级预算调整的报告，依法批准我区预算调整方案，要求区政府采取切实有效的措施，开源节流，加强监管，确保2010年实现财政收支

平衡。

加强对重点项目的检查监督，推动经济平稳较快发展。常委会高度关注重点项目对全区经济社会发展起到的支撑和拉动作用，通过召开座谈会、组织代表调研、实地查看、听取汇报等方式，对全区重点项目建设情况进行跟踪监督检查。先后就东港商务区、上方港景、中山区美术馆等项目进行了一次集中视察，提出工作意见和建议；就天植商城B座购置、旧城区改造、迎宾路线改造等项目资金短缺问题，召开常委会和主任会议，经过充分讨论和审议，批准了区政府2010年的融资计划；就发展楼宇经济、第三方物流企业、改善服务环境等代表建议进行了跟踪督办，有效地保证和促进了全区大项目建设。

二、发挥职能作用，大力促进改善民生

民生连着民心，民心凝聚民力。常委会始终坚持把保障和改善民生作为促进全区经济发展、保持社会和谐稳定的一项突出工作来抓，充分发挥自身职能作用，切实维护好群众的根本利益。

重视对群众关心的热点问题的监督检查。常委会充分发挥“人大代表接待选民窗口”的作用，定期归纳整理代表反映的意见和建议，先后就群众反映集中的大学生就业、学前教育、食品卫生、安全生产、环境卫生管理和计划生育等项工作，组织代表开展专题调研，摸清实情，及时向政府相关部门提出意见和建议。重点对大学生就业问题进行了监督检查，检查组听取了区人力资源和社会保障局工作汇报，实地察看了由区政府扶持、社会投资建设的2500平方米大学生创业孵化基地，对我区在完善政策支持体系、逐年加大资金投入、推动创业带动就业等做法给予了充分肯定。提出要进一步强化职责，建立完善长效工作机制，为大连市争创国家级创业城市多做贡献的建议。区政府认真研究，出台了《中山区高校毕业生创业孵化基地资金补贴管理暂行办法》《中山区资助创业大学生创业期间管理暂行办法》等3个促进大学生就业的管理办法，为规范、鼓励和支持大学生就业创业营造了良好的氛围。

重视对民生工程的监督检查。“五个一”工程是促进和改善民生的一项重要工作。为推进工作落实，常委会对我区“五个一”工程建设情况进行了视察。实地察看了青泥小学停车场、解放路路街环境提升改造工程、春和市场旧城区改造工地、炮台山健身公园等项目，常委会听取了区政府关于我区“五个一”工程建设情况报告，提出了要超前规划设计、加强工程监管、确保工程质量等建议。截至2010年末，区“五个一”工程建设基本完成，并通过市里验收。

重视对人居环境的监督检查。煤烟粉尘污染是目前影响我区大气环境质量和群众身体健康的重要污染源。对此，常委会组织部分代表从3月份开始，历时两个月，通过走访、实地考察、座谈等方式，对全区大气环境中的煤烟型粉尘污染源现状及综合整治情况进行了全面深入的调研，常委会和主任会议分别听取了专委会的调研报告和中山环保分局的工作报告，提出了整改工作意见。区政府高度重视，先后3次召开专门会议，2次对10家企业的14个拆炉并网锅炉房进行了实地走访，现场办公，并积极与市政府相关部门进行工作沟通，认真研究落实常委会提出的意见，并以书面形式3次向常委会报告了办理落实情况。中山环保分局也以此为契机，大力开展环境整治工作，有效提升了全区空气质量，为群众生活营造了良好的居住环境。

三、加强依法行政、公正司法监督，努力维护社会公平正义，促进社会稳定

常委会以推进法律法规的贯彻执行为切入点，加大监督力度，拓展监督方式，大力推进依法治区进程，努力为经济社会发展营造良好的法治环境。

围绕政府部门履行职能实施监督。按照《监督法》的规定和辽委发〔2010〕3号文件精神，常委会决定从2010年开始，对区政府职能部门进行工作评议。去年，常委会将区商务局、民政局作为首批评议对象，重点围绕2009年以来贯彻执行国家相关法律法规、执行常委会决议决定、办理落实人大代表建议、完成本年度政府工作报告中确定的工作任务等五个共性方面的内容，以及相关经济指标完成情况、落实社会保障政策情况等专项工作，分四个阶段进行了工作评议。评议区商务局、民政局两个工作组自去年6月份开始，历时5个月的时间，深入街道、企事业单位进行调查，先后采取走访、召开座谈会、发放调查问卷等方式，广泛听取了被评议单位干部职工、社区居民以及部分人大代表等社会多方意见，经归纳整理形成了调查报告。常委会评议工作领导小组召开专题会议，听取了工作组报告，就工作中还存在的不足提出了整改意见。区商务局、民政局高度重视，积极认真落实，常委会第二十次会议听取了区商务局、民政局整改工作报告，当场进行了满意度测评，并将评议工作整体情况向区委作了报告。此外，常委会各专委会还对区发改局、经信局、审计局、教育局、城建局、人口和计生局等7个政府职能部门开展了工作监督，积极促进政府职能

部门科学执政、民主执政、依法执政。

围绕司法公正实施监督。组织人大代表旁听和评议法院庭审工作，是本届常委会拓展监督方式、加大司法监督工作力度所采取的一项重要措施。在逐步探索、总结经验的基础上，去年常委会进一步深化和细化了旁听工作的措施和办法，在人大各街工委成立了庭审工作小组，完善了组织架构，有针对性地简化了旁听工作手册，切实提高旁听工作质量和监督实效。一年来，常委会与人大街工委密切配合，上下联动，采取明察与暗访相结合、侧重暗访的方式，共组织219名市区人大代表旁听和评议了涉及刑事、民商案件15类117件，与2009年相比，代表个人参加旁听的人数和案件数较往年均有显著提高。常委会第二十次会议听取和审议了区法院庭审工作报告，提出了规范法官庭审工作行为、提高审判工作能力、改善代表旁听环境等建议。区法院、检察院党组非常重视，召开专题会议进行研究，积极开展自查、自纠，果断处理在工作中态度粗暴、行为不规范的人员，促使审判程序、公诉程序、旁听环境等方面工作有了较大改善。

此外，常委会还听取和审议了区检察院关于查办职务犯罪工作的报告；主任会议听取了区法院关于执行工作的报告；专委会对桃源派出所、昆明派出所工作进行了评议，对中山交警大队依法整治道路交通安全、保障道路安全畅通工作进行了视察，提出了优化行车线路、解决停车难等意见和建议。常委会还配合市人大常委会对《大连市住房公积金管理若干规定》实施情况进行了调研，对《大连市循环经济促进条例（草案）》《大连市客运出租汽车管理条例（修订草案）》征求了意见，对《食品卫生法》《大连市城市环境卫生管理条例》等法律法规实施情况进行了检查，推动了法律法规在我区的贯彻执行。

围绕群众来信来访实施监督。信访工作是反映社会稳定的晴雨表。常委会高度重视，成立了信访工作联络组，建立了信访联席工作制度，修改完善了常委会信访工作条例，热情接待群众来访，及时审查、交办和督办受理案件。一年来，常委会共接待群众来访351人次，受理群众来信190件。转办的109件信访件，已有76件办理完毕，办结率70%，较往年有大幅度提升。

四、加强代表工作，积极为代表依法履行职责提供服务

常委会高度重视代表工作，不断拓宽代表工作思路，创新代表工作途径，积极为代表发挥作用创造条件。

开展培训，增强代表履职能力。常委会邀请北大教授为市、区人大代表作了“目前中国法治的基本态势”的专题报告，邀请全国人大专家就“如何提高代表议案、建议质量”作了专题辅导，帮助代表扩展视野，提高撰写建议的能力和水平。人大各街工委充分利用视察检查调研活动，有针对性地组织学习相关政策和法律法规知识，不断增强代表履职工作实效。

制定措施，激励代表自觉履职。常委会出台了《关于评选先进人大街工委和优秀人大代表活动安排意见》《关于开展市区人大代表向选民述职的工作意见》，经过推荐、走访、考核和测评，有2个人大街工委、20名人大代表被评为先进人大街工委和优秀人大代表；有9名市人大代表（中山团）向常委会作了述职报告，115名区人大代表回到原选区，面对面地向选民代表述职，虚心接受选民的监督，有效促进了代表自觉履职的积极性。

建立平台，促进代表作用发挥。常委会不断深化和拓展“人大代表接待选民窗口”、“人大代表工作室”两个载体功能的发挥，组织专委会定期检查和调研，及时总结和推广经验，切实为群众排忧解难、帮助政府化解社会矛盾。目前，我区已设立“人大代表接待选民窗口”8个、“人大代表工作室”18个，有的人大街工委还将代表工作室延伸到社区，极大地方便了代表与选民的日常联系。去年9月，省市人大领导对我区桂林街道解放社区“人大代表工作室”工作开展情况进行了实地视察，对制度规范、内容丰富、扎实有效的代表工作给予了充分肯定。此外，常委会还通过举办省市区人大代表运动会、文艺汇演，开展集中视察等活动，积极为代表履行职责、发挥作用创造条件。

改进工作，提升代表建议办理质量。常委会以“提高办理质量，巩固办结率，提高办成率”为指针，通过“点面结合、上下联动、突出重点、讲求实效” 的特色办理，切实加大了代表建议办理力度。一是继续发挥代表建议督办小组的作用，采取普遍访、重点看、当面问、集中听的方式，进行全程跟踪督办。二是注意提高建议办理的解决率，以办理重点建议为牵动，紧盯代表建议办理大户，不定期进行上门督办、实地查看；首次开展对代表建议办理情况进行评估，选择了建议份数比较多的城建局作为评估对象，对城建局三年来承办的建议从九个方面进行了评估，促进代表建议落到实处。三是设立代表建议办理准备金，专门用于那些群众关注、承办部门办理确实面临资金短缺、通过努力能够办理落实的建议。去年，常委会对本届人代会一次会议、二次会议代表

区十六届人大四次会议会场

建议未落实的，但已经纳入解决范畴的共47件建议进行了跟踪督办，其中有12件得到了全面落实，有17件得到基本落实，代表建议办理准备金发挥了重要作用。截至2010年10月30日，区十六届人大三次会议收到的241件代表建议已经全部办结，办结率100%，解决率66.2%，比2009年又提高了17个百分点。

畅通渠道，保障代表依法履职。坚持为代表订阅人大杂志、寄送人大信息，邀请代表参加政府经济工作会议，参加“两院”工作座谈会，参加街道办事处的街情通报会，让代表及时了解区情、政情。坚持邀请代表列席常委会会议，参与常委会组织的视察、检查和调研活动，参与对“一府两院”专项工作的监督，参与代表建议办理工作，扩大代表对常委会工作的参与。一年来，有46名代表列席了常委会会议，138人次参与了常委会的视察、调研活动，67人参加了区委、区政府组织召开的专题座谈会。

五、加强常委会及其机关自身建设，不断提升工作质量

常委会按照区委工作部署，深入扎实开展了“创先争优”活动，着力推进常委会及其机关的思想作风建设和组织制度建设，常委会组成人员及机关干部的整体素质、工作效率、精神风貌、团队意识均有了较大幅度提升。

加强学习，提高履职能力。组织常委会组成人员和机关干部认真学习党的十七届五中全会精神和区委十二届八次、九次全会精神，学习新修改的选举法等法律法规，不断提高人大队伍的理论水平、法律素养和业务能力。

改进作风，增强服务意识。组织专委会经常性地走访“一府两院”对口联系部门，沟通交流信息，共同促进工作。组织机关干部深入代表企业、社区选民，了解代表工作需求，倾听群众呼声，主动为代表和群众提供服务。一年来，常委会机关干部共走访代表110余人次，调查代表企业40家，召开座谈会12次，梳理出关于代表队伍管理、法官队伍建设、政府公共职能作用发挥等4类15个方面的问题。常委会主任会议作了专题研究，提出整改意见，要求常委会专委会、“一府两院”相关部门进行整改落实。

督促检查，促进专委会履行职能。常委会高度重视发挥专委会的职能作用，积极为专委会开展工作提供保障。一年来，各专委会充分发挥委员中专业人才集聚的优势作用，紧密围绕常委会重点工作和专委会年度工作安排，组织委员有计划、有目的地开展视察、检查和调研，认真研究和分析工作，撰写调研报告并提出工作建议；适时召开专委会会议，讨论和审查“一府两院”各项工作报告，提出初审意见和建议，各专委会为提高常委会审议质量做了大量基础性工作。

加强指导，注重发挥人大街工委作用。常委会注重对人大街工委自身建设、代表活动等方面工作的经常性指导，及时研究解决工作中遇到的困难和问题。坚持每半年召开一次人大街工委工作研讨会、每季度召开一次办公室主任工作交流会制度，研究和分析新形势下人大工作的新特点、新思路、新方法，适时安排部署工作。一年来，人大各街工委认真贯彻执行常委会的决议决定，夯实工作基础，精心设计载体，积极开展工作，全年共组织代表活动62次，走访选民1523人次，开展视察、检查和调研28次，提出建议和意见316件；资助贫困学生197人，安置下岗再就业人员889人次，捐款、捐物折合人民币239.9万元，为推动全区经济发展、促进社会和谐稳定发挥了应有的作用。

各位代表，常委会一年来取得的工作成效，是区委正确领导，全体人大代表、常委会组成人员、各专委会委员共同努力、辛勤工作的结果，也是区政府、区法院、区检察院密切配合、大力支持的结果。在此，我代表区人大常委会向大家表示衷心的感谢并致以崇高的敬意！

回顾过去的一年，常委会各项

工作虽然取得了一定的成绩，但也应当看到，工作中还存在许多不足，主要是：闭会期间如何更好地发挥代表作用、增强监督实效还有待于进一步研究，常委会自身建设还有待于进一步强化等。对此，常委会将予以高度重视，并在今后的工作中，努力加以改进。

2011年重点工作

各位代表，2011年是中国共产党成立90周年，也是“十二五”规划实施的开局之年，做好全年工作意义重大。常委会要在区委的领导下，全面贯彻党的十七届五中全会精神，深入贯彻落实科学发展观，紧紧围绕区委十二届十次全会的总体要求，认真履行宪法和法律赋予的职责，积极推动全区经济社会平稳较快发展，推动大连科学发展首善区建设，努力完成区十六届人大四次会议确定的各项任务。

一、围绕中心，突出重点，努力增强监督实效

常委会将紧紧围绕区“十二五”规划的实施，以及群众反映突出的民生问题，依法听取和审议“一府两院”工作报告，组织代表开展视察、检查和调研，扎实推进全区经济和社会各项事业持续健康发展。

围绕经济社会发展实施监督。重点就区“十二五”规划各项主要指标完成进展情况，深入政府各部门进行走访调研，跟踪监督检查，及时掌握工作进度；围绕区内重大项目建设、重大资金使用情况进行视察和调研；依法审查国民经济运行、财政预算执行等专项工作报告，促进全区经济保持平稳较快发展。

围绕促进和改善民生实施监督。重点就医疗卫生、就学、城市绿化、残疾人事业发展等社会热点问题进行调研和视察；就《劳动合同法》贯彻情况进行执法检查，构建和谐劳动关系。结合“两会两节”等重大节庆日，开展对食品卫生、安全生产等项工作的监督检查，切实维护和改善民生。

围绕政府履行职能实施监督。继续开展常委会对区政府职能部门的专项工作评议，专委会对相关对口联系部门的工作监督；适时开展对市直驻区分局的工作调研，促进政府职能由重管理向服务与管理并重的转变。

围绕司法工作实施监督。继续组织代表旁听和评议区法院庭审、检察院公诉工作；听取和审议区法院执行工作报告、区检察院诉讼监督工作情况的报告；评议部分公安派出所；视察消防安全工作、社区警务室警务工作；认真受理群众来信来访，不断完善工作机制，改进工作方式方法，为我区经济社会发展积极营造良好的法治环境。

二、加强培训，创设载体，充分发挥代表作用

人大代表是人大工作的主体和动力。常委会要紧紧围绕充分发挥代表作用这一主题，进一步加强代表工作，充分尊重和发挥代表的主体作用，促进人大工作不断创新发展。

提高代表培训的针对性。邀请专家学者就如何审议财政专项报告、如何贯彻落实好新修改颁布的代表法等专题内容，进行两次集中培训；人大各街工委要抓好代表小组有针对性地学习，不断增强代表的责任意识，提高代表依法履职素质。

拓宽代表知情知政渠道。组织代表列席人大常委会会议、主任会议，列席区政府经济工作会议、街道半年工作通报会，扩大代表参加常委会组织开展的视察检查、座谈调研的范围，为代表知情知政创造条件。

丰富闭会期间代表活动的内容和方式。加强对人大街工委开展代表活动的指导和服务，扩大代表对常委会各项工作的参与；深化“人大代表接待选民窗口”、“人大代表之家”工作，出台措施和办法，规范工作程序，促进两个活动载体发挥实效；继续抓好代表向选民述职工作，增强代表履职的使命感和责任感。

加大代表建议办理工作力度。及时交办、督促检查代表建议办理工作，充分发挥代表督办小组的作用，加强经常性督查；注重代表建议办理的进度、质量和实效，充分利用好代表建议办理准备金，继续提高建议办理的解决率。

密切省市区三级人大代表的联系。继续做好驻区省市人大代表的服务和联络工作，年内开展两次集中视察，举办一次省市区人大代表参加的体育运动会，积极为代表研究探讨工作、交流沟通感情搭建平台。

三、继续加强常委会及其机关自身建设

常委会要积极适应形势发展的新需要，适应科学发展的新要求，坚持不懈抓好自身建设。要进一步加强学习，不断提高干部队伍的整体素质和能力；进一步改进工作作风，深入扎实开展调查研究，为常委会和主任会议审议提供翔实的参考资料；进一步强化组织制度建设，不断提高常委会工作的体制机制保障能力；重视发挥专委会和人大街工委的职能作用，加强对外宣传和工作交流，不断提升人大工作的科学化水平。

各位代表，当前，我区经济社会发展已经进入了又一个崭新的时期，面对新的形势，我们的任务更加繁重，责任更加重大。让我们在区委的领导下，团结一心，振奋精神，开拓进取，扎实工作，为促进中山区民主法治建设进程，加快推进大连科学发展首善区建设而努力奋斗！

大连市中山区政府工作报告

——2011年1月6日在大连市中山区第十六届人民代表大会第四次会议上

大连市中山区人民政府区长　江亲瑜

一、2010年和“十一五”工作回顾

2010年，在市委、市政府和区委的领导下，全区上下锐意进取，全面完成了区十六届人大三次会议确定的各项目标任务。实现地区生产总值222亿元，增长15%；完成区级财政一般预算收入18.6亿元，增长30%；完成全社会固定资产投资212亿元，增长46.5%；完成社会消费品零售总额360亿元，增长18.5%；实际利用外资6.6亿美元，增长55%；引进内资52亿元，增长18%。经济保持平稳较快增长，招商引资年取得丰硕成果，城区改造稳妥推进，中央商务功能区和商贸、生态宜居、旅游观光功能区建设步伐加快，人民生活持续改善。

2010年各项任务的顺利完成，为“十一五”画上了圆满句号。五年来，我们以发展现代服务业为重点，大力实施“北中南”区域经济发展布局战略，保障和改善民生，促进社会和谐，取得了经济社会发展的新进步。

——综合经济实力大幅提高。全区经济又好又快发展，主要指标实现翻番。初步核算，地区生产总值、区级财政收入、全社会固定资产投资、社会消费品零售总额、实际利用外资、引进内资的年均增长分别为18%、24%、11%、17%、38%和33%。竣工项目117个，其中超亿元项目98个。我区已连续六年获得市政府综合考评中心城区组第一名。

——城区核心功能显著增强。北部中央商务区建设继续深化。成功启动了希望大厦等8个沉积大项目。金融机构加速集聚，分行级以上银行占全市的80%，花旗银行、吉林银行等18家内外资金融机构相继开业，大连银行、中荷人寿等金融总部实现跨地区经营。总部经济和楼宇经济特征突出，总部性质企业达到230家，欧力士集团等知名总部企业落户中山，培育了12座特色专业大厦和20座税收超千万元楼宇。航运物流业发展势头良好，企业总数1400余家。商贸业和餐饮服务业发展趋向高端化、品牌化，引进了时代广场世界名品廊和新世界名店坊，七七街、经典生活等商业街特色鲜明，林海社区成为国家级社区商业示范点，我区荣获“中国商业名区”称号。东港区建设顺利推进，万达公馆、大连国际会议中心封顶，大连绿地中心等4个项目开工，中信大港等10个项目进行规划设计。中部生态宜居区建设形成规模，明秀山庄等30个项目投入使用，建筑节能设计、环保材料使用、生态景观改造等方面有很高的水准，环境优势更加突出。南部旅游观光区建设步伐加快，老虎滩渔人码头竣工，海洋公园升级工程全面展开，琥珀湾等一批旅游大项目进行主体施工，老虎滩极地馆荣获首批“国家5A级景区”称号，全区累计接待海内外游客2100万人次，实现旅游总收入270亿元，年均增长15%。

——产业结构不断优化。三次产业结构比例由4.9:16.4:78.7调整到1.4:2.6:96，商贸、金融、航运

物流与房地产业成为支柱产业。科技与信息服务业加速发展，累计投入科技事业资金1.4亿元，引进和培育科技企业634家；获得专利授权2753项，实现高新技术产值120亿元。我区获得“全国科技先进城区”称号。民营经济和中小企业蓬勃发展，累计新办民营企业6512家，总数达到16448家。深化对外开放交流，与日本东京都荒川区结为友好城区，引进以色列凯丹集团等知名企业投资重大项目。

——民生质量持续改善。社会保障不断加强，累计投入低保资金8000万元，6500个低保对象得到保障，在全省率先建立城市低保标准自然增长机制，被评为“全国基层低保规范化建设典型单位”。建立低收入家庭专项救助制度，累计投入救助资金1300万元，救助困难群众1000人次。为“4050”人员补贴养老和医疗保险1.9亿元。为低保家庭和7389位区属企业离退休职工解决供暖问题。以老虎滩街道货币化养老和桂林社区养护院为标准，完善社会化养老服务体系，工作经验在全国推广。加大为残疾人提供服务力度，在每个社区建立残疾人康复站，为有需求的困难残疾人家庭实施无障碍设施改造。设立300万元专项资金，在全市率先出台扶持残疾人自主创业鼓励就业政策。构建多层次住房保障体系，改善了1.3万户居民居住条件；鸣鹤街“新居工程”即将投入使用，春和市场“新居工程”正在施工。安排区财政资金2亿元，提高了中小学教师的收入水平。

就业工作卓有成效。劳动力市场暨高校毕业生就业服务中心投入使用，累计实现毕业生就业7500人，其中登记失业和困难家庭毕业生全部就业，建立72个高校毕业生培训、实训、见习基地。创业带动就业，建成70个失业人员就业、创业、培训基地，实现无“零就业”家庭，“4050”大龄下岗失业人员全部得到安置，失业率控制在3%以内。保障劳动者合法权益，实施劳动监察网络化管理。

社区建设扎实推进。累计投入3.5亿元改善社区办公服务条件，全区社区办公服务用房平均面积由154平方米提高到460平方米。以打造“十分钟服务圈”为重点，构建功能完善、反应迅速、覆盖全体居民的社会化服务体系；以提高社区工作人员素质为核心，推进服务的专业化和品牌化；以林海社区和兴和社区为示范，大力推进国际化标准社区建设。居民参与社区活动的积极性和对社区服务的认同感增强，我区被评为“全国社区建设示范区”。

公共卫生医疗服务保障体系建设成效明显。累计投入1.4亿元，新建中山区疾病预防控制中心、妇幼保健所、人口与计划生育服务中心，建立健全疾病控制、卫生监督、医疗救治、妇幼保健和公共卫生信息系统，完善突发公共卫生事件的应对机制。实施困难居民基本医疗救助制度，实现了居民基本医疗保险全覆盖。人口计生工作经验在全国推广，我区被评为“全国人口和计划生育优质服务先进区”。社区卫生服务中心建设达到省级标准，荣获“辽宁省社区卫生服务示范区”称号。食品药品市场整治取得明显成效，连续四年获得全市食品安全综合考评城区组第一名。

——城区建设更加利民。累计投入3.2亿元，大力推进基础设施和环境建设。实施了中南路等4条路街拓宽改造；新建10个公共停车场，新增7000个停车泊位；新建和改造4个近邻公园；拆迁改造解放路、长江路和鲁迅路沿线等37个旧城区地块，总建筑面积130万平方米。注重生态环境改善，虎滩污水处理厂投入使用，改造了人民路、中南路等道路景观，实施了主干道绿化美化工程。完成了240个弃管楼院标准化改造。全区公厕免费开放。改革城管执法体制，加强城区管理和执法综合考核，努力实现城区管理的全域化和精细化。

——教育文体等社会事业蓬勃发展。落实教育优先发展战略，累计投入5亿元专项资金，新建15中、35中等5所校舍，升级改造16中、解放小学等29所旧校舍，提前一年半完成中小学校舍安全工程，全区公办中小学提前三年全部达到国家规定的标准化水平。制定了新师德工程、新德育工程和新学校创建工程实施方案，在部分学校进行试点。在华东师大等院校和英国北林肯郡教育局建立教师高端培训基地，先后完成700名教师脱产培训，建立了20个区级“名师培养工作室”。开展小班化教学试点，各学校都建立了校史馆、心理健康教育工作室和校级名师培养工作室，打造学校特色，培育校园文化，全区形成“一校一品”的特色发展格局。公平、妥善地解决流动人口子女接受义务教育问题，全区适龄儿童入学率、农民工子女入学率均达到100%。15中、44中被评为“全国百所特色名校实验基地”。我区被评为“国家现代学校制度建设实验区”和“全国中小学教师专业化发展特色示范区”。

努力满足群众的文体需求。累计投入1亿元，建成中山区美术馆、少儿才艺中心等5处公共文化基础设施。成功举办全区第七届运动会、“庆祝新中国成立60周年群众文化演出周”和“颂歌献祖国”系列活动，累计举办大型广场文艺演出700余场，精心打造“迎新春京剧晚会”等品牌。我区蝉联“全国文化先进区”称号，中山广场被评为“全国特色文化广场”。圆满完成全国最佳旅游城市和全国文明城市创建及复检工作，我区荣获“大连市创建全国文明城市突出贡献奖”。

民族、宗教、人防、双拥共建、国防建设工作都取得了新成绩。我区荣获“全国爱国拥军模范单位”称号。区档案馆被评为“国家二级综合档案馆”。

——维护社会稳定呈现新局面。新建中山区人民群众信访服务中心，信访接待、综合调处、妥善解决问题的能力全面增强，工作经验在全省推广。扎实推进应急平台体系建设，成为全省的工作示范。社会治安防控和打击犯罪长效机制不断完善，圆满完成国庆60周年、夏季达沃斯年会、服装节、奥运会和残奥会火炬传递安保任务，我区被评为“辽宁省平安稳定先进区”。全面深化安全创建，我区获得“国家安全社区”称号，“国际安全社区”创建工作通过评定认证。

——民主法制建设不断加强。自觉接受人大法律监督和政协民主监督，坚持向人大、政协报告和通报工作，每年主动邀请人大代表、政协委员视察政府工作。累计办理市区人大代表建议、政协委员提案656件，解决率大幅度提高。加强与工会、共青团、妇联等群团组织的联系。深化开放型、服务型政府建设，认真贯彻《全面推进依法行政实施纲要》，完成政府机构改革，区政府机关全面导入ISO9000质量管理体系，积极推进政务公开，网上审批和电子监察系统在全市率先投入使用。成立中山区法律救援中心，“五五”普法、法律服务及人民调解工作取得成效。法律顾问团在政府决策、执行过程中的作用得到强化。深入开展行风政风民主评议，“社区百姓评站所”工作经验在全国推广。成立了国有资产管理中心和财政国库收付中心，全面实施财力投资项目公开招投标，累计节约资金6300万元。加强对重点专项资金和重大项目建设资金跟踪审计。

各位代表，过去的五年，是中山区历史上发生巨大变化的五年。在区委的领导下，在区人大、区政协的监督支持下，我们心往一处想、劲往一处使，形成了团结和谐、创新发展的工作局面。五年来，我们始终坚持发展是第一要务，把优化产业结构作为实现经济发展方式转变的中心环节，大力促进现代服务业加速发展，增强商贸业竞争力，不断拓展发展领域；始终坚持把改革开放作为发展的不竭动力，把引进和推动具有牵动性的现代服务业大项目作为工作抓手，加大招商引资力度，提升产业发展水平；始终坚持把改善民生作为一切工作的出发点和落脚点，切实解决人民群众最关心、最现实的利益问题，努力使广大人民群众共享发展成果；始终坚持依法行政，履职尽责，让权力在阳光下运行，保证人民赋予的权力始终用于人民的利益。我们所坚持的这些原则已成为中山区再创辉煌的宝贵财富。今天的中山区，正在向建设经济繁荣、环境优美、社会和谐、充满激情的大连科学发展首善区的目标迈进。

在此，请允许我代表中山区人民政府，向推动中山区发展的全区干部群众，向给予政府工作大力支持的人大代表和政协委员、离退休老同志、驻区各单位，向所有关心、支持、参与中山区建设发展的同志们和朋友们，表示衷心的感谢！

我们也清醒地看到，我区经济社会发展还存在着一些亟待解决的困难和问题，突出表现在：转变经济发展方式还需不断深入，城区核心竞争力还需进一步增强，产业集聚度和能级还需进一步提升，自主创新和吸引紧缺人才的机制还需进一步完善，涉及群众切身利益的一些问题还需更好地解决，城区管理和硬环境建设模式还有待于改进；有些政府部门的职能转变还不到位，部分政府工作人员创新能力不足，一些重点工作推进不够理想，各级干部特别是领导干部建设、管理中心城区的知识和能力有待于提高。我们一定高度重视存在的这些问题，在今后的工作中切实加以解决。

二、“十二五”时期的目标任务和2011年重点工作

“十二五”时期指导思想和总体目标是：以邓小平理论和“三个代表”重要思想为指导，深入贯彻落实科学发展观，抢抓辽宁沿海经济带开发开放和大连全域城市化的发展机遇，以“四大功能区”建设为载体，以建设区域性金融商务核心功能区为核心战略，着力提升城区核心功能，着力提高产业能级，着力优化生态宜居环境，着力改善居民生活品质，保持城镇居民人均可支配收入与经济发展相适应，建设大连科学发展首善区，实现科学发展新跨越。

“十二五”时期的主要任务是：

——着力保障和改善民生。努力扩大社会就业，推进创业带动就业，城镇登记失业率控制在3%以内；建立中低收入居住困难家庭的住房保障体系；努力提高居民收入，健全社会保障体系，不断提高公共福利水平，增强居民的幸福感。

——大力推进教育文体卫生等社会事业全面发展。全力推进教育现代化，争创辽宁省教育强区。建设要素集聚、事业繁荣、产业发达、创新活跃的文化中山，丰富人民群众精神文化生活。努力构建安

全、有效、方便的基本医疗卫生服务体系，进一步提高居民健康水平。

——进一步提高城区建设品位与管理水平。建设高标准具有综合性区域服务功能的环境首善区，以城区改造促进功能完善，不断提供满足中心城区发展需要的公共场所和功能设施；强力推动造林绿化，注重资源节约和环境保护，建设生态文明。依法、科学、有序管理城区，集中整治与长效治理并举，建立健全发现及时、处置快速、解决有效、监督有力的城区管理长效机制；强化交通组织管理和设施建设，改善交通秩序。

——以区域性金融商务核心功能区建设为重点，完善四大功能区设施和服务。提高CBD功能区金融市场化与国际化程度，大力引进国内外知名金融、航运物流服务企业和机构，扩大资本市场规模，努力成为东北地区金融商务核心区、国家级金融服务业集聚区；基本确立东北亚国际航运和物流中心的服务功能区地位。积极推进商贸功能区高端化、品牌化和特色化。积极推进生态宜居功能区高端、环保、节能住宅项目和各项配套设施建设，成为大连最适宜居住的高品质区域。推进重点旅游项目建设和三山岛开发，增强旅游观光功能区产业效益和服务功能。

——推进经济发展方式转变和产业结构调整，保持经济快速健康发展。优化结构、提高能级、保护环境，推动经济向消费拉动、科技引领、创新驱动、内生增长、低碳绿色的发展轨道转变；推进产业优化升级，形成支柱产业高端化、新兴产业规模化、优势传统产业品牌化，逐步健全现代服务业产业体系，第三产业增加值占地区生产总值的比重达到98%以上。到“十二五”期末，地区生产总值、区级财政一般预算收入翻一番；全社会固定资产投资、社会消费品零售总额年均增长15%左右。

——加强政府自身建设，实现职能转变。扩大政务公开，健全科学民主的决策机制，建立健全科学的政府绩效评估体系，优化发展环境，规范行政权力运行，全面推进依法行政，提高服务效能，打造服务型、法治型、责任型政府。

2011年是实施“十二五”规划的开局之年，区政府工作的总体思路是：认真贯彻市委十届十次全会和区委十二届十次全会精神，加快推进“四大功能区”建设，全力保障和改善民生，推动科学发展、创新发展、和谐发展。经济社会发展的预期目标是：地区生产总值、区级财政收入和全社会固定资产投资增长15%以上；社会消费品零售总额增长16%；城镇登记失业率控制在3%以内。

为完成上述目标，重点抓好以下工作：

（一）更加注重保障和改善民生，大力发展社会各项事业

扎实推进惠民工程。着力做好高校毕业生和困难群体就业工作，多渠道开发就业岗位，努力促进充分就业。全年投入就业保障资金1.5亿元，实现就业1.3万人，“双困”人员安置率达到100%。启动创业就业“123工程”，投入创业奖励资金1000万元，提高创业成功率。继续实施稳定岗位、职业培训、就业援助三项计划。建立创业孵化基地4家，新增就业培训基地3家，新增高校毕业生培训、见习、实训基地10家。

着力提升社会保障水平。继续稳妥解决特殊群体的基本保障问题。推进春和老年公寓改造。完成8所养老服务中心建设，为500名老年人提供社区居家养老服务。进一步鼓励和扶持民办养老机构发展。投入300万元，加强残疾人就业、创业援助；完成300户听力、视力及言语障碍的残疾人家庭信息无障碍建设和其他类残疾人康复“三进家庭”工程。开展主题救助活动，加大对边缘困难群体的救助力度。大力发展慈善事业。认真落实稳定价格总水平有关工作，做好对低保、优抚对象生活品的补贴发放。加快完善住房保障体系，分层次、多渠道解决中低收入家庭的居住困难。加快推进春和市场“新居工程”建设，力争年末主体完工；采取货币化补偿或实物安置方式，改善5000户居民居住条件；认真做好经济适用房货币补贴、廉租房租赁补贴申报初审工作；推进大型居住区的卫生、商业和社区等配套服务。

强化社区管理和服务功能。认真贯彻落实《关于加强和改进城市社区居民委员会建设工作的意见》，升级改造社区硬件设施，完善社区管理服务模式，规范服务内容，推进社区工作专业化。大力发展家庭服务业，鼓励各种资本投资创办家庭服务企业。做好第八届社区居委会换届选举工作。

坚持办人民满意的教育。继续提高教育质量和水平，加快推进中小学素质教育实践基地、早教中心和明秀嘉园小学新校舍建设，做好东港区新建中小学前期规划工作。深化教育改革，全面实施新师德工程、新德育工程和新学校创建工程，加大课程改革力度，深化推进素质教育发展。推进“一校一品”特色教育格局深度发展。加强小班化教学研究，扩大小班化教学范围。重视发展学前教育，不断探索学前教育新模式。继续加大教师脱产培训力度，深化“名师培养工程”。引进国际教育课程，提高教育国际化水平。

着力打造“文化中山”品牌。高水平办好棒棰岛艺术节、庆祝建党90周年万人“红色经典”歌曲演唱会暨首届中山区合唱节等特色活动。充分利用区美术馆、少儿才艺中心等文化设施，承办国家级美术作品展等各类文化艺术交流活动，发挥文化人才的引领作用。做好文化遗产保护工作。

完善医疗卫生服务体系。扎实推进医药卫生体制改革，促进医疗卫生资源均衡化、基本医疗服务标准化、区域医疗服务一体化。完成昆明等3个社区卫生服务中心改造，努力为群众提供优质、方便的医疗服务。着力引进国内外知名医疗机构落户中山，鼓励民间力量兴办医疗机构。继续加强重点传染病防控。全面落实国家基本药物制度。推进居民电子健康档案卫生信息化工程建设。加快食品药品放心工程和监管体系建设。深化健康楼宇建设。全面推进数字化人口工程，继续实施“健康家庭促进计划”，完善利益导向机制，促进人口计生工作基本公共服务均等化。

全力维护社会安全稳定。构筑“一点一线”社会治安防控体系，依法严厉打击各类违法犯罪活动。有效预防和处理各类突发事件，做好实战综合演练，健全社会舆情汇集和分析机制。落实信访工作责任制，依法、及时、妥善地解决好群众的合理诉求。进一步加强人民调解和社区矫正工作，扩大法律援助覆盖面。巩固国际安全社区创建成果，深入开展安全隐患排查整改，推进商贸企业安全生产标准化，防范遏制重特大事故发生。继续做好民族宗教工作，维护民族宗教领域团结稳定。支持工会、共青团、妇联等人民团体充分发挥密切联系群众的桥梁纽带和参与社会事务管理的作用。推进双拥共建，巩固军政军民团结。

（二）大力发展现代服务业，加快推进金融商务核心区建设

增强金融业核心功能。以“两圈一带”建设为核心，加快引进各类金融机构总部、区域管理总部和功能性总部。积极支持和发展各类金融机构尤其是小额贷款公司和投资公司，培育金融服务品牌。大力发展多层次资本市场，重点推进大连黄金交易中心开业。鼓励金融创新，优化金融生态环境，增强配套服务的针对性和有效性。

加速航运物流业集聚发展。完善物流公共信息平台和电子口岸建设，提高物流运转效率。加快国际航运大厦建设和招商进程，大力引进国内外知名供应链管理企业设立国际物流总部、区域配送中心和分拨中心；筹建航运交易市场，支持航运金融、船舶交易、人才培训等高端航运服务业提升能级，拓展服务。鼓励设立进口分销中心。

加快发展高端商贸业和现代旅游业。以高端消费为引领，做好长江路、解放路沿线和东港区的商业发展规划布局，尽快启动友好广场、青泥洼和三八广场周边地块项目，鼓励设立品牌连锁加盟店，加快建立布局合理、功能齐全、辐射力强的区域性时尚消费中心。积极筹划旅游节庆活动，举办首届大连（中山）红酒节和酒吧文化节，启动三山岛开发项目。旅游接待人次增长10%以上，总收入增长16%以上。

着力培育文化创意产业等新兴业态。推进规模化、品牌化、网络化经营，设立文化创意产业发展专项资金，鼓励文艺精品创作，倡导高雅文化，积极扶持文化企业集团和文化产品品牌，推动影视传媒制作、设计等文化创意项目做强做大，落实省市文化产业“星火工程”，重点扶持10家中小文化企业发展壮大。积极吸引2家以上国内外知名文化企业落户中山。

切实增强自主创新能力。强化企业在科技创新中的主体地位，促进企业健康发展。启动科技知识城论证和选址，对科技企业和研发总部实行集群发展战略，加大政策创新力度，用好科技扶持资金，支持科技企业上市融资，加快健全科技投融资体制。加强创新人才队伍建设，落实人才引进政策，着力优化人才发展环境。

强力推进以现代服务业为重点的大项目建设。推进100个、总投资1000亿元的重点项目，全年竣工20个以上。建立“区域负责、部门协调”责任体系和“部门负责、区领导协调”的推进体系落实项目，做好要素保障和协调服务。对已开工的重点项目，要加快工程进度；对已具备开工条件的项目，要创造条件，督促尽快开工建设；对已经签约的招商项目，要主动衔接，争取落地；对竣工项目，督促尽早投入使用。

（三）抓好牵动性工作，树立城区发展新形象

开展“城区建设与管理年”活动，推动城区建设和管理工作上新台阶。确定2011年为“城区建设与管理年”。坚持城区建管并重和生态立区理念，按照人性化服务、智能化应用、精细化管理要求，全面加强城区建设与管理，丰富内涵，提升品位，塑造品牌。加强主干道和迎宾线路整体基础设施建设，实现国际化、现代化和特色化。完成炮台山市民健身公园一期工程。新修10条便民路。推广城区景观亮化工程和节能照明。完成50个弃管楼院标准化改造。实施大规模植树造林计划，完成植树5.1万株，升级改造希望广场等11处游园绿地，完成

听取区政府工作报告

5个住宅小区的绿化建设和改造，提高城区景观林和绿地覆盖率。有效加强交通组织管理，新建8个停车场，新增2000个泊位，加强秩序整治，努力解决交通拥堵和车辆乱停乱放问题。以迎接达沃斯年会和争创全国文明城市标兵为契机，集中力量开展市容环境综合整治，科学规划道路清扫保洁工作。创新管理模式，建立区级环境信息发布监督网络平台，提高城区长效综合管理的能力水平。

加大旧城区改造力度，推动城区规划和环境建设工作上新台阶。把推进旧城区改造与提升城区功能、促进经济发展与延续历史文脉有机统一起来，加强与市有关部门的沟通，加大统筹协调力度，形成科学合理的城区建设规划。结合地块功能定位和区域产业布局，精心策划包装一批拟挂牌地块项目。密切跟踪开发项目规划报批设计方案。全年完成建筑面积40万平方米旧城区改造任务。

提高利用内外资质量、规模和水平，推动招商引资工作上新台阶。以储备用地为载体，吸引高端产业和新兴产业，重点引进总部企业、金融机构和高端商业地产等投资规模大、带动能力强、发展潜力大的项目落户中山，完成市政府下达的内、外资招商任务。积极参与区域战略合作，重点抓好中山区与友好城区及先进发达城区的多领域交流合作。

强化特色创新和业态培育，推动商业街区建设上新台阶。设立专项引导资金，加大培育力度，完善配套服务设施，精心培育天津街“老街”、渔人码头等6条特色街，鼓励街区业态创新，争创中国特色商业街。在做好已有特色街的基础上，今年再培育3条特色街，成为我区商业的新亮点。

（四）加强政府自身建设，优化公共服务水平

深化服务型政府建设。更加重视公共服务和社会管理，提高执行力和公信力。密切联系群众，高度重视和认真回应群众诉求。坚持深入基层、深入实际，努力发现和解决新问题。精简会议和文件，改进会风文风，把时间和精力更多地放到抓执行、抓落实上去，以实干之风达到实干之效。

全面推进依法行政。认真贯彻落实《国务院关于加强法治政府建设的意见》，切实把政府工作纳入依法运行的轨道。自觉接受人大法律监督、政协民主监督、司法监督、群众和舆论监督，做好人大代表议案、建议和政协提案办理工作。启动“六五”普法。继续推进政务公开，保障居民的知情权、参与权、表达权和监督权。

深入抓好廉政建设。坚持从严治政，以新增投资项目、重点工程项目和涉及民生的专项资金为重点，加大审计监督与行政监察力度。不断完善行政审批和电子监察，全力抓好行政权力运行制度建设，营造风清气正、廉洁高效的政务环境。

各位代表，中山区未来五年的发展蓝图已经绘就。我们正站在新的起点，跨入新的征程。让我们在市委、市政府和区委的领导下，满怀发展激情，焕发昂扬斗志，为加快推进大连科学发展首善区建设而努力奋斗！

附：《政府工作报告》有关名词解释

“北中南”：是指北部中央商务区、中部生态宜居区、南部旅游观光区。

中小学校舍安全工程：根据国务院部署，从2009年开始，用三年时间，在全国中小学校开展抗震加固、提高综合防灾能力建设，使学校校舍达到重点设防类抗震设防标准，并符合对山体滑坡、崩塌、泥石流、地面塌陷和洪水、台风、火灾、雷击等灾害的防灾避险安全要求。

新师德工程：以“爱与责任”为核心主题，以人文关怀和价值引领为根本方式，以培训、教育、宣传、考核为基本途径，以“讲身边

事，学身边人”活动为常规载体，以制度机制为重要保障，实现“五化”突破，即师德文化多元化、师德教育系统化、师德规范标准化、师德评价科学化、师德奖惩导向化。

新德育工程：树立“育人为本、德育为先”理念，营造“大德育”氛围，开设学生职业规划教育、青少年道德礼仪教育区本课程、建设学生社团等，创新德育工作的方法和途径，培养学生社会交往、创新精神与实践能力，进一步深化素质教育，实现德育机制的规范化、德育队伍的专业化、德育目标的具体化、德育活动的课程化、德育组织的网络化。

辽宁省教育强区：是辽宁省政府提出的一项教育发展目标，是指已经实现“双高普九”的县（市、区），在达到省义务教育均衡发展示范县（市、区）标准的基础上，教育水平具备满足社会发展对基础需求的整体实力。学前教育、义务教育、普通高中教育等各级各类基础教育学校（园）均达到省定办学标准；实现义务教育均衡发展、普通高中优质发展、学前教育规范发展；基础教育课程改革得到扎实推进，办学行为规范，人民群众比较满意，形成良好的教育内涵发展态势。

双困：就业特别困难且家庭生活特别困难。

创业就业“123工程”：“1”是指一体化建设，即筹建中山区创业就业服务园，建立创业就业一站式服务功能区；“2”是指提升区政府和街道两级的服务质量；“3”是指建立三方联动机制，即建立政府相关部门、企业和创业者三方联动的长效机制，用足用活创业扶持政策，由创业孵化基地对创业项目进行筛选孵化，使创业者能够尽快实现就业。

“三进家庭”：扶助器进家庭、康复训练进家庭、康复服务进家庭。

家庭服务业：2010年9月1日，国务院常务会议提出的，是以家庭为服务对象，向家庭提供各类劳务，满足家庭生活需求的服务行业。

国家基本药物制度：是国家药品政策的核心和药品供应保障体系的基础。主要内容包括合理确定基本药物品种，完善基本药物的生产、供应、使用、定价、报销等政策。目的是保障群众使用安全、必需、有效、价廉的药物。核心是要解决医药卫生运行机制中的“以药养医”问题。

一点一线：“一点”是指大连火车站站南地区，“一线”是指中山路和人民路沿线。

两圈一带：以中山广场金融核心圈为基础、以东港区为重点、以人民路CBD为纽带，形成金融、航运物流业集聚，金融创新产品和金融、航运物流高端服务功能布局于一体的互为补充、相互支撑的区域性核心服务功能区。

四大功能区：以金融业为主导产业的CBD功能区，以天津街、青泥洼桥为核心的商贸功能区，以解放路、中南路为重点的生态宜居功能区，以南部滨海区域为依托的旅游观光功能区。

中国人民政治协商会议
大连市中山区第八届委员会常务委员会工作报告

——2011年1月5日在中国人民政治协商会议大连市中山区第八届委员会第四次会议上

政协大连市中山区委员会主席　薛京利

2010年工作回顾

2010年，是完成“十一五”发展规划目标，谋划和制定“十二五”发展规划的关键一年。区政协在区委的领导下，认真贯彻党的十七届四中、五中全会精神，以科学发展观为指导，团结广大政协委员，在履职中坚持与区委目标同向，与政府工作同力，与群众意愿同心，为推进大连市科学发展首善区建设作出了积极的努力。

一、围绕重点协商议政，助推科学决策

协商议政是政协履行职能的重要任务，也是党委和政府实行科学决策的重要环节。过去的一年，区政协按照区委《关于进一步加强政治协商工作的意见》，紧紧围绕我区事关长远发展的重大问题和群众关心的热点难点问题主动、有备、有效协商，为区委、区政府科学决策提供参考。

围绕事关全区长远发展的重要问题进行重点协商。区政协紧紧围绕“十二五”规划、科学发展首善区等重要问题进行重点协商。围绕《中山区国民经济和社会发展第十二个五年规划纲要》，区政协注重发挥人才荟萃的优势，组织不同界别的委员，并邀请了政协咨询顾问、从事我市经济问题研究的两位专家参加了专题协商会，共同讨论我区今后五年发展大计。区政府主要领导及相关部门的同志到会，认真听取委员和专家所提意见和建议，积极吸纳到规划纲要中。围绕《中山区创建大连科学发展首善区实施意见》，区政协组织委员召开了协商议政会，提出了“突出中山区特点和优势”、“制定动态发展目标”等一些有价值的意见和建议，得到了区委和有关部门的重视。

围绕区域经济和社会发展集中协商。全会协商是全体委员参与的、规格较高的协商。在政协八届三次会议期间，政协组织全体委员以高度的政治责任感和助推科学发展的积极态度，对政府工作报告和其他报告进行了协商讨论。区委、区政府领导十分重视，认真听取委员发言，许多富有前瞻性、可操作性的意见和建议，得到了充分肯定和采纳。会后，区政协对委员的意见和建议进行了归纳、整理，提交区委、区政府。党政主要领导分别作出批示，落实到相关部门。

围绕民生问题开展专题协商。区政协自觉把事关民生的问题与履行职能的各项工作紧密结合，积极协助党委政府畅民意、解民忧。创建国际安全社区是区委、区政府民生工作中的一项重要任务，区政协会同老虎滩街道举办了主题为“关注安全，享受健康”的社区议事会，搭建百姓与政府部门沟通对话的平台。区政府分管领导及有关部门负责人与部分政协委员、居民代表、辖区单位代表进行面对面的交流，对居民提出的问题作了答复。

随后，区政府又召开了现场办公会，对居民所提的问题予以协调解决。

二、加强跟踪问效，推进民主监督

区政协将民主监督融入履职的各项活动中，采取多种形式，进一步加强了民主监督工作。

通过“视察回头看”强化监督。2009年，区政协对我区的环卫工作进行了视察，提出“改善环卫临时工待遇”、“完善环卫配套设施”等5个方面11条建议。为督促建议的落实，2010年区政协开展了“视察回头看”活动。区政协在对建议落实情况充分调查并与相关部门多次协调的基础上，适时召开会议。会上，政府分管领导及有关部门对所提建议的落实情况作了汇报，对目前解决有难度的问题也作了说明，并表示将逐步予以解决。宋良忠委员了解了环卫工人的生活状况后，主动购买了万余元的食品送给环卫工人。区政协对视察中所提意见和建议的落实情况跟踪问效，不仅是推进党政部门改进工作的需要，也是对委员知情问政、履职尽责的尊重。

通过社情民意促进监督。反映社情民意是新时期政协履职为民的基础环节。区政协发挥联系广泛、渠道畅通的优势，紧紧围绕全区中心工作和人民群众关注的热点、难点问题，组织政协委员，深入基层，了解民情，体察民意，积极向区委、区政府反映社情民意。全年共收集社情民意130件，采纳编发《社情民意》28期，报送市政协和区委、区政府，区委、区政府主要领导分别作出批示，促使一些问题得到及时解决。通过社情民意“直通车”，使委员参政议政的渠道更便捷畅通，及时表达百姓的利益诉求和愿望，为党委政府科学决策提供了重要参考，为党政机关听取意见、改进工作提供了一条有效途径。

通过特邀监督员加强监督。实行特邀监督员制度是政协履行民主监督职能最经常最直接的形式。区政协充分发挥委员在民主监督中的主体作用，组织特约监督员、行风评议员积极参加市区政务公开、执法检查、工作督查、行风评议、基层站（所）评议等活动，对区法院刑事案件审判工作进行旁听，应邀对全区中小学图书配备情况、35中学和风景小学等新校舍配套设施及预算情况、校园文化建设情况进行了视察监督。部分委员还应邀担任了社区阳光低保评议员，为促进和谐努力工作。

三、深入调研视察，提升议政建言水平

议政建言促发展是政协履行职能的第一要务。区政协把专题调研作为委员知情明政、建言献策的重要方式，紧紧围绕经济社会发展中的重要课题，认真开展调研视察活动，努力做到与区委、区政府的工作思路和工作决策同心、同向、合拍、合力。

精心选题，认真调研。推动高端服务业发展是我区经济发展到现阶段的必然选择，也是首善区建设的必然要求。区政协发挥自身优势，围绕着加快中山区高端服务业发展开展专题调研，课题组深入区内外进行考察、调研，了解我市高端服务业发展情况，学习借鉴上海黄浦区、卢湾区的经验，邀请专家反复研究论证，形成了《关于中山区高端服务业发展的建议》。报告提出了“明确产业发展方向，加快高端服务业市场培育”等17条建议。2010年，区政府提出“大力发展八大产业”，社区服务业作为其中的一个产业，是重要的民生工程。区政协把推进社区服务业发展作为重点调研课题，形成了《关于进一步加快中山区社区服务业发展的调查报告》，报告提出了“科学编制社区服务业发展规划”、“尽快制定社区服务业扶持政策”等7方面建设性的意见和建议。区委、区政府主要领导对两个报告提出了明确的落实意见，一些建议已被采纳。

科学安排，有效视察。2010年，区政协组织委员视察了东港区开发建设、旧城区改造、大连戴尔解决方案中心、渔人码头等重点项目，委员们在感受我区经济迅速发展的同时，提出了许多有利于进一步发展的意见和建议。围绕民生问题，区政协对残疾人工作、站南地区管理、食品药品安全、特色教育等专项工作进行了视察，提出意见和建议40多条，有些建议得到了很好的落实。区政协适时组织部分委员参加了区政府召开的加强交通管理、做好信访工作等座谈会，为推动工作进良言、献益策。

抓住重点，主动议政。功能区建设是今年区委、区政府提出的重要的发展战略之一。区政协适时举办了以“发展、创新、提升、跨越”为主题的座谈会，在听取了区政府领导关于功能区建设情况通报后，政协委员和有关专家畅所欲言，有针对性地提出了“利用地域优势，打造精品旅游项目”、“发展中小商业，实现商业转型”、“细化功能区定位的原则和标准”等建议。通过协商讨论，进一步明晰了功能区建设的思路和任务。

四、提高提案质量，进一步发挥提案作用

提案是人民政协履职的特有方式。区政协八届三次会议以来，共收到提案192件，审查立案149件。其中，区办提案75件，转市办提案73件，转省办1件，现已全部办结。区政协着力在提高提案质量、加大督

办力度上下功夫，进一步发挥了提案在促进区域经济和社会发展中的积极作用。

看力抓好提案质量。提案质量是提案有效落实的前提。区政协把对委员的提案培训作为提高提案质量的重要工作，编印了《提案知识手册》、《提案汇编》等，分管副主席到各街道联络委为委员进行提案培训。同时，区政协还通过委员进社区、区情通报会、学习考察、调研视察等，为委员搭建知情明政的平台，为委员掌握第一手材料、撰写高质量的提案创造条件。界别提案具有专业性和针对性强的特点，区政协加强了界别提案的征集，界别提案达到15件，如学习文史委提出的《关于转变招商引资方式，提高招商引资实效的提案》，提出了很好的意见和建议，有的已落实到有关部门的工作中。

加大提案督办力度。区政协加强了与区委、区政府和提案承办部门的沟通、联系，及时解决提案办理中出现的问题，及时跟踪反馈，加大提案督办力度，推动提案办理由“答复型”向“落实型”转变。注重抓实主席督办提案和提案“后评议”工作，区政协组织委员分别对区经信局、区司法局承办的3件提案进行督办，并对区经信局3年来提案落实情况进行了评议，都取得了很好的效果。

提案作用有效发挥。提案的办理和落实，对推进经济和社会发展、改进党政工作发挥了积极作用。例如，我市汽车租赁行业经常发生被骗租、盗抢的事件，报案后又出现案件难处理的状况，严重阻碍了我市汽车租赁行业的发展。王钦利委员针对这一情况提出了《关于汽车租赁行业车辆被骗租、盗抢案情、案件处理难的提案》，提案转送到省公安厅后，省公安厅领导高度重视，派专人来大连与提案人面对面答复，并将提案中所提问题列入工作重点，加大了对此类犯罪的打击力度，使跨地区租车行业的治安状况有了明显好转。市道路运输协会汽车租赁分会给区政协送来了“为企业排忧解难、共建和谐社会”的锦旗，感谢区政协帮助企业解决了困惑多年的难题，同时王钦利委员也赢得了行业内从业人员由衷的尊敬。宋良忠、刘宝运等12名委员针对我区的交通和停车场建设问题提出建议，区政府成立了交通秩序疏导畅通工作领导小组，出台整治方案，加大工作力度，使全区交通秩序和环境有了一定的改善。李天波委员提交的《关于进一步加强中山区中小学及幼儿园的安全教育的提案》，区政府十分重视，增加了学校安全教育课，提高了学生的安全防范意识，开展了学校安全专项治理工作，有效改善了学校的周边环境。

五、加强自身建设，不断夯实履职基础

经济和社会事业快速发展，要求政协组织必须适应和顺应发展的需求，通过加强自身建设，科学履职，理性履职，有效履职。

提高了履职素质。加强学习是政协履行职能的基础。政协委员的参政水平和议政能力也必须在学习中提升。区政协通过组织委员调研、视察、举办专题报告会、座谈会、区情通报会、培训会等，为委员提高履职能力创造条件。如组织委员学习《关于政协文化的研究报告》，使委员认知和践行政协文化；利用“委员学习日”，邀请了区政协咨询顾问、大连软件研究院赵立成院长作了“真心实意落实科学发展观，踏实推进大连科学发展新跨越”专题报告，江亲瑜区长向全体委员通报了区情；组织区政协常委考察辽宁沿海经济带，推荐学习《伟大的中国经济转型》一书。在省市政协《我与人民政协》、《珍贵的回忆》征文活动中，16名委员积极投稿，以真挚的情感抒发自己的履职体会。通过多种方式引导学习，注重思考，提高了委员的履职素质。

发挥了界别优势。由界别组成是政协组织最显著的特色。为进一步发挥专委会的专业优势和界别特色，区政协召开了专委会和专业组工作研讨会，制定下发了《关于进一步加强专委会工作的意见》，提出了“强化专业组界别特色”等意见，使专委会工作有了新的活力。一年来，各专业组开展了富有界别特色的履职活动。如，联络组视察了东港区改造情况；科技组参观了大连化物所；法制组视察了区消防大队，慰问了消防官兵；学史委走访了区内宗教场所；医疗卫生组考察了大连市饮品企业、大连医科大学附属医院；教育组视察了天津街文化市场等。老委员联谊会充分发挥自身优势，通过反映社情民意、广泛联谊等，为促进和谐社会建设作出了积极努力。今年，区委根据市委的文件精神，为政协增加了人口资源环境委员会和委员工作委员会，进一步加强了政协组织建设。

活跃了政协街道联络委履职活动。政协街道联络委是政协向基层延伸的组织形式，委员进社区活动是政协履职为民的重要载体。各街道联络委以委员进社区活动为切入点，积极搭建委员了解民情、服务百姓的平台。海军广场街道联络委结合纪念建党89周年活动，委员出资组织辖区老党员参观绿色生态园；人民路街道联络委开展和谐家庭代表座谈会；桂林街道联络委依托政协委员工作室及时反映百姓呼

区政协八届四次会议会场

声；青泥洼桥街道联络委组织委员参与社区百姓“手牵手”活动；昆明街道联络委在社区开展《婚姻法》、《继承法》讲座；葵英街道联络委组织委员分组进社区调研，了解民情民意；桃源街道联络委组织委员开展“责任为重，发展为先”专题议事活动；老虎滩街道联络委以“促进发展”为主题，组织委员围绕旅游观光功能区和生态宜居功能区建设等议题献计献策。

创设了活动载体。区政协在开展协商、调研、视察、提案等履职活动的同时，努力创新和设计委员活动载体，丰富委员的文化生活，增强政协组织的凝聚力和亲和力。区政协举办了“委员学习日”活动，召开了“第三届委员趣味运动会”，组织了政协委员积极分子联谊、“三八”妇女节女委员联谊、植树绿化滨海大道等活动。加强对外联络，组织部分委员外出学习考察，开阔视野，增长见识，提高自我。承办了全国二十一城区（市）政协工作联系会第21次常务理事会，增进了交流，扩大了影响。

各位委员，区政协工作取得的成绩，离不开区委的正确领导、区人大和区政府的大力支持，离不开党政、群团部门和各民主党派的积极配合，更离不开广大政协委员的尽职尽责。在此，我代表常委会向所有关心、支持政协事业发展的各位领导、同志们、朋友们，表示衷心的感谢和崇高的敬意！

回顾一年的工作，我们也清醒地认识到，政协工作还存在需要进一步思考和解决的问题。主要是：委员议政建言水平需要进一步提高；对委员的培训工作需要进一步加强；政协的界别优势有待于进一步发挥。我们要在今后的工作中，逐步解决这些不足。

2011年工作意见

2011年是“十二五”开局之年，是我区站在新的历史起点上加快推进大连市科学发展首善区建设的重要一年。区政协要在区委的领导下，认真贯彻落实党的十七大、十七届五中全会精神和省市政协工作会议要求，坚持科学发展观，围绕中心，关注民生，努力提高履职水平，为推动中山区经济和社会又好又快发展、科学发展首善区建设凝心聚力。

一、明确形势，增强履职的责任感

当前，我国经济发展正由回升向好向稳定增长转变，同时，短期问题和长期矛盾互相交织，经济社会发展中“两难”问题进一步增多，我们必须增强忧患意识和责任意识。目前，我区正着手实施“十二五”规划，谋划新一轮发展，面对新形势、新任务，各位委员要在做好本职工作的同时，履行好政协委员的职责，同心同德，共促发展。

把握原则，牢记宗旨，对党和人民负责。政协组织一方面要围绕大局，服务中心，对党和政府负责，多做凝心聚力、推动发展的工作；另一方面要发挥政协优势，关注民生，反映民意，使上情下达，下情上达，协助党委政府做好合民意、解民忧、得民心的工作，营造和谐的社会氛围。

把握重点、找准角度、切实有效地履行政协职能。区政协要积极组织委员参政议政，做到敢于指出问题，善于提出建议，在建言献策中，把忠言说得顺耳不逆耳，把诤言说得好听不难听，让人容易接受、愿意采纳、乐于照办。要坚持以区域发展大局为重，围绕核心，注重合拍；服务中心，注重合力；关注民心，注重合情。要充分发挥政协位置超脱的优势，在党政领导想做而一时精力顾不过来、政协组织有能力做好的事情上献智献策。

二、围绕中心，为经济社会科学发展履职尽责

区政协将根据区委、区政府的中心工作和决策部署，深入开展调查研究和协商议政活动，积极协助区委区政府实现好、维护好、发展

好人民群众的根本利益。

认真组织政治协商。区政协要认真落实区委《关于进一步加强政治协商工作的意见》，注重从党政决策需求出发，主动与区委、区政府沟通，确定协商议题，规范协商形式，明确协商程序，完善协商机制，提高协商质量，特别要做好协商成果的转化和落实反馈工作。

积极推进民主监督。要努力丰富和拓展民主监督工作的内容和渠道，充分发挥建议案、提案、视察、社情民意、议事会等在民主监督中的作用，注重意见和建议的跟踪、督办、落实和反馈工作，提高监督的实效。要加强和改进特邀监督员工作，做好特邀监督员的培训和管理，增强监督意识和监督能力。要适时开展行风评议、法院庭审旁听等监督活动，对检察院检务公开、公安局警务公开情况进行民主监督。要继续做好“社区议事会”和反映社情民意工作，努力成为化解矛盾的“减震器”、维护稳定的“润滑剂”。

努力提高参政议政水平。要坚持“选题求准、调研求深、效果求实”的原则，紧扣我区事关全局的重大问题，选择党政所需、群众所盼、政协所能的课题，深入开展调查研究。今年将围绕金融与航运业融合发展、家庭服务业发展、城市建设和管理并重等课题开展调研。要认真安排视察活动，今年将对商业特色街建设情况、交通状况、学前教育情况、旅游产业等进行视察。要强化调研视察成果的转化、反馈工作，推进政协的意见和建议进入决策程序，努力为增强合力、增添动力、激发活力尽职尽责。

切实加强提案工作。要继续抓好学习和培训，提高委员撰写提案的能力和水平。要发挥委员在提案工作中的界别优势和专业特长，加大力度抓好集体提案和民主党派提案，形成一些有深度、高质量的提案。要加强与提案者的联系，搭建好提办双方交流沟通的平台。要进一步完善提案办理工作机制，加强与区委办、政府办和承办单位的联系与协作，加大跟踪反馈力度，促进提案的办理落实。要继续运用好主席督办提案、提案“后评议”等有效措施，努力提高提案的落实率。

三、践行政协文化，加强自身建设

区政协要坚持以政协文化所倡导的履职理念、思维方式、价值追求和工作方法指导工作，通过践行政协文化，增强政协组织的凝聚力、引导力，激发政协委员履职的积极性、主动性、创造性，塑造政协组织的良好形象，进一步赢得党委重视、政府支持、各方配合，让百姓了解政协，推动政协事业发展。

发挥好委员主体作用。政协委员是政协工作的主体，区政协要组织好学习和培训，不断提高委员理论政策水平、科学思维能力和参政议政本领，充分发挥委员的优势、活力和潜力。要创新活动形式，真正使广大委员的聪明才智得以施展。要完善履职考评、奖励制度，规范委员履职行为，激发委员的履职热情。

搭建好委员履职平台。要认真组织好调研、视察、协商议政、情况通报以及“委员学习日”、“社区议事会”、“政协讲坛”和学习考察等活动，建立健全与党政部门的联系沟通机制，为委员搭建好知情明政、协商建言、监督评议、反映社情民意的平台，不断提高委员对全区经济和社会发展的知情率、参与率。要切实组织好主题鲜明、内容丰富的联谊活动，营造团结、民主、宽松、有为、和谐的文化氛围。要引导委员积极参与全区开展的“送温暖，献爱心”捐助活动，为困难群众奉献爱心。要进一步强化机关人员的服务意识和服务能力，爱护委员的履职热情，维护委员的履职权利，为委员履职提供便利条件和良好服务。

加强政协各级组织建设。政协常委会是政协组织重要的议事决策机构，要重视政协常委会建设，丰富会议内容，创新会议形式，提高会议质量，发挥常委会在履职中的核心和模范带头作用；专委会是政协工作的基础，要努力发挥专委会和专业组的界别优势，在专题调研、专项视察和专题议政会等履职中发挥“专”和“深”的特色；要加强对政协街道联络委的工作指导，立足街道实际，面向社区群众，在畅民意、解民忧的各项活动中发挥“活”和“广”的特色。区政协各级组织都应该努力营造真诚相待、宽松和谐、畅所欲言、生动活泼的局面，使委员在履职活动中增强责任、感受信任、体会温暖。

各位委员，新机遇赋予新使命，新起点期待新作为。让我们在区委的领导下，围绕全区奋斗目标，肩并肩，手拉手，心连心，和衷共济，为推进科学发展首善区建设作出新的更大的贡献！

中山区国民经济和社会发展第十二个五年规划纲要

第一章 发展基础与环境

"十一五"时期，在中共大连市委、市政府的正确领导下，区委、区政府带领全区人民，克服国际金融危机的严重冲击，积极应对区域竞争日趋加剧的挑战，坚持以科学发展观为统领，认真落实中央、省、市的各项方针政策，始终坚持以经济建设为中心，抢抓机遇，全面推进具有港航服务业特色的中央商务中心区建设，大力发展民生事业，经济和社会发展各项工作取得了显著成就，"十一五"规划纲要确定的主要指标和任务如期完成。

一、"十一五"取得的重大成就

（一）综合经济实力大幅提升

"十一五"时期是我区经济社会快速发展时期，实现了国民经济的快速增长，主要经济指标全面完成或超额完成奋斗目标。2010年，实现地区生产总值221.9亿元，区级财政一般预算收入18.6亿元，全社会固定资产投资212.7亿元，社会消费品零售总额359.6亿元，实际利用外资3亿美元（不含东港区）。"十一五"期间，上述指标分别年均增长18%、24%、16%、17%和20%。城区经济综合实力明显提升，为"十二五"期间中山区经济社会快速发展奠定了坚实基础。

（二）产业结构持续优化升级

加快推进产业结构优化升级，三次产业增加值比重由2005年的4.9:16.4:78.7调整为2010年的1.4:2.6:96，初步形成了金融、航运物流及商务商贸等八大重点服务业产业格局。金融业发展优势突出，全区分行（分公司）级以上的金融机构达到62家。航运物流业不断发展壮大，航运物流企业总数达到1400余家。高端商业发展步伐加快，中山区被评为"中国商业名区"。科技与信息服务业加速发展，中山区荣获"全国科技先进城区"称号。旅游业发展成效显著，老虎滩极地馆荣获国家首批5A级景区称号。民营经济蓬勃发展，在全区经济发展中的主体作用显著增强。总部经济和楼宇经济集聚效应进一步显现，以希望大厦为代表的12座特色专业大厦为全市产业发展提供了良好的配套服务。

（三）对外开放水平不断提高

以开放型经济发展为重点，引进外资呈现出领域宽、项目大、质量高的良好局面。实际利用外资增长迅猛，从2005年的1.2亿美元达到2010年的3亿美元（不含东港区），年均增长20%。5年来，共新办外资项目510个，其中，超亿美元项目9个。在巩固与韩国首尔市江南区友好城区往来的基础上，与日本东京都荒川区缔结为友好城区，对外开放格局由企业间合作进入了区域协作发展的崭新阶段。

（四）重点项目建设推进有力

按照北部中央商务区、中部生态居住区、南部旅游观光区整体发展布局，加大项目规划、引进和服务力度，5年来，累计完成固定资产投资682亿元。以希望大厦为代表的商务项目、以明秀山庄为代表的住宅项目、以时代广场为代表的商贸项目，都产生了很好的经济与社会效益，对中山区经济的可持续发展产生了重要影响。

（五）城市建设管理水平逐步提升

进一步盘活土地资源，配合市政府，全面实施东港区搬迁工程和填海工程，新增土地面积3平方公里。加快旧区改造步伐，共拆迁改造旧区地块37个，拆迁总建筑面积130余万平方米，1.3万户居民居住条件得到改善。坚持基础设施硬件建设与管理体制机制创新协同发展。生态绿地追求实用性、观赏性，中山区人均绿地面积达到13平方米。大力开展夜景亮化工程，进一步美化亮化主要广场、路街及周边大厦景观。提升城区保洁档次，机械化清扫程度提高。投资3000余万元建成集治安防范、城市管理和应急指挥三位一体的"视频监控系统"，实现了对全区广场、主干道路等公共场所24小时监控，并在全省基层应急管理现场会上介绍经验。

（六）社会民生事业协调发展

劳动就业和社会保障工作不断加强。劳动就业服务保障平台达到规定标准，就业、创业及培训基地建设取得显著成效，“两网”建设初具规模，社会保障制度得到有效落实。“十一五”期间社会保障资金达到4.14亿元，共实现就业11万人次，全区实现了无“零就业”家庭，城镇登记失业率控制在3%以内。

教育发展水平得到巩固和提高。落实教育优先发展战略，投入5亿余元完成了9中、15中等校舍新建和升级改造工程，教育信息化水平处于全市前列。全区适龄儿童入学率、农民工子女入学率均达到100%。实施区校名师培养工程，建立20个“名师培养工作室”。在国内外建立高端培训基地，中山区成为全市唯一的“全国中小学教师专业化发展特色示范区”。彰显校园文化，打造特色学校，全区形成“一校一品”发展格局，44中、15中被评为“全国百所特色名校实验基地”，中山区被评为“国家现代学校制度建设实验区”。

医疗卫生服务体系进一步完善。加强基础设施建设，对区医院、区疾病预防控制中心进行装修改造，拓展区妇幼保健所业务用房，新建区卫生监督所，完成3个街道社区卫生服务中心建设。每千人拥有医院床位8.34张。中山区荣获“省级社区卫生服务示范区”、“省慢性病防治工作先进集体”和“省卫生应急工作示范区”称号。

社区建设扎实推进。5年来累计投入3.5 亿元用于改善社区办公和服务条件，全区社区办公服务用房平均面积由154平方米提高到460平方米，街道办公和服务用房平均面积由850平方米提高到2200平方米。4个街道被授予“全国和谐社区建设示范街道”称号，8个社区被授予“全国和谐社区建设自主创新奖”，中山区被评为“省和谐社区建设示范区”。双拥工作成果显著，中山区荣获“全国爱国拥军模范单位”称号。人防、武装、档案、科普、审计、民族、宗教、老年人、残疾人等工作也取得了新的成绩。

公共文化服务体系建设得到大力加强。投入1860万元建设的区市民网球中心和区市民乒乓球馆建成并向市民开放，投入4000万元建设的区美术馆项目竣工并即将投入使用。文化惠民成果喜人，“迎新春京剧晚会”、“棒棰岛艺术节”等中山区文化品牌已被全市人民认可，279支社区文艺队伍常年开展丰富多彩的文化活动。中山广场被文化部评为“全国文化特色广场”，中山区连续保持“全国文化先进区”称号。

政府职能加快转变。行政管理体制改革进一步深化，行政审批制度不断完善，重大事项的专家论证、技术咨询、绩效评估机制逐步健全。成功导入质量管理体系，政务流程不断优化。服务型、开放型政府建设深入推进，行政权力使用、运行日趋公开、透明、规范，依法行政取得明显成效。

人文环境进一步优化。文明城区建设深入推进，全区群众性精神文明建设活动蓬勃开展，8个街道全部跨入省级文明街道行列。人口和计划生育工作保持先进水平，新建人口计生服务中心，中山区被评为“全国人口和计划生育优质服务先进区”。民主法制建设不断完善，诉求渠道不断拓宽，民主氛围日益浓厚。“五五普法”活动深入开展，全社会法治意识明显增强。安全社区建设成效显著，全区进入国际安全社区行列。社会治安综合治理不断加强，社会纠纷调处、安全生产等公共安全保障体系与应急处置机制得到落实和完善，居民生活幸福指数明显提高。

总体上看，“十一五”规划执行情况良好，但也存在一些突出问题：一是特色产业优势不够明显。尽管中山区服务业占地区生产总值比重较高，但辐射功能不强，科技含量和竞争能力还需要进一步提升。二是新兴高端服务业比重较低。新建项目中新兴高端服务业比重不大，发挥示范带动作用不够。三是经济与社会协调发展尚有差距。随着经济社会的快速发展，就业、就医和交通等方面问题日益显现，城区基础设施建设压力增大，公共服务水平提升不够。对于这些突出问题和困难，“十二五”期间我们必须高度重视，统筹谋划，认真解决。

二、发展环境

“十二五”时期，是中山区实现区域发展战略重大转型的关键时期，必须适应国内外发展形势的新变化，把握发展的新趋势和新特点，立足优势，抢抓机遇，实现科学发展新跨越。

从国际环境看，世界经济进入“后危机时代”的调整和变革时期。世界经济增长和市场需求发生新变化，科技创新孕育新突破。同时也应看到，世界经济不稳定性仍然较大，气候变化以及能源资源安全、粮食安全等全球性问题更加突出。

从国内环境看，我国仍处于重要的战略机遇期，人均国内生产总值跨入4000美元发展阶段，消费、投资和产业结构都面临调整变化。同时也应看到，经济和社会转型中的矛盾和问题依然突出，传统经济增长模式面临新挑战。在就业、教育、住房等关系群众切身利益领域中，难点和焦点问题仍然存在。

从区域发展环境看，东北振兴、辽宁沿海经济带开发开放以及大连全域城市化发展战略，为加快辽宁沿海经济带地区的全面融合和大连城市空间的拓展提供了政策保障，大连城市功能、布局及产业等呈现多重转型趋势。同时，城市管理水平、社会管理协调能力和自主创新能力等面临国际化城市发展要求的考验，满足人民群众多样化生活需求、改善生态环境、提高公共服务水平面临新的更高要求。

从中山区发展实际看，“十二五”时期，发展机遇大于挑战。一是大连加快“三个中心”建设，为中山区加快金融核心功能区建设和高端服务业发展提供了新的资源环境与动力支持。二是东港商务区、城市地铁、跨海大桥等项目的建设，为优化空间布局、提高发展的承载力和公共环境质量提供了新的机遇。三是把保障和改善民生、低碳和节能放在更加突出的位置，为中山区发挥社会事业和生态环境比较优势，全面提高城区管理、公共服务和生态宜居水平，提升宜居宜业宜游的综合价值体系带来机遇。同时也应看到面临的挑战和迫切需要解决的问题。一是服务业产业体系面临的城区间同质和同构化竞争加剧，对加快产业结构优化升级，提升科技创新能力提出挑战。二是传统商贸商业中心地位减弱，对完善城区商务配套和综合服务功能、加快构建新的竞争优势提出挑战。三是中心城区的综合管理和公共服务面临国际化标准和率先发展的要求，对加快体制机制、管理模式和政策创新提出挑战。四是有效解决好旧城区拆迁改造带来的风险和压力问题，维护好群众利益，保持社会和谐稳定，是区域发展面临的重要挑战。

综上分析，“十二五”时期，中山区将进入一个全新的“转型发展期”。一是经济进入转型升级的关键期。中山区服务业已经形成较高比重，服务经济进入高端带动、创新驱动、消费拉动的新阶段。二是城区功能进入综合提升的关键期。大连“三个中心”建设加速，城区“四大功能区”建设全面推进，必将推动金融、航运、物流服务核心功能以及综合商务配套服务功能的全面提升。三是服务和管理水平进入全面提高的关键期。中山区将打破土地和空间发展制约，由促发展向发展和管理并重转变，城区综合品质将加速提升。四是生态环境进入宜居示范的关键期。新一轮城区建设改造对城市环境改善和低碳商务、低碳生活带来更高要求，必将带来生态环境质量的提高和宜居城区品牌价值的提升。

第二章 发展思路

一、指导思想

高举中国特色社会主义伟大旗帜，以邓小平理论和“三个代表”重要思想为指导，深入贯彻落实科学发展观，抢抓辽宁沿海经济带开发开放和大连全域城市化发展机遇，以推动城区经济社会转型发展为主线，以“四大功能区”建设为载体，以“金融中山、时尚中山、文化中山、绿色中山”为战略导向，以建设区域性金融商务核心区为核心战略，坚持转型发展、创新驱动、民生优先和低碳绿色四大原则，着力提升城区核心功能，着力提高产业能级，着力优化生态宜居环境，着力改善居民生活品质，努力建设大连科学发展首善区，实现科学发展新跨越。

二、基本原则

坚持转型发展。转型发展是推动经济社会发展的主线。着力实现经济发展方式、经济结构、城区功能、政府职能四大转变，即推动经济增长向投资、消费和创新共同拉动转变，服务业向高端化转变，城区功能向国际化和高水平转变，政府职能向服务型、法治型、责任型转变。

坚持创新驱动。改革创新是推动经济社会转型发展的根本动力。加快体制、机制、服务和政策创新，完善创新体系，引进并推动自主创新企业做强做大。深化“四大功能区”空间布局，强化人才、技术、资本等国际商务资源要素的集聚和创新，增强区域发展的活力。

坚持民生优先。改善民生是转型发展的目的。更加注重满足社会多层次、多样化需求，优化教育、卫生等社会资源布局，完善就业、养老、住房及救助等社会保障体系，扩大社会管理的公众参与度，推动国际化社区建设，不断提高人民生活品质，让人民生活更有尊严、更加幸福。

坚持低碳绿色。生态绿色发展是转型发展的途径。积极推进资源节约型和环境友好型城区建设，推动科技、健康、平安、畅通、低碳等城市创新要素集聚，加大节能减排和环境保护力度，大力发展低碳、绿色经济，建立高效能现代城市管理新模式，巩固和提升生态环境优势，增强可持续发展能力。

三、战略重点

——建设区域性金融商务核心区。紧紧抓住大连“三个中心建设”的有利条件，以优化功能载体、大项目带动、集聚人才科技要素、提高管理服务为抓手，以提升“两圈一带”金融核心功能为重点，深化中央商务区的空间和形象定位，更加注重产业发展的高端化，更加注重金融、航运等优势产业的相互融合和龙头示范作用，加快高端商务集聚和功能完善，提升总部经济、楼宇经济集聚效益，成为东北区域金融商务的首选地和高端服务业集聚地。

——建设区域性时尚消费旅游中心。充分发挥区域商务商贸资源优势，以提升业态、扩大影响、完善布局、增强功能为抓手，更加注重高端时尚商业的集聚和商业文化挖掘，大力扶持和引进新兴消费业态，加快高端旅游和文化休闲产业集聚，促进商业、旅游、文化发展互动，构建多层次、多元化、现代化商业消费环境，成为东北乃至东北亚消费影响最强、时尚元素最丰富、滨海旅游休闲特色最鲜明的消费和旅游中心。

——建设国际化生态宜居示范区。立足生态比较优势，以节能减排和共建共享的社会管理机制、公共服务体系为抓手，更加注重城市建设的精致魅力和城区管理的高效现代，更加注重公共服务的均衡普惠和特色优质，更加注重城市历史文化挖掘和利用，充分发挥在资源节约型和环境友好型城市建设中的引领示范作用，成为与国际化城市相适应、传承大连城市文化的文明之区和安定和谐的首善之区。

四、发展目标

（一）总体目标：

经济实力大幅提升，产业结构更加优化，服务和辐射东北、东北亚的金融、航运、物流核心服务功能更加显著。到2015年，基本形成以高端服务业为带动的现代产业体系、科学高效的城区管理体系、功能完善的公共服务体系和和谐安全的生态环境体系，基本建成区域性金融商务核心区、区域性时尚消费旅游中心和国际化生态宜居示范区，大连科学发展首善区建设迈出坚实步伐。

（二）主要目标：

序号	指标名称	单位	2010年	“十二五”规划		
				2015年	年均增长（%）	指标属性
1	城镇居民人均可支配收入	元	21367	42977	15左右	预期性
2	城镇登记失业率	%	<3	<3	—	预期性
3	城镇居民基本医疗保险参保率	%	90	95	—	约束性
4	基本养老保险参保率	%	99	99	—	约束性
5	人口自然增长率	‰	−1.10	−4.39	—	约束性
6	人口出生率	‰	6.08	3.91	—	约束性
7	地区生产总值	亿元	221.9	446.3	15左右	预期性
8	区级财政一般预算收入	亿元	18.6	37.4	15左右	预期性
9	全社会固定资产投资	亿元	212.7	427.8	15左右	预期性
10	社会消费品零售总额	亿元	359.6	723.3	15左右	预期性
11	城市绿化覆盖率	%	43	48	—	约束性
12	城市人均公共绿地面积	平方米	13	15	—	约束性
13	城市生活垃圾无害化处理率	%	98	>99	—	约束性
14	城市生活污水集中处理率	%	90	98	—	约束性
15	主要污染物排放	吨	—	同市	—	约束性

第三章 主要任务

一、加快产业升级，着力构建高端服务业为重点的现代产业体系

积极融入辽宁沿海经济带和大连“三个中心”建设大格局，深入实施现代服务业领率区发展战略，坚持高端引领、创新驱动、布局合理、功能完善，加快构建以金融商务为龙头、现代商贸为支撑、科技创新为助力、高端文化旅游休闲为配套的产业体系，率先形成大连高端服务业集聚区和现代服务业集聚区，推动区域经济总量增长、结构优化和效益提升。

（一）重点发展现代金融、航运物流产业

——金融业。加快提高各类金融机构集聚度，努力建设与东北地区金融中心相适应的金融服务和市场体系。完善金融服务体系。大力引进国内外金融机构法人总部、区域总部、

功能总部和后台服务机构，加快发展资产评估、金融租赁、货币经纪等金融中介机构和投资咨询服务机构。引导鼓励金融企业在产业风险投资、住房信托等领域创新金融产品。做强金融市场体系。重点引进各类股权投资企业（基金）和黄金、矿石、环境能源、现货交易中心项目，推进资金结算和外汇交易中心建设。大力发展金融服务外包、信贷、同业拆借、外汇交易、保险代理及金融信息等高端金融市场。加大私募基金引进力度。

——航运物流业。以做强做大航运、物流服务核心功能区品牌为重点，全力打造东北亚航运物流资源配置中心。大力发展高端航运服务业。依托航运物流协会，重点发展航运交易、海事保险、海事法律、航运经纪等高端航运服务，大力吸引航运物流供应链管理、运营、结算等总部机构集聚。完善现代航运体系。重点吸引和发展具有规模标准的物流企业，积极引进船舶代理、船舶租赁等海运辅助业，大力发展邮轮供应和邮轮旅游等配套产业，打造邮轮经济产业链。加快发展电子商务，推动航运物流信息化建设。鼓励航运物流企业积极运用网络信息技术实现业务升级，形成东北亚重要的国际航运物流信息集散和发布中心。

（二）着力提升商贸产业能级

以提升业态、扩大影响、增强功能为目标，制定发展规划，注重政策引导和业态培育，打造工作、娱乐、休闲、购物、居住为一体的一站式“都市生活中心区”。加快发展高档商业。吸引时尚品牌和时尚体验、健康娱乐等先进业态，成为大连时尚消费的主要中心和目的地。全力形成大商贸发展格局。推动商业与商务、文化旅游的联动发展，发展商业采购配送、邮政快递和电子商务，构建多层次、多元化消费服务网络。提升商贸服务业能级。优化商业布局，大力发展综合性购物娱乐项目和国际购物中心项目，有序引导大型零售业态发展，大力扶持各类分销中心、专业店、加盟店、组合店等，形成以市级、区级和社区商业中心为重点的多层次商业布局。打造特色商业品牌形象。挖掘商业文化，营造国际化、时尚化、特色化购物环境，加快以天津街为重点的特色商业街区建设，力争培育6-8个市级特色商业街区。

（三）加快壮大科技信息和专业服务业产业

——科技信息产业。抓住第三代移动通信和“三网”融合以及物联网等迅速发展的有利契机，加快软件信息、服务外包等特色科技信息服务业发展，形成规模化产业集群。拓展发展空间。规划建设一座集研发、孵化和服务为一体的科技知识城，培育人民路高技术信息服务产业带，促进软件信息服务业集聚发展。大力引进科技研发和服务外包总部机构。围绕大连战略性新兴产业发展战略，集中精力引进企业设计、研发等后台总部，引进以专业服务、结算服务、设计服务、管理服务为重点的服务外包总部。培育新兴科技信息产业。加快建设东港商务区软件开发基地和天津街动漫产业基地，大力扶持航运物流应用软件、电信增值服务、数字动漫和数字出版行业发展，推动物联网研发、数据平台产业化发展。

——专业服务业。整合区域专业服务业发展优势，扩大规模和影响，建设与国际化城市商务核心地位相匹配、专业门类齐全、品牌企业众多、服务功能完备的中介服务体系。扩大专业服务业规模。做强做大信息咨询、法律服务、广告等已经具备一定发展基础和规模的行业，培育壮大知识产权、人力资源和会务、会展服务等市场需求大、发展前景广的行业。提高专业服务业水平。鼓励和吸引中外专业服务业机构落户，加大力度引进国内外知名会计、咨询、律师等企业落户，大力发展财务顾问、并购重组、投资与资产管理等资本运营类服务，支持专业服务企业在境内外上市。

（四）大力发展文化创意、旅游休闲产业

——文化创意产业。扩大15库创意产业园规模，推动东港创意产业基地项目建设，培育新兴文化产业业态，抢占文化产业资源，促进文化创意产业集群化发展，形成竞争优势。加快发展创意设计业。建立设计制作、信息和技术服务、展示发布、市场推广、人才培训等服务产业链，加大服装、工业、建筑、景观和环保设计企业的引进力度。着力发展会务和文化娱乐业。依托东港中央商务区国际会议中心和人民路五星级酒店，积极承办大型高端国际会议，提高会务经济规模效益；发挥历史文化和基础设施优势，大力引进各类演艺公司、演出团体，做强文化娱乐业。加快培育现代文化产业。引进和培育骨干文化企业，重点扶持公共传媒、影视制作、图书音像和文化出版等现代文化产业。

——旅游休闲产业。按照大连建设东北亚滨海旅游中心城市的发展要求，发挥生态和海洋旅游资源优势，推动旅游产业由“观光型”向“观光、游憩、休闲、商务、度假”相结合转变，建成辐射力和带动力强的大连高端旅游休闲服务集聚地。加快培育旅游节庆品牌。重点打造“大连红酒节”等旅游节庆活动品牌。发展新型旅游产业。加快推动现代休闲文化、健身娱乐等场所的建设和运营。大力发展都市游、婚庆游等新型旅游休闲产业。提高旅游服务质量。建立旅游信息服务网络，完善旅游公共服务系统和自助式旅游服务体系。

二、优化空间布局，加快提升以金融为重点的城市核心功能地位

深入推进“四大功能区”建设，强化重点功能项目空间布局，形成资源共享、要素集聚、功能互补、辐射显著的发展格局，凸显在大连“三个中心”建设中的金融商务核心功能地位，构筑东北腹地与国际市场连接的服务中心。

（一）着力拓展综合商务功能，加快建设区域性金融商务核心区

以人民路CBD商务功能区建设为牵动，以提升“两圈一带”金融核心功能为重点，以建设区域性金融服务和商务服务集聚区为目标，发挥中央商务区建设引擎作用，努力营造有利于金融企业成群、产业成链、要素成市的良好发展环境，争创“国家级金融贸易区”。

——拓展商务服务空间。推进CBD商务功能区由一核（人民路商务区）向“双核”（人民路商务区、东港商务区）拓展，由“一路”（人民路）向“三路”（人民路、长江路、鲁迅路）延伸。东港商务区要突出功能培育和配套设施建设，加快金融、商务项目布局，成为推动中山发展的新增长极。长江路、鲁迅路沿线要积极谋划区块功能定位，重点推进香格里拉二期、富丽华三期、海景二期等CBD商务综合体和科技知识城建设。中山广场和青泥洼桥周边要加快整合优化，推动基础设施薄弱区域的动迁改造和功能置换，加快启动“金座”大厦等沉积项目，发挥更大的金融服务作用。

——提升楼宇经济集聚效益。以城区改造为突破口，建设一批规模大、品质高、服务强的标志性商务楼宇。完善政策机制，促进楼宇资源优化配置，培育一批特色和效益显著的专业大厦。完善大型停车场、酒店宾馆、购物休闲等配套设施，引进一批商务商业联动发展的城市综合体项目。继续加大总部经济招商力度，推动楼宇集聚向总部集聚转变。

——优化金融生态环境。密切与金融监管机构、金融行业协会及辖区金融机构的联系和沟通，及时了解和掌握行业投资动态及辖区金融机构遇到的问题和难点，不断完善有利于现代金融业发展的软环境。组织金融、风投和专业服务机构为企业上市开展服务。利用金融集聚优势，扩大中小企业融资规模，发挥金融服务作用。

（二）着力提升综合消费功能、加快建设区域性时尚消费旅游中心

以商贸功能区和旅游观光功能区为载体，以建设区域性商贸流通和旅游休闲集聚区为目标，建设风格别致、业态丰富、商旅文结合的多元化娱乐消费环境，全面构建区域性时尚消费旅游中心。

——完善商业功能布局。以功能项目为核心，提升天津街与青泥洼桥、人民路与东港区两大市级商业中心的服务功能，重点推进东港邮轮中心、凯丹商业综合体、国际购物广场，友好广场和青泥洼周边商业项目引进和开发建设。完善消费环境，以时尚舒适便利的大众生活消费为目标，加快中小店铺的改造提升和业态的丰富调整，繁荣发展三八广场、二七广场、桃源广场三大区级商业中心。提高天津街时尚休闲、文化娱乐等特色商业业态比重，重点推动国贸大厦、港汇中心项目建设，盘活海昌名城、鸿霖大厦等闲置项目。加强政策引导，大力提升渔人码头、经典生活等特色商业街区集聚效益。

——扩大旅游消费服务功能。以中高端旅游消费市场为导向，拓展旅游主题功能，重点推进钻石湾商务旅游区、琥珀湾综合旅游项目建设，完成滨海路景观整治和海之韵公园、虎滩湾环境改造工程，培育和构建南部旅游文化特色街，提升中山广场、南山等历史街区的文化旅游环境，开发三山岛旅游项目，构建时尚宜人滨海公共空间和亲海旅游娱乐空间，形成东北亚滨海旅游中心城市和大连时尚海洋旅游的重要基地。

——大力发展“地铁经济”和社区商业。充分把握港湾桥至希望广场段地铁建设契机，结合客流和商业发展基础，开展沿线、地下和周边商业物业布局，实现商业、交通、市政为一体的高效利用，构筑起商务核心区内的商业资源流动通道，发挥交通枢纽的集聚辐射作用。加强新型社区现代化商业设施建设，加快老商业街区环境改造，促进居民消费升级。

三、着力完善创新服务体系，不断增强发展的动力和活力

充分发挥政府引导与公共服务的职能作用，促进政策、资金、人才等资源向创新集聚，加快形成以企业为主体、市场为导向、资本为纽带、产学研相结合的创新体系，增强自主创新对区域经济社会发展的驱动作用。

（一）加强创新体系建设

坚持以企业为中心、市场为导向、资源有效流动为纽带，建立完善区域自主创新体系。完善企业创新扶持政策，鼓励企业增加研发投入，设立研发机构，引进海外人才，发挥企业主导作用，促进产学研联盟。激发企业创新活力，支持区内各类企业对接高新技术产业化，为科技型企业提供财税支持和针对性服务。大力推进科技成果产业化，组织实施一批高新技术产业化重大项目，以节能环保、新能

源、新材料、物联网等领域为重点，积极争取市级重点科技创新项目落户中山。营造有利于科技成果转化的市场环境，完善全社会共同参与的投入机制，发展形式多样的科技中介服务模式，提高科技成果转化成功率，通过科技创新项目引领中山未来发展。

（二）营造良好创新环境

完善鼓励创新的政策环境。进一步发挥科技发展专项资金作用，聚焦自主创新重点领域、核心环节和高新技术产业化，强化政策的针对性和导向性，扩大政策效应。加大投融资服务平台建设，大力吸引创业风险投资、私募基金等社会资本参与，提高市场化运作水平。加快建设公共技术平台，为企业和社会研究开发、技术创新提供良好的支撑条件。大力加强科技孵化体系建设，使之成为成果转化和技术创新的基地。完善创新服务体系，支持行业协会、非营利组织和科技中介服务机构发展，大力推进科技成果的展示、推广和应用。营造公平、宽松的创新氛围。加大知识产权保护力度，加强创新理念的宣传和普及，在全社会培育创新意识，倡导创新精神，培养创新技能。

（三）加强自主创新人才队伍建设

营造有利于自主创新人才成长的社会环境，形成尊重自主创新人才的社会共识，鼓励敢于自主创新的人才冒尖。加大自主创新人才引进力度，科学制定和大力实施人才引进计划，采取灵活多样的人才引进方式，以政府部门为主导，高等学校、科研院所和企业为主体，重点引进符合区域产业结构调整、战略性新兴产业发展所需的科技领军人物和研发团队，使专业人才在我区人才总量中的比例达到10%。完善自主创新人才培养开发体系，依托重点科技项目建设，构建产业科技成果转化平台，培育高层次、复合型创新人才。创新人才激励机制，完善科技人才奖励办法。

四、加快建设国际化生态宜居示范区，全面提高城区建设和管理水平

按照建设资源节约型和环境友好型社会的总体要求，坚持民生优先的基本原则和“绿色中山”的战略导向，树立绿色、低碳发展理念，大力加强城市基础设施和生态环境建设，突出管理在城区建设和发展中的地位，全面实施“绿化、洁化、亮化、序化”工程，打造一流的人居环境。

（一）加快城市基础设施建设，提升城区整体功能

以建设森林城市为目标，大规模开展植树造林，城市绿化覆盖率达到48%，人均公共绿地面积达到15平方米。五年栽植各种树木7万株，每年升级改造绿地10处，更新花卉2万株。加强公共休闲场所建设，每年修建近邻公园2处、社区公园2处。每年改造提升1条不低于4公里的路街环境。大力实施亮化工程，对解放路、中南路沿线进行美化亮化。投资建设20处、总计不低于5000个泊位的公共停车场，鼓励社会力量投资建设公共停车场，基本解决交通拥堵和停车难问题。五年内对弃管楼院进行标准化改造3万平方米。配合市有关部门，加大城市生活污水集中处理和垃圾无害化处理力度，营造良好的生态环境。

（二）建立数字化城市管理体系，提升城市管理水平

建立辖区数字化城市综合管理网络平台，整合利用治安监控、交通监管等系统设施资源，完善集城市管理、应急指挥、市民服务等功能为一体的数字化城市综合管理与指挥系统，实现城市管理监督、指挥、执法、处置、评价工作的数字化和网络化，提高城市管理的运行效率。不断完善城市管理考核制度，实行全新标准、全域覆盖、全面考核的城市管理考核体系。推进路街清扫保洁、垃圾除运规范化作业，完善垃圾分类管理，提高垃圾除运能力，实现无暴露垃圾点的目标。加强环境综合整治，促进城市管理科学有序。

（三）推进城区改造规划落实，提升居民生活品质

以提高生态环境承载力为基础，坚持因地制宜，强化居住设施配套建设，全面构筑环境优美、山水相融、生态良好、节能环保、安全舒适、服务便捷的高品质生活居住高地。进一步加大旧城区改造力度，五年内计划拆除旧区总建筑面积254万平方米，逐步改善居民居住条件。积极争取市政府的支持，对老城区基础薄弱区域进行集中改造，切实改善人民生活条件。保持南山、绿山、捷山和秀月山独特生态资源优势，还山于民，还绿于民，在建设保障性住房基础上，规划建设中端为主、高端为辅的居住区。注重历史文化传承，坚持开发和保护相结合，打造中南路、虎滩路花园式生态小区，最大限度地展示海洋时尚风情和宜居生态，形成富有魅力和特色的滨海生态小区。

（四）树立绿色低碳先进理念，提升生态环保质量

正确处理资源、环境、效益之间的关系，大力发展低碳经济、循环经济，实现绿色发展。围绕旅游业、餐饮住宿业、物流业等产业，推行“减量化、再利用、资源化”循环经济建设措施，重点发展生态旅游、绿色餐饮住宿业和循环物流业，实现循环型服务业的健康发展。运用国际先进理念，引进绿色低碳技术，对辖区内的办公大楼、

商务大厦逐步进行节能改造，全力打造国家级绿色低碳示范区。加大对《大连市循环经济条例》的宣传和贯彻力度，倡导绿色生活理念，提高全社会节约环保意识。深入开展绿色社区创建活动，实现全区绿色社区全覆盖。

五、大力发展社会和民生事业，不断提升公共服务水平

加强社会建设，把改善民生作为和谐社会建设的出发点和落脚点，逐步完善符合区情、比较完整、可持续的基本公共服务体系，制定和落实各项富民惠民举措，提高政府保障能力，推进基本公共服务均等化，促进各项社会事业均衡发展，不断满足人民群众多样化的公共服务需求。

（一）积极促进就业和构建和谐劳动关系

逐步完善促进就业的保障体系，多渠道开发就业岗位，鼓励自主创业，促进充分就业。以创业就业“123工程”为核心，推出积极稳妥的扶持创业就业政策，建立中山区创业就业服务园，完善三方联动机制，形成“三位一体”创业就业服务体系。分别以三八广场、天津街商圈为中心，扶持创建一批创业孵化基地、就业培训基地和大学生见习基地。在全市率先实现创业型城区建设目标。加大再就业保障资金的投入，城镇登记失业率控制在3%以内，全区无“零就业”家庭，“协约式”服务覆盖就业困难群体。加强劳动执法监察，推进劳动人事争议仲裁实体化建设，强化劳动用工备案，形成和谐稳定的劳动关系。

（二）进一步完善社会保障和救助体系

按照广覆盖、保基本、多层次、可持续的基本方针，加快推进社会保障体系建设。落实低保标准自然增长机制，保持低保标准与社会经济发展同步联动，加大对重残、重病、孤老、孤残、孤儿以及子女上学等低保对象的分类施保力度，平均上浮保障金提高到40%左右。强化低保精确管理，完善低保管理考核体系，建立居民收入核查机制，使中山区低保规范化管理水平继续在全国保持先进行列。加强灾害救助基础设施建设，创建防灾减灾示范社区，五年内，全区社区防灾减灾工作达标率达到90%，示范社区创建率达到10%。继续推进社会化养老机构的发展，五年内新建社区养老服务中心30所，新增保障性床位500张，实现每千名老年人拥有养老床位50张。

（三）率先在全市实现教育现代化

按照优先发展、育人为本、改革创新、促进公平、提高质量的要求，推动教育事业科学发展，率先在全市实现教育现代化。加大教育投入，新建区早教中心和中小学素质教育实践基地，高标准建设东港区和新建小区配套学校。加强教育信息化建设，以教育信息技术的现代化带动教育的现代化。发展学前教育，坚持公益性和普惠性相结合，形成政府主导、社会参与、公办民办并举的发展格局。实施“新德育”工程，深化课程改革，进一步提升“一校一品”特色教育发展水平。实施“新师德”工程，不断提升教师教书育人水平。加大干部教师培训力度，加强名师培养工作，打造一支高素质的干部教师队伍。

（四）加快推进医疗卫生事业发展

着力构建具有中山特色，融公共卫生服务体系、医疗卫生服务体系和药品供应保障体系“三位一体”的基本医疗卫生制度。人口平均预期寿命继续保持高于同期全市水平，孕产妇死亡率控制在15/10万以内，力争实现零死亡率，5岁以下儿童死亡率控制在3.5‰以内。加大投入，推进社区卫生服务机构达标建设，加强业务培训，提高服务水平。制定贫困人群慢性病防治基本药物帮扶政策，慢性病建档率达到90%以上。继续完善传染病监测防治系统，成立两支卫生应急反应机动队，提高卫生预警处置能力和社区医疗救治能力。扎实推进爱国卫生运动，积极推进健康城区建设，健康教育普及率达到95%。

（五）切实提高新时期人口工作水平

坚持计划生育基本国策，推进人口和计划生育工作公共服务的均等化，适度稳定低生育水平，提高人口素质，促进人口长期均衡化发展。进一步完善奖励、优先、优惠、扶持、救助、保障“六位一体”的计划生育利益导向政策体系，做好人口和计划生育政策与惠民政策的衔接，逐步实现奖励扶助标准的动态增长。全面推进数字人口工程，进一步强化人口和计划生育信息化建设。深入推进健康家庭促进计划，不断提高人口素质，增强家庭发展能力。建设妇女儿童活动中心，切实保障妇女儿童合法权益。支持残疾人事业发展，改善残疾人就医、就业和就学条件，不断完善残疾人社会保障体系和服务体系。

（六）全面提升社区建设和管理水平

按照巩固成果、加强建设、提升水平、继续深化的总体要求，大力加强社区软硬件的升级改造，全面提升和谐社区建设水平，和谐社区建设达标率达到90%以上。建设集教育、娱乐、健身、活动为一体的大型综合性区级社区服务中心。建设一所面积达1万平方米的大型养老服务中心，提供养老、医疗、康复、培训等系统化服务。加快培育

发展社会组织，力争实现登记备案社会组织数量年均增长5%，参与社会组织评估单位增幅50%。充分发挥社区活动室的作用，创设活动载体，丰富活动内容，提高社区服务设施的利用率和居民的参与度。完善社区服务组织体系建设，提高辖区服务资源的开放度和志愿服务的积极性，加大中介组织培育引进力度，推进社区服务向社会化、市场化方向发展。强化社区管理，完善议事和监督机制，实行社区直选，推进基层民主自治进程。

（七）大力推动文化体育事业繁荣发展

大力引进文体专业高校毕业生和社会优秀人才进入文体工作队伍，建立完善文体专业人才培养机制。统筹规划区域文体资源，加强基础设施建设，拓展活动阵地。高标准建设区图书和档案馆、市民文化活动中心。努力通过置换等方式将原大连火车头体育场纳入区级公共体育基础设施，将其建设成为中山区标志性体育活动基地。加强以区文化馆为龙头、各街道文化站为枢纽、各社区文化室为基础的三级群众文化工作网络建设，努力提高公共文体设施的使用率和服务水平，将文化惠民落到实处。推进文化创新，打造文化品牌，提升城区文化影响力。充分利用各种文化阵地，大力开展群众喜闻乐见的文体活动。深入挖掘城区文化遗产，保护和开发历史文物资源，丰富文化内涵，提升文化品质。

第四章　保障措施

一、健全规划管理机制，保障规划有效实施

强化组织领导，建立规划实施领导小组，把规划实施任务纳入行政首长目标责任制，建立部门职责明确、分工协作的工作机制。分解落实重点任务，制定出台具体的配套政策和实施办法，完善规划实施的责任落实机制和成效评估机制，充分发挥各方面积极性和主动性，共同推动规划的组织实施。通过各种形式，向社会广泛宣传规划的总体思路、发展目标和重要举措，提高规划的社会认知度和认可度，促使社会各界统一思想，达成共识，共同参与规划的实施工作。做好规划的监督评估，及时发现规划执行中的偏差和问题，并采取措施予以解决。加强区人大和政协对规划实施的监督，拓展公众参与规划的渠道，充分发挥法律监督、民主监督、行政监督、舆论监督和群众监督的作用，保证规划真正落到实处。

二、深化改革扩大开放，激发城区发展活力

把深化改革扩大开放作为中山区建设科学发展首善区的重要动力。结合城区改造，创新城区管理体制和运行机制。完善公共财政体系，提高财政管理能力。巩固产权制度改革成果，建立完善现代企业制度，加快推进企业优化重组，进一步提高中山区民营企业的规模优势和整体实力。采取"走出去"和"请进来"相结合的方式，进一步提升对外开放层次，优化对外开放格局。提高利用外资质量，建立以主题招商、产业链招商为主体的招商引资新机制。加大对金融、商贸、航运物流及旅游业等重点领域的招商力度。注重培育特色优势产业，全方位引进境外的资金、技术和人才。加强区域合作，深入推进与各友好城区间的全方位务实合作，实现优势互补。

三、强化政策支撑，营造更具活力的体制环境

建立健全与规划相配套的经济社会发展政策与实施细则，充分发挥各类经济杠杆的调节作用。营造良好的政策环境，形成符合市场经济要求的运作机制，吸引经济发达地区的民营资本、国外跨国公司、国内大中型企业特别是上市公司到中山投资。对市场前景好、产业带动能力强的大型投资项目，从战略的角度出发给予更多的优惠，对规划安排的重大建设项目在土地、资金等方面给予充分的保障。加强基础设施建设，抓好文明、安全城区的综合治理，努力为投资者营造安全、高效的投资环境。

四、加强人才队伍建设，提高公共服务水平

坚持人才强区的发展战略，加强各类人才队伍建设。进一步完善人才引进、培养、选用、激励、评价及保障等人才资源开发政策体系，优化人才环境。制定《中山区人才引进办法》，完善人才创业扶持政策，创新有利于人才全面发展的培养机制。建立公开、平等、竞争、择优的选拔任用机制，稳步推进事业单位人事制度改革。高标准建设中山区市民服务中心，以公共服务为目标，推进政府管理方式、管理制度和管理方法创新，建立高效履行公共职能、提供公共服务的政府公共管理体系。建立健全激励约束机制，全面提高公务员素质。发挥质量管理体系在政府工作中的作用，进一步提高行政效能，打造廉洁高效政府。

五、推进民主法制建设，维护社会和谐稳定

加快推进依法行政，进一步深化行政管理体制改革，依法界定和规范行政机关职能和权限，坚持把行政决策纳入法制化轨道，健全科学民主的决策机制。加强制度建设和规范执法，全面提升行政执法规范化水平。推进依法治区，充分发

挥法制宣传、法律服务和法律援助的职能作用，提高市民的法制意识，为经济社会发展营造良好的法治环境。积极推进公民科学素质建设，巩固并扩大全国科普示范城区创建成果，实现科普专项经费逐年增加，确保全区50%以上社区达到市级三星级以上科普社区标准。充分发挥工会、共青团、妇联和工商联等群众团体联系企业和广大人民群众的桥梁与纽带作用，认真贯彻党的民族、宗教和侨务政策。加强国防后备力量和国防动员建设，完善基础设施，按照“平时应急、战时应战”的要求，推动人民武装工作持续健康发展。深化平安城区创建活动，完善社会治安防控体系，健全打防管控一体化建设。新建中山区法院审判庭。完善社会矛盾纠纷化解调处机制，有效化解社会矛盾。切实加强安全生产和食品药品安全监管，全力推进商贸企业安全生产标准化建设，大力加强基层基础工作，排查治理各类公共安全隐患，健全完善应急处置机制，确保社会和谐稳定。

附：

《“十二五”规划》相关名词解释

1.大连“三个中心”建设：2009年7月1日国务院常务会议研究通过的《辽宁沿海经济带发展规划》明确了大连的核心地位和龙头作用，确定将大连建设为东北亚国际航运中心、东北亚国际物流中心和区域性金融中心。

2.“两圈一带”：按照大连金融业发展规划提出的金融核心功能区建设要求，中山区确立了以中山广场为基础、人民路CBD为纽带、东港商务区为重点的“两圈一带”金融核心功能区建设发展战略。

3.总部经济：指区域由于特有的资源优势吸引企业将总部在该区域集群布局，将生产制造基地布局在具有比较优势的其他地区，而使企业价值链与区域资源实现最优空间组合，以及由此对该区域经济发展产生重要影响的一种经济形态。

4.特色专业大厦：是指中山区政府命名的具有行业或产业集聚特色的商务写字楼。目前中山区已培育和命名了航运、物流、金融、总部、服务外包等12座特色专业大厦。

5.地铁经济：地铁让城市地下构筑起四通八达的地铁商业网，能够使人流、物流、商流和信息流快速地涌动，为城市财富功能的升级提供一个快速的载体，形成地铁商圈立体效益。

6.近邻公园：居民区周边靠近山林建设的市民健身公园。

7.“金屋顶工程”：在高大建筑物屋顶设置构筑物，安装灯光照明系统，进行夜间亮化，增加夜间景观。

8.“两网”建设：是指对辖区内企业与职工建立劳动关系后实行网格化和网络化管理。

9.“零就业”家庭：是指城镇同一户口家庭成员中在法定劳动年龄内，持有《失业证》并具有劳动能力和就业愿望、无一人就业的家庭。

10.“一校一品”：为打造学校特色，彰显校园文化，每所学校根据校情确定特色发展目标，打造特色发展项目，从而形成自己鲜明的办学特色。

11.创业就业“123”工程：“1”是指一体化建设，即筹建中山区创业就业服务园，建立创业就业一站式服务功能区；“2”是指提升区政府和街道两级的服务质量；“3”是指建立三方联动机制，即建立政府相关部门、企业和创业者三方联动的长效机制，用足用活创业扶持政策，由创业孵化基地对创业项目进行筛选孵化，使创业者能够尽快实现就业。

12.“三位一体”创业就业服务体系：是指以政策为引导，以企业为依托，采取公助民办的形式创建创业孵化基地，吸纳失业人员和高校毕业生进行创业孵化，从而走上创业就业之路的服务体系。

13.“协约式”服务：是指对城镇已登记失业人员按照服务协议确定的服务内容，在承诺时限内（一般不应超过15个工作日）为失业人员提供相应的服务。

14.“新德育”工程：树立“育人为本、德育为先”理念，营造“大德育”氛围，开设学生职业规划教育、青少年道德礼仪教育区本课程、成立学生社团等，创新德育工作的方法和途径，培养学生社会交往、创新精神与实践能力，进一步深化素质教育，实现德育机制的规范化、德育队伍的专业化、德育目标的具体化、德育活动的课程化、德育组织的网络化。

15.“新师德”工程：以“爱与责任”为核心主题，以人文关怀和价值引领为根本方式，以培训、教育、宣传、考核为基本途径，以“讲身边事，学身边人”活动为常规载体，以制度机制为重要保障，实现“五化”突破，即师德文化多元化、师德教育系统化、师德规范标准化、师德评价科学化、师德奖惩导向化。

16.和谐社区建设：按照“民主法制、公平正义、诚信友爱、充满活力、安定有序、人与自然和谐相处”的要求，努力把社区建设成为居民自治程度较高、社会秩序稳定、社会保障充分、生活环境舒适、公共服务完善、各种社会群体和谐相处的现代城市社会生活共同体。

大事记（2010）DA SHI JI

1 月

5日　区长江亲瑜会见百胜餐饮集团中国事业部东北市场肯德基总经理王越女士、必胜客总经理解军一行5人，就有关事宜进行交流。

同日　区委书记李向东、区长江亲瑜陪同大连市委书记夏德仁，在香格里拉大酒店会见日本欧力士（中国）投资公司董事长井上亮。大连海昌集团公司与日本欧力士（中国）投资公司共同签署《资本战略合作协议》，欧力士集团中国总部落户中山区。

5–7日　政协中山区八届三次会议召开。会议审议并同意《政协中山区常委会工作报告》和《关于八届二次会议以来提案工作情况的报告》，表彰2009年度政协活动积极分子、政协工作先进集体、优秀提案。8位政协委员作大会发言，为政协全会议首次。共收到委员提案192件，经审查立案149件。期间，列席区人大十六届三次会议，协商讨论各项工作报告，提出意见和建议。

6–8日　中山区人大十六届三次会议召开。审议通过《区政府工作报告》《区人大常委会工作报告》《区人民法院工作报告》《区人民检察院工作报告》，审查和批准《中山区2009年国民经济和社会发展计划执行情况及2010年国民经济和社会发展计划草案报告》《中山区2009年财政预算执行情况和2010年财政预算草案报告》。依法选举江亲瑜为区长；补选任福义、孙惠民、刘洋为区人大常委会委员。表彰2009年度提出优秀建议、批评和意见的人大代表17名。共收到代表建议、批评和意见241件。

14日　中山区食品安全委员会开展节日食品安全大检查，组织相关部门对重点食品生产、品种进行了检查。

同日　中山区安全委员会召开会议，部署落实“安全隐患排查整治百日会战”，通报全市近期发生安全事故情况，提出建立重大事故隐患排查整治长效机制，强化监管监察，落实安全生产责任制，解决安全生产薄弱环节、突出问题和深层次矛盾等具体整改要求。

19日　中山区安全生产暨创建“国际安全社区”动员大会召开。区整建制进入“全国安全社区”行列，人民路街道成为“国际安全社区”。

20日　区长江亲瑜会见苏宁电器股份公司总经理胡旭健，就苏宁电器拟在青泥商业圈筹建城市综合体进行洽谈。

同日　渤海银行大连分行落户中山区。大连市市长李万才、副市长戴玉林、姚家凯，中山区区长江亲瑜、副区长张锦明出席开业仪式。

22日　区委书记李向东会见日本大和房地产株式会社室长惠藤英郎和大和中盛副总经理小仓满，向客人介绍中山区域现代服务业发展情况。

同日　中山区人民政府2010年第一次全体（扩大）会议召开，贯彻落实区委十二届八次全会、区人大十六届三次会议精神，部署年度工作。

26日　区长江亲瑜率中山区招商团随大连市代表团赴香港，开展现代服务业和东部港区基础设施招商引资活动。期间，江亲瑜随同副市长戴玉林拜会嘉里集团、基汇基金、新鸿基集团和佳兆业集团，使香格里拉二期和东港区等项目取得实质性进展。中山区和市土地储备中心分别与香港恒大亚太投资公司、香港融丰投资置业公司等签订投资意向书，投资额5亿美元。

同日　中山区“十二五”规划编制工作会议召开，贯彻国家和辽宁省、大连市“十二五”规划编制工作会议精神，启动区“十二五”规划编制工作。

28日　《大连日报》以“发展特色，办人民向往的教育——中山区着力打造学校特色纪实”为题，介绍中山区创建特色学校工作。

29日　中山区开展“安全隐患排查整治百日会战”专项行动，加强网吧、文化娱乐市场安全工作，确保“两节”、“两会”期间及冬季网吧、文化娱乐市场的安全稳定。

2 月

2日　大连市政协副主席、市委统战部部长董长海到中山区桃源街道、葵英街道和海军广场街道走访慰问残疾人、困难职工、困难群众及省劳模，送去米面油和慰问金。

4日　区委、区政府在大连新世界酒店举办2010年中山区企业家迎新春联谊会，与企业家共谋全区经济发展。

同日　大连市人大常委会副主任鞠文华到中山区老虎滩街道、桃源街道、昆明街道、人民路街道和海军广场街道，走访慰问市劳模、困难群众和残疾人，送去米面油和慰问金。

6日　香榭里广场开业。区四大班子主要领导等出席开业仪式。该广场是集休闲、娱乐、餐饮、购物为一体的大型国际化购物中心。

11日　区长江亲瑜会见美国国际数据集团创业投资咨询（北京）公司领导宁君。该公司是第一家进入中国的美国技术信息服务公司，计划在中山区选址建立北方创业孵化中心。

13日　除夕上午，大连市委书记夏德仁来区慰问社区工作者。

20日　区长江亲瑜、副区长张锦明率中山区政府经贸代表团参加辽宁省、大连市政府在温州举办的招商活动。

25日　中山区组织、宣传工作会议召开，贯彻全国和辽宁省、大连市的组织、宣传工作会议精神以及中共中山区委十二届八次全会精神，总结上年工作，部署2010年任务。

26日　中共中山区纪检委十二届五次全会暨全区行政监察工作会议召开。区四大班子领导，区纪委委员，全区各委办局、街道主要领导、纪（工）委书记及有关人员参加会议。

3 月

4日　中山区“弘扬雷锋精神关爱空巢老人”志愿服务活动启动仪式举行。活动月期间，51个社区的31支志愿服务队赴空巢老人家庭展开志愿服务。全区共有3万多人参与活动，受关爱老人近2万人。

8日　区委书记李向东会见中山区政府特邀经济顾问藤井继道、日本住友不动产株式会社本部长桥爪弘幸、住友会社大连代表处首席代表熊谷彰二等日本客人。

11日　中山区对外开放工作会议召开。区四大班子领导、区政府各部门、街道主要领导及招商专干、驻区单位领导参加会议。

同日　德国联邦技术减灾署高级官员皮特在国家、辽宁省、大连市地震局相关领导的陪同下，参观中山区人民路街道安全社区。

14日　中央政策研究室党建局局长江金权一行5人，在大连市委组织部副部长王乃波、中山区委副书记何守林等陪同下，到老虎滩街道调研基层党建工作。何守林代表中山区委作基层党建工作汇报。

15日　中山区创业就业工作表彰大会召开。贯彻全国和辽宁省、大连市人力资源和社会保障工作会议以及区委十二届八次全会精神，总结上年工作，部署2010年工作任务，表彰2009年度中山区就业工作先进单位和先进个人，命名2010年创业孵化示范基地。

17日　区委书记李向东一行6人随大连市经贸代表团赴荷兰、德国、法国进行经贸招商。期间，李向东随同市长李万才先后拜访荷兰领得高集团首席执行官和凯丹集团总裁，就两企业在天津街和东港商务区投资事宜进行会谈。

19日　中山区应急救援大队在区公安消防大队成立。该大队承担自然灾害、生产安全事故、社会安全事件、突发事件的抢险救援工作。

24日　黑龙江省齐齐哈尔市安监局副局长侯飞一行7人，到中山区学习调研全国安全社区创建工作。

同日　中山区开展第15个“世界防治结核病日”宣传活动，宣传国家免费治疗肺结核病人的优惠政策及结核病防治知识，发放宣传手册和宣传单1000余份。

25日　中山区研究设立大连科学发展首善区指标体系专题会议召开，区政研室、发改局、教育局、民政局、城建局等部门提出关于评价指标体系的意见和建议。

26日　区长江亲瑜会见华锐世纪集团大连公司执行董事张连峰、总经理韩涛，探讨东港区项目建设和后续合作等事宜。

31日　区长江亲瑜会见香港戴德梁行中国东北区经理赵欣女士，区委政研室主任王彦静参加会见。

同日　中山区深入学习实践科学发展观活动总结大会召开。区级领导干部，参加第一批、第二批学习实践活动单位的党政领导干部及工作人员220余人参加会议。

4 月

6日　大连市委副秘书长王义奎、市妇联主席王玲杰带领市委督查组一行10人，到中山区督查贯彻落实《大连市委关于进一步加强妇联工作的意见》和《关于进一步加强新形势下妇联基层组织建设的意见》的情况。

9日　中山区2010年武装工作会议召开。总结上年工作，部署2010年任务，表彰2009年度中山区武装工作先进单位和先进个人。

12日　辽宁省安全生产监督管理局副局长梁彦率省政府安全生产目标考核组一行5人，考核中山区政府2009年安全生产目标管理工作。区长江亲瑜作情况汇报。

13日　区委书记李向东、区长

江亲瑜、副区长郭云峰会见锦州市凌河区区委书记李志刚、区长王立维、副区长魏岩松。

14日　中山区二季度重特大事故防范暨安全委员会全体会议召开。区长江亲瑜、副区长郭云峰、区安委会成员单位及各街道办事处、辖区签状单位领导参加会议。

21日　全国二十一城区（市)政协工作联系会第21次会议常务理事会在中山区召开。

27日　区委、区政府召开中山区"十大文明"表彰暨创城工作动员大会。分别授予143个集体、110户家庭、279名个人荣誉称号。公布《2010年中山区创建全国文明城市工作方案》和《中山区迎接大连市公共文明指数测评体系及操作办法》。全区24个迎检责任单位向区委、区政府递交责任状。

28日　中山区街道党工委书记履行党建工作职责述职评议大会召开，首次开展基层党组织书记"双向述职"评议。区委常委，各街道党工委书记、副书记、组织委员，部分区党代表、人大代表、政协委员等共50人参加会议。

同日　区长江亲瑜分别会见韩国外换银行大连分行行长韩思权、戴德梁行房地产咨询（大连）公司希望大厦物业管理处总经理陈华达。

29日　大连市中山区招商项目说明会召开。副市长孙广田，市经合办、外经贸局、国土房屋局、规划局、服务委、土地储备中心、台办、贸促会等单位领导以及区委、区政府、区政协领导和区相关部门和街道领导参加会议。

同日　大连市副市长孙广田视察中山区重点建设项目老虎滩渔人码头工程。

同日　"中山区共青团服务青年就业创业直通车工程" 正式启动。

5月

6日　区长江亲瑜会见好利文化传播大连公司董事长于宙人。

同日　区人大常委会副主任范成华、科教文卫委主任任福义和部分区人大代表调研本区食品药品监管工作。

10日　区长江亲瑜一行11人赴深圳招商，参加大连（深圳）新市区推介会。达成引进外资意向项目8个，意向投资额20.9亿美元；达成引进内资意向项目4个，意向投资额58.3亿元。

同日　区委举办为期1周的纪检监察干部培训班。委局机关干部、基层各单位纪（工）委书记、纪检组长、专职纪委委员参加培训。

14日　中山区政府在天津街步行街开展"深入推进政务公开，促进和谐中山发展"主题政务公开日宣传活动，共展出宣传板200余块，发放各类宣传册3000余份、宣传单1万余张，接待咨询2000多人次。

16日　中山区残联组织辖区残疾人代表去上海世博会参观生命阳光馆。

17日　韩国外换银行股份有限公司大连分行正式改制为外换银行（中国）有限公司大连分行，成为独立法人机构。

18日　吉林银行大连分行落户中山区，举行开业庆典。

20日　中山区政务公开工作培训会议召开。学习《中华人民共和国政府信息公开条例》，推进全区政务公开和政府信息公开工作。

22日　国家国防教育办公室检查调研组到桂林街道望海社区检查工作，对该社区高标准的国防教育阵地建设和国防教育"小社区大国防"的经验做法，给予高度评价。

23日　大连锦华钟表洲际旗舰店在中山区开业。大连市副市长孙广田、市人大常委会副主任鞠文华、市政协副主席施中岩，中山区四大班子主要领导，江诗丹顿亚太区总裁Mr.Yann及首批进驻旗舰店的20个品牌的亚太区总裁出席开业仪式。区长江亲瑜致辞。

26日　为期5天的韩国文化博览会在大连地一大道·爱尚首尔商场开幕。该商场位于中山区青泥洼商圈，总面积2万平方米，专营韩国商品和料理。

28日　中山区宣传工作会议召开，部署开展"大连城市精神"大讨论活动。

31日　中山区团委组织50名青年志愿者与辖区农民工子女结成帮扶对子，正式启动"大手牵小手 青枝哺绿芽——中山区共青团关爱农民工子女志愿服务系列活动"和"共青团关爱农民工子女志愿服务系列活动"。

6 月

3日　"大连市中山区红十字会志愿者服务基地"在葵英街道向阳社区揭匾。这是全市第一个社区红十字志愿者服务基地。

同日　区长江亲瑜会见力勤投资集团副总裁王正平一行。

8日　世界卫生组织安全社区命名仪式举行。中山区人民路街道与本市及外市共6个街道被命名为"国际安全社区"，并成为国际安全社区网络成员。

9日　区长江亲瑜会见香港瑞安集团大连项目总监刘炳章一行。

同日　中山区桂林街道安民社区开展"粽香飘社区，爱心永相传"端午节主题宣传活动。组织老年志愿者教年轻人包粽子，并将粽子送给辖区的空巢老人和困难户。

13日　大连市生产安全月纪念封发行暨职业安全健康知识竞赛抽奖仪式举行，拉开中山区安全生产月咨询日活动帷幕。副市长曲晓飞、市安监局局长杨吉奎、市邮政局局长宋超、中山区副区长郭云峰等出席抽奖仪式。

18日　中山区政协组织部分政协委员视察寺儿沟“心语阳光”残疾人培训就业基地、葵英街道向阳社区智障人日间照料站、昆明街道武昌社区残疾人文化活动站。

同日　由中山区文联、区曲艺家协会主办，青泥洼桥街道文联、中国电信协办的“欢乐青泥行”活动启动仪式在天津街举办。

同日　中山区纪检委召开2009年5月以来提拔上岗的20名领导干部集体廉政谈话会议。与会人员观看警示教育片《欲之祸》，参加《党员领导干部廉洁从政若干准则》知识测试，递交廉政承诺书。

20日　中山区行政审批电子监察系统正式与大连市联网，实现视频图像和监察数据传输。区财政、政府采购、工程招标、审计等信息都纳入电子监察网络。

21日　区长江亲瑜赴青岛市市南区专题考察青岛市啤酒节、红酒街、奥帆心海广场等特色街建设和中心城区亮化工程。

23日　中山区基层党组织和党员深入开展“创先争优”活动动员会议召开。

24日　中山区政协开展“委员学习日”活动。区长江亲瑜通报全区上半年经济社会发展情况，市委党校副校长、大连软件外包研究院院长、区政协咨询顾问赵立成教授作《真心实意落实科学发展观，踏实地推进大连科学发展新跨越》专题演讲。

同日　中山区团委开展“温室效应我不要 低碳环保我拥抱”低碳环保主题系列宣传活动，倡议“少一份垃圾，多一份绿色”。

同日　2010年中国国际旅游商品博览会在浙江义乌举行。在全国千余件参赛商品中，中山区米达斯纪念品有限公司的贝雕系列、女骑警雕塑分获2010年中国旅游商品大赛金奖、铜奖，其中金奖是辽宁省旅游纪念品有史以来在全国大赛上获得的唯一金奖。

25日　中山区社区百姓评议基层站所工作表彰会议召开。有8个单位、4个街道、17个基层站所、46名个人受到表彰。

29日　区长江亲瑜会见美国苹果公司中国区主管丘陵一行。

同日　中山区侨联第四届委员会第四次会议召开。大连市侨联主席沈丽荣、区委副书记何守林、区政协副主席统战部部长张东红出席会议并讲话。

30日　区长江亲瑜会见大连友谊（集团）公司副董事长杜善津一行。杜善津介绍友谊集团在中山区投资的友谊商城二期、富丽华三期和东港区项目规划建设方案。

7 月

5日　辽宁省城乡社区建设工作会议在连召开。期间，副省长陈超英、省委副书记张成寅、省社区建设领导小组单位主要负责人、各市有关领导等，在市领导王新民、市民政局局长杨爱民、中山区区长江亲瑜陪同下，来到此次会议唯一分会场葵英街道林海社区居委会，考察该社区“三位一体”社区建设新模式。

9日　大商集团夏凉节市民消夏广场暨文化中山第十五届广场活动启幕。该活动由中山区政府与大商集团联手打造，持续1个半月。

11日　济南市长青区安监局一行7人到中山区考察安全社区创建工作。

12日　区长江亲瑜会见宝金国际投资公司董事局主席宋玉鸣、大连悦泰集团总裁张悦满和副总裁张琦。

15日　为期1个月的第五届天津街美食节开幕。来自俄罗斯、德国、印度、韩国、中国台湾等地及国内80余家企业携数百种各地美食亮相。

同日　中山区2010年党风廉政建设和反腐败工作责任分工会召开，印发《中山区2010年党风廉政建设和反腐败工作要点及责任分工方案》。

同日　中山区“小金库”专项治理工作会议召开。区委常委、常务副区长蔡先勃主持会议，区委常委、纪委书记李玉宝出席并讲话。

16日　区政协主席薛京利一行视察重点提案《关于转变招商引资方式，提高招商引资实效的提案》办理情况和中山区上半年招商引资工作。

同日　大连市茶文化研究会、大连古文化茶艺职业培训学校在中山区南山风情街召开“2010首届中国大连国际茶文化交流会暨建会四周年庆典”活动。

17日　营口银行大连分行落户中山区。营口市副市长王笑柳、大连市金融发展局局长曹煦、中山区政府主要领导以及中国银监会大连监管局、中国人民银行大连市中心支行、大连银行业协会的领导出席揭牌仪式。

19日　中共中山区委第十二届九次全会召开。区委书记李向东代表区委常委会作题为《坚定发展目标抓好工作落实　全力推进大连科学发展首善区建设》的工作报告。

同日　上海市松江区安监局副

局长平易斌一行10人来中山区考察学习安全社区建设工作。

20日　区长江亲瑜率团赴日本、中国香港，开展经贸和友好促进活动。

同日　区政协主席薛京利、各位副主席及部分政协委员对上年视察环卫工作建议案落实情况进行“回头看”。常务副区长蔡先勃作了汇报。

25日　第十二届中国国际啤酒节啤酒竞饮大赛在天津街举办。

同日　全国二十一城区（市）政协工作联系会第22次会议在兰州市城关区举行。区政协主席薛京利、秘书长赵黎明等一行5人参加会议。

28日　中山区海军广场街道马仁典家庭被全国五好文明家庭创建活动协调小组授予第七届全国五好文明家庭标兵称号。

30日　中山区政府召开2010年第二次全体（扩大）会议。总结上半年工作，部署下半年任务。区委书记李向东和区长江亲瑜作了讲话。

8 月

2日　中山区残疾人工作表彰暨推进创建“全国残疾人工作示范城市”大会召开。表彰残疾人工作先进集体、残疾人职业技能培训先进集体、安置残疾人就业先进集体以及优秀残疾人工作者20名、扶残助残先进个人40名。

3日　中山区推进惩治和预防腐败体系建设工作会议召开，部署全区惩防体系建设和规范行政权力运行工作。区委常委、纪委书记李玉宝作《中山区惩防体系建设工作情况的报告》，区长江亲瑜就加强行政权力运行制度建设作了讲话。

6日　郑州市金水区副区长徐雄一行7人，来中山区考察总部经济、楼宇经济和高端服务业。

8日　改造升级后的天津街古玩城开业。营业面积2万平方米，经营业户400多家。

10日　大连市总工会常务副主席陈凤荣带领市委政研室、市总工会一行7人，到中山区调研工会工作。

12日　由中山区科协主办，老虎滩街道承办的2010年中山区“科普之夏”活动在山屏广场举行。活动的主题是：普及科学知识，提高市民素质，打造健康城区，促进社会和谐。

13日　中山区政协组织部分政协委员，对区经信局2008－2010年提案办理和落实情况进行评议，并形成评议报告。

18日　中山区政协召开“发展、创新、提升、跨越”主题座谈会，邀请专家与政协委员参加。副主席孙超主持会议，常务副区长蔡先勃作功能区建设情况通报。

19日　中山区渔政执法船2111号首航。区四大班子有关领导参加仪式。

26日　河南省南阳市卧龙区副区长李宛生一行5人，到中山区学习考察发展现代服务业工作。

27日　中山区中心小学三年级学生丁思文获世界华人电视交流学会、中国艺术教育学会、全国校园文艺汇演颁奖盛典节目和中华之星全国青少年优秀艺术人才展评组委会联合颁发的“中华之星”钢琴少儿B组（7－9岁）金奖。

30日　中国职业安全健康协会安全社区办公室主任欧阳梅检查中山区创建国际安全社区示范点工作，视察希望大厦、区残疾人康复中心、区第十六幼儿园、桂林养护中心。

9 月

2日　大连市无党派人士联谊会中山区分会第一届理事会第二次会议在区民主党派活动中心举行。区政协副主席、区无党派人士联谊会会长孙超作《关于一届一次会议以来工作情况的报告》。

7－8日　中山区政协组织常委会成员视察辽宁沿海经济带。

8日　大连市委副书记里景瑞到中山区走访慰问省优秀教师、市劳动模范、中山区实验学校教师李圣波，并代表市委、市政府向全区教师、教育工作者致以节日祝贺。

同日　中山区开展“六个一”系列活动，庆祝第26个教师节。表彰中山区优秀班主任100名，评选13名首批区级名师。开展师德巡讲活动，遴选师德典范10名。

同日　中山区开展庆祝《中华人民共和国保守国家秘密法》修订颁布纪念活动。

13日　中山区应急办在区应急指挥中心组织应急信息平台演练。市应急办及区应急办、城建局、卫生局、安监局等部门负责人观摩演练。

14日　区委、区政府联合召开中山区纪念9·25《公开信》发表三十周年暨2009－2010年度人口和计划生育工作表彰大会。总结30年来全区人口计生工作成就，部署“十二五”阶段主要工作任务，表彰2009－2010年度中山区人口和计划生育工作先进集体、先进工作者和在人口计生战线连续工作10年以上的特殊贡献工作者。市人口和计生委主任于滋出席会议并讲话。

17日　大连市特奥代表团24人抵福州市，参加全国第五届特殊奥林匹克运动会。其中部分运动员来自中山区培智学校。

同日　桃源街道9个社区的100余位居民参加“文化中秋”游园活动，弘扬传统节日文化。

19日　大连市首届中秋节大型民俗文化活动——2010迎国庆·庆中秋游园大会开幕式在劳动公园举行。1万余名市民参加游园大会。

同日　中山区科协承办大连市全国科普日暨科普之秋活动启动仪式。1500余人参加主题活动，发放科普手册5万册，展出科普挂图4000张、展板500块。举办科普讲座250场次。

21日　大连市小班化教学研究现场会在中山区捷山小学召开。市教育局副局长杨跃权、中山区副区长王世海，各区市县教育局领导及学校领导、教师等130余人参加会议。区教育局副局长李军做《中山区小班化教育研究的实践与思考》工作介绍，原捷山小学校长卞玉介绍小班化教育的实践经验。

28日　中山区第三届残疾人趣味运动会在区培智学校操场举行。全区400余名残障运动员参加比赛。

30日　大连市委书记夏德仁到中山区视察老虎滩渔人码头和老虎滩海洋广场的建设与规划等旅游工作。

10月

1日　为期6天的大连市第五届国际武术节在劳动公园荷花池开幕。1000余名运动员参加60余个项目的表演，角逐2000余个奖项。

14日　受国家民政部委托，华北电力学院教授姚建平在大连市民政局领导陪同下，到桂林街道调研大连市低保标准工作。

21日　中山区2010年冬季征兵工作会议召开，部署当年征兵任务，公开有关政策规定等。副区长于笑分别与各街道签订《2010年冬季征兵责任状》。

22日　中山区保密管理培训工作会议召开。区委保密委员会主任何守林、副主任郭云峰及各成员单位主要领导，各街道分管保密工作的领导及各部门单位保密专干80余人参加会议。

25日　全国计划生育药具“三基”岗位练兵知识竞赛总决赛在北京举行，大连市代表队代表辽宁省参赛。中山区桂林街道枫林社区计生专干刘君茜取得个人总分第一名，获优秀选手称号。

26日　中山区人大常委会举办“纪念中山区人大设立常委会30周年”庆祝活动。区四大班子主要领导、区委常委、区人大常委会副主任、省市区三级人大代表、人大机关离退休老干部参加活动。区委书记李向东、区人大常委会主任宋国伟作了讲话。

28日　中山区区长江亲瑜会见日本SBI控股株式会社执行董事宫崎城等一行。

29日　位于中山区民生街的宏济大舞台开业。重建的宏济大舞台保持了欧洲中世纪建筑风格，并融合进中国元素。

11月

2日　大连市委常委、副市长曹爱华到中山区调研外经贸工作，区委书记李向东和区长江亲瑜参加调研。

8日　辽宁省沿海经济带开发建设领导小组办公室副主任周喜鼎带领省发改委有关部门负责人一行4人，对中山金融贸易区申请纳入辽宁沿海经济带重点发展区域工作情况进行考察。

9日　中山区“119”消防宣传趣味运动会举办。运动会由中山消防大队主办，区应急办、安监局、人民路街道办事处、民生小学协办，来自全区8个街道办事处工作人员共80人参赛。

10日　中山区政协会同老虎滩街道举办主题为“关注安全，享受健康”的社区议事会，搭建百姓与政府部门沟通对话的平台。

12日　中山区2010年城市除雪工作会议召开，有关部门、各街道办事处的领导和98个责任单位的代表参加会议。会议通报气象决策信息，部署除雪任务，签订除雪责任状。

17日　中山区机关廉政文化建设现场会在葵英街道召开，100余人参加会议。与会人员参观该街道廉政文化建设，听取相关情况介绍。区城建局、葵英街道、老虎滩街道、区妇幼保健所、中山工商分局春海工商所被命名为“机关廉政文化建设示范点”。

20日　“东北第一高楼”——大连绿地中心项目在东港商务区开工。省委书记、省人大常委会主任王珉，市领导夏德仁、李万才、怀忠民、刘俊文、王萍、王艺波，上海市政协副主席朱晓明出席开工典礼，副市长张军主持典礼。市长李万才代表市委、市政府对项目的开工表示祝贺。

23日　辽宁省科协党组书记、副主席康捷带领检查组，到中山区检查验收创建辽宁省科普工作示范城区工作。检查人民路街道兴和社区和桃源街道医校社区科普工作，观看《中山区委创建科普工作示范城区纪实片》，听取《中山区创建科普工作示范城区工作汇报》。

30日　区长江亲瑜陪同大连市副市长孙广田在市政府会见美国苹

果公司亚太区开发主管Mr.Scott Keller一行。双方就苹果公司在中山区建设零售直营旗舰店事宜进行了交流。

同日 辽宁省副省长陈超英在大连市副市长朱程清、市教育局局长马瑞春、中山区区长江亲瑜、副区长王世海、区教育局局长尹兴宇等领导陪同下，到大连第十五中学视察，了解该校建设和发展情况。

12月

6日 中山区丹东小学正式更名为中山区人民路小学。

9日 中山区党风廉政建设专题报告会召开。大连市纪委副书记王明安作学习《廉政准则》专题辅导。区委中心组成员，全区正、副处实职干部，各党（工）委、直属总支、支部的纪检委员和宣传委员100余人参加报告会。

同日 中山区副区长郭云峰会见日本SBI控股株式会社执行董事宫崎城等一行。双方就SBI公司来连投资建立经济总部问题和大连整体投资环境进行了深入交流。

同日 辽宁省政法委一行4人到人民路街道检查指导社会治安综合治理工作，主要检查重点地区整治、流动人口检测、反邪教、刑释解教人员帮扶等工作，参观综合治理调解中心和兴和社区“石大姐调解室”。

10日 由中山区委宣传部、大连市第三次文物普查领导小组办公室、区文联、区文化体育局、区美术家协会联合举办的《百年收藏第二回——旅顺·旅顺》画展在大连艺术展览馆开幕。

同日 在中国步行商业街工作委员会、苏州工业园区管理委员会联合主办的2010中国（苏州）名商发展高峰论坛上，中山区获“中国商业名区”称号，步入全国十大商业名区之列。

同日 区长江亲瑜会见戴尔中国公共事业部总经理兼副总裁李国庆等一行，副区长郭云峰、区经信局局长李赫楠陪同会见。双方就戴尔在教育与医疗解决方案方面以及戴尔与中山区合作进行了会谈。

16日 辽宁省经合办内联引进项目考评检查组由沈阳市中小企业局副局长岳贵君带队，到中山区调研内联引进项目工作。

同日 区长江亲瑜会见世邦魏理仕有限公司亚洲区主席许炳炎一行。双方就中山区投资环境、区位优势及发展前景进行了交流。

17日 区长江亲瑜会见韩国外换银行大连分行行长韩思权一行。

同日 中山区国际安全社区现场认证报告会召开。区长江亲瑜用英文向专家组报告中山区创建国际安全社区的历程。副区长郭云峰主持会议并陪同专家组对中山区创建国际安全社区项目进行现场认证。

18日 世界卫生组织国际安全社区认证中心主席哈·汉克一行，在国家安监总局领导陪同下，对青泥洼桥街道辖区公共场所安全项目、海军广场街道外来务工子女社区学校居家儿童安全促进项目、春景社区居家安全促进项目进行验收，并代表世界卫生组织国际安全社区中心宣布：中山区正式成为国际安全社区网络成员。区政府与世界卫生组织安全社区认证中心签订加入国际安全社区协议书。

20日 中山区科协启动“科普之冬”系列科普宣传活动，活动主题为“书画进万家，文化睦社区”。活动期间，共有600多幅书画展出，其中24幅作品分获一、二、三等奖。桃源、桂林、葵英、海军广场4个街道获优秀组织奖。

22日 日本最大的非银行金融机构和最大的综合金融服务集团——欧力士集团中国总部大厦项目启动仪式在香格里拉大饭店和东港商务区工程现场同时举行。辽宁省委书记王珉发来贺信，大连市委书记夏德仁，市长李万才，市领导曹爱华、王萍、鞠文华、施中岩出席仪式。

28日 中山区人民法院少年审判庭正式揭牌。该少年审判庭是大连市首家专门审理未成年人刑事犯罪案件的审判组织。

30日 中共中山区委十二届十次全会召开。区委书记李向东代表区委常委会作题为《加快大连科学发展首善区建设步伐 努力开创“十二五”发展新局面》工作报告。

责任编辑 石黎明

概貌 GAI MAO

自然环境

【地理位置】中山区位于大连市区东部，经纬度为东经121.63°、北纬38.92°。东、南、北三面濒临黄海，西部与西岗区接壤。陆地面积43.85平方公里，在市辖各区市县中排名第八，为市中心三区最大。海岸线长42.53公里，其中大陆海岸线长27.51公里，岛礁海岸线长15.02公里。

【地貌特征】中山区主要地貌特征为低山丘陵多，海岸线长。

低山丘陵　全区地势东南高西北低。东南部多为低山丘陵，山势起伏蜿蜒；西北部地势较为平坦。低山山体不大且数量较少，海拔高度约300－400米，多半是平地而起或拔海而立，突兀挺拔，风光秀丽，尤以南山最为突出。丘陵地貌发育典型，分布广泛，海拔大多在50－100米之间，顶部浑圆，坡面和缓。

海岸　中山区三面环海，大陆海岸线长27.51公里。主要海岸类型：（1）海湾。主要有老虎滩湾和大连湾中山区段2处。老虎滩湾位于南部海域，湾口东起南山嘴，西至半拉山嘴，面积约3.74平方公里，水深5－15米。大连湾南部中山区段即寺儿沟——黄白嘴一带，海岸属典型基岩海岸，呈锯齿状，岬角突出，海岸陡峭。由于港口建设和填海造地，天然海岸大多被人工海岸所代替。（2）滩涂。大多集中在南部海滨小傅家庄——棒棰岛一线，砂质以鹅卵石为主，夹杂有中粗砂，水质清澈，大部分已开发为海水浴场。北部大连湾中山区段海滩较少，仅见寺儿沟一带局部地区，由砂和砾石组成。（3）海崖。域内岸线除沙滩、海湾外，其余大部分为岩石岸线，其中很多地段为海崖，如北大桥东西两侧、石槽村等地段，崖壁陡峭崎岖，岩石突兀。

岛屿　临近海域主要有棒棰岛、三山岛、圆岛等岛屿。棒棰岛位于本区东南海域，距陆地约300米，东西长350米，南北最宽处200米，西高东低，形似棒棰，以此岛命名的棒棰岛景区闻名海内外。三山岛位于本区以东海域，距陆地6.7海里，由大山岛、二山岛和小三山岛组成，总面积　3.28平方公里。岛上山峦起伏，树木郁葱，礁石林立，有天然鹅卵石海滩。圆岛有“大连第一岛”的美名，形如馒头，距陆地近30海里，是辽东半岛沿海最南端的岛，面积0.032平方公里。岛上设置大型灯塔，是入大连港船舶的主要导航。

【自然资源】中山区海域水产资源丰富。大连湾湾口外大小三山岛至老虎滩湾南山嘴一带水域采捕到的样品表明，有鱼类117种、虾类3种、

海上看中山

大连港灯塔

暮色下的大连港

蟹类2种、头足类3种，总计125种。人工养殖品种主要有皱纹盘鲍、栉孔扇贝、刺参、紫海胆、牡蛎、对虾等十几种。

域内陆地地势平坦处土地多被开发，野生植物总量较少。低山丘陵多为植被覆盖，林木茂密，主要树木有槐树、榆树、日本落叶松、赤松等。

（史　志）

【气候】中山区位于辽东半岛东南端，地处北半球暖温带。气候温和，四季分明，暖湿同季，日照丰富，季风盛行，属暖温带半湿润大陆性季风气候。

气温　年平均气温10.9℃，夏无酷暑，冬无严寒。8月气温最高，历年平均气温为24.1℃；1月气温最低，历年平均气温为-3.9℃。

降水　多集中在6-8月，降水量约占全年的62%。历年平均降水量为602毫米，最多年降水量970.2毫米（1951年），最少为258.2毫米（1999年）。最大日降水量232.1毫米（1992年9月1日）。

风　最多风为偏北风，频率占全年的15%。风的变化具有明显季风环流特点，秋、冬季以偏北风为主，春、夏季以偏南风为主。风速年平均为4.8米/秒。

雾　以平流雾为主，4-7月为雾季，雾日明显偏多，占全年雾日总数的78%，其中6、7月均多达10天左右。秋冬季雾日偏少，9月至翌年2月在1天以下，9月最小，不足1天。

2010年气象　大连市区（含中山区）年平均气温10.3℃，比常年值低0.6℃。年内极端最高气温33.1℃，出现在7月5日；极端最低气温-15.4℃，出现在1月5日。总降水量685毫米，比常年值多83毫米，日最大降水量59.2毫米，出现在8月8日。总日照时数2358小时，比常年值少381小时。年平均空气相对湿度正常，大风日数偏少，大雾日数偏多，雷暴日数接近常年值，无霜期略短。无灾害性天气发生。

附：

2010年大连市区（含中山区）主要气象要素值

要　素	2010年	常年
平均气温（℃）	10.3	10.9
降水量（毫米）	685	602
日照时数（小时）	2358	2739

（王玲玲）

历史文化

【城区由来】中山区域在东汉末年称“三山浦”，由大连港外的三山岛而得名。因区域中心地带昔日是一片呈乌青色的淤泥海滩，故唐朝时被称为“青泥浦”，明代称“青泥岛”、“青泥海口”，清代称“青泥洼”。

百年大连，港口与城市的历史均启幕于中山。

1898年沙俄强租旅大后，开始在青泥洼3300公顷土地上建港兴市。1899年正式立市，取名“达里尼市”。1903年沙俄城建一期工程结束时，青泥洼地区建成面积为4.25平方公里，拥有4万人口的城市。今中山区域时称欧罗巴区（二七广场至友好广场一带）和老虎滩区（包括寺儿沟、大岭前、转山屯、棒棰岛、老虎滩、傅家庄一带）。

1905年日俄战争后，日本取代沙俄占领旅大，将达里尼市改称大连市，并将其分为东、中、西三部分，今中山区域属东大连。

1945年日本投降后，新成立的大连市政府将全市123个旧区重新划分为12个区，其中中央、黑咀子、南山、寺儿沟、老虎滩等5个区属今中山区域。同年12月，为纪念孙中山先生，黑咀子区更名为中山区，“中山区”名正式确立。

【政治地位】中山区是大连市的政治中心之一。沙俄统治时期，“达里尼市”的市政厅就设在今中山区胜利桥以北。日本统治时期，早期地方行政管理机构大连民政署、1937年实行市制后成立的大连市役所（市政府），均设在今中山广场周边。1945年大连光复后，从中共大连市工委、旅大地委、旅大区党委，到中共旅大市委、大连市委，中共地方组织的领导机关从未离开过中山。政协大连市委以及市总工会、团市委、市妇联等主要人民团体的办公地点，也始终设在区内。

中山区还是民主革命时期中共大连地方组织的主要活动区域，经普查确认的革命遗址多达27处，包括第一次国内革命战争时期成立的大连青年爱国进步团体大连中华青年会、东北地区最早的地方产业工会大连中华印刷职工联合会、掩护地下党组织活动的大连中华增智学校、大连地区最早的中文报纸《泰东日报》报馆、码头工人聚居地“红房子”、东北地区最大的榨油企业三泰油坊、关押抗日志士的岭前监狱等。

【经济功能】自大连建市以来，中山区一直是城市的金融、商贸和港航服务核心功能区。

港口和城市的建设，使得通讯、金融、保险、期货、证券、航管、海关、物流等临港产业和港航服务业在大连迅速兴起，现代城市所必备的商店、旅馆、医院、药房、浴池、洗衣房、娱乐场所等纷纷落户中山，大量商人涌入。1906年8月，从事船舶及保险代理、一般运输和杂货业等的英国和记洋行大连支店，落户大连东公园町1番地（今中山区鲁迅路），这代表着大连最早的港航服务企业。2010年，中山区港航服务业企业达1400余家，占全市的80%以上。

中山广场周边历史上就是银行、期货和证券公司聚集地，日本横滨正隆银行、俄亚银行、日本朝鲜银行、日本大连银行、日本教育储金银行、辽东银行、英国汇丰银行等都曾在此设立本店和支店。如今，中山区依然汇聚着62家分行级以上金融机构，占全市的70%以上。

商贸业的发展也是如此。浪速町（今天津街，全国知名商业街区）、辽东百货（今天津街食品商店）、劝商场（后称几久屋，今天百大楼）、信浓町市场（后称常盘桥市场，今大连商场）、三越洋行大连支店（今秋林女店）等的兴建，使青泥洼桥至天津街一带成为城市的商业中心而沿袭至今。如今的中山，以青泥洼桥市级商业中心、人民路高端商业聚集区和天津街、七七街等特色街为重点，形成更加繁荣、更加时尚的消费环境。2010年，全区社会消费品零售总额实现359.63亿元，占全市的22%，列各区市县之首。

【文化传承】中山区域内有宏济大舞台、人民文化俱乐部等著名文艺演出场所，它们是大连城市文化发展的缩影，使中山散发着特有的文化气韵。

始建于1908年的宏济大舞台是大连最早的戏院，早期为天福茶园，又名天福大戏院。2009年全面改造，2010年10月重新开台，成为专业京剧剧场。名家荟萃、精彩纷呈的“魅力中山·迎春京剧晚会”

灯光璀璨夜中山

已在此举办4届，成为中山区和大连市靓丽的文化名片。

人民文化俱乐部是新中国成立后大连建造的第一座剧场，国内外著名艺术表演团体来连演出大多在此。近10年来举办的新年音乐会以及2010年开始举办的“亿达之声——大连夏季国际艺术节”，丰富了大连人民的文化生活，提升了城市的文化影响力。

【街区风貌】中山区拥有大量风格迥异的广场和欧陆风情的典雅建筑，这些都是城市历史形成的特有风貌。

尼古拉耶夫广场（后称大广场，今中山广场）是大连最早的广场，周边呈放射状向四面八方辐射大小街巷，形成早期城区基本的街道布局。后以该广场为中心，陆续修建西广场（今友好广场）、朝日广场（今三八广场）、英吉利广场（后称千代田广场，今二七广场）、敷岛广场（今民主广场）等7座广场，形成大连“广场多”的城市特色。围绕今中山广场铺设的莫斯科大街（后称山县通，今人民路）是大连第一条繁华街道，东面起点是海港码头。

中山广场周边错落伫立着哥特式、巴洛克式、文艺复兴式等多个欧洲近代古典主义建筑，被誉为“世界建筑博物馆”、“欧式建筑文化长廊”，使得大连这座城市涂上异国文化的色彩和风情。南山脚下的大连南山风情街，是保留较好的一处日本建筑风格的街区，经保护性改造，已成为大连著名旅游景点之一。

（史　志）

建制沿革·行政区划

【建制沿革】1945年11月29日，大连市政府决定重新划定市内区域，将日本统治时期的123个区划并为12个区，即中央、黑咀子、南山、西岗、沙河口、刘家屯、寺儿沟、老虎滩、马栏屯、星个浦、香炉屯、甘井子。同年12月，为纪念孙中山先生，黑咀子区改称中山区。1946年2月7日，又将12个区归并为中山、寺儿沟、岭前、西岗、沙河口5个区，原中央区和南山区并入中山区，并决定建立区级政权组织机构。同年2月21日，中山区政府成立。1950年12月寺儿沟区并入中山区。1959年8月，岭前区并入中山区，基本形成今中山辖区范围。

区属街道行政建制屡有变更。1946年设坊公所，共21个。1949年调整为17个。1950年12月寺儿沟区并入后，增至30个。1953年7月，坊公所改为街道居民委员会。1954年9月，正式成立街道办事处，共设18个。1959年8月岭前区并入后，增至25个。1960年9月，街道办事处调整为6个人民公社分社。1963年6月，重新组建街道办事处，共设14个。1969年9月，民乐、八一路2个街道划归西岗区。1970年8月，桂林、虎滩2个街道撤并，全区设街道办事处10个。1980年2月、1981年7月，先后恢复桂林、虎滩2个街道。1986年11月，组建转山街道，全区形成13个街道办事处的区划格局。1998年，全区有居民委员会285个，1999年5月合并为129个。2000年，居委会改制为社区居民委员会，经调整合并后设70个。 2003年12月，经辽宁省政府批准，13个街道办事处合并为8个，共辖71个社区居委会。其中：春海、春和合并组建海军广场街道，桂林、枫林合并组建桂林街道，天津、青泥洼桥合并组建青泥洼桥街道，转山、虎滩合并组建老虎滩街道；保留昆明、桃源和葵英街道。2004年6月，71个社区居委会调整为51个。

【行政区划】2010年，中山区有街道办事处8个，下辖社区居民委员会共51个，均与上年同。

附：

2010年中山区街道办事处及社区居民委员会情况

街道办事处名称	所辖社区居委会数（个）
海军广场	9
人民路	4
桂林	6
青泥洼桥	4
昆明	5
葵英	9
桃源	9
老虎滩	5
总计	51

人　口

【户籍人口】2010年末，中山区有户籍居民133942户，比上年末增加311户。户籍总人口356625人，比上年末减少1007人，减少0.28%。户籍总人口中，男性175167人，女性181458人，分别占49%和51%。人口密度为8132.84人/平方公里，比上年减少22.96人/平方公里。

全年出生人口2365人，比上年增加224人。出生人口中，男性1230人，女性1135人，男女性别比为1.08:1。死亡人口2539人，比上年增加68人。死亡人口中，男性1410人，女性1129人。

年内由外地和大连市其他区市县迁入人口16417人，迁出人口17250人。

【暂住人口】2010年末，中山区有

附：

2010年末中山区户籍人口情况

街道	总户数（户）	比上年末增加（户）	总人口（人）	比上年末增加（人）	总人口中	
					男（人）	女（人）
全区总计	133942	311	356625	-1007	175167	181458
海军广场	23311	161	60064	433	29440	30624
人民路	9363	-115	26673	-296	13860	12813
桂林	15205	5	46112	-260	22603	23509
青泥洼桥	9435	-102	23306	-383	11362	11944
昆明	12585	5	32905	-267	15867	17038
葵英	22103	-54	57165	-681	28305	28860
桃源	24610	122	64953	-75	31543	33410
老虎滩	17330	289	45447	522	22187	23260

2010年末中山区户籍人口年龄结构情况

	人口数（人）	比上年末增加（人）	占总人口比重（%）	比上年末提高（百分点）
全区总计	356625	—	—	—
16岁以下	31208	-367	8.75	-0.08
16岁-35岁	93877	-848	26.32	-0.17
35岁-60岁	163869	-1809	45.95	0.38
60岁以上	67671	2017	18.98	0.62

暂住人口66181人，比上年减少5592人。租住房屋户数13363户，比上年增加1158户。

（翁明刚）

国民经济和社会发展

【综合经济实力进一步增强】2010年，中山区经济保持平稳较快增长，城区综合经济实力进一步增强，为“十一五”时期画上圆满句号。

全区实现地区生产总值221.92亿元，比上年增长15.5%。其中：第一产业增加值2.84亿元，增长2.5%；第二产业增加值20.02亿元，增长17.5%；第三产业增加值199.06亿元，增长15.5%。三次产业的比重为1.3:9:89.7，其中第三产业比重比上年提高0.3个百分点。

完成区级财政一般预算收入18.59亿元，比上年增长30.1%；一般预算支出17.06亿元，增长30.6%。财政支出重点向社会保障和就业、社会事业、城区建设、社会综合管理等倾斜。

完成全社会固定资产投资212.67亿元，比上年增长46.5%。

完成社会消费品零售总额359.63亿元，比上年增长18.5%。

实际使用外资6.6亿美元，比上年增长54.9%，增幅提高47.1个百分点，总量和增幅均居大连市中心城区首位。出口创汇7.24亿美元，比上年增长42%，扭转上年下降局面。

【现代服务业快速发展】2010年，中山区有分行（分公司）级以上金融机构62家，其中当年新进驻6家。渤海银行大连分行、吉林银行大连分行、营口银行大连分行相继开业。日本欧力士集团中国区总部落户东港区。新引进的大连黄金交易中心将填补本市金融业黄金现货交易的空白。

一批高端时尚商业项目陆续启幕。香榭里商业广场、锦华钟表旗舰店、爱尚首尔特色商业街、卡迪亚珠宝旗舰店等商业项目年内开业。天津街大连老街项目开始招商。人民路CBD（中央商务区）已成为引领大连时尚潮流的魅力中心。

总部经济集聚效应更加明显。截至年末，累计有44家世界500强企业在区内设立地区总部或分支机构共61个。新命名特色专业大厦1座

2010年中山区国民经济主要指标增长情况

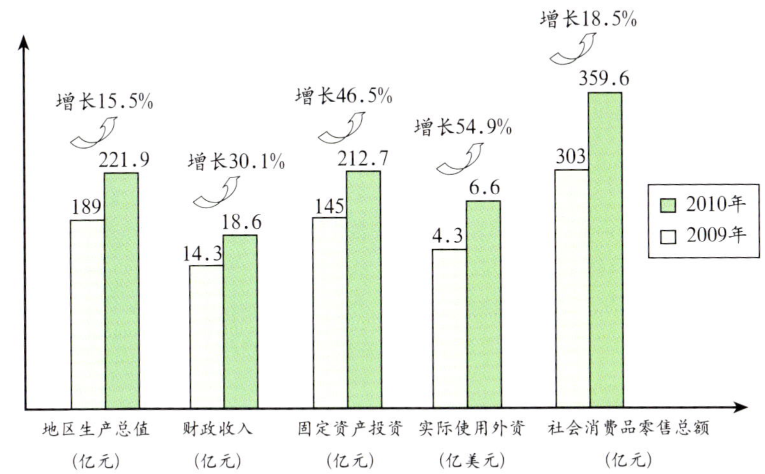

（上方港景），总数达到12座；新培育税收超千万元商务写字楼4座，总数达到20座。

【重点项目顺利推进】2010年，中山区以中央商务功能区、商贸功能区、生态宜居区、旅游观光区等四大功能区建设为牵动，确定重点项目80个，总占地面积400余万平方米，总建筑面积900余万平方米，计划总投资780余亿元。

年内，明秀山庄、渔人码头、大连老街等18个项目竣工。大连国际会议中心、万达酒店式公寓、良运四季汇等16个项目主体封顶。大连中心裕景酒店部分、世界金融中心、汇邦国际中心等11个项目主体施工及峰尚中南、明秀庄园、东港第等7个项目基础施工进展顺利。

【招商引资取得新突破】2010年是中山区委、区政府确定的“招商引资年”。结合中央商务、商贸、生态宜居、旅游观光等四大功能区布局，推出东港商务区开发等十大招商主题。各类招商活动累计签约内资项目13个，意向金额162.5亿元；签约外资项目15个，意向金额42亿美元。

成功引进一批大项目。日本最大的非银行金融机构和综合金融服务集团欧力士集团将中国区总部落户东港，并开展一系列战略投资发展计划。国内大型投资及金融服务集团北京力勤投资集团确定将总部落户本区，其投资的大连黄金交易中心和矿石交易所已办理注册手续。

【科技创新取得新进步】2010年，中山区新引进科技企业130家，注册资金1.1亿元，其中软件和信息服务企业56家。全区实现高新技术产值30.1亿元。5家科技企业被认定为国家高新技术企业。引进大连森通科技发展有限公司等一批科技含量高、规模较大的科技企业。全区有11家企业获得国家、省、市三级政府533.65万元资金支持。全区申请国家专利1250项，其中发明专利300项。

【城区环境不断改善】2010年，中山区在东部地区新建成炮台山公园，面积达6万平方米，为市民休闲健身提供了新场地。新建青泥洼桥小学和葵英小学地下停车场、天津街悦泰老街项目地下停车场、枫合万嘉小区停车场，有效缓解停车难问题。改造亿隆、天德源2个集贸市场，改善居民购物环境。改造楼院56个，有效改善居民居住环境。引进栽植多种高档彩叶树2960株，栽植宿根花卉14万株，提升整体绿化景观效果。全区绿化覆盖率43%，人均公共绿地面积13平方米。城市生活垃圾无害化处理率98%，城市生活污水集中处理率90%。

【社会事业全面协调发展】教育环境切实改善。2010年，中山区竣工一批中小学校舍建设及维修改造工程。大连35中学和风景小学新校舍建成投用，大连33中学等10所校舍抗震加固和解放小学等18所校舍维修改造工程完成。新建校舍设施设备配备和中小学校教学设施设备的招标工作完成。

群众性文体活动广泛开展。全区共组织各类广场文化活动20项40余场（次），成功举办2010“魅力中山”迎春京剧晚会，完成大连国际服装节分会场组织和巡游表演任务。新建中山区美术馆年底投入使用，为市民增加一处重要的文化场所。

公共卫生体系建设又有推进。食品安全综合协调管理有序开展，组织开展专项整治17次、联合执法3次，共检测食品2684个批次，监测合格率达到100%。区疾控中心以“打造省内县区级一流”的标准完成迁址改造，已申请国家实验室质量认证。加强卫生应急队伍建设，新建卫生专业应急队1支，使全区卫生医疗机动队达到3支。参加区级联合应急演习及医疗救治活动共7次，顺利通过辽宁省卫生应急示范县（区）第三次评审。

【民生保障迈上新台阶】2010年，中山区城镇居民人均可支配收入

21367元。

创业扶持工作力度继续加大。修订《中山区扶持创业带动就业奖励办法》和《中山区高校毕业生创业就业奖励办法》，以激励更多失业人员和高校毕业生自主创业。投入700万元专项资金，用于鼓励和扶持失业人员和大学毕业生创业。已建立高校毕业生培训基地1家、实训基地4家、见习基地20家。完成实名制就业17370人、稳定就业8168人、再就业9471人；创业带头人360人，带动就业2174人。城镇登记失业率控制在2.4%以内，比上年下降0.3个百分点。

社会救助体系和保障体系不断完善。自4月起，第十一次提高城市低保标准，由2009年4月的360元提高到380元。制定《中山区临时救助实施细则》，规范操作程序和运行管理模式。认真开展慈善救助工作，慈善事业健康有序推进，为青海玉树发生地震灾区募集捐款43.5万元。累计完成10所社区养老服务中心建设任务。城镇居民基本医疗保险参保率90%，基本养老保险参保率99%。

社区建设全力推进。完成大连市社会科学研究年度项目《国际化城市宜居社区评估研究》，继续推进人民路街道兴和社区、葵英街道林海社区的国际化宜居社区建设试点工作。加强舆论宣传和氛围营造，全区已有150余家企业加盟社区“十分钟服务圈”。改造升级3个社区办公服务用房，在全市率先完成社区工作人员补贴提标工作，不断改善社区工作条件。

计划生育工作扎实开展。年末全区有常住人口374284人，其中新出生人口2169人，人口出生率6.08‰，人口自然增长率-1.1‰，计划生育率100%，继续保持低生育水平。

【主要矛盾和问题】2010年，中山区国民经济和社会发展中的主要矛盾和问题是：（1）现代服务业发展的规模、质量和水平需进一步扩大和提高；（2）经过长期快速发展，区域增量发展空间逐步缩小，急需通过全区统筹的发展思路，加快储备区建设，提高区域土地、资源利用水平，为可持续发展奠定坚实基础；（3）政府服务经济和社会发展的主动性和创造性尚有不足，细致服务和高标准工作的意识还需加强。

（区发改局）

背景资料：

中央商务区（CBD）

中央商务区（Central Business District，简称CBD）指一个国家或大城市里主要商业活动进行的地区。其概念最早产生于1923年的美国，当时定义为“商业会聚之处”。随后，CBD的内容不断发展丰富，成为一个城市、一个区域乃至一个国家的经济发展中枢。一般而言，CBD高度集中了城市的经济、科技和文化力量，作为城市的核心，应具备金融、贸易、服务、展览、咨询等多种功能，并配以完善的市政交通与通讯条件。世界上比较出名的城市CBD有纽约曼哈顿、伦敦金融城、巴黎拉德方斯、东京新宿、香港中环等等。

我国对CBD的规划建设最早始于上世纪90年代。当时一些城市经济发展和城市建设都上了一个新台阶，得到迅猛发展，CBD的建设也被许多在各自经济区域内有一定影响力的大城市提上议事日程。到2010年，北京、上海、广州、深圳、南京、重庆、武汉、杭州、哈尔滨、青岛、郑州、沈阳、珠海等中心大城市都明确提出CBD的建设规划，并加快实施。

在CBD的建设上，国内一般采取两种途径：一种是对城市原来的商业街区加以改造和扩建，如唐山万达广场和沈阳沈河区等；另一种是择地新建，如唐山凤凰新城和唐山曹妃甸国际生态城、上海陆家嘴、重庆江北城等。

责任编辑　石黎明

党政机关 DANG ZHENG JI GUANG

中共中山区委员会

·会议文件·

【区委十二届九次全委（扩大）会议】2010年7月19日，中共中山区委员会召开十二届九次全委（扩大）会议。区委委员、候补委员出席会议，区四个班子领导、区纪委委员、全区正处以上实职领导干部、驻区分局主要领导及9位民主党派代表列席会议。区委书记李向东代表区委常委会作题为《坚定发展目标，抓好工作落实，全力推进大连科学发展首善区建设》的工作报告，区委副书记、区长江亲瑜作经济形势分析报告。

会议回顾总结上半年工作，研究部署下半年任务。会议认为，上半年，全区经济平稳较快发展，继续保持社会和谐稳定，实现“时间过半、任务过半”的目标。下半年，在大连城市发展重心加快北移，城区竞争日趋激烈，宏观发展形势复杂多变的情况下，必须主动调整工作思路，由全力促发展向发展与管理并重转变，在加快发展的同时，创新和完善管理体制、机制，促进全区经济社会实现新的更大发展。要切实抓好区“十二五”经济社会发展规划编制；全力促进区域经济平稳较快增长；全面推进社会建设，确保民生持续改善；不断夯实文明基础，争做文明城市表率；努力化解矛盾纠纷，维护社会和谐稳定。

会议强调，全区各级党组织要把各方面积极性和创造性引导到实现大连科学发展首善区建设上来，在团结协作中凝聚力量，在学习研究中解放思想，在创新实践中锤炼干部，在创先争优中夯实基础，在规范行为中锤炼作风，切实保证各项工作有序推进。

会议号召各级党员干部要大力弘扬齐心协力干事业的优良传统，以旺盛的斗志、高昂的热情、务实的精神，同心同德，团结奋斗，共同谱写建设大连科学发展首善区的崭新篇章。

【区委十二届十次全委（扩大）会议】2010年12月30日，中共中山区委员会召开十二届十次全委（扩大）会议。区委委员、候补委员出席会议，区四个班子领导、区纪委委员、全区正处以上实职领导干部、驻区分局主要领导及9位民主党派代表列席会议。区委书记李向东代表区委常委会作题为《加快大连科学发展首善区建设步伐，努力开创“十二五”发展新局面》的工作报告，区委常委、常务副区长蔡先勃作《中山区“十二五”规划纲要（草案）编制情况说明》，区委副书记、区长江亲瑜作经济形势分析报告。会议同意将《规划纲要（草案）》提请区第十六届人民代表大会第四次会议审议通过，同时提请中山区政协第八届委员会第四次会议讨论协商。

会议认为，2010年是“十一五”发展规划收官之年，区委常委会紧紧围绕建设“大连科学发展首善区”奋斗目标，直面困难，应对挑战，创造性地开展工作，全区经济建设、政治建设、文化建设、社会建设和党的建设都取得优异成绩。

会议认为，“十一五”时期，

召开十二届十次全委（扩大）会议

是中山区经济社会又好又快发展的5年。区委、区政府带领全区人民，较好地克服了国际金融危机的严重冲击，积极应对各种困难和挑战，坚持以科学发展观为统领，抢抓机遇，全力推进具有港航服务业特色的中央商务中心区建设，大力发展社会事业，着力改善民计民生，圆满完成“十一五”规划确定的各项目标任务。面向未来，中山区已站在一个新的历史起点和更高的发展平台上。

会议强调，“十二五”期间，是中山区抢抓辽宁沿海经济带开发开放和大连全域城市化发展重大历史机遇，全面建设“大连科学发展首善区”的关键时期。全区上下要坚定“大连科学发展首善区”奋斗目标，围绕建设“区域性金融商务核心区、区域性时尚消费旅游中心和国际化生态宜居示范区”三大战略重点，坚持“转型发展、创新驱动、民生优先、低碳绿色”四大原则，推进“四大功能区”建设，实现“经济发展方式、经济结构、城区功能、政府职能”四大转变。

会议指出，2011年是“十二五”发展规划的开局之年、中国共产党成立90周年，也是区委换届之年，扎扎实实做好各项工作意义重大。要突出抓好第十三次党代会各项组织工作，全面加快“四大功能区”建设，着力改善民计民生，高质量开展“爱我中山，建设首善”主题活动和“城区建设与管理年”各项活动，努力实现“十二五”发展的良好开局。

【区委常委会议】2010年，中共中山区委员会共召开常委会18次，研究并原则同意事项94个（详见明细表）。

【区委重要会议】2010年，中共中

中共中山区委常委会研究并原则同意事项明细表

通过事项
区委:
区纪委十二届五次全会暨全区行政监察工作会议方案
区纪委全会工作报告（送审稿）
中山区2009年组织工作总结及2010年组织工作要点
中山区2009年宣传工作总结及2010年宣传工作要点
2010年中山区精神文明建设工作要点
2009年中山区处级领导班子和领导干部年终考核情况
关于2008－2009年度大连市先进单位、大连市劳动模范以及中山区劳动模范、中山区先进生产（工作）者评选工作情况的报告
中山区深入学习实践科学发展观活动总结大会实施方案
关于建立街道（社区）党组织书记履行党建工作职责“双向述职评议”制度的意见
中山区“十大文明”表彰暨2010年创建全国文明城市工作动员大会日程
关于评选表彰中山区2008－2009年度“十大文明”创建工作先进集体和先进个人的通知
中山区2008－2009年“十大文明”评优表彰活动经费预算
2010年中山区创建全国文明城市工作方案
中山区迎接大连市公共文明指数测评体系及操作办法（试行）
中共中山区委关于贯彻落实《中国共产党党校工作条例》的实施意见
2010年中山区春季区管干部校内培训方案
2010年中山区春季领导干部异地培训方案
关于在全区基层党组织和党员中深入开展“创先争优”活动的实施意见
“党支部堡垒工程”阶段总结会实施方案
关于推进全区学习型党组织建设的实施意见
关于调整中山区机构编制委员会成员构成的建议
关于加强行政权力运行制度建设试点工作的实施方案
中山区2010年党风廉政建设和反腐败工作要点及责任分工方案
关于增补时振军同志为中共中山区第十二届委员会常务委员的请示
关于补充工商联党组成员的建议
全市推进惩治和预防腐败体系建设工作会议的主要精神及我区落实意见
大连市中山区创建全国、省科普示范城区实施方案
关于调整中山区全民科学素质工作领导小组的请示
区委十二届九次全会工作报告（送审稿）
区武装部工作汇报
关于召开2010年度区委常委民主生活会实施方案
关于调整基层党组织隶属关系的意见
关于中山区机关作风建设“十不准、十提倡”以及八项管理制度形成情况的说明
关于在中山区政协机关设立人口资源委员会和委员工作委员会的请示
区委常委工作分工

续表

通过事项
关于成立区委全会和区党代会工作报告起草领导小组的请示
关于落实中纪委（2009）9号、10号文件，配备纪检监察干部的请示
2010年中山区处级领导班子及成员年终考核实施方案
关于赴南方学习考察的请示
中山区2008年度处级优秀公务员名单
中山区2009年度处级优秀公务员名单
中山区立三等功处级公务员名单
中山区2010年军转干部非领导职务任职相关事宜
关于区委十二届十次全会会议议程
区委常委会工作报告
区人大十六届四次会议党组及分党组组成人员建议名单
区政协八届四次会议党组及分党组组成人员建议名单
8项《干部议题》
区人大党组：
关于举办“区人大设立常委会30周年”纪念活动的请示
关于召开中山区第十六届人民代表大会第四次会议的请示
区人大常委会工作报告
区第十六届人民代表大会第四次会议主席团和秘书长名单（草案）
区第十六届人民代表大会第四次会议副秘书长名单（草案）
区第十六届人民代表大会第四次会议议案审查委员会主任委员、副主任委员、委员名单（草案）
区第十六届人民代表大会第四次会议财政预算审查委员会主任委员、副主任委员、委员名单（草案）
区第十六届人民代表大会第四次会议党组及各代表团分党组组成人员名单
区第十六届人民代表大会第四次会议主席团常务主席名单（草案）
区第十六届人民代表大会第四次会议执行主席分组名单（草案）
区第十六届人民代表大会第四次会议邀请主席台和特邀席就座人员名单（草案）
区第十六届人民代表大会第四次会议列席人员名单
区第十六届人民代表大会第四次会议选举办法（草案）
区人大常委会关于评议区商务局、区民政局工作情况的报告
区政府党组：
关于百信邦经贸有限公司改制遗留问题的处理建议
拟表彰中山区创业就业副处级以上先进单位和人员名单
中山区代表团随市长李万才赴欧洲开展招商引资活动的有关情况
中山区2010年度街道办事处工作考核办法
2010年中山区部门财政预算（草案）
关于我区办公资源整合及景山办公楼装修设计方案的报告
中山区科级领导干部管理暂行规定

山区委、中山区政府召开如下重要会议：

1月　19日，召开区2010年安全生产暨争创国际安全社区工作会议。21日，召开处级退休领导干部情况通报会。

2月　2日，召开区信访政法稳定工作会议。3日，召开原区级离退休老干部2010年春节座谈会。4日，召开迎新春企业家联谊会。8日，召开区迎新春党政军联谊会。11日，召开区迎新春联欢会。25日，召开区组织、宣传工作会议。26日，召开区纪委第十届五次全会暨全区行政监察工作会议。

3月　4日，召开全区领导干部大会，通报2009年度干部考核情况，研究安排2010年干部工作。5日，召开区“庆三八、话首善”各界妇女代表座谈会。11日，召开区2010年对外开放工作会议。15日，召开区创业就业工作表彰大会。16日，召开区税收调度会。31日，召开学习实践科学发展观总结大会。

4月　21日，召开区一季度经济形势分析会。22日，区委理论中心组召开招商引资专题学习报告会。26日，召开区管干部培训班动员大会，区委书记李向东作动员讲话，并就“建设大连科学发展首善区”进行专题辅导。同日，召开区信访联席会议，通报庄河市“4.13”事件。27日，召开区“十大文明”表彰暨2010年创建“全国文明城市”工作动员会。28日，召开街道党工委书记述职评议大会。29日，召开区纪念“五四”运动91周年暨共青团服务青年就业创业活动启动仪式。同日，召开区招商项目说明会。30日，召开区庆“五一”劳模联谊会。

5月　9日，召开区综治维稳工作会议。21日，召开“机关作风建设年”活动动员大会。

续表

通过事项
关于我区双拥共建等有关情况的汇报
关于我区行政事业单位第二步津贴补贴（绩效工资）调整的报告
关于三山岛大岛经营权转让情况的汇报
关于2011年大规模造林绿化工作的情况汇报
关于解决大连包装制品总厂职工上访问题的处理意见
对青泥洼桥街道《关于购买街道办公用房的可行性报告》的处理意见
区政府工作报告
中山区国民经济和社会发展第十二个五年规划纲要（草案）
关于中山区2010年财政预算执行情况和2011年财政预算（草案）的报告
区财政资金审批程序
关于区机关、事业单位人员调出、调入有关规定
区政协党组：
关于召开中山区政治协商会第八届委员会第四次会议的请示
区政协常委会工作报告
区政协八届四次会议邀请在主席台和特邀席就座人员建议名单
区政协八届四次会议列席人员建议名单
区检察院党组：
区检察院工作报告
区法院党组：
区法院工作报告

6月　9日，区委组织两级中心组进行专题学习，区委常委、区政府常务副区长蔡先勃作《关于四大功能区建设的几点思考》专题报告。10日，召开区委常委扩大会议，视察明秀山庄、海洋公园改造、渔人码头、大连老街、长江路沿线和东港区6个项目，专题研究重点项目工作。23日，召开深入开展创先争优活动动员部署大会。同日，召开校园周边整治工作会。24日，召开迎接大连市公共文明指数测评工作部署会。同日，召开“党支部堡垒”工程主题实践活动阶段总结会。25日，召开社区百姓评议基层站所工作表彰会。

7月　7日，召开区级老干部半年工作通报会。19日，召开区委十二届九次全会。27日，召开信访稳定工作会议。

8月　2日，召开创建全国残疾人工作示范城市大会。3日，召开推进惩治和预防腐败体系建设工作会议。同日，市委组织部在本区召开领导干部大会，公推副区级领导干部。9日，召开“十二五”规划编制工作务虚会。19日，召开四个班子情况通报会。24日，区委中心组学习，区委常委、组织部部长丛滋全作《贯彻落实干部工作制度，提高选人用人公信度》专题辅导。

9月　3日，召开城区改造协调会。6日，召开“十二五”发展规划研讨会。14日，召开区纪念9.25《公开信》发表30周年暨2009-2010年度人口和计划生育工作表彰大会。

10月　21日，召开区委常委扩大会议，专题研究《中山区“十二五”发展规划（草案）》。同日，召开区征兵工作会议。22日，召开第三季度经济形势分析会。24日，召开区商业发展研讨会，启动“中国商业名区”争创工作。26日，召开区植树造林动员会。同日，召开纪念区人大设立常委会30周年茶话会。27日，召开区委常委与民主党派基层组织负责人联席会。28日，召开区委常委民主生活会。29日，召开区红十字会第三次会员代表大会。

11月　18日，召开区委常委重

检查重点建设项目

点项目拉练检查会，实地视察本区11个重点项目，听取区发改局和各街道汇报重点项目进展情况。

12月 9日，区委中心组召开党风廉政建设专题报告会，邀请市纪委副书记王明安作学习《廉政准则》的专题辅导。10日，召开区“十二五”规划专家小组座谈会，专题研究“十二五”发展规划纲要。29日，召开区统战联谊会。30日，召开区委十二届十次全会，提出加快大连科学发展首善区建设步伐，努力开创“十二五”发展新局面。31日，召开2010年区年终决算会。

【区委文件】2010年，中共中山区委印发文件70个。（详见附表）

（赵 瑞）

附：

2010年中共中山区委文件目录（一）

中委发文件号	发文日期	文件标题
1	1月4日	关于印发李向东同志在区委十二届八次全会上的报告和全会决议的通知
2	1月5日	关于中山区委十二届八次全会情况的报告
3	1月11日	关于中山区第十六届人民代表大会第三次会议选举结果的报告
4	1月27日	关于印发《区委十二届八次全会工作报告重点任务分解方案》的通知
5	3月12日	关于表彰2009年度中山区就业工作先进集体和先进个人暨命名2010年创业孵化示范基地的决定
6	4月1日	关于建立街道（社区）党组织书记履行党建工作职责“双向述职评议”制度的意见
7	4月23日	关于命名表彰2008－2009年度精神文明创建工作先进集体、先进个人的决定
8	4月27日	中共中山区委关于贯彻落实《中国共产党党校工作条例》的实施意见
9	6月8日	2010年区级领导干部联系重点项目工作实施方案
10	7月23日	关于中共中山区委十二届九次全会的情况报告
11	7月23日	关于印发李向东同志在区委十二届九次全会上的报告和全会决议的通知
12	7月30日	关于印发《中山区创建全国、省科普示范城区实施方案》的通知

2010年中共中山区委文件目录（二）

中委发文件号	发文日期	文件标题
1	2月3日	关于区委常委工作分工的通知
2	2月3日	关于韩树深同志工作分工的通知
3	4月8日	中山区深入学习实践科学发展观活动情况报告
4	4月22日	关于评选表彰中山区2008－2009年度“十大文明”创建工作先进集体和先进个人的通知
5	4月28日	关于大连市中山区申报2011－2015年度全国科普示范县（市、区）创建工作报告的函
6	5月7日	关于大连市中山区申报辽宁省科普工作示范城区创建活动的函
7	7月9日	关于增补时振军同志为中共中山区第十二届委员会常务委员的请示
8	7月21日	关于大连市中山区创建2011－2015年度全国科普示范县（市、区）的函
9	9月25日	关于邀请夏德仁书记会见力勤投资集团董事局主席闻健明先生的请示
10	11月8日	关于区委常委工作分工的通知
11	11月26日	关于2010年度中共中山区委常委民主生活会情况报告

2010年中共中山区委文件目录（三）

中委发文件号	发文日期	文件标题
1	1月5日	关于做好春节期间拥军优属工作的通知
2	1月11日	关于印发区委书记李向东、代区长江亲瑜在区委十二届八次全会上总结讲话的通知
3	1月19日	关于印发《中山区创建“国际安全社区”实施方案》的通知
4	2月26日	关于评选表彰2008-2009年度大连市劳动模范、特别劳动奖、先进单位、中山区劳动模范和先进生产（工作）者的通知
5	3月3日	关于印发李向东、江亲瑜同志在区纪委十二届五次全体（扩大）会议暨全区行政监察工作会议上的讲话的通知
6	3月3日	关于印发李向东同志在全区组织、宣传工作会议上的讲话的通知
7	4月22日	关于印发《中山区2010年度街道办事处工作考核办法》的通知
8	4月23日	关于调整中山区精神文明建设指导委员会成员组成的通知
9	4月23日	关于印发《2010年中山区创建全国文明城市工作方案》的通知
10	5月19日	关于印发《中山区机关作风建设年活动实施方案》的通知
11	6月22日	印发《关于在全区基层组织和党员中深入开展创先争优活动的实施意见》的通知
12	6月23日	关于印发《中山区2010-2012年社区百姓评议基层站所工作实施方案》的通知
13	6月23日	印发《关于推进中山区学习型党组织建设的实施意见》的通知
14	7月2日	关于印发《中山区基层红十字会工作指导意见》的通知
15	7月9日	印发《关于加强行政权力运行制度建设试点工作实施方案》的通知
16	7月9日	印发《中山区2010年党风廉政建设和反腐败工作要点及责任分工方案》的通知
17	7月9日	转发市委办公厅 市政府办公厅关于印发《大连市党政机关和事业单位小汽车管理暂行办法》的通知
18	7月13日	关于做好“八一”建军节期间拥军优属工作的通知
19	7月13日	关于成立中山区宗教工作联席会议领导小组的通知
20	7月14日	关于调整中山区机构编制委员会成员的通知
21	7月30日	关于印发《中山区机构编制委员会办公室主要职责内设机构和人员编制规定》的通知
22	7月30日	关于印发《中共大连市中山区委、中山区人民政府信访局主要职责内设机构和人员编制规定》的通知
23	7月30日	关于调整中山区全民科学素质工作领导小组的通知
24	8月3日	关于转发市委办公厅、市政府办公厅《关于实行“无会月”制度的通知》的通知
25	9月10日	关于表彰2009-2010年度中山区人口计生工作先进集体、先进工作者和特殊贡献工作者的决定
26	9月26日	关于认真做好国庆节期间有关工作的通知
27	10月14日	关于深入推进社会矛盾化解、社会管理创新、公正廉洁执法的实施意见
28	11月15日	关于做好人民网网民留言办理工作的暂行规定
29	11月24日	关于印发《开展“五好关工委”争先创优活动的安排意见》的通知
30	12月28日	印发《关于在全区开展“送温暖、献爱心”捐助活动的通知》的通知
31	12月31日	关于做好2011年元旦、春节期间有关工作的通知

2010年中共中山区委文件目录（四）

中委发文件号	发文日期	文件标题
1	1月19日	关于开展2010年政研工作的通知
2	1月26日	关于印发二月份区委常委会重点工作的通知
3	3月2日	关于印发三月份区委常委会重点工作的通知
4	3月31日	关于印发四月份区委常委会重点工作的通知
5	4月19日	关于调整中共中山区委依法治区领导小组成员的通知
6	4月29日	关于印发五月份区委常委会重点工作的通知
7	5月27日	关于印发六月份区委常委会重点工作的通知
8	6月29日	关于印发七月份区委常委会重点工作的通知
9	7月9日	关于成立中山区加强行政权力运行制度建设工作领导小组的通知
10	7月27日	关于印发区委书记李向东、区长江亲瑜在区委十二届九次全会上讲话的通知
11	7月28日	关于印发八月份区委常委会重点工作的通知
12	8月4日	关于区级领导对街道防台防汛工作实行分工包干负责的通知
13	8月4日	关于调整区国防教育委员会成员的通知
14	8月31日	关于印发九月份区委常委会重点工作的通知
15	9月29日	关于印发十月份区委常委会重点工作的通知
16	10月29日	关于印发十一月份区委常委会重点工作的通知

·督查工作·

【概况】2010年，中山区完善督查工作机制，在区委办公室增设督查科，编制2人，推进了督查工作规范化建设，提高了督查工作实效。

上级督查。市委对本区督查17次，包括区人大、计划生育、工会、海上油污清理等工作。区上报督查专报20期。

区本级督查。共开展督查43次，督查海上油污清理、环境卫生、城区建设等突出问题以及迎宾花园公寓业主反映建筑挡光、桐铭浴池违法出租公寓等问题。开展对“全国文明城市创建”活动的督导，集中整治中原街和五金交电区域脏、乱、差问题。印发《中山督查》20期，促进区委各项工作的落实。

建立健全制度。加强联合督查机制，全面提高督查工作质量和效率。建立批示件办理制度，全年共督办市委市政府领导批示件10次，其中督办市委书记夏德仁批示件6件；督办区委书记李向东批示件240件。

【“网络问政”正式启动】2010年10月，中共大连市委办公厅、市政府办公厅联合下发《关于做好人民网网民留言办理工作的暂行规定》。为了将此项工作落到实处，中山区委结合本区实际，制定并下发中山区《关于做好人民网网民留言办理工作的暂行规定》，建立交办制度，正式启动“网络问政”工作。

年内收到市委书记夏德仁批示的人民网网民留言3件，人民网网民给区委书记留言3件。中山区委网站区委书记信箱收到网民来信和留言67件，主要涉及工资待遇等问题。已解决36件。

（赵瑞　耿辉）

·交流考察·

【国内交流】2010年，中共中山区委员会与外地开展交流考察活动11次。

1月11日，海南省海口市秀英区考察团来区学习考察。

1月27日，区委书记李向东带队赴沈阳，走访辽宁省军区、省民政厅、省总工会和沈阳市和平区。

4月29日，与内蒙古自治区赤峰市松山区缔结经济合作区关系。

5月28日，区委书记李向东带领区人大、区政协领导赴西藏看望本区援藏干部。

6月9日，江苏省扬州市维扬区来区学习考察文明城市创建工作。

7月15日，浙江省宁波市海曙区党政考察团来区学习考察现代服务业。

8月16日，贵州省遵义市正安县政府、县政协来区进行友好访问。

9月1日，重庆市渝中区来区学

区考察团赴厦门思明区调研交流

习考察城市建设与管理。

9月14—19日，区委书记李向东带领区党政考察团赴广东省深圳市罗湖区、上海市虹口区，学习考察经济建设、社区建设以及“十二五”规划编制工作。

11月10—14日，中山区参加第二十七届全国六城区会议重庆渝中区年会，交流城区建设与管理工作经验。

12月3—8日，区委副书记何守林带领区学习考察团赴福建省厦门市思明区、福州市鼓楼区，就“十二五”期间中心城区发展思路、保持经济又好又快发展、加强以改善民生为重点的社会建设、完善城区管理体制机制等方面进行学习考察。

【区委网站】2010年，中共中山区委加强网站建设，积极发挥区委网站作为全区各级党组织和党员、群众沟通交流平台的作用，切实传递党的声音，交流推广各项工作经验，反映社情民意，树立模范典型。全年发布各类信息共400余条。

（赵　瑞）

·组织工作·

【概况】2010年末，中山区有党（工）委 32个，党总支107个，党支部1162个。党员总数29605名，其中新发展党员194名。全区有正、副处级干部377名，其中正、副处级实职领导干部205名。

这一年，全区组织工作深入贯彻落实科学发展观，紧紧抓住领导班子和干部队伍建设，创造性地开展基层组织建设工作，为经济社会又好又快发展提供了组织保证。区委组织部制定完善《中山区科级干部管理暂行规定》，转发上三级组织部、人力资源和社会保障部（局）联合下发的《公务员辞退规定（试行）》和《公务员辞去公职规定（试行）》，进一步促进全区干部选人用人制度化和规范化。启动基层党组织和党员“创先争优”活动，1110个党组织、25159名党员干部参加活动。首次开展街道社区党组织书记“双向述职评议”工作。首次对8个街道的党工委书记进行民主测评。开展“党支部堡垒工程”主题实践活动，街道社区党建“一级组织，四个层次”新型组织体系进一步完善。扎实推进非公有制企业党建工作，全面实施大厦党建工程，保证有人管事、有场所做事、有钱办事，使辖区内大厦党的工作实现了全覆盖。全年调整领导班子22个，调整处级领导干部65人。组织561名干部参加全区干部培训。

【学习实践科学发展观活动结束】2009年3月－2010年2月，中山区分两批开展学习实践科学发展观活动，共有475个单位、994个党组织、24634名党员干部参加活动。

学习活动按照“党员干部受教育、科学发展上水平、人民群众得实惠”的总要求，以“创建大连科学发展首善区”为总载体，积极开展“大连城市环境首善区”、“党支部堡垒工程”、“党员干部走进千家万户”等主题实践活动，较好实现区委提出的“六新”总目标（在科学发展观认识上谋求新提高，在发展思路上实现新突破，在经济发展上取得新成果，在改善人民群众生活上提出新举措，在城区环境建设上出现新面貌，在干部队伍建设上树立新形象）。通过活动，解决了一批群众关心关注的热点、难点问题，进一步加强基层党组织建设，明显提升党员素质，有效发挥党员模范作用，促进了全区经济社会各项事业健康持续发展。

活动期间，全区各单位共征求意见建议2万余条，办实事2200件，制定长效机制文件22个，在市级以上《简报》刊发信息20余篇，在媒体播发新闻稿件124篇。市委书记夏德仁等领导多次来区检查指导并给予充分肯定。

【优化领导班子和干部队伍建设】配齐配强基层领导班子和领导干部。2010年，中共中山区委共调整领导班子22个，调整处级领导干部65人，提高了干部干事创业的积极性。调整的干部中，党政主要领导31人，占47.7%；提职21人，占32.3%；平职交流44人，占67.7%。

大力培养选拔优秀年轻干部。选派2名优秀年轻干部，到温州、遵义和大连开发区一线岗位挂职锻炼。在全市各区市县公开选拔15个副处级岗位工作中，本区入选干部4人，占27%；在市直机关面向基层机关公开遴选公务员工作中，本区入选干部1人。

发挥考核的激励和约束作用。年初召开全区领导干部大会，集中通报2009年干部考核情况。对存在问题的领导班子和领导干部，按要求进行限期整改及相应调整，使年终考核结果与干部任用有效挂钩，调动了领导干部工作的积极性和主动性。

扎实做好干部培训教育。以党的十七届四中、五中全会精神为指导，着力强化前沿热点与经济发展、领导科学与领导能力、中国社会与社会问题等培训内容，采取区内培训、市里培训和异地培训相结合的培训方式。共举办处级以上干部培训班5期，培训干部414名，参训率94.2%。参加市委组织的各类培训133人次，其中市管干部103人次。参加新加坡丹麦等国外短期培训5人、赴美研究生课程培训2人。参加区市县主要领导干部进修班培训7人。组织正处级领导干部到北京大学进行高端知识培训和到西柏坡实地考察，接受爱国主义教育。利用高校优势教学资源和网络优势进行培训，聘请北京大学教授周旺生来区进行《目前中国法治的基本态势》讲座。参加网络在线学习的机关干部有536人。通过学习培训，全区干部理论素养和政策水平进一步提升。

深入开展创先争优活动动员部署大会召开

街道党工委书记履行党建工作职责述职评议

【启动“创先争优”活动】2010年，中共中山区委组织部开始启动基层党组织和党员“创先争优”活动。活动的一个主题是“创建大连科学发展首善区”，两个载体是“党支部堡垒工程和党员先锋工程”，目标要求是“推动科学发展、促进社会和谐、服务人民群众、加强基层组织建设”。区委健全组织架构，成立领导小组，设立分领域指导小组，全面推动活动深入开展。全区1110个党组织、25159名党员干部参加活动。

创先争优活动的开展，提升了基层党组织的战斗力和凝聚力，也使党员精神状态发生显著变化，服务群众、谋事干事的意识明显增强。全区党员干部深入群众了解民情、听取民意1163人次，为群众解决就业、就医、就学等实际问题45件，建立帮扶对子134对，设立党员先锋岗316个，初步形成学习先进、崇尚先进、争当先进的良好风气。

【首次开展街道社区党组织书记“双向述职评议”工作】2010年，中山区委组织部制定下发《关于建立街道（社区）党组织书记履行党建工作职责“双向述职评议”制度的意见》，组织开展街道社区党组织书记履行党建工作职责双向述职评议。

评议内容包括谋划基层党建工作情况、领导班子建设和党员队伍建设情况、落实基层党建工作目标情况、抓好基层党建协调工作情况、带头抓好基层党建工作落实情况等5个方面，街道党工委书记就此对上向区委述职评议，对下向社区党组织述职评议。

年内对8个街道党工委书记进行首次民主测评，总平均分达97.2分。评议结果显示，全区基层党组织基本形成“书记抓”、“抓书记”的良好工作格局，党的基层组织建设又有新提高。大连电视台《七月》栏目对此作了专题报道。

【开展“党支部堡垒工程”主题实践活动】*街道社区党建“一级组织，四个层次”新型组织体系进一步完善。*2010年，中山区加紧建设街道党员活动中心、社区党员活动室、楼院党员活动站、楼洞党员活动点或党员中心户“四级联动”的党员活动阵地网络，特别是社区党员活动阵地建设又有新突破。投入百万余元，新建桃源街道自由社区和葵英街道青云社区2个党员活动室，其硬件建设和软件配备均达到省级以上标准。截至年末，全区已建成街道党员活动中心8个、社区党员活动室51个、楼洞党小组活动站（点）230个、创建党员中心户546个，基本构建起“党员5分钟活动圈”。中央政策研究室《简报》（2010年4月25日）刊发了这一情况。

*发展党员工作稳步推进。*当年，全区党员发展工作向社区和新经济组织两大党建领域倾斜，党员发展结构得到改善，质量得到提升。全年共发展党员194名。其中：女性党员101名，占52%；35岁以下136名，占70%；大专以上学历173名，占89%；新经济组织党员62名，占32%，其中私营企业主党员2名。

*党员电化教育探索新途径。*制作街道社区党建领域开展党支部堡垒工程主题实践活动纪实片《铸垒》，获大连市党员电教片评比一等奖，实现基层党组织建设资料的新突破。

【扎实推进非公有制企业党建工作】2010年，中山区非公有制企业党建工作扎实推进。

*扩大党组织覆盖面。*建立中山区非公有制企业党组织动态数据库。对党员3人以上企业、党员1－2人规模以上企业、规模以下企业、规模以上无党员的企业和改制企业等，采取不同方式组建党组织。截至年末，全区3448家非公有制企业已实现党的工作全覆盖。

*强化党建工作长效机制。*制定完善《非公有制经济组织党支部规范化建设工作手册》和《非公有制经济组织党建工作长效机制汇编》，建立党建工作季报、登记申报、年检年报和沟通联系制度，确保非公有制企业党建工作持续有效开展。

*实施大厦党建工程。*针对人民路街道70%以上企业分布在58座商务大厦内的特点，把大厦新经济组织党建作为突破口，全面实施大厦党建工程，保证有人管事、有场所做事、有钱办事，使该辖区内大厦党的工作实现了全覆盖。在全区8个街道51个社区党员活动室免费向大厦新经济组织党组织和党员开放的基础上，通过“社企共建”方式，新建大厦党组织服务站6个，拓宽和丰富新经济组织党员组织生活，推动全区新经济组织党建工作。年内，全区大厦党组织涌现出党员示范岗10个、党员责任区6个，帮扶困难群众180人次。

（李慧敏）

·宣传思想工作·

【概况】2010年，中山区宣传思想工作突出全面推进科学发展首善区建设这条主线，全力打好理论武装、舆论宣传、精神文明创建和文

区委常委带题授课，两级党委中心组学习持之以恒

化繁荣发展“四个主动仗”，为建设科学发展首善区起到统一思想、凝心聚力的作用。

理论学习教育。推进全区学习型党组织建设，老虎滩街道党工委被命名为“建设学习型党组织省级示范点”，大连第39中学被命名为“建设学习型党组织市级示范点”。区两级党委中心组共举办7场专题学习。大连方永刚社区宣讲团开展理论宣讲活动300余场，被评为“全国基层理论宣讲先进集体”。区舆情（调研）信息工作再次被评为省、市先进单位。

舆论宣传。对外宣传紧扣经济工作、区委区政府重点工作、深入学习实践科学发展观活动、创先争优活动等四大主题，对内宣传彰显“满怀激情谋发展，科学建设首善区”一条主线，全面展示“科学发展首善区”新形象，全年共发表各类新闻稿件1517篇，其中要闻稿件1023篇。

文化繁荣。发起主题为“旅顺·旅顺——老建筑与城市文化在场艺术行动”，开展“激情大连·魅力中山”群众性诗歌创作咏诵活动，举办《欢乐社区行》专题相声晚会。舞蹈《收获》和《情愫》分获辽宁省第五届舞协杯群众舞蹈大赛金奖和银奖。

【理论学习】2010年，中山区理论学习教育卓有成效，全区上下同建首善区的共识基本形成。

学习型党组织建设有效推进。制定《关于推进全区学习型党组织建设的实施意见》，把学习型党组织建设作为提升各级党组织和党员干部学习力、创新力、执行力，为“首善区”建设统一思想、凝心聚力的重要载体加以实施，取得良好成效。以区委名义撰写的《以“四新”为牵动深入推进区域性学习型党组织建设》被刊登在《大连市建设学习型党组织工作通报》第1期，在全市交流。老虎滩街道党工委作为全市街道唯一代表，被辽宁省委宣传部命名为“建设学习型党组织省级示范点”，大连第39中学被市委宣传部命名为“建设学习型党组织市级示范点”。12月，中央电视台对老虎滩街道推进学习型党组织建设情况进行了实地采访。

两级党委中心组学习持之以恒。制定并实施《中山区两级党委中心组2010年学习计划》，围绕学习型党组织建设、四大功能区建设等九大学习专题，采取专家辅导、常委带题授课、两级党委中心组成员互动等学习形式，进一步发挥两级党委中心组在勤思善学上的引领和带动作用。全年共举办党员干部廉洁从政准则、学习型党组织建设、招商引资、四大功能区建设、干部选拔任用四项监督制度、台海形势、和谐社会建设等7场专题学习，其中常委带题授课6场。上报区委中心组《学习纪要》4期，被《大连市党委中心组学习通报》采用2期。

基层理论宣讲成效显著。以“科学发展入民心，努力建设首善区”为主题，充分发挥大连方永刚社区宣讲团的基层宣讲主力军作用，对其成员进行专题培训，制定宣讲计划。宣讲团深入区内外社区和企事业单位，围绕建设学习型党组织、区委十二届八次九次全会精神、“七个怎么看”等内容，开展理论宣讲活动300余场，听众达万余人次。年内，宣讲团被中宣部评为“全国基层理论宣讲先进集体”，为全省唯一，全国也仅5个。

舆情信息工作常抓不懈。切实发挥辽宁省舆情信息直报点作用，从强化制度、网络和队伍建设入手，围绕全国两会、上海世博、校园惨案、物价上涨、收入分配等热点问题，及时搜集整理上报各类信息200余篇，被上级采用70余篇。区再次被评为辽宁省、大连市“舆情（调研）信息工作先进单位”，海军广场街道党工委获市“优秀舆情信息直报点”称号。

全民读书活动收到实效。把开展读书活动作为理论武装工程的重要内容切实抓好，不断营造读好

方永刚社区宣讲团深入社区与群众交流

书、好读书的良好氛围。积极参加大连市首届“读书月”活动，青泥洼桥街道天津社区居民连长先、昆明街道武昌社区盲人求索书屋和大连方永刚社区宣讲团被评为全市读书学习先进典型，其事迹被全市各大媒体进行广泛宣传，引起较好的社会反响。

【舆论宣传】2010年，中山区共发表各类新闻稿件1517篇，比上年增加104件；其中要闻稿件1023篇，增加64件。

对外宣传紧扣四大主题。(1)经济工作。以《招商瞄准高端 服务实现一流》为题，在《大连日报》、大连电视台等媒体重要位置报道本区以四大功能区建设为核心，打好“招商牌”的总体思路；以《中山区：项目建设热火朝天》为题，在《大连日报》头版报道当年重点推进的大项目情况。（2）区委、区政府重点工作。在《新商报》开设“‘人民路第一财富大道’——关注中山区金融、港航物流核心企业”专版，通过推介本区重点企业，反映功能区的发展优势。年内累计推出专版20多个，专访和报道坐落在金融核心功能区的中国银行辽宁省分行、渤海银行大连分行、浦发银行大连分行等重点企业。分别在大连电台交通广播早间“旭日东升，欢乐同行”栏目和《新商报》开设“畅通中山”专版，从城建、教育、公安、交警、行政执法等多个层面，宣传本区整治交通的做法和亮点，交通广播累计推出30多期，《新商报》推出专版12个。（3）深入学习实践科学发展观活动和创先争优活动。相继推出一批有影响力的成果性报道。全市各大媒体均在显著位置刊登《百年中心尽展城区新活力——中山区建设大连科学发展首善区纪实》，全面报道开展学习实践活动以来全区各方面取得的成绩。在《大连日报》重要版面报道全区近年来以“树文明市风、做文明市民、建首善之区”为主题，开展文明城市创建取得的积极成效。（4）各大节日。在春节等各大节日前，专题报道各单位、各部门积极开展特色活动，营造文明和谐社会环境的情况。

对内宣传彰显一条主线。以“满怀激情谋发展，科学建设首善区”为主线，在内刊《中山宣传》上开设首善之举、解读中山、他山之鉴、专家说法、焦点链接、理论观察、中山新视点等栏目，全面宣传建设科学发展首善区的理念、设想、具体举措和成果共计16期，较好地提升广大党员干部建设科学发展首善区的信心和决心。围绕学习贯彻党的十七届五中全会精神，连续3期刊发有关专家对全会精神和国家“十二五”规划的深度解读，营造浓厚学习氛围。机关电子大屏幕及时播报区委常委会月份工作重点、中山动态、廉政文化、公共文明指数测评等。

国防教育工作不断推进。进一步调整强化国防教育的组织领导，初步形成以党校为载体的领导干部国防教育网络、以中小学为载体的普及青少年国防知识网络、以街道社区为阵地的群众性国防教育网络、以国防教育日和重大节日为平台的集中社会宣传网络，保证全区国防教育工作有效开展。通过张贴宣传标语，利用国防宣传角、社区讲坛、橱窗板报以及“104”舰和海军广场等省级国防教育基地，组织开展《国防教育法》颁布实施9周年宣传活动，有10多万人接受教育。以“勿忘国耻、强我国防”为主题，以红诗朗诵和宣传展板等形式，组织开展全民国防教育日集中宣传活动。利用手机短信、QQ群、闭路电视、网站网页等现代传媒，开展社会化国防教育宣传活动。

中山朗诵艺术家协会走进校园进行专场演出

“红诗辽宁 激情大连 魅力中山”群众性诗歌创作咏诵活动

【文化艺术活动】2010年，中山区围绕弘扬社会主义核心价值体系，精心创作艺术作品，营造良好社会文化氛围。

主题活动有机延续。区文联、区美术家协会发起主题为“旅顺·旅顺——老建筑与城市文化在场艺术行动”，30多位画家就旅顺当地部分具有保护意义的老建筑进行创作采风，这是继上年引起社会广泛关注的“百年收藏第一回：城市记忆——大连中山老建筑画展系列文化行动”的又一重要延续。

艺术创作成果丰硕。在全区开展“激情大连·魅力中山”群众性诗歌创作咏诵活动，主要有：“红诗中山·感动母亲”诗歌创作朗诵会，以诗歌的形式讴歌辖区11位母亲的感人事迹；大连市本土诗人原创诗歌作品展，由大连电台主持人朗诵29首收集在《诗歌月刊》中的本地诗人原创作品，近200名诗歌爱好者共同欣赏；“红诗”大赛，从全区100篇红诗作品中评选出一等奖作品5个，二等奖作品10个，三等奖作品15个，纪念奖作品20个；以“传承中华传统文化 秉承千年蒙学经验”为主题的中小学课本名篇朗诵会，400余名中小学师生参加。在8个街道举办历时5个月的《欢乐社区行》专题相声晚会，组织艺术家走进社区，传播高雅艺术，进一步提升传统相声的影响力。在辽宁省第五届舞协杯群众舞蹈大赛上，中山区舞协参赛的《收获》和《情愫》分获金奖和银奖。区文联网站开始试运行，为辖区文艺爱好者提供了施展才华和提高艺术水平的平台。

（王　宁）

·精神文明创建活动·

【概况】2010年，中山区全面推进精神文明创建活动，进一步优化“科学发展首善区”文明和谐环境。

公民思想道德建设创新发展。积极开展“弘扬雷锋精神，关爱空巢老人”志愿服务活动。为2万多名空巢老人建立档案、发放爱心服务卡，提供生活照料、心理抚慰等6方面服务。全区51个社区的31支志愿服务队共与13970户空巢老人结成对子，参与志愿服务人数达3万余人次。参与“大连城市精神”大讨论活动，共征集《大连城市精神》文章207篇，表述语364条，其中3篇文章在《大连日报》发表。继续开展“中山好人”评选活动，共推荐出身边好人62名，其中协和门诊主任梁玉山荣获“大连市第二届道德模范”称号。深入推进未成年人思想道德建设工作，15名中小学生成为首批“道德小模范”。

群众性精神文明创建掀起新高潮。深入开展文明城市创建工作。召开中山区“十大文明”表彰暨创城工作动员大会，表彰143个集体、110户家庭和279名个人。区财政投入资金近千万元，铺设道路，更换方砖边石，清理垃圾，共解决百姓反映问题230余件。先后接受市和国家两次公共文明指数测评，均达到A档标准，为全市公共文明测评工作做出贡献。开展“除陋习、迎佳节、促和谐”为主题的道德实践活动，掀起“弘扬传统文化，树立文明新风”的热潮。做好《文明在中山》宣传阵地建设，新建宣传栏23处。

品牌载体不断涌现。在大连市精神文明建设最佳品牌评选活动中，中山区获“大连市精神文明建设最佳品牌”1项；“大连市精神文明建设优秀品牌”4项；大连市“全民阅读示范点”9项。

【“大连城市精神”大讨论】2010年5月28日，中山区组织全区干部群众开展“大连城市精神”大讨论。区文明办搭建“十类人十议大连”、“城市精神评述台”等活动载体，方便市民参与讨论。

昆明街道在全国首个“外宾家庭接待站”独立社区红旗小区召开

附：中山区“大连市精神文明建设最佳品牌”、“优秀品牌”等

品牌名称	获得单位
最佳品牌	“三管好、六不要”道德承诺（青泥洼桥街道）
优秀品牌	空巢老人驿站（中山区文明办）
	公民道德评述台（中山区文明办）
	道德教育超市（人民路街道）
	外来务工子女学校（海军广场街道）
全民阅读示范点	大连方永刚社区宣讲团
	望海小学经典诵读示范校
	老虎滩街道中兴社区夕阳红学习党小组
	昆明街道盲人求索书屋
	大连市图书馆鲁迅路分馆
	人民路街道修竹社区品赏宁心苑
	中山区图书馆桃源分馆
	中山区图书馆少儿馆
	中山区图书馆成人馆

区“十大文明”表彰暨创城工作动员大会召开

大连市关爱空巢老人志愿服务行动现场会在葵英街道林海社区召开

“文明友善让城市更美好”公民道德暨城市精神评述活动现场会。青泥洼桥街道以玉光街71号为典型，利用“城市精神评述台”，开展建设和谐楼院大讨论，在解决弃管楼院环境差、邻里关系等问题上找出一条新路。桃源街道以“振奋城市精神 共创首善之区”为主题开展文化艺术节活动，邀请老红军、爱心企业家、“感动母亲”、学生代表以及外国人共议城市精神，形成“爱大连，爱中山，建设美好家园”的共识。桂林街道湖畔社区通过“评述台”，热议大连人热情好客、豪爽、有城市荣誉感、勇于创新等特点，提炼出“热情、浪漫、大度、自尊、勇敢、创新”的城市精神。

活动期间，全区共征集“大连城市精神”文章207篇，表述语364条。其中区政法委宋伯陶的《在文明浪漫中感受新领军城市的步伐》、区教育局张建坤的《培育城市精神应着眼于什么》昆明街道王黎昕的《小小一扇“友谊之窗”诠释大连城市精神》等3篇文章，在《大连日报》上登载。

【公共文明指数测评】 2010年，中山区先后迎接市及国家2次公共文明指数测评。4月，区委、区政府建立由副书记牵头，常务副区长、宣传部长组成的领导班子，成立环境检查、材料审核、问卷调查3个督查考核组，严格自查全区公共文明情况，发现问题，及时整改。区财政投入资金近千万元，铺设道路1.1万平方米，更换方砖4537平方米、边石2076米；清理650余条路街和重点部位、路段的垃圾1720余吨；解决百姓反映问题230余件。

7月4—6日，国家统计局大连城调队对中山区进行公共文明指数测评，检查区内商业街、公园、广场、主干路、社区周边的公共环境、公共秩序，银行、商场的窗口服务，区少年宫、网吧以及校园周边等场所的未成年人成长环境等，入户调查海军广场街道春山社区等6个街道的10个社区。测评结果显示，中山区公共文明指数位列全市前茅。

7月22—24日，国家统计局一行15人对大连市进行公共文明指数测评。中山区在全市公共文明指数测评中优异成绩，为全市测评取得佳绩做出突出贡献。

【“弘扬雷锋精神，关爱空巢老人”志愿服务活动】 2010年3月4日，中山区举行“弘扬雷锋精神，关爱空巢老人”志愿服务活动启动仪式，全区迅速掀起关爱空巢老人志愿服务热潮。

各街道以社区为依托，组织志愿者特别是身体健康的低龄老年志愿者和青年志愿者，以及义工和居民骨干，采取结对帮扶的办法，为高龄空巢老人提供生活照料、心理抚慰、应急救助、健康保健、法律援助、文体娱乐等6个方面的服务。区文明办以社区为单位，向空巢老人发放“关爱服务卡”2万余份。51个社区的31支志愿服务队为空巢老人家庭提供服务。各街道、社区、义工站充分利用原有八大志愿服务基地，招募、培训辖区志愿者，以“巢阳乐”、“关爱在身边”为主题，开展各项志愿服务活动。全区共有3万多人参与，受关爱老人近2万人。

4月22日，大连市“老吾老以及人之老——关爱空巢老人志愿服务行动”启动仪式在葵英街道亿达物业林海小区举行，市委书记夏德仁、中国志愿服务基金会副理事长曹分田、辽宁省文明办主任韩亚力以及市、区有关领导出席。

【“除陋习、讲文明、树新风”活动】2010年，中山区群众性精神文明创建工作继续从“我们的节日”主题活动入手，于春节前在全区开展“除陋习、讲文明、树新风”活动，引导广大市民积极参加“告别陋习，向我看齐”、“整治环境，有我出力”系列活动，营造文明和谐的社会环境。

开展万人签名承诺、致市民一封信、网上论坛、劝诫宣传等活动。13万份《倡议书》宣传单通过5000多名机关及社区工作者、社区志愿者和文明小使者，分发到全区13万户家庭。各街道利用社区墙报、板报进行专题宣传，鼓励居民抵制各种不文明行为。由万名志愿者组成的“除陋习”劝诫队走上街头，对乱扔杂物、随地吐痰、斜穿马路、上街烧纸等不文明行为进行劝阻，各街道为此制作宣传标语300个、吐痰袋2000多个。区文明办在区委宣传网上开通百姓论坛，为进一步做好“除陋习，树新风”活动群策群力。各街道在主要路街设立2个“无烧纸示范区域”，街道主要领导在除夕夜亲自带领“除陋习”劝导队和“文明巡逻队”走街串巷，劝导居民文明祭祀，以杜绝焚香烧纸现象，保持路面清洁。区文明办在除夕夜、元宵节对“无烧纸示范区域”和其他区域进行了巡视检查。

经过1个月的宣传和治理，全区环境卫生状况有了明显改观，市民文明素质进一步增强。

【“五小”道德实践活动】2010年，中山区文明办在中小学寒假期间深入推进“五小”（爱心小志愿者、娃娃小楼长、文明小使者、敬老爱亲小孝星、读书小学者）道德实践活动，吸引全区33所中小学校2.5万余名中小学生热情参与，进一步加强了未成年人思想道德建设。

全区各街道于春节前夕同时开展“爱心小志愿者，新春真情传播，关爱空巢老人”活动，为居住在老年公寓、养护院、托养所和市福利院的老人们打扫卫生，送上精彩演出和手工制品，表示节日祝福和问候。全区各楼院的“娃娃小楼长”与老楼长结对子，携手推进社区文明活动。“文明小使者”活动以学校为单位举办文明温馨劝语征集活动，所征集文明温馨劝语由区文明办组织评奖，同时在中山宣传网上转载。“敬老爱亲小孝星”活动通过让孩子们当一天家、打扫房间、买菜做饭、照顾老人、沟通邻里等，增强他们的生活自理和自立能力。开展“读书小学者”活动，各街道和社区的图书室、阅览室寒假期间对未成年人全面开放。

（杨文麒）

·统战工作·

【概况】2010年，中共中山区委统战部紧紧围绕服务科学发展和促进社会和谐，不断提高统战工作科学化水平，为建设“科学发展首善区”凝心聚力、贡献力量。

区文明办在寒假期间推进“五小”实践活动

区统战工作会议召开，表彰优秀建设者、优秀统战成员

开展社会主义核心价值体系培训，有400余名统战成员参加培训。在全区新的社会阶层人士中评选出34名“中山区优秀建设者”。开展“回报社会、感恩行动”，全区统战成员累计捐款3905万元，捐物折款1477万元，为地震灾区捐款捐物达2000余万元。开展“中山区党外代表人士建设年”活动，建立400名各领域重点党外代表人士信息库。组织党外代表人士为“首善区”建设和“十二五”规划制定献计出力，共提出意见和建议30余条。

协助民主党派基层组织加强自身建设，完善民主党派基层组织负责人列席区委、区人大、区政府、区政协重要会议制度。各民主党派活动经费被列入区财政预算。区民主党派活动中心建成。

加强指导基层统战工作。对全区140余名基层统战干部进行统战知识培训。制订《基层统战工作要点》《统战工作目标考评实施细则》，提高基层统战工作的时效性和可操作性。

全面调查摸清全区台侨人员基本情况。配合区民宗局完成基层宗教工作调研。建立宗教工作联席会议制度，成立区宗教工作领导小组。

【学习和践行社会主义核心价值体系】2010年，中共中山区委统战部结合统战成员特点和培养目标，加强社会主义核心价值体系的教育培训，共举办6个班次，有400余人参加培训，提高了统战成员的政治把握、参政议政和合作共事能力，营造出树立和践行社会主义核心价值体系的良好氛围。

开展中山区“优秀建设者”评选活动。在全区新的社会阶层人士中评选出34名“中山区优秀建设者”，召开表彰大会，编印风采录，下发到街道、社区和辖区单位，并通过宣传橱窗、媒体报道等形式进行广泛宣传。

开展“回报社会、感恩行动”。该项行动以帮助“五老”、扶贫帮困、扩大就业、捐资助学、社会公益等为主要内容，鼓励民营企业家以结对帮扶等形式，开展村企共建、企企共建、军企共建活动，帮助受助对象。各街道开展“学五老、敬五老、助五老”结对共建活动，共与“五老”结对子29对，捐款物5万余元。部分统战成员与普兰店市杨树房镇李家村、海军旅顺基地岸勤防救船大队开展共建活动。自2005年以来，全区统战成员累计资助贫困家庭1041户，资助贫困学生1229人，援建农村学校5所，援助新农村建设2个，捐款3905万元，捐物折款1477万元，为地震灾区捐款捐物达2000余万元，实现就业1万人。

【建设党外代表人士队伍】2010年，中共中山区委统战部开展“中山区党外代表人士建设年”活动，健全和完善党外代表人士队伍。建立400名各领域重点党外代表人士信息库，其中民主党派代表人士120人、无党派代表人士120人、民族宗教代表人士10人、新的社会阶层代表人士50人、党外后备干部40人、党外优秀青年干部30人、港澳台和海外代表人士30人。

积极推进党外干部的选拔和使用。建立和完善组织领导、遴选发现、教育培养、选拔任用“四项机制”，进一步推进党外干部队伍健康发展。截至年末，全区共有副处级以上党外干部18名，其中副区级3名、正处级4名、副处级11名。区人大、区政府、区政协领导班子中各有1名党外干部。全区21个政府工作部门中，有7个政府部门领导班子配备8名党外干部，占政府部门总数的33.3%，超过30%的规定要求。

【为“首善区”建设献计出力】2010年，中共中山区委统战部围绕“三个中心”建设和“两圈一带”建设，组织党外代表人士按照功能区建设布局和资源要素集聚要求，积极建言献策。党外代表人士针对区基层卫生组织建设、特色商业街建设、天津街改造、图书馆建设等提出有价值、有见地的意见和建议30余条，为完善中山区“十二五”规

设施完善的区民主党派活动中心

划发挥积极作用。开展为中山区实现科学发展新跨越建言献策评比表彰活动。

这一年是区"招商引资"年。党外代表人士大力拓展对外联络渠道，积极推介中山区四大功能区建设，多次组织企业参加区、市组织的招商说明会，取得较好效果。

【协助民主党派基层组织加强自身建设】2010年，中共中山区委统战部切实解决民主党派工作中的实际问题。各民主党派基层组织负责人列席区委、区人大、区政府、区政协重要会议制度得到完善。各民主党派活动经费被列入区财政预算，并增加到20万元。投资930万元，在黄金地段建成的中山区民主党派活动中心，解决了各党派基层组织的办公和活动场地问题。

协助民主党派完善组织和制度建设。通过对民主党派基层组织负责人进行培训、组织民主党派基层负责人到先进地区学习考察、定期限时督察制度建设情况等形式，指导民主党派基层组织加强领导班子和干部队伍建设，强化组织制度建设，建立领导班子分工合作制度，坚持例会制度、学习制度、生活会制度，建立会费缴纳与管理制度，使民主党派基层工作规范化、制度化、科学化。

搭建民主党派代表人士参政议政平台。向各级政协、人大、工商联、侨联积极推荐民主党派代表人士，使代表人士得到相应使用。民主党派代表人士中，有2人任省政协委员，9人任市人大代表，5人任区人大代表，7人任市政协委员，7人任区政协委员，还有多人担任政府部门监督员。年内共提出合理化意见建议65条，为全区经济建设和社会发展做出贡献。与区委组织部联合开展民主党派基层组织负责人到政府部门调研实践活动，共撰写调研报告8篇，为区委、区政府的决策提供参考并得到充分肯定。

丰富民主党派基层组织活动。开展民主党派"三队"建设活动，组建社会公益服务队、文化休闲活动队、体育健身活动队各10支，共有成员921名。各党派基层组织先后举办乒乓球、扑克、台球比赛以及书画展、养生讲座等。区统战系统举办"迎春登山赛"、"元旦联欢会"，8个民主党派基层组织、无党派人士联谊会、工商联、侨联均组队参加，增强了凝聚力和向心力。

【区民主党派活动中心】位于延安路32号的中山区民主党派活动中心成立于2009年12月18日。建筑面积700平方米，集办公、会议、学习、活动、交流等功能为一体。内设9间办公室以及会议室、贵宾室、交流室、书画室各1间，还安放乒乓球桌和台球桌等设施。区各党派基层组织均在此设有各自独立、设施齐全的办公室。

该活动中心的建成使用，为全区各民主党派、工商联及无党派人士联谊会的办公、学习以及开展各种活动提供了场所，增强了成员们的归属感，提高了他们参政议政、联合团结的积极性，有力地推动了民主党派各项工作的健康发展。

【深化新时期台侨工作】2010年，中共中山区委统战部依托中山区统战成员信息统计系统，进行全区台侨情况大调查，详尽掌握全区侨胞、归侨及侨眷的个人信息。共统计台胞16人，台属66人，涉台婚姻家庭66户，海外侨胞195人，侨眷800人，出国留学人员616人，归国留学人员80人。

为台侨企业发展牵线搭桥、解决困难。与相关部门共同听取台侨企业的发展计划，实地考察项目用地，提出发展建议。对遇到经营困难的台侨企业，积极联络相关部门予以解决，促成台湾群光集团中山区商业大厦项目和台湾台东水果商会天津街展销项目，有效解决天津街德川温泉养生会馆、香榭里广场台南印象餐厅等台资企业经营中的难题。

（宋清宇）

·老干部工作·

【概况】2010年末，中山区有离休干部209人，其中抗战时期22人、解放战争时期187人。有副处级以上退休干部467人，其中区级35人。有老干部党支部20个，其中机关12个、街道8个，共有党员642名。

这一年，中共中山区委老干部局以“创先争优”为契机，加强机关作风建设，带着爱心去关爱老干部，以诚心去帮助老干部，努力探索新形势下老干部工作新路子。全年电话慰问离退休老干部200余次，登门拜访区级老干部80余人次，走访慰问有特殊困难老干部和探视因病住院老干部共230人次，使老干部在优质服务中安度晚年。

昆明街道老干部党支部被评为“大连市优秀老干部党支部”，事迹被《中国老年报》《老龄研究》第3期、《晚晴报》《大连党建》等刊物刊登。

老干部大学的书画课深受老同志欢迎

【坚持“两会一访”，落实“两个待遇”】坚持“两会一访”制度。2010年，中山区老干部局召开春节老干部座谈会、原区级领导通报会及原区级老干部七一座谈会，区四大班子主要领导先后参加并做讲话，征求老同志意见。春节前夕，局领导班子陪同区委常委走访慰问老红军、原区级老领导，探望因病住院的区级离退休老同志。

落实政治、生活“两个待遇”。邀请市委党校教授为老干部做6次时事政治讲座，1000余人次听讲。安排16名老干部党支部书记进区委党校培训。各基层党委为老干部订阅《大连日报》《老同志之友》《辽宁老年报》等。春节前夕走访慰问有特殊困难、生病住院、行动不便的老同志、抗战干部以及无固定收入遗属共150余户，送去慰问金和慰问品。协调卫生、财政部门，及时报销离休干部医药费、住院费，按时发放军队离休干部工资福利。

扎实推进“四就近”。派专人历时7个月，深入社区考察并具体指导，使“四就近”（老干部在属地社区就近学习、就近活动、就近得到关心照顾、就近发挥作用）工作

老干部模特队在表演

春节前，区领导向区级老领导通报全区2009年工作情况

在全区全面推开，形成具有中山特色的“一街一靓点，一区一特色”的老干部“四就近”工作模式。桃源街道长利社区做好离休干部“四就近”工作的经验在全市调研会上汇报，受到好评。

【开展老干部文体活动】2010年，中山区老干部局把组织老干部日常文体活动作为工作重点，大力提倡“自主、参与，贵在坚持、自得其乐”的活动理念，使老干部紧跟时代，快乐生活。

提倡“我的活动，我做主”，实现日常活动自我管理。老干部文娱协会发挥作用，自主组织元旦、春节、重阳节等传统节日和三八、六一、十一等节日庆祝活动，每次都吸引100多名老干部参与。老干部台球协会走出中山，以球会友，先后与外单位老干部台球队进行5场友谊赛。老干部读书协会定期举办讲座，开阔了眼界。老干部模特队坚持日常训练，积极参与社会公益演出，展现良好风范。

组织老干部春游疗养。5月20日，在白云雁水景区进行以“喜迎世博、低碳生活、环保家园、健康自我”为主题的大型踏青游乐活动，400余名老干部参加活动，为历年春游之最。根据老干部身体状况，组织春秋两季疗养，其中5月11-13日，组织100余名年事较高、身体较弱的老干部赴七贤岭进行春季近郊疗养；10月9-17日，组织身体状况好的120余名老干部分两批赴熊岳进行温泉疗养。

办好老干部大学。委派专人对老干部大学进行教学管理，发挥其学习堡垒、教育阵地的作用。开设太极拳、音乐等课程，聘请专业老师授课，基本满足老同志求知、求健、求乐、求为的需要。

（曾　强）

·党校工作·

【概况】2010年，中共中山区委党校坚持把突出办学特色，提高办学质量，深化优质服务作为首要任务，不断改革创新办学方式方法，全面完成干部培训任务。全年举办区管干部、社区干部、新经济组织党组织书记、科级干部救助管理人员、党外后备干部等培训班及人口和计划生育练兵大赛共10期，共1372人参加培训。出版《中山党建》8期。

【干部培训】2010年，中共中山区委党校认真贯彻落实年度培训计划，科学拟定培训方案，认真组织，精心安排，圆满完成全年干部培训任务。

社区干部培训班　3月16－18日举办，60名社区干部参训，采用1天校内和2天异地的培训形式。培训目的是进一步加强中山区基层党组织建设，提高社区干部党建水平、业务能力和综合素质，为打造科学发展首善区提供智力支持。区委副书记何守林做开班动员，市委党校教授孙畅雪讲授《基层党组织建设》，区委组织部部长丛滋全与学员座谈，学员赴丹东进行现场培训。

区管干部培训班　4月26日－6月18日，连续举办4期，共340余人参训。培训内容围绕区委、区政府建设“大连科学发展首善区”的工作目标，以“机关作风年”、“招商引资年”建设为主线，共分18个专题。市委党校教育长吴高飞，教授杨青山、于文发、于晓静，副教授邹玉洁，讲师韩阳分别主讲《关于全域城市化》《提高领导者的辩证思维能力》《〈廉政准则〉解读》《提高领导干部沟通协调能力》《社会转型期公众心态研究》《领导干部心理健康与调适》；省委党校教授储霞、王纯敏分别主讲《加强干部作风建设》《健身与养生》；区委党校高级讲师王金秋、周欣分别主讲《深化干部人事制度改革，建设高素质干部队伍》《关于学习型政党》。区委书记李向东主讲《推动首善区建设》，市人大法制委员会主任陈政祥主讲《人大

区委书记李向东与参加处级领导培训班的学员在北大校园

工作讲座》《学习〈监督法〉的几点认识和体会》，市司法局、市安监局有关领导主讲《司法知识讲座》《安全生产讲座》，区委政法委、区保密局、区计生局有关领导主讲《全力做好我区稳定工作》《保密知识》《流动人口条例》。区领导还与学员进行了座谈。此次培训在针对性、时效性、操作性上下工夫，使学员增强了党性修养，加深了对市情、区情的认识，提高了能力素质。

前沿热点与经济发展高级研修班　自5月10日起，组织正处以上领导干部105人，分2期参加北京大学举办的前沿热点与经济发展高级研修班的培训，之后赴西柏坡进行作风年建设实地考察3天。培训目的是让领导干部领悟现代公共管理的前沿精髓，掌握相关政策的最新动态，提高科学决策服务能力，加强文学、历史、哲学等人文修养。培训课程有《中国宏观经济走势及热点问题分析》《中国法制与反腐倡廉》《后金融危机下的中国经济》《领导科学与领导力的提升》《领导者公共形象塑造与媒体应对》《打造区域经济的国际化优势》《招商引资策略与方向》。此次培训，使领导干部开阔了视野，加强了管理创新思维，提高了依法执政、公共服务及危机处理应对能力。

《目前中国法制的基本态势》专题讲座　7月20日举办，由北大教授周旺生讲授，处级以上领导、区人大代表、政协委员等500余人参训。

新经济组织党组织书记培训班　9月9－10日，与区委组织部合办，各街道分管新经济组织的党务工作者、非公有制企业党组织书记等124人参训。区委组织部部长从滋全做开班动员，区委书记李向东主讲《中山区的基本情况和发展思路》，区纪委书记李玉宝主讲廉政讲座，市委组织部潘卫科处长主讲《新经济组织党建工作》。此次培训给学员创造了互相学习交流、共同提高的机会，推动全区非公企党建工作进一步规范开展。

区委党校举办新经济组织党组织书记培训班

科级领导干部培训班　10月18－22日，与区人社局合办，区政府各部门及下属事业单位现任和新任科级领导干部共99人参训。区长江亲瑜作开班动员，区委书记李向东主讲《结合首善区建设谈十二五规划思路》，区纪委书记李玉宝主讲《廉政教育》，区委组织部部长从滋全主讲《〈干部任用条例〉解读》，市委党校校务委员吴高飞主讲《关于全域城市化》，市委党校讲师韩阳主讲《中青年干部良好心理素质的塑造》，区委副书记何守林与学员座谈交流。组织学员考察辽宁沿海经济带东段，听取丹东市经济社会发展情况介绍，参观抗美援朝纪念馆、社区建设等。此次培训，使学员加深了对区情、市情的了解，学习了外地的先进经验。

【教学研究】2010年，中共中山区委党校积极开展教研活动。教研室坚持集体备课制度，共同推敲充实完善教案。深入区有关部门调研，使授课内容紧密结合区情。开展校内试讲，请区委有关领导和校领导指导点评，提高教员的教学水平。

开展专题调研。围绕区委区政府中心工作，与区政研室合作，参与“首善区”建设和中央商务中心区建设2项课题研究，形成论文《建设大连科学发展首善区的任务和对策研究》《核心城市建设中全力强化CBD核心功能建设的对策研究》。论文《造就高素质干部队伍》在《大连日报》发表，论文《创新城区学校干部培训模式的初探》《论党校在建设马克思主义学习型政党中的主阵地作用》参加全国十六城区党校研讨会。

继续为基层义务送课。科学发展观讲师团结合学习型党组织建设活动，为基层干部群众讲课3次。2位高级讲师受聘于桃源街道社区党校，讲课3次，发挥了党校理论宣传优势和作用。

加强师资队伍建设。先后派2名

教员到北京大学主办的十七届五中全会研讨班和省委宣传部主办的十七届五中全会理论骨干培训班学习。组织教员参加市委宣传部学习型党组织培训班、市委党校“大讲堂”专题报告会和区委中心组的相关学习，为宣传贯彻好党的理论奠定理论基础。

【《中山党建》全新改版】2010年，中山区党校主办的《中山党建》取得内部刊号，并以全新面貌呈现于读者，其吸引力、指导性和可读性明显增强。

版式设计提升改进。设计新的刊物标识，内文版面新颖美观、图文并茂。

栏目设定有新变化。新增区委领导动态、棒棰岛访谈、学习与思考、新法解读、风物传说等栏目，丰富了刊物内容；将信息荟萃改为时政资讯，在其中增加市情看板，扩大了视野。

内容围绕中心展开。突出“全面建设大连科学发展首善区”这个中心，以及“机关作风年”、“招商引资年”等主要任务，通过前沿工作、活动链接、人物长廊等栏目，及时反映各部门单位积极探索创新基层党建工作的做法和经验，为各部门间相互学习、借鉴和交流提供了一个平台。

（刘　斌）

·政策研究·

【概况】2010年，中山区政策研究室围绕区委、区政府中心工作，强化学习，深入调研，积极创新工作思路和方法，以建设大连科学发展首善区，加快功能区建设和转变发展思路等为重点，着力搭建好全区调研平台，完善调研工作机制，研究事关全区改革、发展的重大问题，推动调研成果转化，为区委领导掌握全局、把握大势、正确决策提供科学建议和参考依据，圆满完成各项研究任务。

组织协调全区政策调研工作。围绕区委十二届八次全会提出的重点工作任务，在全区共展开课题80个，其中《关于中山区发展思路新突破》《抓基层 打基础 全力推进党支部堡垒工程》等一批优秀调研文章为区域发展提供了有效参考。搭建好调研成果展示平台《中山决策参考》，共出刊12期。组织上年度全区政研工作成果评选，56篇文章、60名个人受到表彰。编辑《中山调研文集》（2009），汇集调研文章71篇。

区政研室加大与外地城区的交流学习

参与并完成“十二五”规划编制任务。按照区委、区政府的统一部署，与区发改局共同开展“十二五”规划编制任务。9月，参加区委、区政府赴上海虹口区和深圳罗湖区的“十二五”专题调研考察活动，并与区相关委办局沟通交流，与政协委员、人大代表座谈，听取专家意见，对规划涉及的发展环境、发展思路、目标、原则和经济工作任务等方面进行了起草和多次论证、修改。

参与区委重大会议材料、报告的起草。主要参与区委十二届九次、十次全会报告、六城市经济年会交流材料《立足首善　加快转型　高标准推进城市建设改造》和运用PPT程序演示文稿图形的汇报材料。协助政府相关部门完成《中山区金融生态区总体情况介绍》等材料。

完成上级调研任务和有关报告、规划的意见征询。包括《对干部队伍思维创新问题的研究与思考》《大连东北亚国际物流中心发展规划建议》《关于中共大连市委大连市人民政府关于加快城区经济发展的若干意见的修改意见》等。

【CBD核心功能区专题调研】2010年，中山区政策研究室围绕加快推进区域金融核心功能区建设，组织开展软科学课题——《核心城市建设中全力强化CBD核心功能区建设的对策研究》，由区政研室、区委党校以及有关专家共7人组成课题小组，深入辖区10余家银行机构和大厦楼宇进行调研。

课题组在全面分析国内外CBD（中央商务区）发展历程的基础上，就本区CBD现状进行分析和判断，提出CBD核心功能区建设5项重点战略，即CBD金融城发展战略、强化港航服务业产业战略、加快现代产业融合和集聚战略、信息科技资源整合战略、CBD功能区错位发展战略。同时，针对重点战略提出7项保证措施，即完善CBD核心功能区的发展规划、尝试设立CBD引导基金、加大CBD招商引资力度、加大政策开放力度、探索CBD核心功能管理运营模式、强化政务资源配置、积极营造核心功能区的CBD文化。该课题的研究成果为区"十二五"规划的制定提供了重要参考。

【城区发展战略转型专题调研】2010年上半年，中山区政研室对新时期中心城区发展战略问题展开专题调研，以便更好地总结"十一五"城区发展成果，为"十二五"时期区域发展提供思路建议。通过对中山区发展历程和发展思路的全面总结，以及对比分析国内城区发展新形势，提出了新时期老城区、建成区和中心城区发展的战略转型思路，即推动经济发展由空间扩展向高端带动转型，产业发展由要素驱动向创新驱动转变，城市公共服务由品牌化向均等化转型，城区建设管理由单级管理向综合管理转型，城区环境由资源友好向宜居首善转型，努力把中山区建设成为大连现代服务业领率区、城市环境窗口区、城市公共服务标杆区、浪漫之都文化先行区、绿色大连生态宜居示范区和平安稳定和谐区，全面创建大连科学发展首善区。该调研报告得到市委政研部门的高度肯定。

（赵 瑞）

·党史研究·

【《中山年鉴》（2010）出版】2010年11月，中山区党史办公室编辑的《中山年鉴》（2010）由辽宁民族出版社出版发行。全书86万字，比上年年鉴增加2万字；彩页96面。

这部年鉴在框架设计上有所创新，将科技工作纳入经济建设中，在附录中增加辖区企业介绍，根据条目内容增加"新闻链接"，加强了重要信息的存史，提高了年鉴的可读性、资料性和资政价值。

【《中山年鉴》在全国评比中获奖】2010年12月，《中山年鉴（2009）》继上年获中国出版工作者协会年鉴工作委员会评比一等奖后，在全国地方志系统第二届年鉴评比中，荣获县区级地方综合年鉴二等奖，是大连市各区市县唯一获奖年鉴。此次评奖由中国地方志指导小组办公室和中国地方志协会主办，是我国志鉴界最具权威性的评比活动。

《中山年鉴》创刊于1998年，由中山区委、区政府主办，区党史办公室编辑，国内外公开发行，迄今已连续出版13卷。该年鉴按年度连续记述中山区改革开放、经济建设和社会发展的历史进程，所载资料全面系统、翔实准确，具有官方权威性，为各级领导、各部门单位以及各界人士研究认识中山区情，把握以往发展脉络，明确未来发展方向，提供了可资借鉴的重要资料。

2009年以来，区党史办公室在年鉴的文稿编辑、版式设计、印制装帧上下大力气，使年鉴的资料性显著增强，整体质量明显提高，跃居全市各区市县年鉴前列。

【革命遗址普查】2010年，由中共中央党史研究室的统一部署的首次革命遗址普查工作在全国范围内展开。中山区党史办公室会同有关部门和各街道，自4月起至11月止，全面普查辖区内1919－1949年产生的革命遗址及其他重要历史遗址。

此次普查，摸清了区内革命遗址及其他重要历史遗址的数量，每处遗址的名称、地址、面积、建筑样式和形成时间，遗址的历史由来和历史作用，遗址使用和保存现状以及周边环境状况，取得丰硕成果。共形成专题报告31份、总结报告1份，总计2.7万字；收集历史照片40张，新拍照片47张，并进行了场景录制，从而丰富了地区党史资料，为挖掘和传承大连城市历史文化提供了重要参考。此项工作得到市委党史研究室的高度肯定。

经普查确认，全区有革命遗址及其他重要历史遗址31处。其中：重要机构旧址19处，包括市区两级党政机关、群团组织以及报社、学校和工厂；重要历史事件及人物活动地旧址6处，包括大连中华青年会、大连中华印刷职工联合会、"红房子"、泰东日报社等；领导人旧居1处；烈士墓地1处；其他重要历史遗址4处。全部遗址中，原建筑物尚存的12处，已拆除的19处。原建筑物尚存遗址中，被列为各级文物保护单位或保护性建筑的7处，占64%，其中全国文物保护单位2处；另有4处未被列入保护范畴，包括百年老报《泰东日报》报馆和公安总局被服厂旧址。

【史志书刊进社区】2010年，中山区党史研究室继续开展史志书刊进社区活动，为街道、社区和学校免费发放《中山区志》《中山年鉴》等书籍近1500册，以发挥党史资料资政育人的功能，提高了史志书籍的使用价值。

（史 志）

附：

中山区革命（其他）遗址一览

序号	名称	地址	现状	保护级别
1	大连中华青年会旧址	天津街修竹大厦（原107号）	—	
2	大连中华印刷职工联合会旧址	友好路原230号	—	
3	大连中华增智学校旧址	延长街5－7号	—	
4	红房子旧址	春海小学、华乐小区一带	—	
5	三泰油坊旧址	长江路1号	—	
6	泰东日报社旧址	新生街62号	尚存	
7	中共大连市工委旧址	人民路6号	尚存	市重点保护建筑
8	中共旅大地委旧址	全城街45号	—	
9	中共旅大区党委旧址	同兴街25号	—	
10	大连市政府旧址	中山广场5号	尚存	全国重点文物保护单位
11	大连欧阳钦旧居	南山路125号	尚存	市重点保护建筑
12	关东中苏友好协会旧址	荣盛街27号	—	市重点保护建筑
13	中共中山区委旧址	上海路4号	—	
14	中山区政府旧址	友好路124号	尚存	
15	中山区政府旧址	七一街2号	尚存	
16	中山区政府旧址	长江路停车场（原84号）	—	
17	寺儿沟区政府旧址	七星街海军广场西南角（原45号）	—	
18	岭前区政府旧址	八一路1号	—	
19	中山区公安分局旧址	七一街5号	—	
20	寺儿沟公安分局旧址	二七广场1号	—	
21	岭前区公安分局旧址	八一路2号	—	
22	人民呼声报社旧址	世纪街76号	—	
23	关东俄语专门学校旧址	南山路110号	—	
24	大连摩托（汽车）学校	解放路700号	—	
25	育才学校旧址	解放路217号	尚存	市重点保护建筑
26	公安总局被服厂	上海路51号	尚存	
27	大连青云街苏军烈士墓园	青云街进展巷45号	尚存	
28	大连民政署（日）旧址	中山广场2号	尚存	全国重点文物保护单位 国家级近代优秀建筑 市重点保护建筑
29	日本大连宪兵队旧址	明泽街76号	尚存	市重点保护建筑
30	岭前监狱旧址	石葵路146－166号	—	
31	满铁大连协和会馆旧址	安阳街1、2号	尚存	市重点保护建筑

革命遗址简介

【大连中华青年会旧址】 位于中山区天津街修竹大厦所在地。

大连中华青年会是第一次国内革命战争时期成立的青年爱国进步团体，也是大连最早的中国人群众团体。由爱国知识分子、《泰东日报》编辑长傅立鱼倡议创办，1920年7月1日正式成立。办会宗旨为："专以辅助青年发挥德育、智育、体育，养成高尚优美之人格，服务社会。"会馆初设浪速町一町目3号（原天津街107号，今修竹大厦所在地），1922年8月迁至大连妇孺救济会会馆。下设学校、讲演、体育、武术、交际、出版、救济、童子军8个部。初有会员400余名，1927年增至3000余名。

该会以传播新文化、新思想为己任，以爱国教育为中心内容，开办昼夜学校和识字班。举办"星期讲坛"，以《中国青年需知》《青年之觉悟》《将来之新中国》《社会主义与人类》为专题向青年发表演说，以激发他们的革命精神和爱国热情。还聘请一些社会名人以及中共党、团中央来辽宁活动的领导人李震瀛、陈为人等到此讲演，宣传进步思想和革命真理，如著名学者胡适曾演讲《新文化运动》，著名艺术家欧阳予倩曾演讲《中国戏剧改革之途径》。创办会刊《新文化》（后更名为《青年翼》），这是在日本"辽东租借地"出版的第一种中国期刊，引起社会广泛关注，孙中山亲笔为其题词"宣传文化"。《新文化》向人们介绍马克思主义哲学、政治经济学和科学社会主义的基本内容；刊登李大钊、恽代英、萧楚女等人的文章，并连续刊登介绍俄国十月革命的文章，如进步知识分子朱忱薪译的《俄国苏维埃思潮进化之历程》《俄国一九一七年十月社会革命之回忆》等，成为当时东北地区最有影响的传播新文化新思想的进步刊物。该会还组织"双十"国庆活动等纪念日集会和游行，连续举办过4届大连中华陆上运动大会和4届水上运动大会，并成立了中华青年会足球队。

大连中华青年会的成立和活动，冲破了日本殖民当局的专制统治，为大连人民争得了言论、集会、结社、出版的一点自由，吸引了大连青年一代走上爱国道路。共产党人王荷波、李震瀛、陈为人等曾以该会为阵地传播马克思主义和开展组织工作，并介绍该会事务员杨志云加入社会主义青年团，杨后来成为中共大连特别支部第一任书记。1925年1月后，青年会成为中共地方党团组织的秘密联络点和接待站，并参与组织全市声援上海"五卅"斗争等一系列反帝爱国活动。

1928年7月，日本殖民当局以"扰乱东三省为目的，组织政治秘密结社，策划种种阴谋"的罪名，逮捕了会长傅立鱼，并将其驱逐出大连。1932年8月，日本殖民当局以"时事关系，中华二字已属不合"为由，强行去掉会名中的"中华"二字，改为大连青年会。1934年，该会解体。

大连中华青年会旧址

该旧址原建筑物于2001年10月天津街全面改造时被拆除，2004年建成修竹大厦。

【大连中华印刷职工联合会旧址】 位于中山区友好路原230号。

大连中华印刷职工联合会旧址

20世纪20年代中期，大连拥有《满洲日日新闻》《大连新闻》《辽东新报》以及《泰东日报》《满洲报》《关东报》等6家日、中文报馆印刷厂，印刷工人总数达2000余名，仅次于机械制造业和榨油业工人数量，居全市工业各行业第三位，是大连工人运动的主力军之一。

大连中华印刷职工联合会由中国社会主义青年团团员、《泰东日报》印刷厂工人赵悟尘，东亚印刷所工人董秀峰、西川印刷所工人魏长魁等发起组织，是东北地区成立最早的地方产业工会。1924年4月28日，该工会在大连中华增智学校召开成立大会，250余名会员与会。大会通过了会章、会徽和会歌。会章规定“本会以中华印刷同人组织之”，以“联络感情，交换知识，互相勉励，合勤职务为宗旨”等。会徽为圆形铝质蓝瓷底，由“印工”二字组成，会员每人一枚。会歌的歌词为：“辽东良港大连湾，中华文明传；印刷之术我在先，教化使均沾；劳动神圣新使命，我辈来实现；联合同志结团体，政教由我专。”大会选举赵悟尘为执行委员会委员长，董秀峰、邓春生为副委员长，王守国、吕功甫、王恺臣等为委员。执委会下设机构最初有庶务、会计、文书、交际4个部，后增设文教部和体育部。同年6月2日，该工会暨附属工余学校迁入位于近江町三丁目141番地（原友好路230号）的新会址并正式挂牌。

该工会成立后，创办会刊《曙光》，揭露资本家和殖民统治者压迫剥削中国工人的罪行，介绍关内工人运动和工会活动情况，启发工人团结起来，开展斗争。办起中华印刷工余学校，开设初级班、高级班和外语班，组织印刷工人及其子弟补习文化，增长知识。每周日在工余学校举办讲演会，宣传反帝反封建反军阀思想，宣讲辛亥革命、五四运动等国家大事，增强印刷工人的爱国观念，提高会员的政治觉悟。成立足球队和田径队，其中田径队在1925年春举办的第四届大连中华陆上运动会上夺得优胜旗，是大连工人团体第一次取得优胜。上海“五卅”惨案发生后，全力组织印刷工人参加大连沪案后援会（后称大连沪难救济会）活动，印刷传单、张贴标语，开展罢工斗争。这些活动展示出印刷工人的力量和团结，极大地提高了工会的声望，会员人数迅速增加到1000余人，成为大革命时期东北地区除大连中华工学会外规模最大最有影响的工会组织。

该工会作为大连工人运动的重要组成部分，影响日益扩大。1925年5月，赵悟尘代表大连印刷工会出席在广州召开的第二次全国劳动大会，与苏兆征、刘少奇、邓中夏等25人一同当选中华全国总工会首届执行委员会委员。1926年2月，董秀峰出席铁路总工会第三次代表大会。同年5月，魏长魁（化名王汶石）出席第三次全国劳动大会，当选全国总工会执行委员。该工会还为黄埔军校、广州农民运动讲习所选送学员10余名，有30多名印刷工人加入中国共产党。

1927年7月，中共大连地方组织遭到日本宪警破坏，该工会领导人董秀峰、魏长魁等10余人先后被捕。8月26日，该工会被大连民政署（日）查封。

该旧址原建筑物因年久失修，于1989年拆除，原友好路街号亦被取消。

大连中华增智学校旧址

【大连中华增智学校旧址】位于中山区延长街5—7号。

大连中华增智学校成立于1922年6月14日，由原山东师范学校教员毛仪庭创办。校址在磐城町（今天津街），1924年2月移至摄津町（原松云街59号，今延长街5—7号）。校长先后为毛仪庭、张星辉、李仲刚、林升亭等。该校设日校（小学）和夜校，白天给儿童上课，晚间组织工人学习。1927年，学校有5个班，学生107人（女生19人），教员8人。

该校是宣传新文化新思想，对

青少年进行爱国主义教育的园地，也是掩护革命活动的场所。1921—1923年7月，共组织面向社会的“星期日讲坛”71次，宣传新文化新思想。该校教员董秀峰加入中共党团组织并为领导者之一。学生王心斋、梁勇义、李汉杰等于1924年下半年参加中国社会主义青年团，同年11月到广州黄埔军校学习，投身民族解放运动。毕业生王源奎、于显宗等也先后加入中国共产党。1924年4月28日，大连中华印刷职工联合会在此成立，迁址后还留有办事处。1926年2月初，国民党大连市党部成立并设在校内，校长林升亭任党部书记（1932年参加中国共产党），共产党员杨志云、傅景阳、王少坡以个人身份加入国民党，分别任组织、工运、青运部长，在大连形成第一次国共合作的统一战线。同年4月，大连福纺大罢工爆发，罢工委员会在此开过会。1927年3月，中共大连地委在此召开有50多名党团干部参加的地委扩大会议。同年5月，根据中央决定改组后的中共大连市委在此召开扩大会议，传达中共“五大”精神。6月12日，中共大连市委又在此召开干部会议，分析政治形势，确定党所面临的紧急任务。

1927年7月，中共大连地方组织遭到日本宪警破坏。8月26日，设在校内的中华印刷职工联合会办事处被查封，学校同时被封锁，第二天被迫宣告闭校。

该旧址原建筑物数十年间几经拆建，1997年落成延安小区5—7号住宅楼。

【“红房子”旧址】位于中山区寺儿沟地区（东起澳景园小区西门，西到春海街，北起华乐街，南到华乐小区14、16号楼）。

1905年日本侵占旅大地区后，为加紧对中国的经济掠夺，于1906年成立南满洲铁道株式会社。满铁成立后，加紧扩建大连港，通过大连港将日本国内的工业品向中国倾销，同时把掠夺中国的物资运回日本。由于建港施工和货物装卸双管齐下，码头用工量急剧增加，几万名被日本殖民当局从山东、河北等地骗来的贫苦农民和失业工人加入码头工人行列。1909年，原满铁码头事务所所长相生由太郎成立福昌公司，承包大连港内一切装卸业务及所有装卸工。相生由太郎残酷盘剥中国劳工，短短几年便成为巨富。日本殖民当局将其誉为“在满实业界中唯一之勋工者”，并推荐其为大连日本商工会议所所长，连任10年之久。

自1911年起，相生由太郎出资，在离大连港码头东南约1公里的寺儿沟东山北麓兴建居所，用于收纳散居的码头工人，以加强对他们的控制和管理。经逐年扩建，至1925年大体完工。居所总占地面积15.35万平方米，总建筑面积4.8万平方米，共有红砖房194栋，其中工人宿舍和工头宿舍各占92栋，四周砌有高大围墙。工人宿舍最大定员容量为1.8万人，可抗日战争爆发后，最多时挤住4万多人。该居所被日本人命名为“碧山庄”，又名福昌华工株式会社华工收容所；劳工们则称其为“红房子”。

“红房子”是一座人间地狱，它记录了日本殖民统治时期大连码头工人遭受的政治压迫、经济剥削和身心摧残。进了红房子，如进鬼门关。早晨4点“催命钟”就敲响，工头手提镐把逼着工人上工。工人们每天要干12—16小时，有时甚至连续干二三十个小时，一次扛豆饼达八九片之多，重达200多斤，每人每天装卸货物达10吨以上，有的一天要装卸近15吨，劳动强度之大为世上少有。超负荷的劳作使工人们不断致伤致残，直至累病累死。据史料记载，仅1942年3—9月7个月间，“红房子”就有3500多名工人死亡。工人死后，尸体均被可反复使用的活底棺材抬出去，扔到乱坟岗上。

“红房子”工人不甘受欺辱压榨，反抗斗争始终没有间断。1919年，3000多人要求改善非人待遇。

“红房子”旧址

1926年秋，2000多名工人罢工，抗议警察强迫下班工人脱光衣服搜身，罢工4天后取得胜利。1933年5月，60多名工人签名请愿，要求不准无故开除工人，反对增加劳动时间，制止日本工头打骂工人。1934年，60多名工人因无钱买换季衣服，向工头借支不允而罢工4天，获得解决。同年9月25日，1000多名工人罢工，要求补发欠薪，拿到了被欠工薪。

1937年“七七”事变后，“红房子”工人在中共大连地方组织领导下，多次有组织地利用干活的机会，烧毁日军军用物资。1937年7月，共产党员于朗同工人一起把码头军用仓库里的药品、食品、无线电设备一烧而尽。1938年3月21日，王金泰、陈更茂合伙放火烧毁码头503号军用仓库内的粮食。同年6月，码头工人于守安放火烧毁124号仓库内日军即将运往前线的布匹和毛巾，126号仓库内的茶叶、猪鬃、芝麻、糖和蛋，128号仓库内的纸张和罐头，130号仓库内的水泥、机器等。1942年，王维汉与徒工赵明益把装在火车上要运往关内的军用汽车轮胎气门芯全部拔掉，并把一列火车的汽油引燃，使日军军用物资遭受重大损失。“红房子”工人的反抗斗争，一直坚持到抗战胜利。

1945年8月，随着大连的解放，“红房子”工人结束了当牛做马的历史，成了码头的主人。新中国建立后，地方政府曾在“红房子”建图片展览室，揭露日本殖民者的侵略暴行，对群众进行爱国主义教育。

因城市建设和旧区改造的需要，1972年末，“红房子”开始陆续拆除，至1994年全部拆除完毕。旧址上先后建成春海小学、6栋大染家属宿舍楼和华乐居民小区。

【三泰油坊旧址】位于中山区长江路1号。

三泰油坊创立于1907年5月，由日本三井物产与中国营口东永茂、西永顺三方合资创办，日方投资30万元，中方投资20万元，厂址在原大连千代田广场（今中山区二七广场）附近。1907—1914年间偏重于基础建设，购置豆饼压榨机118台，年需大豆60吨，产豆油6吨。后因日方挤压，中方被迫撤股，1922年后即为三井物产独资占有。九一八事变至七七事变期间，为扩大对中国的经济掠夺，工厂将原有的人力压榨机全部更换为冷汽压榨机，增设干燥机8台、粉碎机12台，新建大仓库5处、大油柜17个，资金猛增到500万日元，具有日产豆粕饼5000块、豆油1.25万公斤的能力，贮油能力为4500吨，成为中国东北地区最大的榨油工业。三井物产还在东北所有交通线上遍设采购站，大连、长春设总站，沈阳、四平、哈尔滨设主站，东北各地设支店33处、出张所(办事处) 171处，垄断大豆原料收购到成品输出的全过程，年获利高达亿元。

榨油业具有季节性生产的特点。冬天是淡季，大批工人被工厂解雇流落街头，甚至冻饿而死。春天是生产旺季，资本家强迫工人不分昼夜加班加点，每天在恶劣的劳动环境里工作十几个小时，每月工资仅10元左右。面对资本家的残酷压榨，工人们多次采取偷工减料、怠工、罢工等方式进行反抗，但由于缺乏组织和领导，1930年以前，大连油坊工人的罢工基本上都以失败告终。

三泰油坊旧址

1930年5月末，中共满洲省委派省委委员王永庆来大连，担任中共大连特别支部书记。王永庆利用三泰油坊不少工人是自己山东潍县同乡的有利条件，首先在三泰油坊工人中进行宣传活动，进而扩展到其他油坊。中共大连地方组织帮助油坊工人建立大连油坊工会，以工会的名义开展合法的经济斗争，抵制厂方的压榨和剥削，保护工人利益，罢工斗争连续取得胜利。先后发展王新贵、王运聪、张宪珠、王长来、韩树举、郭恩普等人加入共产党，并分别在三泰油坊和三菱油坊建立党支部。

1931年4月初，三泰油坊厂主无

故殴打中国工人，引起400余名中国工人强烈愤慨。油坊党支部发动工人罢工，并选出代表向厂主提出增加工资的要求。当时正是榨油旺季，加上罢工工人态度坚决，厂主只好答应将工人每月工资由9.50元增加到13.50元。三泰油坊工人罢工的胜利，给市内其他油坊工人以极大鼓舞。在各油坊党支部和油坊工会的领导下，三菱、同泰、同聚厚、福聚恒、天兴福、成德盛、万义长等大小油坊的工人相继采取联合行动，举行罢工，要求提高工资，最终都取得胜利。

1945年日本人投降后，三泰油坊交由苏联人经营，更名为粮股贸易社第二工厂。1954年交由中国经营。1949年起，先后合并5家油脂厂，组建大连油脂工业总厂。1995年，大连油脂工业总厂解体，旧址原建筑物全部拆除。该址地块被纳入大连东港商务区建设规划范围。

【泰东日报社旧址】位于中山区新生街62号。

《泰东日报》是日本殖民统治时期大连地区最早的中文报纸。1908年3月由大连华商公议会会长刘肇亿、副会长郭学纯等发起，由华商集资收购《辽东新报》中文版而创办，刘肇亿首任董事会会长。同年10月3日出报，主要刊登国内外新闻、市场行情、金融动态等，为华商开展业务提供参考。初聘日本汉学家金子平吉（号雪斋）为副社长，专与日本人打交道。后金掌握实权任社长，变为个人经营。其后历任社长均为日本人。社址初为大连南山某处，后迁至奥町85号（今民生街26号），1935年4月迁至飞弹町67号（今新生街62号）。

泰东日报社旧址

该报创刊初期为对开4版，1909年增至6版，1911年增至8版，1938年增至10版，第二次世界大战后期减至4版。版面分政治、经济、社会、地方、少儿等专栏与副刊。发行量1937年前在3万份左右，1938年后达到12万份，1940年下降为2万份；其中三分之二发往东北各地。在北平（今北京）、天津、青岛、烟台、济南和日本东京设有分社。

1913年秋，早年曾追随孙中山先生的爱国进步知识分子傅立鱼因反对袁世凯遭到通缉，逃往大连，应聘为《泰东日报》编辑长。傅任编辑长期间，该报曾发表过一些对中国人有利的进步文章和新闻报道。如：苏联十月革命后，于1919年10月6日和7日，在头版上连续登载题为《匈国劳农政府经过实况》的文章，通过介绍匈牙利人民革命政府成立的经过，第一次把苏联十月革命比较全面客观地介绍给大连人民；同年11月28日—12月10日，连续刊载题为《六个月间的李宁》的文章，介绍苏联十月革命及其领袖的情况，赞扬列宁的卓越功绩及其革命理论，倡导中国人民学习列宁的革命精神；对上海五卅惨案、大连福纺大罢工等反帝爱国活动，都做了正面报道。

这一时期的泰东日报社汇集了不少进步人士，也曾是中共大连地方组织活动的掩护地之一。1913年，编辑迟少田联系进步人士和工商界爱国人士，拥护孙中山的革命主张，在大连筹建国民党大连市党部。1923年，中共早期军事领导人、无产阶级革命家、军事家关向应，在大连伏见台公学商科学校毕业后，曾进入该报社当印刷工人，并于次年加入中国社会主义青年团。因撰文抨击日本侵略被当局驱逐出境的大连戏曲评论家、清末秀才毕宗武之子毕庶元，曾任该报主笔。1929年夏，安徽奉台县人吴晓天以该报编辑身份为掩护，担任共青团大连特支委员、中共大连特支宣传委员，1930年因在报上登载红军占领长沙的消息而引起日本警察署的注意，撤离大连。1929年秋，中共党员盖世英由苏联东方劳动大学回国，被满洲省委派到大连，在该报当编辑。

1931年“九一八”事变后，该报成为日本军国主义宣传“大东亚共荣圈”、“日满亲善”，进行文化侵略、奴化教育的工具。

抗战胜利后，该报于1945年10月上旬被苏军勒令停刊。10月下旬，中共大连市委委员张致远以市政府教育局长的身份，在苏军少校李必新（苏籍华人）的陪同下接收泰东日报社。市委决定以该报原班人马创办新报《新生时报》，张致远兼任报社社长。10月30日，《新生时报》创刊，这是大连光复后的第一份报纸，也是大连市政府机关报。1947年5月18日，《新生时报》与旅顺《民众报》合并，改为《关东日报》，为关东公署机关报。1949年3月25日，《关东日报》与《大连日报》合并，改为《旅大人民日报》，为中共旅大区党委机关报，4月1日正式出版，社址在中山区世纪街76号。

此旧址现为辽宁省邮政局大连办事处。建筑面积1500平方米，建筑物内外保护较好，正面外墙立面基本保持原建筑风格。

【中共大连市工委旧址】位于中山区人民路6号。

1945年8月15日，日本宣布无条件投降。8月22日，苏联红军进驻旅大，旅大光复。此时的旅大地区政治局面复杂。8月18日日本宣布投降的第三天，大连伪商会打着“协力当局维持治安并谋民生”的幌子，成立“大连地方自卫委员会”（后改为“治安维持会”），设立自卫团，控制着一部分警察武装。国民党政府也千方百计染指大连，于10月1日成立国民党大连市党部。而中共在大连的地下组织和群众武装尚未统一起来，处于分散状态。

同年8月22日，中央在给晋察冀分局的指示电中指出，我党应抽调大批干部，到苏联红军占领区去建立党的组织，发动与组织群众，建立地方武装和地方政权，出版报纸。9月15日，中央决定成立以彭真为书记的中共中央东北局，同时派遣10名中央委员和12名候补中央委员，率领2万名干部和11万大军挺进东北，开辟东北根据地。

同年10月初，原中共中央东北工作委员会常务副书记韩光受东北局委派，到大连地区开展工作，同苏军当局交涉有关我山东部队乘船赴东北，路过大连请给予方便等事宜，并与日本占领时期失去组织联系的几位老同志及抗联的部分同志取得联系，为在大连建立党组织作了积极准备。10月上旬，韩光返回沈阳向东北局书记彭真等汇报情况。东北局认为，苏联驻扎大连并实行军事管制对我党有利，要抓住时机，尽快搭起大连市党政群领导机构的架子，迅速开展工作，早日掌握大连政权。10月12日，韩光被任命为大连市委书记。

同年10月中旬，韩光带领一批干部来连，组成中共大连市委。韩光任书记，原晋绥区党委秘书吕赛、原胶东军区政治部敌工科科长张致远、原胶东区党委情报科科长陈云涛、原山东军区滨海第三军分区司令员赵杰任委员。因人员不齐，市委最初以中共大连工委名义进行工作，办公地点设在大广场（今中山广场）东北隅的原日本台湾银行大连支店（今人民路6号）。11月初，原中共胶东大连支部书记左友文、原中共中央晋绥分局情报处处长于会川、原中共中央统战部友军工作科的王西萍、大连职工总会委员长唐韵超、原中共东北局秘书柳运光增补为市委委员，正式使用中共大连市委员会名称，办公地点迁至长者广场原日本关东州厅警察部特等刑高课办公楼（今人民广场3号）。

该旧址建筑物1910年建成，建筑风格为和风欧式，精致乖巧。原为3层，解放后加盖1层，建筑面积达到1667平方米。2002年3月被列为大连市第一批重点保护建筑。现为大连银行华昌支行使用，建筑物内外保护较好。

中共大连市工委旧址

【中共旅大地委旧址】位于中山区金城街45号。

1946年7月，为加强党对旅大地区的领导，中共辽东省委决定，中共大连市委改为中共旅大地委，属

中共旅大地委旧址

中共旅大区党委旧址

秘密机构（1947年曾一度称为中共关东地委），领导旅顺市委、金县县委、大连县委及大连市各区区委。办公地址最初设在沙河口区新华街161号，1948年4月19日迁至中山区金城街45号。

同年7月12日，中共中央东北局决定，中共旅大地委由欧阳钦、韩光、李一氓、柳运光、苏杰、袁牧华、周光、任仲夷、肖立9人组成，欧阳钦任书记，韩光、李一氓分别任第一、第二副书记。

旅大地委在此地办公1年。期间开展的主要工作有：逐步完善工作机构，成立旅大财经委员会、直属党委、锄奸保卫工作委员会、职工委员会、青年工作委员会和妇女工作委员会；加强所属地方党组织建设，决定旅顺市委、大连县委、大连市委和金县县委的组成人员；发展文化教育体育事业，成立大连自然科学研究会和关东文艺工作者协会（大连市文学艺术界联合会前身），创建大连大学，建立全地区文化组织体系，举行首届关东运动大会（后定为大连市第一届运动会）；作出《关于公营企业整编的决定》《关于发展和整顿合作社工作的决定》《关于实行户籍登记工作的指示》《关于开展文艺工作的意见》《关于扩大警察工作的指示》《关于发展党员的指示》《关于实行关东地方货币改革的紧急指示》《关于青年工作的指示》《关于颁发居民证工作的指示》《关于开展识字运动的决定》等一系列重要决定和指示；抽调500名干部支援新解放区。

1949年2月21日，中共中央东北局决定，中共旅大地委改为中共旅大区党委。3月1日，中共旅大区党委召开紧急执委会，决定向群众公开党的组织。3月下旬，首先在各工厂、农村、机关、学校、群众团体中，公开党的同级组织和干部。4月1—3日，中国共产党旅大区活动分子大会在大连市文化宫（后为群众剧场）隆重举行，向全市人民公开旅大党的组织。区党委书记欧阳钦在会上作题为《在目前形势下旅大党的工作》的报告，为建设一个繁荣的新旅大指明方向。这次大会，标志着旅大党的工作进入新的发展阶段。

1949年5月，旅大区党委迁址原五品交易所楼（今同兴街25号）。

该旧址原建筑物于1988年底拆除，建成居民楼。

【中共旅大区党委旧址】位于中山区同兴街25号。

1949年5月，中共旅大区党委由中山区金城街45号迁至同兴街25号原五品交易所楼。

同年7月2日，经中共中央东北局批准，中共旅大区党委常委会由欧阳钦、韩光、胡忠海、周光、袁牧化5人组成，毛达恂、左友文、朱新阳为区党委委员。7月13日，增补邹问轩为区党委委员、常委。9月19日，经中共中央批准，东北局调郭述申任旅大区党委副书记、常委。

截至9月末，旅大区党委在此地进行的主要工作有：发出《关于学习中共七届二中全会决议的指示》，要求注意总结管理城市的经验，接近群众，防止官僚主义；成立反动党团登记委员会，周光任主任，对反人民反民主组织及其人员进行登记；取消直属党委、公安总局各级党委、实业党委，恢复大连市委；作出《党公开后支部工作几个具体问题的规定》；抽调75名干部支援关内各地建设；决定全地区公营企业废除粮食工资制，全面推行七级工资制；发出《关于认真处理封建会道门的通知》，解散“一贯道”等反动会道门组织，停止其活动；作出《关于克服铺张浪费、厉行精简节约的决定》，在全区开展整编机构、清理资财、反对浪费工作；与旅大行政公署联合发出《关于各市县迅速召开人民代表会议的指示》；作出《关于实行土地改革的决定》，消灭封建，发展生产；决定举办大连工业展览会，以总结解放3年来工业生产恢复、建设与发展的经验，检阅全区工业生产力量，明确发展方向。

1950年10月17日，经东北局决定和中共中央批准，中共旅大区党委改为中共旅大市委，欧阳钦为书记，韩光、郭述申为副书记。1951年，旅大市委迁址中山区斯大林路1号（今人民路1号）。

该旧址原建筑物后改作云山宾馆，1993年9月拆除。2002年6月建成世贸大厦。

大连市政府旧址

【大连市政府旧址】位于中山区中山广场5号。

1947年4月4日，关东公署成立。11月下旬，关东公署自旅顺迁至斯大林广场（今人民广场）1号，原在该址办公的大连市政府迁至中山广场5号原大连市役所（日）楼。

大连市政府在此地办公的3年间，进行了大量工作。成立市容整顿委员会，市长徐宪斋、副市长任仲夷任正、副主任委员。制定《第一期整顿市容计划大纲》，决定大力整顿市容，修补交通要道，安装路灯，修建广场和公园设施，栽培花草树木，粉刷公厕等。将文化公园更名为鲁迅公园（原大连动物园前身），在园内建成鲁迅铜像。将列宁公园更名为劳动公园，成立劳动公园建设委员会，发动义务劳动10.83万个工日、车辆747台，各界捐款3580万元（关东币），对该园进行了大规模改建。决定4月1－7日为全市植树运动周，每年春季均开展植树造林运动。颁布《私人房产管理暂行办法（草案）》《公有房产宅地管理暂行办法》等一系列行政规章，对各类房产的使用、管理、收租等进行了规范。

1950年12月1日，旅大行政公署（1949 年4月27日由关东公署改称）与大连市人民政府合并，成立旅大市人民政府。此后，中山广场5号为市政府各局办公楼。2002年1月，中国工商银行大连市分行迁入此楼。

该楼始建于1915年，1919年竣工，建筑面积9870平方米，建筑风格为和风欧美折中主义，设计者为关东都督府民政部土木课的松室重光。1919年8月起为大连市役所（日）办公楼。1922年大连民政署（日）也搬入此楼直至1937年末被撤销。

2001年6月，该楼作为大连中山广场近代建筑群之一被列为第五批全国重点文物保护单位。2002年3月被列为大连市第一批重点保护建筑。

【大连欧阳钦旧居】位于中山区南山路125号。

1948年5月，中共中央东北局派时任中共冀察热辽分局秘书长的欧阳钦来连，着手组建新的旅大地委班子。7月12日，东北局决定，欧阳钦任旅大地委书记，韩光、李一氓

大连欧阳钦旧居

分别任第一、第二副书记，并组成常委会。到1954年7月调任黑龙江省委第一书记前，欧阳钦一直在此地居住和办公（原称壹岐町3号，后称一品街）。

欧阳钦，湖南宁乡人，1900年生。1924年加入中国共产党，先后参加了北伐战争、土地革命战争、抗日战争和解放战争，担任过中央苏区党的中央局秘书长、红一方面军政治部组织部长，抗战时期的陕西省委书记和解放战争时期的中共冀察热辽分局秘书长、中共旅大地委书记等党和军队的重要领导工作，新中国成立后历任中共旅大市委书记、黑龙江省委第一书记、东北局第二书记。粉碎“四人帮”后，当选为第五届全国政协副主席，是中共第八届中央委员、第五届全国人大常务委员会委员。1978年5月因病在北京逝世。

该居所建成于1913年初，为和风欧式花园别墅，造型灵巧而闲适，园内有中国江南及日本名贵花木200多种。1913－1932年10月为日本人会馆，是日本殖民政府高级职员以及铁路、港口和各大企业驻连分支机构负责人的业务交流和休闲娱乐场所。1932年10月伪满洲国政府接管大连海关后，为大连税关长官官邸，历经三任税务司。1945年9月－1948年7月为苏联红军暂用，办理日本侨民遣返工作。1955年12月中共旅大市委书记处成立后，为书记处办公楼。1978年大连市政协恢复活动后，为市政协办公楼。2006年5月9日改为大连政协会馆。

该楼1983年8月扩建，1995年8月全面整修。2002年3月被列为大连市第一批重点保护建筑。2005年5月再次全面整修。现建筑面积1057.38平方米，保护范围面积8100平方米。

【关东中苏友好协会旧址】位于中山区荣盛街27号。

1945年8月22日大连光复后，苏军对大连实行军事管制。把持大连地方政权、亲国民党的大连地方治安维持委员会为搞好与苏军的关系，在9月27日召开的全市教育工作会议上提议成立中苏友好组织，得到与会者赞同。全市各界群众团体推出47名代表，选出9名常委，成立大连中苏友好委员会，朱秀春当选委员长，彼得罗夫（苏）、唐韵超（现名唐宏经）、杨华亭当选副委员长。

同年11月，中共大连市委、市政府、市公安总局相继建立，大连地方治安维持委员会解体。11月中旬，大连中苏友好委员会更名为大连中苏友好协会，由中共大连市委领导。协会的主要宗旨为“以《中苏友好同盟条约》为出发点”，“动员一切力量巩固中苏两国永久和平与友好”。1946年初，市委派大连铁路局党委书记陈瑞光任协会副会长兼党组书记，主持工作。到1946年6月末，大连市内会员已发展到3万余人。

1947年4月10日，中共旅大地委作出《关于加强中苏友好协会工作的决定》，要求各行各业广泛发展会员，普遍建立中苏友好协会分会，并在此基础上建立旅大地区统一的中苏友好协会组织。同年4月25日，关东中苏友好协会召开首届代表大会宣布正式成立，乔传珏当选会长，彼得罗夫、王群当选副会

关东中苏友好协会旧址

中共中山区委旧址（上海路）

长。办公地址在中山区荣盛街27号二楼（后迁至七七街31号）。此后，该协会组织更加迅速发展。截至1949年9月，全地区共建立分支会831个、中心小组1300个，共有会员22.4万余人，约占总人口的1/4。

该协会为促进中苏两国人民友好事业，开展了丰富多彩的社会活动。开展文化宣传。举办苏联红军军事艺术照片展，组织中苏友好文化交流活动周，开展“回忆运动”等。据1949年9月统计，4年间共举办图片展览183次、报告会2243次、座谈会2950次、识字班58期，放映电影716部次，参加活动的群众达到数百万人次。出版发行书刊。出版《中苏知识》《友谊画报》等刊物以及友谊丛书、友谊文艺丛书、俄文学习丛书等3套丛书，图书总数为86种，发行总量80.35万册。还出版各种宣传小册子9种、12.4万册。协助接收敌产。在中共党组织不便公开的情况下，以协会的名义先后接收了大连纺织厂、鸟羽铁工厂、辽东饭店、东亚印刷株式会社、关东实业振兴株式会社、关东工业土地株式会社等，然后转给我东北军区后勤部驻连机构和有关部门，仅1946年就接收和共同经营敌产20多家。创办业余学校。1945年12月15日开办业余俄语专修学校，至1953年底累计办班90多期，4000余人参加学习。在大中厂矿开办俄语班60多个，学员2300余人。1948年创办业余音乐舞蹈学校，至1951年共培养学生近千人。

60年代初期，随着中苏两党两国关系从内部纷争转向公开恶化，该协会的工作逐渐沉寂。1961年5月被撤销，其工作交市政府外事办公室兼管。

该旧址位于青泥洼桥商业区，现为大连渤海饭店有限公司所有，由多家商业、娱乐和教育机构租用。经多次翻修，建筑物外观与内部结构均有较大改变。

【中共中山区委旧址】位于中山区上海路4号。

1946年2—3月间，大连市内中山、寺儿沟、岭前、西岗、沙河口等5区先后成立区政府，建立起我党领导下的基层政权组织机构，区级党组织建设迫在眉睫。同年8月，中共旅大地委决定组建中共中山区临时委员会，任命中山公安分局副局长谭松平兼区委书记，沈旭、刘北佛、潘清平、余雷为委员，办公地址在上海路4号。同年10月中旬，中共中山区委员会正式成立，沈旭任书记，刘北佛、潘清平、余雷为委员。

由于旅大地区的特殊性，当时的党组织处于秘密状态。中山区委以“各界民主联合会”、“职工会”的名义开展工作，在巩固政权、恢复经济、发展生产运动中秘密发展党员，扩大党的组织。1946年8月，该区第一个党小组在反奸清算工作队中建立，有党员6名。同年10月，该区第一个基层党支部惠风坊联合党支部成立，后相继建立菜市、民生街联合党支部，共有党员18名。至1949年末，全区已建立党总支1个，党支部19个，党小组60个，党员总数394名。

1947年2月5日，因办公楼失火焚毁，区委迁址民意街2号。该旧址后为中山区天津小学操场。2004年，上鼎大厦于此落成。

【中山区政府旧址（友好路）】位于中山区友好路124号。

1946年2月7日，大连市政府召开首次区政会议，决定建立区政权组织机构。以市内5个公安分局辖区为区域，将原11个区归并为中山、寺儿沟、岭前、西岗、沙河口5个区，成立区政府。同月，市政府发出布告，宣布日本殖民当局委派的区长、干事等应即撤职，所有事务限于一周内向所属区政府交待清楚。2月12日，市政府决定基层政权采取4级制，即市、区、坊、闾；市辖5区，每区辖20－30坊，每坊25闾。

当时的中山区位于大连市区东南角，东与寺儿沟区、西与西岗

中山区政府旧址（友好路）

区、南与岭前区接壤，北濒黄海，是全市的政治经济文化中心，面积18.67平方公里。

1946年2月21日，中山区政府成立，刘凤林（民主人士）任区长，倪希圣任副区长，办公地点设在伊势町西通健康相谈所内（今友好路124号）。下辖武昌、昆明、武汉、华昌、解放、友好广场、枫林、青泥洼桥、永和、胜利桥、菜市、天津、友好、民生、民主、安东、民寿、安阳、民泽、北海公园、劝业21个坊。1949年调整为17个坊。

区政府成立初期，着力于恢复经济、发展生产，巩固新生政权。针对区内经济百业凋敝，国民党军队经济封锁，人民生活极度困难的情况，迅即成立民食调剂委员会和民食救济委员会，通过调剂民食、采购粮食、政府拨粮救济等渠道解决粮食困难，救济军属、警属和贫民。开办劝业工厂，安排无业游民、乞丐和流浪者就业。组织开展生产自救运动，兴办各种生产合作社，在街、坊建立门市部、卖货店和磨坊等。仅1946年，由群众自筹资金、政府出资辅助，共办起14个小型生产厂点，安排2000余名失业工人和家庭妇女就业，使经济困难状况有所缓解。

1946年11月，区政府迁址上海路4号。

此后，该旧址一直为医疗机构使用，现为大连市计划生育科学技术研究所。建筑面积1350.42平方米。经多次修缮，建筑物主体保存完好，但外观变化较大。

【中山区政府旧址（七一街）】位于中山区七一街2号。

因上海路4号办公楼失火焚毁，中山区政府于1947年2月5日迁址于此。

在此地工作期间，区政府根据市政府指示，对全区私营工商业实行减免税收、低息贷款、租借门市房等措施，为私营工商业开工开业提供帮助。组建中山区渔网厂，解决部分贫民就业问题。成立区生产委员会，组织领导全区人民开荒生产，至1948年末，全区开荒地350余亩，复耕地140余亩，收获农作物2.6万公斤，为粉碎国民党对大连的经济封锁起到一定作用。成立中山区消费合作社总社，并以几个坊为单位建立8个分社。对全区摊贩进行3次整顿，打击不法商贩，加强对小商贩的管理。成立区文化馆，区长车长宽兼任馆长。

1949年3月，区政府迁址长江路82号。

该旧址现为大连军分区办公楼，建筑面积4112平方米。

【中山区政府旧址（长江路）】位于中山区长江路停车场（原长江路84号）。

1949年3月，中山区政府由七一街2号迁址于此。同年8月12日，根据关东公署《关于区政府不是一级政权，改为区公所》的训令，区政府改为区公所，为市政府派出机构。

中山区政府旧址（七一街）

中山区政府旧址（长江路）

在此地工作期间，区政府配合市工作队更换工商业营业执照，共为808家私营工业、1628家私营商业换照。成立中山区识字委员会，大力开展识字运动，至1951年，累计扫除文盲9800名，基本完成扫盲任务。根据旅大行政公署的统一部署，对反动党、团、特务人员进行登记，收缴一批武器弹药；取缔反动封建会道门，共登记首要分子53名，镇压8人。

1950年初，区公所迁址友好路249号。同年12月16日与寺儿沟区公所合并，定名为中山区人民政府。

该旧址原建筑物及周边建筑2009年8月拆除，改作停车场。

【寺儿沟区政府旧址】位于中山区海军广场西南角七星街道南。

根据1946年2月7日召开的大连市政府首次区政会议关于建立区政权组织机构的决定，寺儿沟区政府于同年2月26日成立，张芳久任区长，王炳吉任副区长，办公地址在日出町（原七星街45号，今海军广场西南角七星街道南）。下辖春德、北斗、王家屯、邱家屯、胡家屯、春华、春和、桂林、春生东、春生西、龙口、新柳、朝阳13个坊。

寺儿沟区位于大连市区东部，北、东两面濒临黄海，南与岭前区接壤，西与中山区毗邻，面积7.43平方公里，人口5.8万人。大连港区大部分为该区所辖，大连染料厂、大连油脂化学厂、广源油坊等几大厂家坐落区内，这里的穷汉岭、狼窝、“红房子”是全市有名的贫民窟。

1950年12月16日，寺儿沟区建制撤销，所辖13个坊并入中山区。

该旧址及周边建筑于上世纪90年代后期拆除，2000年建成海军广场。

【岭前区政府旧址】位于中山区八一路1号。

根据1946年2月7日召开的大连市政府首次区政会议关于建立区政权组织机构的决定，岭前区政府于同年3月4日成立，李世彦任区长，办公地址在长春台（今八一路1号）。下辖石道街、新起屯、傅家庄、八一路、桃源、自由、虎滩、捷山、葵英、转山屯、兴隆屯11个坊。1949年调整为桃源、秀月、白云、智葵、捷山、转山、棒棰岛、老虎滩、若飞、大房子、石道街、傅家庄12个坊。

岭前区位于大连市南部，东起棒棰岛，西至傅家庄，北至石道街，南临黄海，面积14平方公里。

1959年9月，岭前区建制撤销，所辖7个街道并入中山区。

该旧址原建筑物于上世纪90年代中期拆除，改作岭前电影院前小广场。现建有数家临建商铺。

【中山区公安分局旧址】位于中山区七一街5号。

1945年10月下旬，为接管大连治安维持会（大汉奸张本政任会长）控制的中央地区警察署，我党领导的大连警察总局先后派赵恩光、谭松平等24名党员干部到该警署开展工作。11月7日，市警察总局下令逮捕该警署原署长潘澄宇，同时成立大广场警察局，任命赵恩光为局长，谭松平、徐吉庆为副局长，局址在大广场原中央地区警察署楼（今中山广场2号）。11月25日，改称大广场公安分局。下设派出所21个，实有545人。1946年2月21日中山区政府成立后，改称中山区公安分局，迁址爱岩町原五品交易所楼（今同兴街25号）。内设治安、侦缉、司法、总务、人事和教育6个股，下辖民主广场、民生街、明泽街等派出所21个，实有726人。1949年1月迁址七一街5号。

1946年3月，该分局参与平息原

寺儿沟区政府旧址

岭前区政府旧址

中山区公安分局旧址

日本宪兵对日侨和俄侨实施入室抢劫杀人绑架，集结暴乱的“逢坂町事件”，发现3名日本宪兵逃藏踪迹，当场击毙平野，击伤并捕获竹内凉。1948年4月22日，该分局破获反动会道门“一贯道”大连帮，逮捕道首5名。至9月末，“一贯道”组织被彻底摧毁，稳定了社会秩序。

1950年12月16日和1959年8月1日，寺儿沟区和岭前区先后并入中山区，两区公安分局随之并入中山区公安分局。

2009年11月，该分局动迁至世纪街18号。后该旧址原建筑物被拆除，待建友谊商场。

【寺儿沟公安分局旧址】位于中山区二七广场1号。

1945年11月3日，我党领导的大连警察总局派吕子先以东北军营长的身份，到大连治安维持会（大汉奸张本政任会长）控制的中央地区警察署所辖寺儿沟第三警察大队，开展接管改编工作。11月7日，成立水上警察局，吕子先任局长，郝振起、陈松林任副局长。该局隶属市警察总局，局址在初濑町14号（今二七广场1号），编制351人，管辖大连市内沿海港口、码头（港湾、中苏渔业、黑咀子、老虎滩码头）以及龙田町（今职工街）以东地区。11月25日改称水上公安分局。1946年12月7日，改称寺儿沟公安分局，设治安、侦缉、司法、部务、人事、教育6个股和2个警察中队，编制469人。

1950年12月16日，因寺儿沟区建制撤销，该分局并入中山区公安分局。

该旧址原建筑物于1998年拆除，建大连中山供电分公司办公楼。

【岭前区公安分局旧址】位于中山区八一路2号。

1945年11月8日，我党领导的大连警察总局在岭前地区接管并改编成立第一警察大队。1946年1月8日，以大连市公安总局第一警察大队为基础，改编成立岭前公安分局，陈佛任局长。内设保安、督察、司法、总务4股，下辖3个警察中队和12个派出所，编制573人。同年3月4日岭前区政府成立后，改称岭前区公安分局，设文化街、白云街、石道街、老虎滩4个中心所，辖13个派出所，实有573人。

寺儿沟公安分局旧址

岭前区公安分局旧址

1946年1月，该分局参与破获国民党地下武装暴力团，抓获其主要成员，缴获短枪8支、子弹200发以及国民党10个区党部花名册。同年3月，参与平息原日本宪兵对日侨和俄侨实施入室抢劫杀人绑架，集结暴乱的“逢坂町事件”，捕获私藏枪支的山田和大须贺，并于5月14日逮捕枪杀警察后潜逃多日的田中。

1959年8月1日，因岭前区建制撤销，该分局并入中山区公安分局。

该旧址原建筑物于上世纪90年代末拆除。现为岭前农贸市场。

人民呼声报社旧址

【人民呼声报社旧址】位于中山区世纪街76号。

《人民呼声报》是中共大连市委机关报，1945年11月1日创刊，是我党在大城市最早创办的报纸之一。首任社长罗思真（罗丹），社址在纪伊町（今世纪街76号）。由于当时大连地方党组织暂不公开，该报以市职工总会的名义主办并发行。创刊时为日刊，1946年1月1日起改为周六刊。初始时发行4000份，1946年4月增至1万份。1946年6月1日更名为《大连日报》。1947年2月1日改出日刊，对开4版。

该报是一份处于特殊环境下具有特殊性的党报。创刊初期，为了照顾苏联外交上的需要，不授美蒋以柄，对一些时事新闻的报道有意识地选用中央社、美联社、共同社的电讯稿，标题的处理也采用中性。对地方党组织和政府的某些活动和工作，遵循“只做不说”的原则，不予报道。对实施党的大政方针则有针对性地进行重点宣传。如：为建立和巩固人民政权广造舆论，连续报道大连市政府及旅顺、金县和市内各区政府的成立，宣传人民政权的合法性；针对国民党经济封锁，根据党关于开展生产运动的决定，把发展生产、安定民生作为重点，报道党和政府在解决粮食问题，开展住宅调整等方面的工作；针对日本奴化教育的影响，介绍祖国的历史和现状；针对部分群众对国民党寄予希望，揭露国统区的黑暗，把群众争取到党的立场上来，为促进大连地区社会安定、经济恢复和人心向党，发挥了重要作用。

1949年3月25日，中共旅大区党委决定，《大连日报》与《关东日报》合并，改为《旅大人民日报》，为区党委机关报。4月1日，大连地区中共地方组织向社会公开。同日，《旅大人民日报》正式出版，宣传报道口径和方式与其他地方党报取得一致。1956年1月1日更名为《旅大日报》。

该旧址原建筑物于2007年4月拆除。现为某公寓楼待建工地。

【关东俄语专门学校旧址】位于中山区南山路110号。

1945年大连光复后，中共旅大地委为适应与苏军交往需要，责成关东中苏友好协会创办一所俄语专门学校，以培养俄语翻译人才。1948年9月，关东俄语专门学校成立，为高等文科专业学校，学制2年，隶属关东公署，关东中苏友协副会长王群兼任校长。俄语教学主要由4名苏侨教师担任，授课时间占全部学时的5／6。到1949年2月，共培养俄语初级翻译人才140多名。学生毕业后被分配到党政机关、部队、公安、院校等部门，缓解了当时大连俄语人才短缺的状况。

关东俄语专门学校旧址

1949年3月，该校并入大连大

学，为俄文专修科。1950年7月23日，大连大学建制撤销，分别成立大连工学院、大连医学院和大连俄语专科学校。

该旧址原建筑物于2009年拆除，开始兴建住宅小区。

大连摩托（汽车）学校旧址

【大连摩托（汽车）学校旧址】位于中山区解放路700号。

1946年，随着解放战争的进展，我军缴获了敌人大批坦克和汽车。由于缺乏技术人员，这些装备一时难为我用。为了早日解放全中国，我军迫切需要建设一支机械化部队。

1946年夏，八路军总部同苏联红军总参谋部商定，由驻旅大苏军帮助，在大连建立一所坦克学校。中央将此事交由辽东军区负责并责成旅大地委协助，干部和学员则从东北和华东部队抽调。

当时旅大地区由苏军实行军管，地方政权为民主自治政府。为了便于掩护，坦克学校对外称旅大公安总局警察学校（后改称警官学校）第四大队。1946年11月，边慎斋（原名边章五）被任命为旅大公安总局局长兼坦克学校校长，旅大地委书记韩光兼坦克学校政委。到1947年3月，从八路军、新四军和东北民主联军中共抽调学员千余名。这些学员先集结在岭前区红叶町（今青云街）公安总局警官学校进行基础训练，学习军事政治，整顿思想。

由于驻旅大苏军一再推托，不同意提供坦克和教官对我军大批人员进行训练，只允许派少量人员到苏军坦克部队学习，致使坦克学校迟迟不能开课。1947年6月，辽东军区与民主联军总部商定：一是选派一个小组去苏军坦克部队学习；二是停办坦克学校，缩小规模，自力更生办一所摩托学校。于是，坦克学校改名为摩托学校（1947年12月改称汽车学校），对外保留原称。学校从地方上聘请老司机当教员，从学员中选出200人编为两个队，分别学习汽车驾驶和修理技术。随即，摩托学校正式开学。学员一队在原岭前区解放路700号学习驾驶技术，二队在交通公司苏营汽车工厂学习修理技术。另有5名学员被派到金县苏军坦克部队，学习修理和驾驶坦克技术。

至1948年末，共有3期近千名学员从该校毕业，被分配到东北民主联军及各前线，成为我军装甲兵部队的第一批骨干，为解放战争的胜利贡献了力量。其中，第三期400余名学员及学校干部全部加入解放军第四野战军特种兵纵队，该纵队于天津解放后改编成坦克一师，1950年编入新成立的解放军装甲兵。

韩光在回忆大连公安工作情况时指出："举办汽车学校，是大连地区党组织和公安系统支援全国解放战争的一件光荣任务。大连汽车学校（即四大队）培养的学员，很多都成了我军第一代坦克手。在装甲兵部队里，有相当一批领导干部出自大连汽车学校。"当年的汽车学校干部、原装甲兵司令部副参谋长秋峰说："中国人民解放军装甲坦克部队的组建，其技术人员主要来源于三个方面：一是东北农安坦克大队；二是大连汽车学校；三是华东快速部队。"

该校旧址自1956年起由沈阳军区军医学校使用（现称沈阳军区卫生技术干部培训中心）。原建筑物于1997年拆除，1999年落成新校舍。

【育才学校旧址】位于中山区解放路217号。

1949年9月1日，党中央、东北局及旅大区党委批准建立育才学校。该校是一所包括幼儿园、小学、初中在内的寄宿制学校，专门接收烈士子女、志愿军干部子女和地方干部子女。为适应新的教学任务，学校于1950年春修建西大门和校内小桥，在校园周边修筑围墙。1950年2月5日，《人民日报》刊登"育才学校正式成立"的消息。同年3月正式开学，有学生300余人。小学为1～5年级，每年级2个班；初中为1～2年级，每年级1个班。杨开慧烈士的堂妹杨开英曾任校教导主任。1951年元旦，周恩来总理在大连接见该校正副校长，指示他们一定要把学校办好。

育才学校旧址

1956年8月，育才学校和大连第四初级中学合校，沿用大连第四初级中学校名。1960年更名为大连市第二十四中学。1962年确定为辽宁省重点中学。

育才学校旧址历史悠久。其前身最早为大连第五寻常小学校，建于1920年。1925年改称大连春日小学校。1941年改称大连春日国民学校。1946年8月改为大连日侨学校第七校。校舍为和风近代建筑风格，建筑面积8900平方米。2002年3月被列为大连市第一批重点保护建筑。

【公安总局被服厂旧址】位于中山区上海路51号。

1945年11月7日，大连警察总局成立（同年11月25日改称大连公安总局），组建起一支由我党领导的公安部队。当时公安干警的衣着五花八门，一些从解放区来的干部穿着各自的八路军军服或解放区干部服，而一些被接收的旧警察还穿着日本统治时期的警服。加上正值初冬，干警们大多尚着单装，换装问题便成了人民公安队伍建设的当务之急。

鉴于大连作为特殊解放区，公安干警服装制式尚无可循的实际情况，公安总局决定自行设计服装式样及领章、帽花、领字等，同时开办一个服装厂，自己生产干警服装。服装厂设在北大山通原日本三越洋行办公楼（今上海路51号），由总局负责敌伪财产没收工作的谢谦（后任关东公安总局生产科科长）和孙文瑞任正副厂长。先后招收工人60余名，接管没收三越洋行和神明、弥生两个日本女子高中共300余台缝纫机以及大量布匹和棉花，解决了人员、设备和原料问题。

公安总局被服厂旧址

1945年11月8日，公安总局被服厂成立。在近半年时间里，共生产军服2.52万套、帽子6720顶、西服840套，解决了干警换装问题。随着生产规模的扩大，工人数量不断增加，至1947年末已增至258人。产品品种也丰富起来，可生产棉被、棉大衣、棉手套、单棉警帽、中山服、苏联渔业服、警察领章、臂章、药棉等多个品种。

该厂不仅生产干警被服，还承担供应南满部队被服的主要任务，1946—1949年上半年，共供应单棉军服30多万套，为解放战争的胜利作出贡献。抗美援朝时期，还为中国人民志愿军生产了大批军装。

1950年1月12日，中央财政部和公安部联合发布命令，对全国人民警察等级划分、服装、领章、帽徽及待遇标准作了统一规定，旅大公安总局自制警服随即作废。

该厂1949年改称大连被服厂，归属市轻工局。1966年改称大连呢绒服装厂并被列为全市首批外贸出口加工企业。2002年改制为民营企业大连碧海服装有限公司。

1986年，该旧址改为东方红饭店。建筑物内部结构全部拆除重建，建筑面积达到3005平方米；外部基本保持欧式建筑风格，尚依稀可见历史痕迹。1997年，大连银行取得该楼产权。现为该行所属第一中心支行营业部。

【大连青云街苏军烈士墓园】位于中山区青云街进展巷45号。

1945年8月22日，苏联红军根据中国国民政府与苏联政府签订的《中苏友好同盟条约》及相关协定，开始进驻旅大地区，彻底结束了日本帝国主义对旅大的殖民统治，同时开始了在旅大地区长达10年之久的军事管制和驻防。期间，苏军支持中共旅大党组织建立党政警群机构，使旅大地区变成名义上由苏军军管、实际上是中共领导的特殊解放区。新中国成立后，苏军在经济建设以及文化教育、卫生保健事业等方面，给予旅大人民巨大帮助。根据中苏两国政府《关于中苏会谈的公报》的有关规定，自1955年3月起，苏军开始陆续撤出旅大，至5月26日全部撤离。

1954—1956年，在中国辽东半

大连青云街苏军烈士墓园

岛服役时牺牲或病故的部分苏军烈士，被安葬在19世纪末20世纪初沙俄统治时期始建的大连露西亚（俄国）墓地。2009年4月，该墓地被大连市民政局正式命名为大连青云街苏军烈士墓园。共有墓葬612个，其中苏军官兵墓葬371个，苏军眷属墓葬54个；另有各个时期在连俄罗斯人和少数其他外籍人员墓葬187个。

该墓园不对外开放，通常在每年的5月9日欧洲反德国法西斯胜利纪念日及8月15日俄东线战场反日本帝国主义胜利纪念日，接待前来祭奠的俄罗斯驻华大使馆及驻沈阳总领事馆的工作人员，曾接待过俄驻华大使及驻沈阳总领事；平时也接待前来扫墓的苏军烈士后裔。

墓园占地面积1.25万平方米，坐西面东，依山势呈阶梯形。园内有高大槐树掩映，十分幽静。有专人管理维护，园容整洁。

（史　志）

·保密工作·

【概况】2010年，中山区保密工作全面落实新《保密法》及各项保密工作措施，充分发挥保密职能作用，完成各项工作任务。

完善组织体系，落实领导责任。区委保密委员会根据年初部分领导干部岗位变化，及时调整组成人员，区属63个单位的保密工作领导小组成员也作相应调整。严格执行保密工作领导责任制“三级”管理制度，区委书记与市领导、全区63个单位主要领导与区委领导、保密要害部门领导与涉密人员，逐级签订责任状，确保各单位领导认真履行保密职责，“讲到位、做到位、管到位”。

开展业务培训，加强队伍管理。于3月和9月分别召开全区保密工作会议和保密专干会议，传达上级精神，开展业务培训。先后派出3名保密干部参加市局技术业务培训。组织全区850名机关干部参加省保密知识竞赛。于10月召开新修订的《保密法》专题培训会议，各单位分管领导及保密专干80余人参训。将全区保密干部手机纳入飞信管理，及时传达交流信息，提高了保密干部队伍的管理效率。

突出重点部位，强化管理督查。（1）规范涉密计算机管理。细致统计全区涉密与非涉密计算机数

区保密局举办新修订的《保密法》专题培训会

开展新《保密法》颁布宣传活动

量及使用状况，先后进行2次抽查清理，进一步明确涉密计算机和设备的管理要求和管理责任。加强涉密计算机违规连接互联网的督查管理工作，配合市保密局技术处核查违规行为。（2）配置保密技术防范设备。根据《大连市保密科学技术“十一五”发展规划》和上级部门关于加快保密技术防范和保密技术检查装备强制配备工作的要求，出资近5万元，配置涉密计算机保密检查管理设备，提高了全区保密技术管理能力和督促检查力度。（3）加强监督检查。先后开展政府公开门户网站保密管理、涉密载体清理、涉密文件资料非法交易清理取缔等3次专项检查活动，发现问题现场反馈并书面提出整改意见，将整改情况通报全区，以此督促各单位堵塞漏洞，消除隐患。

【贯彻实施新《保密法》】2010年9月，中山区保密局采取多种形式，认真宣传并贯彻实施新修订的《保密法》。

组织“保密宣传教育周”活动。期间，全区各部门、单位以多种形式学习宣传新《保密法》。区保密局在区机关办公楼和区行政服务中心大楼举办新《保密法》宣传图板展，区委保密管理网页专门开设新《保密法》宣传栏。各机关和企事业单位充分利用办公楼宣传栏及电子屏幕，登载新《保密法》知识，有效形成全方位、多层次的宣传格局。

集中开展纪念活动。9月8日，全区8个街道办事处和51个社区开展《保密法》修订颁布庆祝活动。辖区各主要路段悬挂横幅和标语，设立宣传点，摆放宣传图板，发放宣传单，请锣鼓秧歌队营造宣传声势。海军广场街道和昆明街道保密专干现场组织保密知识有奖问答活动，吸引众多过往群众积极参与。按照“保密宣传进社区”的活动精神，各街道在社区宣传栏、辖区广告栏和楼院黑板，张贴新《保密法》宣传图和保密小知识，为每个社区制作悬挂宣传标语。

完善规章制度。区保密局对照新《保密法》有关规定，全面梳理全区原有保密管理规章制度，对其中不符合要求的及时调整完善。各单位也对原有规章制度进行了完善。

（曲拥军）

·机关建设·

【概况】2010年，中共中山区直属机关工作委员会紧紧抓住机关党建的核心问题，从党支部建设入手，以创建“机关党支部七项组织管理方式生活制度规范流程”为切入点，广泛开展党支部堡垒工程创建活动，深入开展机关作风建设的长效工作体制和机制的探索，取得明显成效。

党建工作创新开展。针对新形势下基层党支部建设工作要求，在认真总结基层党建工作经验的基础上，积极率先探索党支部组织生活规范化、制度化、经常化的有效途径，创新制作完成《党支部七项组织生活制度规范流程手册》，并在机关党工委内部通过开展“党支部堡垒工程主题实践活动”进行全面实施，明显提高基层党支部建设规范化水平。承办大连市机关党建工作研讨会，交流推广本区机关党支部规范化、制度化、程序化建设经验，得到与会者高度评价。

精神文明建设成果显著。充分利用区委网站和机关LED信息平台，及时宣传党的路线方针政策，展示机关党员干部的才艺。通过加强党委中心组学习，增强了党组织的战斗力和凝聚力。在开展学习型党组织、和谐机关创建活动中，不断创新各种载体：成功组织机关春节联欢会，以大胆创新、形式独特、参与率高而受到好评；制定《2010年机关文化体育活动实施方案》，组织机关干部开展大连滚子、台球、乒乓球、羽毛球、保龄球、足球等广大党员干部、职工喜闻乐见的比赛活动；定期组织机关科以下干部和妇女干部进行专项体

区直属机关党建工作会议召开

区直属机关党工委组织机关干部开展多项文体活动

检等，增进了党与群众的思想感情，有效推进学习型党组织建设。

【开展“四送关怀活动”】2010年，中山区直属机关党工委继续组织各总支、支部党员干部职工，到结对子的环卫所，开展不同形式的送关怀活动，同时参加1小时的扫保活动。

春季送健康。为环卫工人送健康知识、医药和劳动保护用具，解决食宿中的饮食、健康安全问题。

夏季送清凉。为环卫工人送防暑降温物品和装备，帮助协调解决环卫工人在高温中扫保遇到的一些具体问题。

秋季送文化。为环卫工人送科技含量高、娱乐性强、健康向上的图书、影碟、杂志等文化产品和文艺设备。

冬季送温暖。为环卫工人送各种防寒衣物以及米面、食用油、鸡蛋等节日慰问品，进行春节联欢活动。

截至年末，区直属机关共开展“四送关怀活动”32次，参加人员400多人次，共送价值约3万多元的慰问物品，深受一线职工欢迎。其经验在本年度区政协优秀提案评议会议上介绍，得到社会各界好评。

（王东俊）

·非公有制企业党建·

【概况】2010年，中共中山区非公有制企业工作委员会以科学发展观为指导大胆创新，推进和提升全区非公企业党建工作，促进新经济组织经济健康稳步发展。

抓党组织组建，扩大非公企业党建工作覆盖面。组织街道、社区，联合相关部门，采取单独建、联合建、挂靠建以及向企业派驻党建指导员，破解党组织组建过程中遇到的难题，扩大非公企业党组织工作覆盖面，将新经济组织中的党员全部纳入组织之中。截至年末，全区非公有制经济组织共有党委 30个，总支17个，支部305个，党员总数6078名，党建工作覆盖率达到100%，党组织覆盖率达到30%。

抓党员队伍建设，构筑党员和人才“双向培养”机制。把企业人才库建设成入党积极分子库，同时把党员培养成科技能手和生产骨干。当年全区非公企业培养入党积极分子64名，发展党员60名，另有78人提出入党申请。

抓规章制度和数据库建设，不断提高科学化管理水平。制定完善并下发《非公有制经济组织党支部规范化建设工作手册》和《非公有制经济组织党建工作长效机制汇编》，确保企业党组织活动持续有效开展。建立健全与企业联系制度，定期沟通情况，做到“围绕企业经营发展抓党建，抓好党建促进企业发展”，增强党组织在企业中的凝聚力和影响力。建立全区新经济组织党建情况数据库和“二册三簿”管理台账，坚持月报、季报制度，及时了解和掌握企业党建动态，使其逐步走上规范化、科学化管理轨道。

【创新非公企业党组织活动特色载体】2010年，中山区非公企业党工委针对全区非公企业实际情况，将党员活动内容与企业经济发展相结合，创新有特色的活动载体，促进党建活动有序开展。

大连供暖集团公司党委组织开展“企业要发展，我该怎么办”、“树党员光辉形象，做企业发展先锋”等主题实践活动，大连明天良友金伴便利连锁公司党总支组织党员开展“党员诚信店”活动，促使党员在岗位上做榜样当表率。锦联投资集团公司党委在党员中开展“双培两示范树形象”活动，把企业骨干培养成党员，把党员培养成企业骨干。各非公企业党组织和党员积极开展“双向监督”和岗位技能竞赛等实践活动。这些特色载体活动有力地确保非公企业党组织工作有抓手、活动有影响，激发了非公企业党建工作的活力。

【开展“创先争优”活动】2010年，中山区非公企业党工委制订下发《关于做好非公有制企业开展创先争优活动有关工作的通知》，组织召开全区非公有制企业党组织书记、党务专干党建工作推进会，制定联系指导和情况调研制度，组织和动员基层党组织和广大党员积极参与其中。

大连友谊集团党委在基层党组织中开展“建好组织强保障，服务发展勇争先”规范化建设活动，在党员中深入开展 “比成绩、比贡献、比节约”、“我为企业添光彩”、“我为企业献一计”等活动，为企业的经营发展带来积极影响。大连供暖集团公司党委通过创先争优活动的开展，助推企业第二个五年发展规划的全面实施，集团决定每年拿出140多万元用于提高一线员工的福利待遇，落实规划中“惠及员工”的政策。华夏外企公司党委把活动与关爱留守儿童相结合，帮助困难儿童，促进社会稳定和谐。锦联集团投资公司党委将活动与企业文化建设紧密结合，形成“推动社会进步，创造卓越企业，实现自我价值”的企业文化，增强员工主人翁精神，凝聚稳定员工队伍。各企业还分别组织党员和党外积极分子参观爱国主义教育基地，增强党组织凝聚力。

当年，大连明天良友金伴便利连锁公司的党员店长袁玉兰被评为“中山区优秀志愿者”，大连百信邦经贸公司的联华快客党支部被评为“中山区志愿服务先进集体”。

【加强大厦新经济组织党建工作】中山区约有70%非公有企业集中在近60座商务大厦里，在寸土寸金的写字间里建立党员职工活动场所困难重重。2010年，中山区非公企业党工委确立“资源共享、社企共建、党建双赢”的思路，开放社区党建活动室，免费为大厦党组织和党员提供服务，全区8个街道51个社区党员活动室全部对辖区大厦新经济组织党员开放，进一步解决了大厦非公企业党员活动场地问题。

在大厦集中的人民路街道建立商务大厦党组织服务站示范点，按照党员数量及分布情况，分别成立党委、总支和支部，对不具备单独建立党组织条件的，按照楼层和业务相近的原则成立支部。同时，公开招聘党务工作者并对此实行契约化管理。各商务大厦均挂有党员服务热线电话服务牌，形成以服务站为辐射的5分钟大厦党建圈。全区共建立大厦党组织服务站6个。

当年，大厦党组织中涌现出党员示范岗10个、党员责任区6个，共帮扶困难群众180人次。

（王　卫）

·机构编制工作·

【概况】根据中共中山区委2009年12月14日《关于印发〈中山区人民政府机构改革方案〉的通知》，中山区机构编制委员会办公室设立，正处级建制，为区机构编制委员会常设办事机构，区委、区政府工作部门，列区委机构序列。

2010年是区编委办转为单设机构的第一年。该办参照大连市机构编制委员会成员组成方案，调整编委会成员，规范编委会构成。制定《中山区机构编制委员会工作规则》，明确机构编制决策机制。下发《中山区机构编制委员会办公室主要职责内设机构和人员编制规定》，明确编委办的职责。研究确定机构编制管理各项工作制度，明确编委会和编委办办事程序，为深入开展机构编制管理工作提供组织支持和制度保障。

在人员不齐、任务重的情况下，区编委办紧紧围绕全区经济社会发展大局，认真执行机构编制管理相关法规，切实履行编制部门职

区编委办研究政府机构改革“三定”方案

责，较好地完成21个政府部门的“三定”方案、123家事业单位年检、48家机关单位和154家事业单位机构编制实名制管理基础工作、40个编委会议题等项工作任务。

【政府机构改革“三定”】2010年，中山区机构编制委员会办公室根据《中山区人民政府机构改革方案》，具体组织实施区政府机构改革工作，做好政府部门“三定”（定职责、定机构、定编制）方案的起草、规范、审核和报批。全面梳理政府各部门行政职责，进一步明确职能的法定性，重点解决职责交叉、关系不顺等问题，相对集中审批职能，划拨出去一些辅助性、服务性事务，从而加强了政府部门综合协调指导职责和能力。

年内完成全部21个政府部门的“三定”方案，确定主要职责193项，其中新增职责11项、加强职责23项、调整职责10项。有14个政府部门涉及审批、审核、核准事项共59项，其中审批21项、审核34项、核准4项。核定行政编制390名，比机构改革前减少35名。核定政府部门领导职数68名。

本区机构改革工作经省、市编委办机构改革评估组调研评估，受到充分肯定。

【机构编制保障】2010年，中山区机构编制委员会办公室完成编委会议题40个，其中政府机构改革议题21个、内设机构议题10个、人员编制和领导职数议题5个、机构更名议题4个。

深化行政管理体制改革，注重政府职能转变。以法律法规为依据，以市政府部门职能为参考，明确区政府部门职责权限。将一些辅助性、技术性、服务性事务划拨出去，交给事业单位和市场中介组织，强化了政府的社会管理和公共服务职能。

注重司法保障，加强司法机构建设。为区法院增设少年审判庭，更好地贯彻对未成年人的司法保护政策。成立区检察院反渎职侵权局，强化新形势下检察机关法律监督职能。补充区法院政法专项编制8名。

注重社会管理和公共服务，关注民生问题。为区供热站管理办公室设立2个内设机构，进一步加强供热管理。为站南地区管理处增加内设机构及领导职数，规范和加强大连火车站站南广场停车场管理。将区计划生育宣传站的机构规格由副科级调整为正科级，进一步推动人口和计划生育宣传工作。将区旅游局由经费自理转为全额拨款事业单位，增加内设机构及人员编制，加强全区旅游市场管理，促进旅游事业发展。为体育中心增加编制2名，增加副科级领导职数1名。为区档案局增加内设机构1个及增加人员编制和领导职数，加强档案管理工作信息化建设。

强化执行和执法监管职责，维护社会稳定。成立区食品药品监督所，加强食品药品等监管职能，同时调整区卫生监督所人员编制和主要职责。将区文化市场稽查队更名为区文化市场综合执法大队，加强对文化市场的统一管理和综合执法。增加区信访局领导职数1名，加强对清理非法集资工作的领导。

加强党的机关等机构建设。将区纪委（监察局）案件管理室、纠正部门和行业不正之风办公室由挂牌机构调整为单设机构，增加副处级领导职数1名，进一步加强区纪检监察工作。对区委办公室（保密

附：

中山区人民政府机构设置表

工作部门
政府办公室
发展和改革局
经济和科技信息局
教育局
监察局
民政局
司法局
财政局
人力资源和社会保障局
城市建设管理局
城市管理行政执法局
经济合作办公室
商务局
卫生局
食品药品监督管理局
人口和计划生育局
审计局
文化体育局
安全生产监督管理局
统计局
民族宗教事务局
区委区政府信访局

说明：

中山区人民政府设置工作部门21个，暂空1个。监察局与纪律检查委员会机关合署办公，列入政府工作部门序列，不计入政府机构个数。政府办公室挂政府法制办公室牌子；经济和科技信息局挂知识产权局牌子；财政局挂国有资产管理委员会办公室牌子；城市建设管理局挂人民防空办公室（民防办公室）牌子；城市管理行政执法局挂海域清理办公室牌子；商务局挂服务业局牌子。

局、政研室）内设机构进行调整和更名，增设督查科，提高区委办工作效率和服务水平。增加区委组织部行政编制1名。增加党校按科级实职管理干部职数3名。为区政协增设人口资源环境委员会和委员工作委员会。

【事业单位年检】2010年初，根据国家有关条例规定，中山区机构编制委员会办公室开展2009年度事业单位年度检验工作。全区应检事业单位123家，实检123家，年检率100%。年检合格123家，合格率100%。通过年检，健全和完善事业单位监督管理机制，全面掌握事业单位运行状况，综合评估其对登记内容的执行情况，保障了事业单位的合法权益，促进了社会经济秩序的健康发展。

【机构编制实名制管理】2010年，中山区机构编制委员会办公室开始推行机构编制实名制管理，以切实管住管好机构编制，严格控制机构编制与人员增长，控制行政成本和提高行政效能。新安装机构编制实名制管理系统，完成48家机关单位、154家事业单位的编制和实有人员信息录入。政府机构改革后，及时调整相关机构和人员变动情况，为进一步做好机构编制实名制管理打下基础。

（许有权）

中山区人民代表大会

·重要会议·

【区十六届人大三次会议】2010年1月6－8日，中山区第十六届人民代表大会举行第三次会议。实有代表195名，出席代表187名。

区十六届人民代表大会第三次会议

会议审议通过《中山区人民政府工作报告》《中山区人大常委会工作报告》《中山区人民法院工作报告》《中山区人民检察院工作报告》，审查和批准《中山区2009年国民经济和社会发展计划执行情况及2010年国民经济和社会发展计划草案报告》《中山区2009年财政预算执行情况和2010年财政预算草案报告》，并做出相关决议。

会议依法选举江亲瑜为区人民政府区长，补选任福义、孙惠民、刘洋为区人大常委会委员。

会议表彰2009年度提出优秀建议、批评和意见的人大代表17名。

会议期间，共收到代表建议、批评和意见241件，其中属大连市管辖165件，本区管辖76件。全部建议、批评和意见由区人大常委会人事代表办公室转交相关部门办理。属市管辖范围的建议、批评和意见，由市人大代表在大连市十四届人民代表大会第三次会议上提出办理。

【区人大常委会会议】2010年，中山区第十六届人民代表大会常务委

区人大常委会召开第二十次会议

员会共举行6次常委会会议（第十六次至第二十一次），听取和审议“一府两院”工作报告14项，作出决议决定8项，依法任免干部16人。

第十六次常委会会议。3月29日举行。听取和审议常委会《2010年工作计划（草案）》《关于代表向选民述职评议的工作意见（草案）》；审议通过常委会环境资源工作委员会成员名单（草案）；审议决定人事任免事项。

第十七次常委会会议。5月26日举行。听取和审议区政府《关于2010年度融资计划（草案）的报告》；听取常委会财经工作委员会《关于〈中山区政府2010年融资计划报告〉的审查报告》，审议通过该项融资计划；听取中山环保分局《关于环保工作情况的报告》、常委会环境资源工作委员会《关于中山区烟尘污染及综合整治工作情况的调查报告》；听取和审议常委会《关于对区商务局、民政局开展工作评议的实施方案（草案）》《关于评选先进人大街工委和优秀人大代表活动安排意见（草案）》；听取刘湛琛、赵金旭、廖美英等3名市人大代表述职报告并进行满意度测评。

第十八次常委会会议。7月23日举行。审查和批准《中山区2009年本级财政决算（草案）报告》，并作出相应决议；听取和审议区政府关于《中山区2009年区本级财政预算执行及其他财政收支情况的审计报告》；听取和审议区检察院《关于查办职务犯罪工作的报告》；审议通过区人大常委会《关于提请确认对刘秀珍采取强制措施处理意见的报告》；听取金国平、刘勇、张丽萍等3名市人大代表述职报告并进行满意度测评；审议决定人事任命事项。

第十九次常委会会议。9月28日举行。听取和审议区政府关于《中山区2010年上半年本级财政预算执行情况的报告》《中山区2010年上半年国民经济和社会发展计划执行情况的报告》《关于办理区十六届人大三次会议代表建议情况的报告》；听取常委会人事代表办公室《关于区政府办理区十六届人大三次会议代表建议情况的视察报告》；听取赵衍、杨锡令等2名市人大代表述职报告并进行满意度测评。

第二十次常委会会议。11月29日举行。听取审议和批准区政府关于《中山区2010年本级财政预算调整方案（草案）的报告》，作出相应决议；审议通过区政府《关于对〈中山区国民经济和社会发展第十一个五年规划纲要中期评估报告〉的审议意见落实情况的报告》；听取区政府《2010年五个一工程建设情况的报告》《关于社区卫生服务中心建设情况的工作报告》；听取和审议区法院《2010年度案件庭审工作情况的报告》；听取区商务局、区民政局分别作的《关于落实区人大常委会评议意见整改情况的报告》，并进行满意度测评；审议通过《关于召开中山区第十六届人民代表大会第四次会议的决定（草案）》和该次会议筹备工作方案（草案）；听取《区第十六届人代会代表出缺暨补选代表资格的审查报告》；审议决定人事任命事项。

第二十一次常委会会议。12月24日举行，听取和审议《区第十六届人代会第四次会议预备会议议程（草案）》、第四次会议《各类人员名单（草案）》和《选举办法（草案）》；审议通过常委会《工作报告（讨论稿）》《关于表彰先进人大街工委、优秀人大代表的决定（草案）》《关于表彰2010年度优秀建议、批评和意见的决定（草案）》《关于接受范振顺、刘洋同志辞去中山区人大常委会委员职务请求的决定》；依法补选朱焕启、陈钦明、林忠治为中山区出席市第十四届人代会第四次会议代表；审议决定人事任命事项。

【纪念区人大设立常委会30周年】到2010年8月6日，中山区人大常委会设立30周年。10月26日，区人大常委会举办纪念茶话会，区委书记李向东、区人大常委会主任宋国伟、区长江亲瑜，以及区委常委、区人大常委会副主任、区人大机关离退休老领导、省市区三级人大代表等260余人参加会议。

会上，李向东代表区委祝贺区人大设立常委会30周年，同时充分肯定30年来区人大常委会认真履行宪法和法律赋予的职责，为推进全区经济社会发展、民主法制建设、民生事业发展做出的积极贡献，并对今后工作提出要求。宋国伟全面回顾30年来区人大常委会走过的光辉历程，总结做好人大及其常委会工作必须坚持的5项原则，对如何继续做好新形势下区人大工作提出具体要求。省市区人大代表表演自编自演的节目，表达喜悦之情。

中山区第一届（1954年4月）至第八届（1978年3月）人民代表大会均未设立常委会。1979年7月1日，第五届全国人民代表大会第二次会议通过《中华人民共和国地方各级人民代表大会和地方各级人民政府组织法》。该法规定，“县级以上的地方各级人民代表大会设立常务委员会”，“县级以上的地方各级人民代表大会常务委员会是本级人民代表大会的常设机关”。1980年8月6日，中山区第九届人代会选举产生首届区人大常委会。刘芝兰任主任，于功业、曲满堂、吕培汾、吴启鸿任副主任（1981年6月增补张永效为副主任），有委员19名。

·人大监督·

【监督“十一五”规划完成情况】2010年，中山区人大常委会成立专题调研组，就本区“十一五”规划各项指标完成情况及“十二五”规划编制情况，推动“大连科学发展首善区”建设。先后调研走访区发改局、财政局、商务局、文体局、教育局等政府职能部门，听取工作汇报，召开代表座谈会，提出工作意见和建议。

常委会第二十次会议审议区政府《关于落实人大常委会对“十一五”规划中期评估报告审议意见情况的报告》。常委会认为，区政府较好地落实人大常委会审议意见，积极应对国际金融危机的巨大冲击和复杂多变的国内外经济环境，采取一系列扎实有效措施，保持全区经济和社会各项事业平稳较快发展的良好态势，全面完成“十一五”规划各项工作指标和任务，为高标准、高质量编制和实施“十二五”规划奠定了基础。

【审查监督国民经济计划、财政预决算执行情况】2010年，中山区人大常委会听取和审议区政府《关于2009年本级财政决算报告》《本级预算执行及其他财政收支的审计工作报告》《2010年上半年国民经济和社会发展计划执行情况报告》《本级财政预算执行情况报告》，作出相应决议，要求区政府进一步加强对财政预算的管理和监督力度，加强对财务主管领导专业知识培训和财经纪律教育，继续探讨区街财政管理体制和部门预算编制的细化、优化和深化，加快完善全区国库集中支付制度，提高国有资产管理的科学化水平。

针对金融危机后续影响导致区财政收入较为困难的实际情况，听取审议并依法批准区政府关于区本级预算调整方案，要求采取切实有效措施，开源节流，加强监管，确保2010年实现财政收支平衡，提升经济运行质量。

【监督检查重点项目】2010年，中山区人大常委会高度关注重点项目对全区经济社会发展起到的支撑和拉动作用，通过召开座谈会、组织代表调研、实地查看、听取汇报等方式，跟踪监督检查全区重点项目建设情况。集中视察东港商务区、上方港景、区美术馆等项目，提出工作意见和建议。就天植商城B座购

区人大设立常委会30周年纪念活动

置、旧城区改造、迎宾路线改造等项目资金短缺问题，召开常委会和主任会议讨论和审议，批准区政府2010年融资计划。跟踪督办发展楼宇经济、第三方物流企业、改善服务环境等代表建议，有效地保证和促进了全区大项目建设。

【监督检查群众关心的热点问题】2010年，中山区人大常委会充分发挥“人大代表接待选民窗口”作用，定期归纳整理代表反映的意见和建议，先后就群众反映集中的大学生就业、学前教育、食品卫生、安全生产、环境卫生管理、计划生育等项工作，组织代表开展专题调研28次。

区人大常委会视察桂林街道养老院

监督检查大学生就业问题。检查组听取区人力资源和社会保障局工作汇报，实地查看由区政府扶持、社会投资建设的2500平方米大学生创业孵化基地，充分肯定本区完善政策支持体系、逐年加大资金投入、推动创业带动就业等做法，提出要进一步强化职责，建立完善长效工作机制，为大连争创国家级创业城市多做贡献的建议。区政府认真研究这些建议，出台《中山区高校毕业生创业孵化基地资金补贴管理暂行办法》《中山区资助创业大学生创业期间管理暂行办法》等3个促进大学生就业管理办法，为规范、鼓励和支持大学生就业创业营造良好氛围。

监督检查“五个一”民生工程建设。常委会视察当年全区促进和改善民生的“五个一”工程建设情况，实地察看青泥小学停车场建设、解放路路街环境提升改造、春和市场旧城区改造、炮台山健身公园建设等项目，听取区政府关于“五个一”工程建设情况报告，提出要超前规划设计、加强工程监管、确保工程质量等建议。截至年末，“五个一”工程建设基本完成，并通过市验收。

推进煤烟粉尘污染治理。从3月份开始用两个月时间，组织部分代表全面深入调研全区煤烟型粉尘污染源现状及综合整治情况。常委会和主任会议分别听取专委会调研报告和中山环保分局工作报告，提出整改意见。区政府认真落实常委会意见，先后3次召开专门会议，两次实地走访10家企业14个拆炉并网锅炉房现场办公，积极与市相关部门沟通，并向常委会3次书面报告办理落实情况。中山环保分局以此为契机，大力开展环境整治工作，有效提升全区空气质量，营造了良好的人居环境。

【监督司法公正】2010年，中山区人大常委会继续把组织人大代表旁听和评议法院庭审工作，作为拓展监督方式、加大司法监督工作力度的重要措施，进一步深化和细化旁听工作的措施和办法。在各人大街工委成立庭审工作小组，完善组织架构，同时简化旁听工作手册，切实提高旁听工作质量和监督实效。年内，常委会与人大街工委配合，采取明察与暗访结合、侧重暗访的方式，共组织219名市、区人大代表旁听和评议刑事、民商案件15类117件，代表人数和评议案件数较上年均有显著增加。常委会第二十次会议听取和审议区法院庭审工作报告，提出规范法官庭审工作行为、提高审判工作能力、改善代表旁听环境等建议。对此，区法院、区检察院党组召开专题会议进行研究，积极开展自查、自纠，果断处理在工作中态度粗暴、行为不规范人员，使审判程序、公诉程序、旁听环境等有了较大改善。

常委会听取和审议区检察院关于查办职务犯罪工作的报告。主任会议听取区法院关于执行工作的报告。专委会评议桃源派出所、昆明派出所工作，视察中山交警大队依法整治道路交通安全、保障道路安全畅通工作，提出优化行车线路、解决停车难等意见和建议。

常委会配合市人大常委会，调研《大连市住房公积金管理若干规定》实施情况，就《大连市循环经济促进条例（草案）》《大连市客

区人大常委会首次对区政府专项工作进行评议

运出租汽车管理条例（修订草案）》征求意见，检查国家《食品卫生法》《大连市城市环境卫生管理条例》等实施情况，推动了上述法律法规在本区的贯彻执行。

【首次评议区政府专项工作】按照《中华人民共和国各级人民代表大会常务委员会监督法》规定和辽宁省委《关于进一步加强和改进人大工作的意见》（辽委发〔2010〕3号）文件精神，中山区人大常委会决定从2010年开始，对区政府专项工作进行评议，并成立评议工作领导小组。

年内，区商务局、民政局被确定为首批评议对象，评议范围是2009年1月－2010年5月间，两局贯彻执行国家相关法律法规、执行常委会决议决定、办理落实人大代表建议、完成本年度政府工作报告中确定的工作任务、履行政府职能部门工作职责及软环境建设情况等5个方面共性内容，以及相关经济指标完成情况、落实社会保障政策情况等专项工作。评议过程从6月初开始，分准备、调查、评议、整改等4个阶段。

常委会组成两个评议工作组，深入街道、企事业单位进行调查，采取走访、召开座谈会、发放调查问卷等方式，广泛听取被评议单位干部职工、社区居民以及部分人大代表等社会多方意见，形成调查报告。评议工作领导小组召开专题会议，听取工作组报告，就两个部门工作中存在的沟通联络机制不够健全、深入基层走访调研比较少、社会救助工作人员严重不足、社会医疗救助标准普遍反映偏低等问题提出整改意见。区商务局、民政局采取建立信息发布机制、主动深入基层了解和沟通情况、加强内部工作人员培训、坚持每月到街道社区对低保户进行复合审批等措施，积极认真地落实整改意见。

11月29日，常委会召开第二十次会议，听取区商务局、民政局整改工作报告并进行满意度测评，对两局整改情况表示满意。后将评议工作情况向区委作了报告。

此外，常委会各专门委员会对区发改局、经信局、审计局、教育局、城建局、人口和计生局等7个政府职能部门开展工作监督，促进了这些部门科学、民主、依法执政。

【信访受理】2010年，中山区人大常委会新成立信访工作联络组，建立信访联席工作制度。全年接待群众来访351人次，受理群众来信190件，其中109件信访件转办有关部门。截至年末，办理完毕76件，办结率70%，比上年提升6个百分点。

·代表工作·

【人民代表依法履职】2010年，中山区第十六届人民代表大会有人民代表191名。

畅通渠道，创造代表履职条件。区人大常委会邀请代表参加政府经济工作会议、“两院”工作座谈会及街道办事处街情通报会，让代表及时了解区情政情。邀请代表列席常委会会议，参与视察检查调研、对“一府两院”专项工作监督以及代表建议办理工作，扩大代表对人大工作的参与度。年内，有46位代表列席常委会会议，138人次参与常委会视察调研活动，67位参加区委、区政府组织召开的专题座谈会。

开展培训，增强代表履职能力。常委会邀请北大教授，为市、区人大代表作《目前中国法治的基本态势》专题报告；邀请全国人大常委会代表资格审查委员会办公室主任李伯钧，为本区市、区两级人大代表和政府承办部门负责人、法检两院办理人员作“代表议案、建议的提出和办理工作”的专题讲座，扩展了代表视野，提高了代表撰写建议的能力和水平。各人大街工委结合视察检查调研活动，组织代表学习相关政策和法律法规知识，增强了代表的履职实效。

制定措施，激励代表自觉履职。常委会出台《关于评选先进人大街工委和优秀人大代表活动安排意见》，经推荐、走访、考核和测

举办中山区人大代表履职专题报告会

评，2个人大街工委和20名人大代表被评为区先进人大街工委和优秀人大代表。出台《关于开展市区人大代表向选民述职的工作意见》，9名本区的市人大代表向常委会作述职报告；115名区人大代表向原选区选民代表述职，接受选民监督，有效地促进了代表履职的自觉性。

建立平台，促进代表发挥作用。继续深化和拓展人大代表接待选民窗口和人大代表工作室功能，全区已设立人大代表接待选民窗口8个、人大代表工作室18个。人大桂林街工委还将代表工作室延伸到社区，方便了代表与选民的日常联系。9月1日，省、市人大领导对桂林街道解放社区人大代表工作室进行了实地视察，充分肯定其工作开展情况。

【代表建议、批评和意见办理】2010年，中山区十六届人大三次会议收到代表建议、批评和意见共241件。其中属市管辖165件，区管辖76件。区管辖件中，经济建设方面6件、城市建设和管理方面48件、民政方面9件、科教文卫方面4件、交通安全方面2件、公安方面2件、其他方面5件。区人大常委会以“提高办理质量，巩固办结率，提高办成率”为指针，切实加大代表建议办理力度。

继续发挥代表建议督办小组作用，提高建议办理的解决率。采取普遍访、重点看、当面问、集中听的方式，全程跟踪督办。以办理重点建议为牵动，紧盯代表建议办理大户，不定期上门督办、实地查看。

首次对代表建议办理情况进行评估。选择建议份数较多的区城建局作为评估对象，对该局近3年承办的30项建议进行评估，促进代表建议落到实处。

新设代表建议办理准备金，用于那些群众关注、承办部门办理资金短缺、通过努力能够办理落实的建议。对本届人代会一次、二次会议尚未落实，但已纳入解决范畴的47件建议进行跟踪督办，促使其中12件全面落实，17件基本落实。

截至10月末，区十六届人大三次会议收到的代表建议、批评和意见全部办结，办结率100%，解决率66.2%，比上年提高17个百分点。

12月24日，区人大常委会审议通过《关于表彰2010年度优秀建议、批评和意见的决定》，有17个优秀

组织市人大代表视察大连英特尔项目

区人大代表视察青泥小学地下停车场建设

附：

2010年度中山区人大代表优秀建议、批评和意见一览

奖 项	获 奖 建 议	获奖代表
特等奖（1名）	关于解决弃管楼问题的建议	邵元秋
一等奖（2名）	关于高度重视经济危机的影响，帮助中小企业渡过难关的建议	陈文新
	关于进一步完善社区卫生服务的建议	吴 非
二等奖（5名）	关于推进节能减排工作，促进生态城区建设的建议	郭太新
	关于在大连东港区建设城市地下管网综合管廊的建议	王宏茂
	关于进一步完善中山区现代商业服务功能的建议	张彩凤
	关于区政府设专项资金奖励下岗失业人员创业的建议	刘 勇
	关于在青泥社区和双合社区建立卫生服务中心的建议	佟亚明
三等奖（9名）	关于将业主委员会作为街道社区建设的重要参与者的建议	朱增杰
	关于整顿中山区新柳街86号、88号、90号楼后院脏乱差问题的建议	季 青
	关于改进港航物流业行政服务的建议	王成钢
	关于我市殡葬改革的建议	刘伟民
	关于中山区人民路两侧停车难，增建大型停车场的建议	王志强
	关于完善食品卫生安全监管的建议	张晓梅
	关于支持服装品牌建设的建议	李志谦
	关于延伸29路车站，方便居民出行的建议	于丽琴
	关于加大政府对物业公司管理的建议	王静萍

建议、批评和意见受到表彰。

【首次评估代表建议办理情况】2010年，中山区人大常委会制定《关于代表建议办理工作绩效评估的方案》，组成评估小组，首次对有关部门的代表建议办理情况进行评估，以促进代表建议落到实处。年内，首先选择建议份数较多的区城建局作为对象，对该局近3年承办的30项建议进行评估。

评估工作从6月初开始至9月末结束，历经准备、调研、总结和汇报反馈4个阶段。评估小组深入8个人大街工委调研，分别召开人大代表、社区居民、街道城建卫生部门和物业公司等座谈会18次，共350余人参会；发放调查问卷650份，最终梳理出10个方面的问题。其中：满意度最高的是园林绿化方面，认为满意和基本满意的595人，占91.5%，不满意的55人，占8.5%；满意度最低的是环境卫生方面，认为满意和基本满意的524人，占80.6%，不满意的126人，占19.4%。

在调查结果和区城建局3年来代表建议办理情况报告的基础上，常委会人事代表室形成绩效评估开展情况报告。报告认为，区城建局对人大代表建议办理工作高度重视，向政府申请使用110万元的建议办理准备金。实施“三见面”办理制度，即办前与代表见面沟通、办中请代表视察、办后请代表实地查看，加大了代表建议办理力度，同时增进了代表对部门工作的认可和理解。截至10月末，由区城建局负责办理，涉及城市建设管理方面的30件建议已办结27件，占90%，其中已解决或基本解决的21件，列入计划拟解决的5件，难以解决作出说明的1件；另有3件在继续办理。

·人大街工委工作·

【概况】2010年，中山区人大常委会注重对全区8个人大街工委的经常性工作指导，及时解决街工委工作中遇到的困难和问题。坚持每半年召开1次人大街工委工作研讨会、每季度召开1次办公室主任工作交流会制度，研究和分析新形势下人大街工委工作的新特点、新思路和新方法。

年内，人大各街工委共组织代表活动62次，走访选民1523人次，开展视察、检查和调研28次，提出建议和意见316件，资助贫困学生197人，安置下岗再就业人员889人次，捐款、捐物折合人民币239.9万元，为推动全区经济发展、促进社

区人大常委会2010年街工委工作会议

会和谐稳定发挥了应有作用。

（李志华）

中山区人民政府

·会议文件·

【区政府常务会议】2010年，中山区政府召开政府常务会议10次，讨论并通过经济建设和社会发展等方面重要事项。

第一次政府常务会议　1月19日召开，研究安排1月下旬至2月份政府重点工作。主要有：贯彻区委十二届七次全会精神，召开2010年区政府第一次全体会议；召开全区“十二五”规划部署工作会议，正式启动“十二五”规划编制工作；完成对各街道办事处2009年度工作考核和测评工作，研究提出2010年落实经济工作任务的措施；做好2010年财政预算工作；制定2010年招商引资工作计划和详细工作方案，尽快完成招商画册、对外宣传片的制作以及招商网站建设，加大招商工作宣传力度，筹备召开对外开放工作会；做好楼宇资源普查工作，建立中山区楼宇资源动态数据库；完成对各街道和相关部门的城管考核工作；做好春节期间安全生产、食品安全、社会稳定、扶贫帮困、拥军优属、防火、除雪、供暖、亮化美化、节日值班等相关工作；对2010年续建、在建、拟开工、储备项目情况进行全面统计汇总；做好全区改造地块规划设计工作；制定2010年科技企业招商计划；召开2010年迎新春企业家联谊会；完成区政府各部门“三定”工作；研究成立东港商务区推进办公室；做好赴香港招商工作；做好市、区人大代表建议和政协委员提案交办会的筹备工作；研究成立中山区功能区发展与协调领导小组和功能区建设办公室，组织开展功能区建设专项规划研究；做好企业拖欠农民工工资问题处理工作；做好区政府部门导入ISO9000质量管理体系试运行工作；组织研究制定教育强区规划细则；完成市政府下达的烟花爆竹节、新春灯会等各项工作任务，组织群众开展秧歌大汇串等迎春文化系列活动。

第二次政府常务会议　2月26日召开，研究安排3月份政府重点工作。主要有：召开中山区2010年对外开放暨街道综合考评工作会；研究制定功能区建设领导小组组建和有关职责界定工作；召开市、区人大代表建议和政协委员提案交办会；组织开展全区企业（在中山区办公且税务登记不在中山区的）税务登记摸底调查；筹备中山区2010年招商项目发布会；推进重点项目建设，积极组织财政收入，确保实现一季度经济开门红；做好全国“两会”期间的信访和社会稳定工作；研究特色专业大厦制度运行摸底调查的情况，提出推进特色专业大厦建设意见，建立中山区楼宇资源动态数据库；研究制定招商引资配套政策。

第三次政府常务会议　3月26日召开，研究安排4月份政府重点工作。主要有：召开一季度经济形势分析会，研究部署二季度经济工作；研究出台招商引资配套政策；召开中山区2010年招商项目发布会，开展两税宣传活动；做好“清明节”期间文明祭祀、护林防火和交通秩序等组织工作；全力做好市容环境、安全生产、食品卫生等相关工作；加快推进区政府确定的12件实事；结合市区两级政策，研究弃管楼院问题；研究烂尾楼债权债务关系；组织开展走访辖区企业活动。

第四次政府常务会议　4月27日召开，研究安排5月份政府重点工作。主要有：全力做好上海世博会期间信访、安全和社会稳定工作；开展重点项目推进月活动；建立和完善引税护税工作机制，召开二季度财税工作会议；完成景山街办公楼的内部布局方案设计和装修改造招标工作；组织开展交通疏导畅通

区政府召开第一次全体扩大会议，部署全年工作

工作；加快推进风景小学、35中学新校舍建设；加快推进城区改造拆迁工作；组织好随市政府赴深圳招商活动，筹备赴“长三角”地区招商准备工作；组织开展全区工地安全大检查；加大区政府重点工作督查力度，建立重点批示意见的反馈机制。

第五次政府常务会议 5月21日召开，研究安排6月份政府重点工作。主要有：全力抓好经济责任目标的落实，确保“时间过半、任务过半”；认真梳理全区项目推进中遇到的问题和困难，集中予以协调；继续推进风景小学、35中学新校舍建设，确保如期投入使用；全力争取国家服务业综合改革试点的申报工作；全力做好2010年高考、中考各项组织保障工作；加强防台防汛工作，确保汛期安全；全面加强校园安全的有关工作；研究文化创意等新兴业态的规划布局。

第六次政府常务会议 6月25日召开，研究安排7月份政府重点工作。主要有：召开区政府二次全体（扩大）会议暨经济形势分析会；加大城区建设的四化（美化、亮化、洁化、序化）力度，加快海军广场修缮进度，联合组织开展对全区旅游景区、景点周边饭店的食品安全监督检查和环境卫生整治；抓好双拥共建工作，开展庆祝八一建军节活动；开展2010年严打整治专项行动；加快四大功能区拆迁改造项目的启动，研究制定各功能区组织实施工作方案；做好随市政府赴境内外的招商活动；完成35中学、风景小学主体工程施工；起草《关于中山区2010年上半年国民经济和社会发展计划执行情况与2010年下半年国民经济和社会发展计划（草案）的报告》，做好向区人大报告的准备工作。

第七次政府常务会议 8月30日召开，研究安排9月份政府重点工作。主要有：全力做好服装节期间的市容市貌整治、狂欢表演组织及安保工作；做好中秋节、国庆节的稳定工作，提前安排动迁信访稳定排查化解工作；组织人大代表、政协委员联合视察建议提案办理工作；召开第三季度税收调度会；继续落实功能区建设组织实施方案，组织开展“十二五”规划框架起草工作；启动胜利路东段拓宽改造项目以及青云街、不朽巷、景山街、华联宾馆、春和老年公寓等地块的动迁工作；组织参加省政府赴深圳的招商活动；组织开展第26个教师节庆祝活动；做好第六次全国人口普查入户摸底工作；全力做好“7.16”事件油污清理收尾工作；制定机关大楼办公资源调整、应急指挥中心升级改造、电子沙盘制作及区人大常委会投票表决系统搬迁方案。

第八次政府常务会议 9月27日召开，研究安排10月份政府重点工作。主要有：做好国庆节和十七届五中全会期间的安全生产、社会稳定和值班工作；10月下旬召开第三季度经济形势分析会；完成中山区“十二五”发展规划初稿；组织参加省政府长三角招商活动；组织开展特色街振兴和建设方案研讨；平稳推进拆迁地块改造；做好冬季供热各项准备工作；做好市政府对区市县工作绩效考评的准备工作；召开冬季征兵工作会议；加大城市管理，继续做好违章临建的拆除工作；落实大规模造林绿化工作；继续推进炮台山健身公园建设。

第九次政府常务会议 11月1日召开，研究安排11月份政府重点工作。主要有：抓好全年重点工作收尾，提前1个月完成2010年各项工作任务；全力做好冬季供暖工作；广泛征求意见，修改完善中山区“十二五”规划；深入调研，谋划明年工作思路，研究提出工作计划，组织起草2011年区政府工作报告；制定特色街建设工作实施方案；完成青云街、一德街等动迁地块的居民搬迁工作；全力做好市政府对区市县工作绩效考评的前期预评工作；做好大规模种树造林工作，动员机关事业单位、社会力量广泛参与；做好第六次全国人口普查入户工作。

第十次政府常务会议　12月1日召开，研究安排12月份政府重点工作。主要有：完成《政府工作报告》《关于中山区2010年国民经济和社会发展计划执行情况和2011年国民经济和社会发展计划（草案）的报告》《2010年财政预算执行情况和2011年财政预算（草案）报告》等材料的起草工作；各部门认真总结2010年工作经验，谋划2011年工作思路，其中，由商务局研究提出2011年招商工作计划，城建局研究提出2011年城区环境建设和管理工作方案；做好市政府对区政府全年各项经济社会指标任务完成情况的测评工作；做好大规模植树造林、山林防火和冬季除雪准备工作；组织开展安全生产大检查；研究提出2011年重点项目计划；完成中山区“十二五”规划编制工作。

【区长办公会议】2010年，中山区政府召开区长办公会议13次，听取各委办局的请示、报告和意见，原则通过有关事项84件（详见明细表）。

【区政府文件】2010年，中山区政府共印发文件69个（详见附表）。

（曲旻丽　赵媛媛）

2010年中山区政府区长办公会议通过事项明细表

有关部门	通过事项
区政府办公室	2011年政府工作报告（讨论稿）
区发改局	关于中山区2009年度工作考核及工作经费补贴的报告
	关于中山区特色专业大厦2009年度企业贴租情况的报告
	中山区2010年度街道办事处工作考核办法
	中山区四大城市功能区建设工作方案
	中山区国民经济和社会发展第十二个五年规划纲要（草案）
	关于中山区2010年国民经济和社会发展计划执行情况和2011年国民经济和社会发展计划（草案）的报告
区发改局等部门	中山区关于进一步促进区域经济发展实施十六条鼓励政策（讨论稿）
	中山区关于市政府管理职能下放及申请相关扶持政策的建议
区民政局	关于解决大连包装制品总厂职工上访问题的处理意见
区财政局	关于中山区学校抗震加固工程招标情况的报告
	关于中山区学校抗震加固工程监理招标情况的报告
	关于百信邦经贸有限公司改制遗留问题的处理建议
	关于给予欧力士中国总部项目优惠政策的处理意见
	2010年中山区财政预算安排说明
	关于中山区监察局电子监察系统采购招标情况的报告
	关于中山区城肥管理所强力吸污车、粪灌车采购招标情况的报告
	关于大连市第三十五中学教学楼改造消防项目招标情况的报告
	关于大连市第三十五中学教学楼改造弱电项目招标情况的报告
	对天管办《关于古玩城历史遗留问题的报告》的处理意见
	大连中山发展投资有限公司关于2010年投融资平台建设的请示
	关于天津街古玩城门面仿古装修工程招标情况的报告
	关于中山区桂林社区卫生服务中心电梯采购招标情况的报告
	关于中山区2010年绿化工程招标情况的报告
	关于中山区社区卫生服务中心信息化设备采购招标情况的报告
	关于城建局2010年防火道路及绿化工程监理招标情况的报告

续表

有关部门	通过事项
区财政局	关于大连市第三十九中学笔记本电脑等离子电视采购项目招标情况的报告
	关于大连市第三十九中学等离子电视采购复会情况的报告
	关于大连海军广场音乐喷泉维修工程项目招标情况报告
	关于中山区文明办社区宣传栏改建工程招标情况的报告
	关于大连市第四十二中学、春德小学幼儿园教学楼抗震加固工程项目招标情况的报告
	关于上报审核鸿鹏物业公司相关工程项目费用的报告的处理意见
	关于中山区解放路沿线路街改造工程招标情况报告
	关于中山区解放路沿线改造工程监理招标情况报告
	关于中山区所属学校塑胶操场铺装工程招标情况报告
	关于中山区校舍维修工程招标情况报告
	关于大连市第三十五中学外铺装工程招标情况报告
	关于大连市第三十五中学绿化、围栏工程招标情况报告
	关于大连市第三十五中学电梯采购及安装项目招标情况报告
	关于大连市第三十五中学、风景小学教学仪器设备采购招标情况报告
	关于大连市第三十五中学、风景小学教学桌椅采购招标情况报告
	关于大连市第三十五中学、风景小学多媒体教学设备采购招标情况报告
	关于大连市第三十五中学、风景小学体育器材采购项目招标情况报告
	关于中山区桃源小学弱电改造工程招标情况报告
	关于中山区中心小学、解放小学水暖改造工程招标情况报告
	关于中山区青泥小学、桃源小学水暖改造工程招标情况报告
	关于中山区地下停车场建设工程招标情况报告
	关于中山区地下停车场建设工程监理招标情况报告
	关于中山区环卫处地埋式垃圾箱采购项目招标情况的报告
	关于中山区环卫处压缩式垃圾车采购项目招标情况的报告
	关于大连市第十五中学、第十六中学改造工程采购招标情况报告
	关于中山区妇幼保健所医疗设备采购情况的报告
	关于中山区炮台山防火休闲公园、防火道建设工程招标情况的报告
	关于大连市天津街商业街工程招标情况的报告
	关于大连市中山区中小学2010年体育器材采购项目招标情况的报告
	关于大连市中山区中小学2010年教学设备采购项目招标情况的报告
	关于大连市中山区中小学2010年教学桌椅采购项目招标情况的报告
	关于第三十五中学、风景小学厨房设备采购招标情况的报告
	关于大连市中山区桃源小学改造工程采购招标情况的报告
	关于中山区区域化档案信息资源平台系统开发项目招标情况的报告
	关于中山区档案局系统硬件采购项目招标情况的报告
	关于中山区美术馆电梯采购招标情况的报告
	关于中山区美术馆空调项目招标情况的报告
	关于中山区美术馆装修工程招标情况的报告

续表

有关部门	通过事项
区财政局	关于中山区网络信息服务中心网络业务管理与控制系统招标情况的报告
	关于天津街商业街改造工程监理项目招标情况的报告
	关于中山区美术馆消防工程招标情况的报告
	关于中山区市民健身中心维修改造工程招标情况的报告
	对区青泥街道《关于购买街道办公用房的可行性报告》的处理意见
	关于中山区市民健身中心维修改造工程监理项目招标情况的报告
	2010年财政预算执行情况和2011年财政预算（草案）报告
	关于教育局笔记本电脑采购项目招标情况的报告
	关于大连市中山区教育局触控书写屏采购项目招标情况的报告
	关于中山区2011年城市绿化设计服务单位招标情况的报告
区财政局、人社局	关于我区行政事业单位第二步津贴补贴（绩效工资）调整的报告
区人社局	关于成立中山区劳动人事争议仲裁委员会相关问题的说明
	关于成立中山区劳动人事争议仲裁委员会的请示
	关于中山区信访、司法岗位补贴情况的报告
区审计局	中山区政府投资项目审计监督管理暂行办法
区行管办公室	关于景山街18-20号办公楼设计和资源分配方案的报告
区残联	中山区扶持残疾人自主创业和个体就业暂行办法
东港商务区推进办公室	关于东港商务区前期工作情况的报告
三山岛管委会	关于三山岛大岛经营权转让情况的汇报
天津街管理办公室	关于申请“老字号”进驻“老街”租赁补贴的请示

2010年中山区政府文件目录

中政发文件号	发文日期	文件标题
1	1月5日	关于为大连世界金融中心引进特一级施工企业办理有关手续的紧急报告
2	1月13日	关于江亲瑜等同志赴香港进行经贸交流的请示
3	1月14日	关于申请国家、省政府相关支持政策的报告
4	1月14日	中山区人民政府关于表彰安全社区建设先进集体和先进个人的决定
5	1月20日	关于中山区政府2009年度推进依法行政工作情况的报告
6	1月19日	关于印发中山区政府导入ISO9000质量管理体系工作方案的通知
7	2月2日	机密件
8	2月3日	关于李向东等同志赴荷兰、法国、德国进行经贸交流的请示
9	3月22日	关于中山区南部海域清理情况的报告
10	3月24日	关于对中山区教师进修学校改造项目下发规划设计条件的请示
11	3月25日	关于中山路鲜花带花钵改造工程的请示
12	3月31日	关于印发中山区做好第六次全区人口普查工作的通知
13	4月8日	关于在原大连沿海城市商业经济信息培训中心地块建设外国人居住社区的请示
14	4月8日	关于在“香榭里·街区”至友好路修建地下通道和建设铁路过街天桥及公交枢纽站的请示

续表

中政发文件号	发文日期	文 件 标 题
15	4月8日	关于建设中山区炮台山市民健身公园有关情况的报告
16	4月12日	关于办理大连嘉蒂生活广场项目重新启动相关手续的请示
17	4月22日	关于邀请孙广田副市长出席中山区招商引资项目说明会的请示
18	4月27日	中山区关于贯彻落实全市领导干部大会精神全力以赴抓好信访稳定工作的报告
19	5月4日	关于中山区七一街居民楼“4.10”液化气罐爆炸事故处理情况的报告
20	5月10日	关于更换迎宾路草坪相关问题的请示
21	5月7日	关于加快推进中山区岭前街16号楼山体护坡治理工程的请示
22	5月18日	关于邀请孙广田副市长出席锦华钟表洲际旗舰店开业的请示
23	5月18日	关于扩建中山区期货交易市场的请示
24	5月21日	关于印发中山区加强中小学校和幼儿园安全管理工作实施意见的通知
25	5月28日	关于中山区人民路金融商务区及东港延伸区争创国家级金融商务区的请示
26	5月28日	中山区关于申报国家服务业综合改革试点情况的报告
27	6月2日	关于安徽石商组团来中山区占用道路销售处理情况的报告
28	6月7日	关于邀请李万才市长会见力勤投资集团董事局主席闻健明先生的请示
29	6月13日	关于中山区烟尘污染源及综合整治工作的情况报告
30	6月21日	中山区人民政府关于表彰2007—2009年度中山区社区百姓评议基层站所工作先进集体和先进个人的决定
31	6月23日	关于江亲瑜等同志赴日本、香港、韩国进行经贸交流的请示
32	6月23日	关于中山区景山街旧区地块实施整体改造开发的请示
33	7月5日	关于保留家乐福、花样年华娱乐公司、麦当劳、金领健身户外柱式广告设施的请示
34	7月5日	关于申请在老虎滩渔人码头设立第12届中国国际啤酒节分会场的请示
35	7月8日	关于加快推进海景酒店二期改造项目建设的请示
36	7月9日	关于由市发改委牵头与部队商洽三山岛有关事宜并将三山岛开发予以立项的请示
37	7月12日	关于中山区申请拆炉并网补贴资金的请示
38	7月20日	机密件
39	7月23日	关于对东港新区社会事务用房进行规划预留的报告
40	7月26日	关于对武昌街旧城区整体改造项目与武昌街南“一面街”地块改造项目同步实施的请示
41	7月28日	关于棒棰岛浴场有“绿色环保”人员阻止游客游泳一事的情况报告
42	7月30日	大连市中山区人民政府关于表彰残疾人工作先进集体和先进个人的决定
43	8月19日	关于引进力勤投资集团有关情况的报告
44	8月19日	关于拨付中山区8月4日－8月15日岸壁油污清理及船只上坞工作经费的请示
45	8月25日	关于拟请李万才市长宴请力勤投资集团董事局主席闻健明先生的请示
46	8月31日	关于邀请李万才市长与力勤投资集团董事局主席闻健明先生共进早餐的请示
47	8月31日	关于提请市政府向沈阳铁路局发函商议大连火车头体育场发挥功能事宜的请示
48	8月31日	关于同意大连奥格窗业有限公司等两家企业申报专项资金贷款项目的报告
49	9月3日	关于将中山金融贸易区纳入辽宁沿海经济带重点发展区域的请示
50	9月5日	关于加快办理天津街老街项目所含的麻记酒店地块出让有关手续的请示
51	9月6日	关于启动春华街南地块改造项目的请示

续表

中政发文件号	发文日期	文件标题
52	9月20日	关于对力勤投资有限公司设立“大连黄金交易中心有限公司”和“大连矿石交易所有限公司”核名的请示
53	10月18日	关于提请市政府致函大连舰艇学院协调解决104舰拆迁安置的请示
54	10月21日	关于推进大连华英轮胎维修部拆除工作的请示
55	11月3日	关于同意驱逐舰（大连）信息技术有限公司等12家企业申报专项资金贷款项目的报告
56	11月5日	关于调整欧力士投资集团项目注册资本与投资总额比例的请示
57	11月10日	机密件
58	10月21日	2010年冬季征兵命令
59	11月17日	关于协调支持富丽华三期地下土石方及护壁桩工程开工的请示
60	11月23日	关于申请将南部大通道周边部分建筑与大连泰达美爵酒店东侧储备地块统筹规划的请示
61	11月23日	关于邀请孙广田副市长会见美国苹果公司考察团的请示
62	11月25日	关于启动中山区医院周边旧区地块改造项目的请示
63	12月29日	关于中山区卞纳意乡小区违法临建拆除情况的报告
64	11月30日	关于加快推进大连古玩城动迁的请示
65	12月1日	关于对金山水产养殖场三山岛海域养殖物补发清理补偿金的请示
66	12月10日	关于对姜延诗信访案批示落实情况的报告
67	12月10日	关于在中山区设立辽宁沿海经济带展示馆的请示
68	12月29日	关于网民反映大连明星小学校长违法翻建价值千万别墅有关事宜调查情况的报告
69	12月22日	关于处置大连华英轮胎维修部违法建筑会议纪要落实情况的报告

·公共行政服务·

【概况】2010年，中山区行政服务中心设有37个对外服务窗口，可直接受理工商、消防、劳动、房屋租赁等17个部门的71项行政审批和公共服务项目。各窗口按照服务人性化、行为规范化、办事效率化、信息公开化的要求，为市民提供服务。全年共办理行政许可和公共服务事项16.04万件，比上年增加6.6 %；按时办结率达100%。

开展“微笑服务在窗口、百姓满意在中心”主题教育活动。组织窗口人员学习其他窗口的业务知识，使其能提供更多的指导和服务，让群众办事少找部门少跑路。全年共组织主题教育和业务培训13次，取得明显效果。

强化监督，加强制度约束力。定时检查各窗口人员上岗情况，不定时抽查工作运行情况。在窗口设置《评议卡》，公布举报电话，聘请社会监督员，监督检查窗口人员的服务质量和服务行为。共通报批

区行政服务中心工作经验登上辽宁“民心网”头条位置

评7人，其中辞退1人。

优化服务，打造便民通道。按照“能简则简、能优则优”的原则，进一步梳理优化71个项目的审批流程，使办理要求和操作程序更加规范流畅，承诺期限和收费标准更加明确详细。将各项审批流程印制成《办事指南》在窗口摆放，还印制摆放几十种《便民手册》，办事群众通过“两册”，即可对所办事项的流程、时限和材料要求一目了然。区工商局将原先为重点工商业户提供的“预约上门服务”延伸到所有业户，受到企业好评。市房屋租赁窗口将工商业户办理房屋租赁登记备案时间，从3个工作日缩短为1个工作日，手续齐全的可现场办结。与辖区13个派出所建立流动人口租住房屋登记备案联系点，外来人员在办理居住证的同时即可登记备案租赁的房屋。区司法局以开展“民生司法”活动为载体，进一步加大法律援助力度，有1136人受益。区残联、工商注册、房屋租赁窗口共收到企业和群众表扬信6封、锦旗3面，有4个单位和10 名个人受到区政府表彰。

联审联办，发挥集聚效应 开通项目快速审批“绿色通道”，将区政府确定的重点项目纳入“绿色通道”办理范围，由中心指定联络员，按照急事急办、特事特办的要求办理各类审批手续。先后为营口银行大连分行、金宝天融大连投资中心等5个企业办理营运手续，平均审批用时6个工作日，效率比上年提高3倍以上。

附：

2010年中山区行政服务中心窗口项目受理情况

序号	主管单位	窗口名称	主要职能	受理件数	比上年增加（%）
1	区残联	残联	《残疾人证》初审	7034	12
2	区残联	残疾人就业年审	企业残疾人就业保障金审核	4015	4
3	区财政局	小额贷款	小额贷款贴息项目初审	3617	11
4	区计生局	计划生育	独生子女光荣证，一孩、二孩手续办理	1267	1
5	区司法局	司法	法律援助及法律相关咨询	1210	14
6	区人社局	享受优惠政策	大龄就业人员双险补贴认定	政策指导	—
7	区人社局	减免税、小额贷款	小额担保贷款审核；企业享受税费减免政策认定；困难居民家庭采暖费补贴	2314	15
8	区人社局	核发失业证	失业证审核发放	4405	5
9	区人社局	失业保险待遇审核	失业登记；领取失业金人员审核	7981	1
10	区人社局	失业救济金审核	失业人员领取失业金、补助，军转失业人员生活补助	7018	3
11	区卫生局	医政管理	医疗机构注册、变更、年审，执业医师报名初审；医学教育注册、办卡、年终核分；护师首次注册、换证等8项职能	4611	6
12	区卫生局	卫生许可注册登记 卫生许可审批	《卫生许可证》发放；卫生许可业务指导、咨询	5819	3
13	地税中山分局	个体税务登记	个体税务登记开业、变更、换发新证	8415	1
14	国税中山分局	个体税务登记	个体税务登记开业、变更、换发新证	8704	2
15	市房屋租赁管理中心	房屋租赁	房屋租赁备案；手续费及收益金收费	24017	15
16	区质量监督局	质量监督	代码证办理、年审及收费	12516	20
17	区消防大队	消防	公共场所消防安全业务咨询	1414	8
18	大连永鑫印章制作公司	公章制作	公章制作及收费	14679	8

续表

序号	主管单位	窗口名称	主要职能	受理件数	比上年增加（%）
19	区发改局	工商注册登记 工商名称核准 工商执照发放	非公办学前教育、行政事业单位行政收费审核；非公办议政机构、学前教育、培训机构备案	1967	5
20	工商中山分局		企业、一人有限公司、分公司、港澳个体工商户、企业法人登记、变更、注销、补照、换证；工商名称核准审核；营业执照发放及收费	16018	7
21	工商中山分局	工商登记咨询	工商登记的业务咨询	13679	6

（赵　婷）

·信访工作·

【概况】2010年，中山区委、区政府坚持“稳定为先、和谐为本、群众为重”的原则，以“事要解决”为核心，以息诉罢访为目标，畅通信访渠道，规范信访秩序，积极探索创新新时期信访工作方式方法，为全区经济发展、社会和谐稳定做出贡献。

全区共接待群众信访1641案次、3707人次，分别比上年上升27.4%和37.2%。其中，到市、来区集体访66批次、1627人次，分别上升33.3%和55.6%。受理群众来信131件，比上年下降13.8%；受理热线电话694人次，上升6.3%；解答群众信访咨询447案次、469人次，分别上升23.2%和25.1%。绝大多数信访问题在本辖区、本单位、本部门得到及时妥善处理，基本做到“三不出”，即小事不出社区，一般事不出街道，大事不出区。

当年信访工作的主要特点：

1.矛盾纠纷化解及时。为深入开展矛盾纠纷排查，中山区委区政府信访局两部热线求助电话24小时有人值班，及时掌握辖区居民诉求。充分发挥全区150名信访信息员的作用，对矛盾纠纷早发现、早报告、早协调、早处理，将其化解在基层。重大决策实施前，通过施行社会稳定风险评估，减少可能引发矛盾的隐患。全年全区共排查出矛盾纠纷255件，主要涉及城市动迁补偿、劳资纠纷和社会保障、公共环境及市场管理等民生问题，其中解决在萌芽状态的89件，占34.9%。

2.领导大接访和包案化解工作效果明显。信访大厅公示每日轮流接访的副区级以上领导姓名、职务、分管工作以及接访时间，方便信访群众了解。全年副区级以上领导接访151案次、1409人次。对疑难复杂的信访问题特别是一些“老大难”信访事项，区领导召开联席会议分析研究，提出解决方案。对进京上访人员属事单位不是本区的，由区级领导带案下访，协调责任单位，尽快解决问题。15件重点个体访案件和6件群体访案件由区级领导逐个包案，并在年底前全部结案息访。

区领导接访

区信访局组织开展信访条例颁布实施5周年宣传活动

系统。设立网上视频接访室，安装应用国家信访信息系统，开通网上信访邮箱，制定网上信访办理规章制度，全面推行网上受理群众信访业务，提高了信访信息化水平。

创新信访模式。将法院行政法庭导入信访服务大厅，组成“信访法庭”。区委书记、区长任庭长，副书记、副区长任副庭长，每周开庭1次，与行业专家、人大代表、政协委员、法院厅长等相关人员一起研判信访案件，确保解决问题更及时，信访定性更准确。

（许风华）

3.基层信访代理发挥实效。全区8个街道51个社区设立信访接待站，并将其延伸至居民楼院，由基层信访协理员、法律志愿者和信访志愿者以信访代理的方式向上级有关部门转呈信访事项。之后，基层代理人员随时与有关部门沟通协调，依据《信访条例》规定的时限向信访人及时反馈上级政府和行政机关的处理意见。基层信访代理变原来的“群众跑”为现在的“干部访”，为群众搭建起亲民的诉求平台。全区通过信访代理共平息访情306件。

4.敏感期信访稳控工作卓有成效。在全国“两会”和十七届五中全会期间，区先后6次召开信访稳定工作会议，部署重点个访、群访稳控工作，制定安保方案。新采取“五包一”稳控措施，即由街道分管信访工作的领导、信访专干、社区、片警、楼长组成“五包一”稳控网链，切实防止突发事件和越级上访，完成了“敏感期”的稳控任务。

【开展“积案化解年”和“信访工作效率年”活动】2010年，中山区按照省、市要求，积极开展“积案化解年”和“信访工作效率年”活动，把解决钉子案、难缠案、骨头案等历史积案作为信访工作的重中之重，努力化解影响社会稳定的矛盾纠纷。

区领导对历史积案逐个进行分析，先后13次召开区信访联席会议集体会商，研究解决方案。特别是十七届五中全会后，区委、区政府领导统一思想，投入稳定资金237万元，解决8起历史积案。全年共投入资金2268万元，用于解决信访突出问题。

【信访服务中心建设全市领先】中山区人民群众信访服务中心建成于2009年，面积1500平方米，其硬件建设在全市首屈一指。与此同时，该中心建立起矛盾调处的具体运行程序和制度，实行一站式受理、一条龙服务、一揽子解决，成为对信访稳定工作负全责，能够直接调处信访矛盾的全新工作载体，得到中央、省、市信访工作督导组的高度评价。

建立和完善信访工作网络传输

·人事工作·

【公务员和事业单位干部管理】2010年，中山区人力资源和社会保障局紧紧围绕全区中心工作，推进体制机制创新，加强公务员和事业单位管理干部能力建设和作风建设，为全区发展提供了有力的人事保障。

认真组织街道事业单位科级领导职位竞争上岗、公务员考录和干部任免工作，修改完善《中山区政府科级领导干部管理暂行规定》。全面启动公务员在线学习和管理系统，分2期举办公务员在线学习操作知识全员培训,全区科级及其以下公务员369人参加在线学习，参训率为100%。有28人学习成绩进入全市前100名，总排名在全市名列前茅。充分利用网络平台，实现公务员培训网络化。选派新录用公务员参加初任培训。完成大连市对区政府2009年度工作指标考评协调工作，为中山区2009年考评工作获得市政府综合考评中心城区组第一名提供了有力支持。

【人才工作】2010年，中山区紧紧围绕“人才强区”战略，加强人才引进和人才队伍建设。区人力资源和社会保障局编制《中山区2010年紧缺急需人才目录》，制定《中山区金融、航运、物流高端人才实施办法》，做好高端人才大厦服务和管理工作。建立中山区高端人才网和高端人才资源库，推行网上预约式服务。

（赵振库）

·电子政务·

【概况】2010年，中山区网络信息服务中心围绕中山区“首善区”建设大局，以提高服务型政府建设水平为目标，进一步完善网络基础，不断提升信息化应用水平。

建成行政审批电子监察系统。完成区纪委监察局的中山区行政审批电子监察系统建设任务，包括系统建设招标、设备硬件安装调试以及软件与政府网站的链接等工作，并于6月20日与市里联网，实现视频图像和监察数据传输，在全市各区市县中率先建成并投入使用。截至年末，全区已有5个部门进入全省统一的行政审批电子监察系统，省、市、区纪检监察机关均可适时对其行政审批事项进行网上电子监察。

改版升级政府门户网站。根据《大连市政府网站建设及考评试行标准》，对“大连中山”政府门户网站进行改版升级。改版之后的网站功能日趋完善，由开通时较为单一的信息发布功能扩展至网上办事、与民互动等多种功能；新增加英、日、韩外文版本。信息发布更加全面及时，发布量、点击量成倍提升，全年各部门共发布各类信息1200余条，约为上年的8倍（2009年共发布150余条）；日均点击量突破500人次，最高日点击量达到3651人次，分别为上年的2倍和7倍。

完成区应急指挥中心升级改造。根据全区应急工作需要，对区应急指挥中心进行了升级改造。维护保养所有设备，更新音响设备，增加触摸屏显示器。通过改造，指挥中心配套设备标准得到提升，管理和使用得到规范，更好地适应了应急工作的特点。

建成区域化档案信息资源平台。配合区档案局，完成中山区区域化档案信息资源平台一期工程。二期（2011年）和三期（2012年）工程将分别进行56个部门及街道数字档案室的建设，按照档案电子化、网络化、现代化管理的原则，以中山区档案局为中心，向下覆盖区内各部委办局、街道档案室，形成以中山区档案局为核心的区域化档案信息资源网络，实现全区档案的现代化接收、管理、利用、发布，使档案信息依托网络充分发挥应有作用，为全区经济建设和民生提供服务。

完成网络建设、调整及维护工作。调整区信访大厅整体网络，将党政内网接入区信访局。更新政府网站服务器，提高政府网站运行的安全性和稳定性，保障了政府与百姓之间的联系和互通。开始实施网络管控平台（互联网高速海量信息管控系统）建设工作,以完善网络管控体系，加强全区政务网络的管控、净化、流量管理、舆情分析、目标严控等方面的管理。配合区安监局，完成“国际安全社区”认证工作。维护全区政务网络设备，全年共排除各类故障11起，保障了各部门工作正常进行。

（赵志勇）

区网络信息服务中心不断完善网络基础

·行政事务管理·

【概况】2010年，中山区行政事务管理办公室不断增强后勤服务保障工作的主动性、开放性和有效性，实现后勤保障新突破。

强化服务意识，做好机关各项服务保障。共保障各类会议70余次，包括春节联欢会、区委全委会及区团委、区红十字会换届等大型会议。维修更换开水炉4处，改善了机关工作人员饮水质量。改造供水、供热管道多处，更换水龙头20余个，疏通下水7次。修缮门窗、办公桌椅45次，更换办公门锁33个，更换各种灯具及配件220余件，维修电话193个。进一步提高值班、监控、安全保卫及卫生保洁工作水平，加强应急情况处置和保密工作的管理监督。

*改善办公环境，深化节约节能机关建设。*建成中山区信访服务大厅，装修改造区人大常委会议室、应急会议室、一楼大厅、政务之窗等，改善了办公环境，提高了办事效率。重新划分停车位置，改善了停车秩序。严格控制空调、照明设备的使用，空调温度设置夏季不低于26℃、冬季不高于20℃，照明使用高效节能灯具，做到人走灯灭。加强节能产品政府采购，禁止采购能源利用效率低和国家明令淘汰的产品和设备。

*加强伙食管理，提高伙食保障能力。*规范成本预算、食谱预定、卫生防疫等项工作，更换大灶，新增消毒柜。严把食品采购、加工制作和餐具消毒关，全年未发生传染病和食物中毒问题。

*抓好车辆管理，确保行车安全。*大修和维护保养3台班车，班车运行正点率为99%。为各委办局出车40台次，累计安全行驶2.7万公里，做到安全正点。车辆检验率为100%，无重大责任事故。

*积极稳妥做好房改工作。*4月初，对全区机关、全额拨款基层事业单位及中小学校的房改专干进行业务培训。各单位统一安装使用《大连市住房档案和职工补贴管理信息系统》软件，实现房改工作规范化管理。年内安排购房补贴资金4476万元。

（王英全）

政协中山区委员会

·重要会议·

区政协第八届委员会第三次会议

【政协八届三次会议】2010年1月5－7日，中国人民政治协商会议大连市中山区第八届委员会召开第三次会议，178名政协委员出席。

会议审议并同意《政协中山区常委会工作报告》和《政协中山区常委会关于八届二次会议以来提案工作情况的报告》，表彰2009年度政协活动积极分子、政协工作先进集体、优秀提案，听取《政协中山区委员会提案委员会关于八届三次会议期间提案审查情况的报告》，审议通过会议决议。

会议期间，全体委员列席区人大十六届三次会议，以饱满的政治热情和高度的责任感，协商讨论《中山区人民政府工作报告》《中山区2009年国民经济和社会发展计划执行情况及2010年国民经济和社会发展计划的报告》《中山区2009年财政预算执行情况和2010年财政预算的报告》《中山区人民法院工作报告》《中山区人民检察院工作报告》，提出许多有价值的意见和建议。

本次会议首次安排大会发言。8位政协委员分别就《加快建设中山区科学发展首善区的建议》《抢抓发展机遇，发挥传统优势，努力建设区域性金融中心核心功能区》《挖掘商贸内需潜能，促进我区经济可持续增长》《引入U—CITY概念，提高中山区城市功能定位与产业发展》《中小企业发展存在的瓶颈及建议》《社区养老服务存在的问题及解决对策》《大力引进海外高端人才，促进中山区经济良好发展》《建立政府重大事项决策信访风险评估机制，为科学发展提供稳定的社会基础》作了发言。

会议共收到委员提案192件。经区提案委员会审查立案149件，其中属市办74件，区办75件。

【政协常委会议】2010年，政协中山区第八届委员会常务委员会共召开6次会议（第十二次至第十七次）。

第十二次常委会会议 1月5日八届三次会议期间召开。听取各讨论组对《区政协常委会工作报告》和《提案工作报告》的讨论情况。

第十三次常委会会议 1月6日八届三次会议期间召开。邀请区政府代区长江亲瑜、区委副书记何守林、副区长王世海与会，听取各讨论组对《区政府工作报告》和区政

府工作的协商讨论情况。

第十四次常委会议 1月7日八届三次会议期间召开。听取区法院、区检察院工作报告的协商讨论情况；听取《区政协八届三次会议决议（草案）》审议情况，同意提交全体会议通过。

第十五次常委会会议 3月11日召开。讨论通过《中山区政协2010年工作要点》《关于进一步加强中山区政协专委会工作的意见》。通报《政协委员协商讨论区政府工作报告和区政府工作所提出的意见和建议》报送的反馈情况以及2010年主席督办的重点提案。

第十六次常委会会议 7月13日召开。听取区政府办关于区办提案办理和落实情况的通报、区政协提案委《关于提案交办和转办情况》的报告、区政协秘书长关于《区政协2010年上半年工作情况和下半年重点工作安排》的报告。协商讨论《关于中山区高端服务业发展的建议》和《关于进一步加快中山区社区服务业发展的调查报告》。听取区委统战部关于政协委员调整说明，通过政协委员调整事宜。讨论通过专委会主任、副主任和专业组组长、副组长调整事宜。

第十七次常委会会议 12月17日召开。审议通过《关于召开区政协八届四次会议的决定》，审议并同意会议日程和议程。审议通过八届四次会议表彰事宜和八届政协委员调整名单。审议增补八届政协常委事宜。讨论通过《区政协常委会工作报告》《提案工作报告》以及人事任命事项。

·主要工作·

【有效开展政治协商】2010年，政协中山区委员会紧紧围绕事关全区长远发展的重大问题，主动、有备、有效协商。

组织委员召开协商议政会，对《区政府工作报告》、《中山区国民经济和社会发展第十二个五年规划纲要》、《中山区创建大连科学发展首善区实施意见》等进行专题协商5次，提出“突出中山区特点和优势”、“制定动态发展目标”等有价值的意见和建议，得到区委和有关部门的重视。

围绕上年区委、区政府提出的中央商务、商贸、生态宜居、旅游观光四大功能区建设发展战略，举办以“发展、创新、提升、跨越”为主题的座谈会，为功能区建设建言献策。有针对性地提出“利用地域优势，打造精品旅游项目”、“发展中小商业，实现商业转型”、“细化功能区定位的原则和标准”等建议。

【加强民主监督】2010年，政协中山区委员会发挥联系广泛、渠道畅通的优势，围绕全区中心工作和人民群众关注的热点、难点问题，积极向区委、区政府反映社情民意。全年共收集社情民意130件，采纳编发《滨海路木栈道有塌方危险》《大连商场东侧及2路停车场附近卫生差》等《社情民意》28期。

充分发挥委员在民主监督中的主体作用。组织特约监督员、行风评议员参加市区两级政协的政务公开、执法检查、工作督查、行风评议、基层站（所）评议等活动，旁听区法院刑事案件审判工作，视察监督全区中小学图书配备情况、35中学和风景小学等新校舍配套设施及预算情况、校园文化建设情况等。

会同老虎滩街道，举办主题为“关注安全，享受健康”的社区议事会，搭建百姓与政府部门沟通对话的平台，协助党委政府畅民意、解民忧，为创建国际安全社区出谋划策。

区政协召开功能区建设座谈会

区政协举办“关注安全、享受健康”社区议事会

区政协常委视察辽宁沿海经济带建设情况

区政协主席薛京利视察主席督办提案办理情况

区政协委员视察渔人码头和东港商务区

区政协委员视察站南综合治理工作

开展提案落实情况“回头看”活动。组织部分委员对环卫工作建议落实情况“回头看”，有效地解决了环卫临时工待遇、硬件配套、队伍建设等问题。

【积极参政议政】2010年，政协中山区委员会紧紧围绕经济社会发展中的重要课题，组织委员开展专题调研2次、专项视察9次，为委员知情明政、建言献策创造了条件。

开展重点专题调研。课题组发挥自身优势，深入区内外进行考察、调研，形成《关于中山区高端服务业发展的建议》。社区服务业是区政府大力发展的八大产业之一，区政协把推进社区服务业发展作为重点调研课题，形成《关于进一步加快中山区社区服务业发展的调查报告》。

组织专项视察。区政协组织常委会成员视察辽宁沿海经济带，为常委更好地履行政协职能拓宽了视野，创造了条件。组织委员视察残疾人工作、站南地区管理、食品药品安全、特色教育等专项工作，提出意见和建议40多条。还组织视察东港区开发、旧城区改造、大连戴尔解决方案中心、渔人码头等重点建设项目。对区城建局环卫工作进行“视察回头看”，跟踪问效视察中所提意见和建议的落实情况。

【创新提案工作】2010年，政协中山区八届三次会议共收到委员提案192件，立案149件。立案提案中：经济建设方面15件，精神文明建设和社会法制方面48件，科教文卫方面20件，城建交通方面66件；区办75件，转市办73件（立案42件），转省办1件（立案）。截至年末，经省市区三级政协审查立案的118件提案全部办结。其中：所提问题得到解决或基本解决的91件；已列入计划逐步解决的22件；因条件所限暂不能解决，有关部门已做出解释的5件。

针对提案工作“两高两低”（立案率、办复率高，采纳率、解

附：

2010年度中山区政协委员优秀提案

序号	提案标题	提案者
1	关于转变招商引资方式，提高招商引资实效的提案	中山区政协学习文史委员会
2	关于挖掘商贸内需潜能，促进我区经济可持续增长的提案	中山区政协经济科技委员会
3	关于打造低碳经济城市的提案	中山区政协提案委员会
4	关于建设区域性金融中心核心功能区的提案	民革中山区工作委员会
5	关于建设“首善之区”规划的提案	王毅敏
6	关于在后经济危机时代，航运物流产业应对之道的提案	瞿　宁
7	关于汽车租赁行业车辆被骗租、盗抢案情、案件处理难的提案	王钦利
8	关于加强中山区人民调解工作的提案	潘远风　郝晓蓓　崔道君　邹云光 郝　伟　闫利军　潘红岩　宋锡忠
9	关于建立政府重大事项决策信访风险评估机制的提案	刘　辉　张田收
10	关于加强大连市内停车场的建设与管理的提案	陈　峰　董　剑
11	关于保护中山区炮台山历史遗址的提案	冯　洁
12	关于进一步加强中山区中小学及幼儿园安全教育的提案	李天波
13	关于中山区美术馆的定位和经营问题的提案	于永华
14	关于合理医疗布局，优化医疗资源的提案	姜志良
15	关于推广修建港湾式公交车站的提案	郭扣扣

决落实率低）的问题，创新提案办理落实机制。（1）建立健全提案督办制度。上年，区委下发《关于加强政协意见和建议反馈工作的意见》，对各部门落实区政协提案、社情民意等提出具体要求。区政府办公室建立提案办理报告制度，定期发布督查通报，并向区领导和区政协报告。区政协进一步健全提案跟踪反馈制度，以30%的比例抽取部分已答复提案跟踪回访，促进提案有效落实。（2）加大主席督办重点提案力度。将区司法局承办的《关于加强中山区人民调解工作的提案》和《关于加大对基层民调工作者教育培训的提案》定为主席督办提案进行重点督办，有力推动提案落实。（3）继续组织提案“后评议”。组织委员对区经信局3年来承办提案落实情况进行评议，督促该局解决提案所提问题。

12月17日，区政协常委会通过《关于表彰2010年度政协活动积极分子、政协工作先进集体和优秀提案的决定》，有15个优秀提案受到表彰。

【加强政协专门委员会建设】2010年，根据市委《关于区市县政协机关设立人口资源环境委员会和委员工作委员会的通知》文件精神，政协中山区委员会增设人口资源环境委员会和委员工作委员会，专门委员会数量由5个增至7个，组织机构进一步完善。

促进各专委会发挥各自专业优势和界别特色。召开专委会和专业组工作研讨会，制定下发《关于进一步加强专委会工作的意见》，提出“强化专业组界别特色”等意见，增加了各专委会的工作活力。

开展富有界别特色的履职活动。联络组视察东港区改造情况；科技组参观大连化物所；法制组视察区消防大队，慰问消防官兵；学史委走访区内宗教场所；医疗卫生组考察大连市饮品企业、大连医科大学附属医院；教育组视察天津街文化市场等。

【提高政协委员履职能力】2010年，政协中山区委员会为委员提高履职能力创造条件。组织委员学习《关于政协文化的研究报告》，使委员认知和践行政协文化。邀请区政协咨询顾问、大连软件研究院院长赵立成作《真心实意落实科学发展观，踏实推进大连科学发展新跨越》专题报告；邀请区长江亲瑜向全体委员通报区情。组织常委考察辽宁沿海经济带。推荐学习《伟大的中国经济转型》一书。组织委员参加省市政协举行的《我与人民政协》《珍贵的回忆》征文活动，有16名委员积极投稿。

努力创新和设计委员活动载

区政协承办全国二十一城区（市）政协工作联系会第21次常务理事会

体，增强政协组织的凝聚力和亲和力。举办“委员学习日”活动，召开第三届委员趣味运动会，组织政协委员积极分子联谊、“三八”妇女节女委员联谊、植树绿化滨海大道等活动。

注重发挥政协街道联络委的作用。各街道联络委以委员进社区活动为切入点，积极搭建委员了解民情、服务百姓的平台，组织开展和谐家庭代表座谈会、委员与社区百姓“手牵手”等活动。

【全国二十一城区（市）政协工作联系会常务理事会】2010年4月21—23日，政协中山区委员会在大连新世界酒店承办。兰州市城关区政协、天津市南开区政协、桂林市七星区政协、呼和浩特市玉泉区政协、大连市中山区政协等5个理事会单位参加会议。会议讨论联系会第21次会议理事会工作报告，讨论通过第22次会议议程和日程，确定第22次会议于下半年在兰州市城关区召开，第23次会议在桂林市七星区召开。

鉴于联系会成员单位已由21个发展为28个，会议建议将联系会更名为“全国二十八城区（市)政协工作联系会”，提交全国第22次会议审议。

（于海峰）

中共中山区纪律检查委员会

【概况】2010年，中共中山区纪律检查委员会中山区监察局坚持做实基础性工作、做细经常性工作、做新特色性工作、做严规范性工作，全区党风廉政建设和反腐败工作取得新成绩。

年内，对投资建设项目、拖欠农民工工资情况、环境保护监管情况、考试考务情况、建筑市场招投标项目和政府采购招投标等进行全程跟踪监督。全年共受理群众来信来访34件，立案11件，结案11件，处分11人。共查处并撤消“小金库”21个，涉及金额152.5万元。开展监督检查行政权力运行制度建设试点工作，进展处于全市前列。在全市率先建成行政审批电子监察系统并投入使用。

【重大决策部署监督检查】2010年，中共中山区纪委区监察局加大对重大决策部署贯彻落实情况的监督检查力度。监督检查2项中央投资扩大内需项目以及当年新增的7项政府投资和2项非政府投资项目。检查11个工程建设项目，发现问题7个，均已整改。

专项检查侵害群众利益的突出问题。会同区人社局对拖欠农民工工资情况进行专项检查，纠正问题8个，共补发农民工工资51.2万元。会同环保局开展环境保护监管情况专项检查，检查企业710家，解决问题122个，发现并处罚环境违法案件59件。参与完成历时2个月的海上清污现场监察。

全程跟踪监督建筑市场招投标和政府采购招投标项目。监督建设工程招投标项目2个，共涉及金额1069万元，节约资金218万元。监督政府采购招投标项目20个，共节约资金473.8万元。

深入开展工程建设领域突出问题的专项治理。全面排查2008年以来立项、在建和竣工的建设项目以及区政府投资工程建设项目共329项，总投资2亿多元。全面排查2008年以来政府采购项目、全区公开招投标采购项目共81项，涉及金额7324.7万元，发现和整改问题7个。

稳步推进行政权力运行制度建设试点工作。7个试点单位共清理权力542项，调整权力20项，最终确认权力442项。

加大行政效能投诉件督办工作力度。共受理各类投诉38件，办结31件，办结率为81.58%。

落实《关于实行党政领导干部问责的暂行规定》。及时发现并纠正各种失职行为，保证党政领导干部对自己的决策和各项职务行为负责。此项工作在中办、国办调研组召集的座谈会上作经验交流。

【案件查办】2010年，中共中山区纪委区监察局坚持把案件查办作为反腐败斗争的治本工作，重点查处发生在领导机关和领导干部中的以权谋私、失职渎职、腐化堕落等违法违纪案件。共受理群众来信来访34件，初核案件18件，立案11件，结案11件，处分11人。

注重发挥区反腐败领导小组的作用，加强与公安、检察、审判、审计等部门沟通配合，召开相关部门联席会议，做到情况互通，线索互递。实施信访监督，加大信访案件查办和督办力度，提高信访案件按期结案率。对构不成违纪的信访问题，采取个别谈话的方式，进行告诫教育。

【廉政专项治理】2010年，中共中山区纪委区监察局开展专项治理，规范领导干部从政行为。

清理整顿公务用车。按照省、市纪委工作部署，全面清理整顿全区公务用车，对违反规定私自借用的7台车辆做出限期清退的处理。坚持领导干部驾驶公务车辆备案制度和节假日车辆封存管理制度，对个别存在问题的单位进行了通报。

专项治理公款出国（境）旅游。建立健全工作协调和情况通报等制度。年内，领导干部因公出国（境）22人次，均经过市相关部门审批。未发生党政干部违规公款出国（境）旅游现象。

专项治理“小金库”。共查处并撤销行政事业单位“小金库”21个，涉及金额152.5万元。

严格落实党内监督制度。继续坚持廉政谈话制度，对2009年5月以来提职的区管干部进行了集体廉政谈话。坚持个人重大事项申报制度，受理领导干部购房、购车、结婚等重大事项的日常申报，对6名操办婚礼的处级干部进行廉政谈话和登记备案。坚持述职述廉制度，全区204名处级领导干部就履行“一岗双责”及个人廉洁自律情况进行了公开述廉，接受群众评议。

【党风廉政宣传教育】2010年，中共中山区纪委区监察局坚持把加强党性党风党纪教育作为廉政建设的基础工作，不断加强教育力度。

开展《中国共产党党员领导干部廉洁从政若干准则》的学习宣传活动。集中1个月的时间，利用中心组学习、党员学习日、党校培训等形式，在全区掀起学习《廉政准则》的高潮。

深化“讲党性、树三观、促发展”党风廉政主题教育。创新开展“四个一”学教活动，即：利用机关大屏幕，每周播发一句廉政格言；利用政府短信平台，每月发送一条廉政短信；利用《中山党建》，每季剖析一个典型案例；每年底致领导干部一封倡廉信。全年共播放廉政格言32条，发送廉政短信12条，刊发典型案例5个。

关口前移，开展节前教育。各大节日前均下发通知，重申领导干部廉洁自律、制止奢侈浪费的各项规定，并公开举报电话，接受群众监督。

加强廉政文化建设。按照市纪委“廉政文化建设普及提高年”的工作要求，结合全区开展的“机关作风建设年”活动，在区机关开展“廉政文化建设示范点”创建活动，并于 11月份召开机关廉政文化建设示范点现场会。“规范化推进社区廉政文化建设工作”获市委惩防体系建设领导小组颁发的“大连市2010年惩防体系建设工作创新奖”。

【政风行风建设】2010年，中共中山区纪委区监察局继续狠抓政风行风建设，纠正损害群众利益的不正之风，进一步密切了党群干群关系。

建立健全纠风专项治理责任体系。政府部门和行业单位与区政府签订《政风行风建设责任状》。制定专项检查教育收费、医疗服务、药品购销等计划。对群众投诉案件出现一起查办一起，切实维护群众利益，共办理“民心网”交办件38件。区纠风办获省“民心网”投诉件办理工作先进集体称号。

不断完善行政审批和电子监察制度。建立行政审批事项联审联办工作制度，开通项目快速审批“绿

与新任领导干部进行集体廉政谈话

区纪委召开机关廉政文化建设现场会

色通道”。建立行政审批电子监察系统，开发建设“中山区电子监察网站”，该网站是目前大连市各区市县中第一家，也是唯一一家建成并投入使用的电子监察网站。建成独立使用的远程视频会议中心。

继续推进民主评议基层站所工作。制定《中山区社区百姓评议基层站所2010－2012年三年规划》和《2010年中山区民主评议政风工作实施方案》，创新开辟网上民主评议专栏。召开全区“2007－2009年度社区百姓评议基层站所”工作表彰会，表彰评议工作先进集体、先进站所、先进个人和优秀评议员。

配合区委开展“机关作风年”活动。采取行政电子视频图像监察、现场暗访、电话暗访、现场明察等形式，开展明察暗访工作，对5名违规工作人员做出处理。

【纪检监察队伍建设】2010年，中共中山区纪委区监察局结合学习实践科学发展观活动，完善机关集体学习、领导讲课和调研等制度，努力建设学习型纪检监察机关。

加大干部培训力度。选派2名纪检干部赴美国、新加坡培训，6名基层纪委书记参加中央纪委组织的业务培训班。组织为期1周的区纪检监察干部培训班。

加强组织建设。增加内设机构2个、人员编制4人，增加正、副处级纪检监察员指数4个，配备非党副局长1人，进一步健全规范了机构和人员设置。配齐、配精办案装备。完成ISO9000质量管理体系导入工作。注重机关电子信息化建设，其经验在全市纪检工作会议上交流推广。

（高裕民）

责任编辑　石黎明

民主党派和工商联

·民主党派·
·无党派人士联谊会·

【概况】中山区有中国国民党革命委员会中山区基层委员会、中国民主同盟中山支部、中国民主建国会中山区基层委员会、中国民主促进会中山区基层委员会、台湾民主同盟会中山支部、九三学社中山区基层委员会、中国致公党中山支部、中国农工民主党中山区基层委员会等8个民主党派组织以及大连市无党派人士联谊会中山区分会。

2010年末，8个民主党派组织共有成员666名，其中当年新发展20名。无党派人士联谊会有会员130名。

民主党派及无党派人士中，有省政协委员2名、市人大代表9名、市政协委员7名、区人大代表5名、区政协委员7名，还有多人担任政府部门监督员。

【中国国民党革命委员会中山区基层委员会】2009年9月成立。2010年末下属支部5个，有党员95名，其中新发展党员9名。党员中女党员37名、退离休党员28名；市人大代表1名、市政协委员1名、区人大代表1名（其中常委1名），区政协委员8名（其中常委1名）。

建言献策。以支部为单位，发动和组织党员深入调查研究，搜集社情民意，共向民革市委报送意见和建议30份。区政协八届三次会议首次增加党派大会发言后，在会上作题为《抢抓发展机遇，发挥传统优势，努力建设区域性金融中心核心功能区》的大会发言，并提交《关于建设和谐发展首善区的建议》的书面发言，得到中共中山区委的肯定并被有关部门采纳。当年新提出议案、提案12件。

共建工作。安排党员参与共建单位区卫生局的调研活动。组织部分党员与共建单位桃源街道班子成员举行恳谈会，邀请民革市委和区统战部领导参加，共谋桃源发展，协商共建规划。一支部协助桃源街道党校建设，党员薛兴宏教授和汪泽德应邀分别担任党校讲师团团长和讲师，共授课4次。党员袁宝莲牵头组建桃源红叶艺术团，丰富老年人业余文化生活。参与街道组织的科普活动2次。三支部参与共建单位区物价所检查执法活动9次，提出意见建议10余条。

组织活动。以区民主党派活动中心为基地，累计举办老同志健康系列讲座8期，共200余人次参加。各支部共开展活动30次，组织的凝聚力不断增强。开展社会公益活动，党员先后向四川什邡、王刚义孤儿院等单位捐献爱心善款共83.1万元，展示了民革组织良好的社会形象。

（民革中山区基层委员会）

【中国民主同盟中山支部】2008年11月27日成立。2010年末有盟员45名，其中新发展盟员8名。盟员中有博士6名、硕士16名，市政协委员1名、区人大代表1名，区政协委员2名。

区委常委与民主党派基层负责人召开联席会议

参政议政。当年提出议案、提案7件。盟员中的人大代表和政协委员积极参加民盟大连市委组织的建言献策活动。举办“我为中山献力量”主题活动，请区长江亲瑜作区情介绍，并与结对单位区民政局及桂林街道进行双向交流，为盟员认识中山、建设中山起到积极作用。

组织活动。5名新盟员参加民盟市委组织的新盟员讲座培训班。支部全体成员参加民盟市委组织的徒步活动。组织盟员参观新兴产业基地，观看话剧演出。重阳节为老盟员举办专场茶话会等。9名盟员参加区委统战部组织的登山比赛。成立舞蹈队。积极参与建立区民主党派活动中心有关工作，并在成立大会上代表各党派发言。

（民盟中山支部）

【中国民主建国会中山区基层委员会】2008年9月22日成立。2010年末下属支部7个，会员109名，其中新发展会员27名。会员中经济界人士占92%，有省政协委员1名、区政协委员7名。

参政议政。当年提出议案、提案23件。区两会召开后，委员会和会员中的人大代表、政协委员共同探讨在新形势下如何有效地组织会员为全区经济社会发展建言献策的问题，共提出意见和建议17条。组织委员参加区委统战部对骨干力量进行的提高参政议政能力的培训，开阔了视野，进一步增强建言献策的积极性。先后2次对天津街进行实地调研，提出加快闲置地块启动、尽快建立停车场、把天津街变成不夜街等重振天津街的建议，并形成调研报告。

社会服务。参加人民路街道扶贫帮困送温暖活动，捐款捐物合计2万余元。向华昌社区患病女大学生范文婷捐款1.08万元。受邀参加共建学校春德小学春季运动会，获赠“心系教育 爱洒校园”锦旗。在为普兰店磨盘山小学捐资助学活动中捐款1.2元、捐物价值5.5万元。到庄河慰问老红军，带去价值8000元的食品。

组织建设和活动。组织全员培训2次，学习会章、会史，强化组织观念，增强组织凝聚力。组织新老会员联谊活动，增进相互了解，使新会员尽快融入组织。邀请市民建副主委宋承勤为委员及新会员讲党派发展史。组织班子成员参观考察长兴岛临港工业区。部分班子成员赴厦门考察，同民建厦门市委探讨新形势下如何做好民建工作，并与民建厦门市金融总支部结成友好共建组织。参加区委统战部组织的金龙寺爬山比赛，取得团体第四名的好成绩。

（民建中山区基层委员会）

【中国民主促进会中山区基层委员会】2009年12月15日成立。2010年末下属支部9个，其中学校支部5个、医院支部2个；有会员133名，其中新会员14名。会员中有市政协委员2名、区政协委员1名。

建言献策。各支部组织会员对教育改革发展、经济社会发展、社会保障和公共服务体系等问题，积极开展专题调研并提出提案建议。召开参政议政会，商讨和筛选较有价值的议案，保证了提案的水平和质量。当年共提出议案、提案近20件。区政协委员、省优秀民进会员张旭阳主持的市级调研课题《加大青少年校外活动阵地建设充分发挥现有活动场所作用》的调研报告，区主委郑丽华主持的区级调研课题《关于加快重建中山区学生教育实践基地的调研报告》，得到区委和有关部门的肯定和重视，为推动区域社会事业进步起到积极作用。

服务社会。社会服务部、宣传部组织5个学校支部，在市九中开展中考现场咨询活动，大连电视台、《大连晚报》做了报道。医院支部与昆明街道联合举办老年常见病的预防和日常保健知识讲座，获得好评。组织“送教下乡小分队”到瓦房店市闫店乡中心小学，培训全乡小学教师。会员姜复越、崔殿宝是辽宁省特级教师，会员程丹、孙丽萍等获得“辽宁省优秀教师”、“大连市优秀教师”等荣誉。

组织建设　将班子12名成员分成4个工作部并明确分工，制定学习、例会、活动等项工作制度。围绕政治交接、贯彻落实科学发展观、树立和践行社会主义核心价值体系、继承和发扬民进优良传统、提高自身素质等方面内容，组织学习、座谈、交流和研讨活动。区主委郑丽华代表区基层委员会，在民进市委组织的全市基层组织负责人培训班上作经验交流。

（民进中山区基层委员会）

【台湾民主自治同盟中山支部】2007年11月成立。2010年末有成员27名。盟员中有市人大代表1名、市政协委员1名、区政协委员1名。

参政议政。着力发挥盟员中各级人大代表、政协委员、特约监督人员的骨干带头作用，积极建言献策，在各级人大、政协会议上共提出议案提案8个。在区政协全会上作题为《关于大力引进海外高端人才促进中山区经济良好发展》的大会发言。参加民主党派基层组织负责人到政府部门调研实践活动，与区旅游局有关领导就本区旅游工作进行广泛探讨，并形成调研报告上报区委统战部。

服务社会　为青海玉树地震灾区踊跃捐款。到市社会福利院看望孤儿，带去各种生活日用品和玩具。在中共大连市委统战部召开的“爱在滨城共建和谐”社会服务经验交流会上，支部成员林琳获“优秀个人”称号。

服务台胞。配合台盟市委接待台胞3批32人次，接待参加“台湾美食风情展”、“茶博会”的台胞。为台商台胞提供咨询服务10人次，组织协助台商投资考察2人次。与其他支部共同组织老盟员参观民俗馆、考察东联路等，增强组织的活力和凝聚力。

自身建设与活动。以参加培训，自学、答卷等形式，开展“学习和践行社会主义核心价值体系”活动，并邀请旅顺区委党校教师高华颖作有关报告。制定述职评议制度，不断增强支部活力。开展年轻盟员采访老盟员活动，对年轻盟员进行台盟“爱国爱乡”光荣传统教育，抢救了一些珍贵历史资料。参加区统战部组织的登山比赛，获得个人第一名。开展台盟大连市委会成立60周年庆祝活动，盟员蔡行铸、陈素梅夫妇提供大量珍贵历史照片和回忆录等，为《大连台盟六十年》画册的编辑出版做出贡献。

（台盟中山支部）

【九三学社中山区基层委员会】2008年8月成立。2010年末下属4个支社，共有社员92名，其中新社员5名。社员中，高级职称人员占90%；在职45名，已退休47名；有市政协委员1名。

参政议政。深入区经济信息局所辖科技企业，以“中山区科技企业人才情况”为题进行社会调研，对政府工作和政策制定提出建议，并形成调研报告。“7.16”输油管路爆炸灭火清污工作后期，副主委杜川通过学社大连市委提交题为《大连新港7.16事故污染应急反应进行评估的建议》的提案。当年共提出议案、提案4件。

立足本职做贡献。气象预报专家、社员邹耀仁和梁军，在“7.16”输油管路爆炸事件灭火工作中准确预报天气，为灭火、除油提供保障和支持，被市政府评为先进个人，邹耀仁还被授予“大连市第五批优秀专家”称号。大连大学附属中山医院支社主委王学金带领口腔科6名社员，积极开展科学研究，其“应力微型支抗种植体周围骨反应的影响及其力学规律的研究”成果获“大连市科技进步一等奖”和“辽宁省科技进步二等奖”，口腔科获“大连重点学科”称号，王学金本人也获硕士生导师资格。

组织建设和活动。按照学社市委安排和部署，把学习贯彻中共十七届四中全会精神和加强学社自身建设结合起来，提高成员素质。随着组织的发展和人员增加，将原大连大学附属中山医院小组升格为支社。

（九三学社中山区基层委员会）

【中国致公党中山支部】1985年成立。2010年为第六届支委会，有党员82名，其中新党员2名。党员中，在职37人，离退休45人；市政协委员3名、区人大代表1名、区政协委员5名（其中常委1名）。

参政议政。与中山区委、区政府主要领导座谈，就打造中山区特色商业区建言献策。与区商务局结成对子，定期参加该局工作会议。开展调研活动，形成《关于加快建设中山区特色商业街的建议》，上报区委统战部。与相关部门座谈，听取东部港区招商引资工作汇报，结合大量调研活动，为东港区建设提出建设性意见。在区政协八届三次会议上，副主委刘典超、党员悦泰房地产总经理吕冰增选为区政协委员。党员王红、吴非、王平被致公党大连市委评为“参政议政先进个人”。党员吴非关于医疗改革方面的提案被区政协列为重点提案。当年共提出议案、提案22件。

招商引资。充分发挥本党海外资源优势，负责安排并随同区政府代表团赴日本以及香港、深圳、哈尔滨、呼和浩特等地进行项目推介和招商引资，确立在金州新区卧龙湾中心商务区的项目投资达5亿元，为推进全区及全市经济建设做出贡献。

社会活动。积极响应中国侨联及大连侨联“为北川中学奉献爱心”的倡议并筹集善款，为北川中学灾后重建伸出援手。组织香格里拉大饭店与市外国人俱乐部联合筹办慈善舞会，募集票款13万元捐献给市慈善总会，用于改善普兰店小学校的供暖问题。

组织建设和活动。在“基层组织建设年”活动中，积极发挥党派作用，通过基层组织的领导方法及管理艺术的培训，全年各项工作取得长足进展，被致公党市委授予“先进支部”称号。积极参与区委统战部主办的各项活动，太极扇表演、双簧表演获得元旦联欢会优秀奖，还获得区统战系统运动会团体第四名。

（致公党中山区支部）

【中国农工民主党中山区基层委员会】2009年12月在原区支部基础上成立。2010年末下属5个支部，有党员92名，其中新发展6名。党员中有省政协委员1名、市政协委员1名、区人大代表2名、区政协委员3名。

参政议政。组织28名党员带着医疗卫生课题到长海县进行专题调研，并向农工党市委提出意见和建议。组织有关人员到区文化体育局进行调研，针对区图书馆建设方面存在的问题，撰写《关于推进中山区图书馆建设》的调研报告。当年共提出议案、提案8件。

社会活动。委员、大连迈德信科技发展公司总经理葛军与农工党市委会有关领导赴普兰店市夹河卫生院和金州区石河镇卫生院，捐献价值5万余元药品，帮助农村基层卫生院改善医疗条件。王志强、史旭昌、常庆利、伦杰贤等多名党员及艺术家多次参加救灾捐助活动，捐赠艺术作品和生活用品等。全体委员还通过市委会向中国红十字总会捐款，支援青海玉树地区的抗震救灾工作。

自身建设和活动。多次组织党员学习新时期统战理论政策和传达贯彻有关会议文件精神。建立健全基层委员会各项制度。发展党员6名，为基层组织工作注入新活力。结合第十一届大连艺术博览会，在星海会展中心组织庆祝农工党成立80周年全国书画作品展，党员的多幅作品受到市、区领导和美术界人士好评。参加区统战部组织的金龙寺公园登山比赛，取得团体总分第二名的好成绩。

区基层委员会被农工党辽宁省委评为“宣传思想工作先进集体”，被市委会授予“参政议政先进集体”称号。党员王志强、张利宏被授予“中山区优秀中国特色社会主义事业建设者”称号，杨丽丽、黄鹤当选“中山区优秀统战成员”，陈宝来、常庆利、李志分别被农工党省委评为“先进党员”和“宣传思想工作先进个人”。

（农工党中山区基层委员会）

区无党派人士联谊会理事会召开一届二次会议

【大连市无党派人士联谊会中山区分会】2009年3月12日成立，是全市第一个区级分会。2010年末有会员130名，其中新会员11名。会员中有市人大代表3名、市政协委员名、区人大代表20名、区政协委员50名（其中常委9名）。

参政议政。组织会员中的区人大代表、政协委员提出建议、提案共38件。以小组为单位深入社区倾听群众呼声，真实反映社情民意共50余条。发挥无党派人士优势，认真开展专题调研，搞好专题理论研究。

自身建设。加强组织建设，新发展会员11名，调整理事会成员19名，增补副秘书长7名。召开一届理事会二次会议，总结一届一次会议以来的工作，安排下一步工作。建立制度，初步建立会长会议、理事会会议、小组长会议等会议制度，初步拟定联谊会财务管理办法。

组织活动。组队参加民主党派文艺汇演，获优秀组织奖。参加区委统战部组织的趣味体育运动会，获第六名。参加全区统一战线登山比赛，获第一名。参与区委统战部组织的“三队”建设活动，成立群英法律服务队、牌类文化休闲活动队、太极拳体育健身活动队等，经常开展活动。

（中山区无党派人士联谊会）

·工商业联合会·

【概况】2010年末，中山区工商业联合会下设街道商会8个。共有企业会员461个、团体会员1个、个人会员938名，其中当年新发展各类会员62个。

这一年，区工商联围绕区委区政府中心工作，组织和带领会员积极参与科学发展首善区的建设。会员中的人大代表、政协委员共撰写议案提案52份。有3人被评为区“劳动模范”， 6人被区委统战部评为“优秀社会主义建设者”。2009-2010年，会员累计向灾区和贫困地区捐款600余万元。

为会员单位解决劳资纠纷和各种矛盾120件，维权59人次，提供法律咨询88人。

【为会员服务】2010年，中山区工商联充分发挥各级组织作用，为会员提供招工、招商、融资、培训等多项服务。

年初，区工商联和街道商会组织会员企业参加区劳动局、区总工

区工商联召开五届四次执委（扩大）会议

会以及街道组织的用工洽谈会，提供近千个用工岗位，与508人签订用工意向。

组织会员企业参加四川省宜宾市、黑龙江省哈尔滨市、河南省平顶山市、吉林省延吉市在连举办的招商说明会和项目投资洽谈会，为企业发展创造更多条件。抓住新市区开发建设的有利时机，组织会员企业赴普湾新区、金州新区进行项目考察，为会员企业发展创造条件。组织部分企业家赴日本、韩国进行项目考察，为企业发展牵线搭桥。

组织召开3次银企融资洽谈会，有2家企业4个项目列入银行考核。与大连民生银行中山分行达成战略合作意向。

组织会员参加市委统战部、市工商联举办的国内国际经济形势、民营企业发展形势分析报告会。会同区委统战部，组织会员参加市委统战部举办的北京大学第一、二期民营企业家理论培训，提高了企业家经营管理水平和抗风险能力。

组织召开4次民营企业座谈会，听取对区工商联以及区委、区政府工作的意见和建议，为企业解决在生产经营中遇到的问题80余件。

【建言献策】2010年，中山区工商联组织会员积极参政议政，为首善区建设建言献策。

组织会员参加市政协、市工商联等部门联合开展的《加快农村改革，促进城乡统筹发展》献计献策活动。结合工商联实践活动，向《中山党建》《主阵地论谈》《市工商联信息》《在商言商》等杂志投送信息累计88份。完成区政府有关职能部门下发的关于民营企业发展情况问卷调查160余份。会同区委统战部、市工商联领导走访调研多家民营企业，撰写《民营企业受金融危机影响》《工商联如何引导民营企业家树立科学发展观转变发展方式》的调查报告，得到上级领导批示。会员中的人大代表、政协委员共撰写议案提案52份。

【法律维权】2010年，中山区工商联把法律维权工作作为重中之重，帮助会员解决在生产经营中遇到实际问题。年初，经过积极争取，1名副主席成为区人力资源和社会保障局新成立的劳动仲裁委员会成员，为会员企业解决劳资纠纷等问题创造了条件。向会员单位分发《法律园地》《商会法苑》，组织会员参加上级举办的各类法律知识培训，不断提高经营者的法律知识水平。在基层工商联召开法律维权工作会议，做到上下互动形成合力。组织3次法律知识讲座，培训60人次。全年为会员单位解决劳资纠纷和各种矛盾120件，维权59人次，提供法律咨询88人。

【光彩事业】2009—2010年，中山区工商联组织会员通过各种渠道向汶川、玉树等灾区捐款，帮助灾区人民重建家园，累计向灾区和贫困地区捐款600余万元。与中山区环卫处青泥环卫所建立帮扶对子，送去价值1000余元的清洗用品和劳保用具。积极参加各级政府组织的助学助教扶贫活动，执行委员、大连报关学校校长王培全长年无偿抚养全国各地80余名孤儿，树立了民营企业家的良好形象。

（陈思潞）

群众团体

·中山区总工会·

【概况】2010年，中山区总工会以“基层活力年”为主线，以推进“三联”工作机制为抓手，重视基层工会组织和会员作用的发挥，工会各项工作扎实推进。

各级工会组织职工共签订和补签劳动合同16572份，其中集体合同426份(包括工资专项集体合同260份)，维护了职工的合法权益。共举办职业培训班23期，实名制培训611人，实名制安置就业1890人；扶持创业带头人12人、创业项目7个，为促进全区就业工作做出贡献。

街道工会规范化建设的难点问题基本解决，专职副书记的人员配备工作已经展开。“三联”（联建、联管、联动）工作机制和基层工会标准化建设加快推进。组团参加市第七届职工运动会，获得乙组金牌、奖牌和总成绩3项第一，实现历史性突破。

在市、区两级2008-2009年度劳动模范和先进单位评选中，本区评出市先进单位2个、市劳模18名，区劳模20名、区先进生产（工作）者100名。张彦、赵金旭获“辽宁省五一劳动奖章”。区委、区政府以及青泥街道、区环卫处等6个单位被市委授予“大连市支持工会工作先进单位”称号。

区总工会领导慰问建筑工人

【街道工会规范化建设】2010年，中山区总工会把街道工会作为区域性工会的主体予以重视，推进其规范化建设。

加强领导力量。根据市总工会《关于加强乡镇街工会规范化建设的意见》要求，结合本区街道工会现状，向区委提出“进一步加强街道工会领导力量，由街道党工委副书记兼任工会主席，设专职正科级工会副主席”的建议，得到区委常委会支持和肯定，基本解决街道工会规范化建设的难点问题。年内，街道工会机构编制和人员配备工作已经展开。

推广“三联”（联建、联管、联动）工作机制。制定《中山区街道工会联合会实行‘三联’工作机制暂行规定》以及推进方案，并于4月起向全区街道工会联合会推广，以解决“小三级”工会（街道工会联合会、社区工会、基础工会）职责不清、联合会管理服务力量薄弱、会员单位参与上级工会活动意识不强、组织建设不规范等问题。该项机制得到省市总工会的重视和关注，被全总第52期《工作要情》刊登推介。

为使“三联”工作机制得到企业工会的认同，注重发挥社区工会在机制中的承上启下作用。培训社区工会主席，引导社区工会与企业工会联合开展活动，提升其吸引力。向全区51个社区工会下发工作经费16余万元，以解决资金问题，为社区工会有效开展工作提供了保障。

继续推进基层工会标准化建设。为实现全区25人以上的工会组织全部达到1A级标准的目标，于年初在环卫处召开中山区五好3A等级工会创建推进现场会，通过典型引导，为基层工会提供了创建思路。同时，结合和谐劳动关系企业创建和职工之家建设，助推五好3A等级工会创建。此项工作得到市总工会基层标准化建设检查小组的充分肯定。

【“增强基层活力年”系列活动】2010年，中山区总工会以“增强基层活力年”系列活动为主线，增强基层组织的凝聚力和影响力。

开展职工技能竞赛。五一前夕，举行中山区日航杯·酒店业技能大赛总决赛，全区近20家酒店的40名选手参加预赛，19名选手进入决赛。决赛评出一等奖1名、二等奖3名、三等奖5名。其中，获一、二等奖选手被授予“中山区先进工作者”称号，三等奖选手被授予“中山区优秀员工”称号。全年开展岗位练兵、技能比武、“名师带高徒”等一系列活动，全面推行星级员工制，打造和叫响技工品牌。深化学王亮、“双优”竞赛和“服务创品牌”竞赛活动，激励广大职工学知识、学技术、创一流、当明星，培树星级员工带头人，全面提升全区职工队伍素质。

举办“五月歌会”。五一前夕，在胜利广场下沉广场举办中山区第七届风采主力军“五月歌会”，全面展示职工文化活动成果。各基层工会组织选送的12个文艺节目代表了全区职工文化活动水平，树立了工会组织良好的社会形象。

参加市第七届职工运动会。时隔17年举办的大连市第七届职工运动会，是全市职工体育活动的一件大事。区总工会对此高度重视，超前谋划、全员动员、周密组织。经过近6个月的比赛，本区在田径、篮球、羽毛球、乒乓球、保龄球、游泳、沙滩排球等全部10个大项的比赛中取得不俗战绩，共夺得44块金牌、64块奖牌，获得乙组金牌、奖牌和总成绩3项第一，实现历史性突破，充分展示了全区职工的精神风貌和体育运动成果。

【职工维权】以“双合同月活动”为载体，推进集体合同签订和工资集体协商。2010年开展的“双合同月活动”主题是“全面推进行业性工资集体协商”。中山区各级工会组织深入推进劳动合同、集体合同以及工资专项合同的签订，加快推进工资集体协商。全区形成15支工资协商指导员队伍，按照“区域谈基数、行业谈标准、企业谈增长”的方式开展工资谈判，对效益好、发展速度快的企业着重谈工资增长，对生产经营困难的企业主要谈工资支付保障。共签订劳动合同15790份，补签合同782份。签订合同中，集体合同426份，涵盖企业480家、职工18616人。集体合同中，工资专项集体合同260份，涵盖企业260家、职工10230人；区域性、行业性集体合同7份，涵盖企业75家、职工3581人。快客、远洋物业等单位成功开展工资集体协商，使职工工资有较大幅度增长。

打造中小非公企业维权平台，推进职工维权联合化进程。8月，在世贸大厦试点成立大厦工会联合会，制定完善大厦工会联合会职工代表大会制度和工资集体协商制度，并为其配备电子阅览机、读书角等设施。大厦工会联合会模式为小企业职工搭建联合维权平台，有效地解决了本区小企业众多、职工维权难的问题，缩短了工会组织与职工之间的距离，增强了小企业工会组织的工作实力。

【救助帮扶】“两节”救助。2010年元旦、春节期间，中山区各级工会组织共筹集资金37万元，走访慰问困难职工、农民工、劳模等2600余人，困难企业34个。还积极协调利用社会资源，为广大职工送医送药、送岗位、送技能，为困难职工子女提供助学，帮助农民工平安返乡等。

促进就业。自3月始，区总工会开展为期2个月的春季就业集中行动，在站南广场、胜利下沉广场等地集中举办用工洽谈会，邀请用工单位现场招聘，同时深入基层，送岗位到街道社区。共组织用工洽谈会12场，提供就业岗位3000多个，为4000余人次提供免费就业服务。组织开展创业讲坛、创业和就业技能培训，各级工会组织共举办职业培训班23期，实名制培训611人。实名制安置就业1890人，扶持创业带头人12人、创业项目7个，为促进全区就业工作做出突出贡献。

“金秋助学”。各级工会组织的“金秋助学”活动成果丰硕，共筹集资金9万余元，使51名来自困难职工家庭的学生得以继续学业，其中41名大学生将被资助到大学毕业。积极为困难职工家庭高校毕业生提供就业信息，进行技能培训和创业培训，帮助这些家庭摆脱贫困。

农民工维权和帮扶。（1）开展“夏季送清凉行动周”活动，慰问一线艰苦岗位职工。19－25日在全区开展以“六送”（送清凉、送健康、送文化、送安全、送常识、送政策）为主要内容的“夏季送清凉”集中行动，重点为那些奋战在创建文明城一线的城建系统职工和农民工，送去夏季清凉解暑用品和食品。（2）开展“迎中秋，庆国庆，送亲情”走访慰问活动。中秋、十一两节期间，各基层工会组织为农民工送去水果、月饼等慰问品，组织志愿者到工地与他们共度中秋佳节。走访慰问“三老”人员180多人、农民工700余人，送去价值1.5万余元的节日礼品。

基层星级帮扶站创评。从9月初始，区总工会在全区启动基层星级帮扶站创评活动。活动分为自检完善、自行申报、审核验收、评比表彰4个阶段，考评标准包括组织机构、硬件设施、管理制度、工作绩

中山区总工会主办日航杯·酒店业职工技能大赛

参加大连市第七届职工运动会开幕式的中山区代表团

区总工会举办中山区第七届“五月歌会”

效等4个方面。在事业单位、街道、社区3个不同层面分别选树1个帮扶站作为典型重点指导完善，调配数千元的日常救助物资，为其他帮扶站做出样板。对于达到星级标准的帮扶站，区总工会将每年按不同星级标准配备救助物资。

【维护女职工权益】2010年，中山区各级工会组织投入大量精力，维护女职工权益。

全面推进女职工安康保险投保工作。完成市总下达指标，其中教育系统保持高签保率，城建系统签保率大幅提升。

推进女职工特殊权益保护合同的签订。“双合同月”期间，各基层工会组织共签订女职工特殊权益保护合同375份，涵盖企业422家，涵盖女职工6120人，有效地保护了女职工的劳动权益。

在市总工会召开的2008-2009年度女职工先进集体和先进个人表彰大会上，本区9个单位和个人受到表彰。其中，区环境卫生管理处站前管理所获“五一巾帼集体奖”；大连新天食食品有限公司总经理王淑霞获“五一巾帼个人奖”；区委副书记何守林获“女职工之友”称号。

（杨宝宏）

·共青团中山区委员会·

【概况】2010年末，共青团中山区委员会有基层团委 29 个、团总支 4 个、团支部 446 个，共有团员1.1万名。

这一年，全区各级团组织以“想在长远，干在实处，走在前列”为总体工作思路，紧紧围绕全区各项中心工作，实现“三个带动”（以“一街一品”、“两新”组织团建项目工程带动区域覆盖，以“青年就业创业服务直通车”工程带动资源整合，以“关爱农民工子女”带动志愿服务），团结带领全区广大团员青年，为区域科学发展、和谐发展、率先发展做出积极努力。全区新建“两新”团组织73家。新建青年就业创业见习基地20家，增加见习岗位450个。为农民工子女及贫困学生发放各类助学金11.4万元。团员青年为干旱地区和青海玉树地震灾区捐款9.7万元。

五四期间，全区有12个团组织被团市委授予2009-2010年度大连市“五四红旗团委”、“先进团委”、“先进团支部”、“十佳两新团支部”称号，21名团干部和团员青年被授予“大连市优秀团干部”、“优秀团员”称号。

【探索“两新”团建模式】2010年，中山区“两新”（新经济组织、新社会组织）团建工作立足区域覆盖，探索出大厦建团、物业牵头建团、属地化社区建团模式。截至年末，全区新建“两新”团组织76家，超额52%完成年任务指标。累计建团170家，覆盖35周岁以下青年3515人，其中团员青年1991人。共发放团建启动资金1万元，配送《中国青年报》、《大连青年》等报刊各167份，开展各类培训562次、活动430次。

启动“一街一品”项目工程。着重打造出世贸大厦、红星美发美容培训学校等一批高品质、高效能、高联动的示范性“两新”团组织，形成以点带面的网络化“两新”团组织格局。

探索建立“1+1”工作机制。聘请社区党建联络员和团组织负责人，分别担任“两新”组织重点单位的团建工作指导员和联络员，摸索出青年工作联络员、指导员、行业联合团组织等多种组织设置。

以评促建，发挥典型作用。进行中山区十佳“两新”团组织评比，表彰10个具有示范带头作用的团组织，为全区“两新”组织的团员青年成长成才树立了榜样。

重视团干部队伍建设。举办“两新”组织团干部青年励志座谈会，特邀大连白云书院院长孙海鹏以“责任与成功”为主线，诠释新时代赋予青年的责任和使命与个人成功之间的关系。

【参与和谐社会建设】关注农民工子女。2010年六一前夕，中山区团委正式启动“大手牵小手 青枝哺绿芽”——中山区共青团关爱农民工子女志愿行动，志愿者现场为孩子们画像，跟他们一起玩趣味游戏，让农民工子女同样享受到节日的快乐。截至年末，团区委已与全区18所农民工子女相对集中的学校建立对接，并与其中12所学校建立“一助一”对子1139对。年底，该项活动被团中央授予“第八届中国青年志愿者优秀项目奖”。

关注贫困生群体。为全区87名贫困学生发放希望工程助学金共4.34万元，为24名考入大学的贫困学生发放福彩助学金共5.9万元。为40名农民工子女发放助学金共2.1万元、保暖内衣10套，为50名农民工子女发放面值100元的电话卡，捐助文体学习用品百余件。筹集书籍200多本，在海广农民工子女社区学校建立“绿芽希望书角”。

参与创建国家文明城活动。7月20—23日，分别组织大连理工大学、辽宁师范大学、39中及8个街道的青年志愿者共150余人，集中开展“三个一”活动，为文明市民献一束鲜花、为一线工作者献一碗凉茶、帮助环卫工人清理一个卫生死角，全力配合迎接文明城检查。活动中共为1300名市民献花，为28名交警、65名环卫工人送水，帮助清理卫生死角9个。

加强未成年人保护。各级团组织利用寒暑假、综合治理宣传日、法律颁布纪念日等时机，开展“学法懂法用法 竞聘名誉小律师”、“与法同行 茁壮成长”、“安安全全度寒假 欢欢喜喜过大年”等普法教育和安全自护活动，强化学生法律意识和自我防范能力。

开展青少年节能低碳宣传活动。6月下旬，由区团委主办，大连联华快客中山商业有限公司团总支承办，开展“温室效应我不要 低碳生活我拥抱”青少年节能低碳宣传活动，通过发放倡议书，组织低碳环保签字仪式等形式，积极倡导广大青少年从日常点滴做起，节约资源，低碳生活。

【助推青年创业就业】加强青年就业创业见习基地建设。2010年，中山区团委结合本区经济结构特点，经调查摸底和资格审核，新建青年就业创业见习基地20家，增加见习岗位450个，为辖区青年就业提供更多机会及专业指导。全区累计建立见习基地33家。年内，有5家见习基地参加团市委举办的现场招聘会，提供见习岗位112个，现场达成初步意向24份。有4家基地申报辽宁省青年就业创业见习基地。

启动服务青年就业创业直通车工程。在纪念“五四”运动91周年之际，组织开展“高擎五四爱国旗帜助推青年就业创业”主题活动，在全区启动此项工程。开展“深入两项调研，完善四项功能，搭建一个平台，组建一个团队，树立一批典型，打造一个基地”系列活动，建立青年就业创业帮扶长效机制，固化帮扶载体和平台，制订中长期工作规划，切实服务青年就业创 业。全区有9名青年创业典型入选大连青年创业项目及典型数据库。

【强化青少年思想引导】着力于青

团区委组织青少年开展“我为创城献力量”活动

参加活动的青年志愿者

少年社会教育。2010年，中山区团委以纪念“五四”运动91周年、国庆61周年等主题教育活动为契机，引导青少年牢固树立中国特色社会主义的共同理想。各级团组织以14岁“迈入青春门”主题教育、16岁“公民意识”教育、18岁“成人仪式”教育为主线，分别开展“学习传统文化、弘扬敬老精神”、“情暖社区少年行”、“青少年寒假嘉年华”、“感恩母爱，幸运相随”等主题活动，强化青少年的社会公德、家庭美德、诚信、感恩等教育。在团市委组织的“做四好少年，创快乐生活”漫画大赛中，我区征集参赛作品100余件，其中2件分获二、三等奖，3件获优秀奖。

培养初中优秀学生典型。累计选送39名学生代表参加团市委组织的“少年领袖”培训班学习，保证社会主义事业后继有人。

培养爱国主义精神。开展“祖国发展我成长”教育实践活动，激发青少年的爱国情怀。开设“国学讲堂”，弘扬中华优秀传统文化。配合区委宣传部，组织开展“激情大连·魅力中山”群众性诗歌创作咏诵活动，动员广大青少年积极参加红诗创作，激发他们的爱国热情。共上报原创作品70余篇，其中2篇获三等奖。

巩固思想教育阵地。抓虚拟阵地建设，建立信息员制度，完善信息收集、报送机制。借助社会传媒力量，大力宣传优秀共青团品牌活动和先进青年典型。借助区团委网站、《中国青年报》《大连青年》《中山团情》《青教保护信息》和QQ群等载体，扩大青少年思想教育工作覆盖面。加强团员青年教育引导，新成立楼院青年联谊社、军地青年联谊社、社区工作者联谊社等青年组织，打造网络和时尚文化阵地。中山红星教育团支部通过动画视频、网络会议、自排话剧等多种形式开展支部政治学习活动，团员对学习形式和效果的满意率达到97.6%。

抓实体阵地建设。推进青年文化项目，通过被团中央命名为“共青团支持基层工作青年书屋”的中山区图书馆桃源街道分馆这一平台，为区图书馆更新图书6300余册。与区图书馆、区少年宫以及街道文化活动中心、职工活动中心、党员活动中心实行资源共享，扩大活动阵地。强化青年志愿者服务制度化建设，在各街道青年志愿者中推行志愿服务时间累计制度，建立青年志愿者联系网络化工程，开展志愿者定点帮扶工作，优化志愿者队伍结构，全区青年志愿者增至3.8万名。加强8个街道青年中心建设，逐步形成以青年中心为依托的社会化覆盖，将建立起来的“两新”团组织陆续吸收到青年中心团体会员中。

（孙龙新）

·中山区妇女联合会·

【概况】2010年末，中山区妇女联合会有街道妇联8个。

这一年，全区各级妇联组织紧紧围绕大局、服务妇女，夯实基层妇女组织建设，丰富活动载体，促进妇女就业创业，加强巾帼志愿者服务水平，积极维护妇女权益，努力提升全区妇女生活质量，为科学发展首善区建设贡献力量。全区有3000余名妇女接受就业技能培训，成功实现就业2155人。全区1000多支巾帼志愿者服务队、1万余名巾帼志愿者，为群众提供10万多小时的志愿服务。62名妇联干部与62户特困家庭对接帮扶。

当年，中山区就业服务中心妇委会获“辽宁省三八红旗集体”称号，大连来来旅行社总经理段淑玲获“辽宁省三八红旗手”称号，中

团区委启动青年就业直通车工程

团区委开展关爱农民工子女志愿服务行动

区妇联承办大连市明星邻居评选活动

山区妇联获“大连市三八红旗集体”称号。桂林街道解放社区获“全国学习型家庭示范社区”、老虎滩街道获“全国妇女健身示范站”、桃源街道长利社区获“全国妇联基层组织建设示范社区”称号。昆明街道武汉社区获“辽宁省家庭志愿服务示范基地”、老虎滩街道中兴社区和桃源街道长利社区获辽宁省“和谐家庭示范社区”称号。海军广场街道春和社区、老虎滩街道杏花社区、桃源街道长利社区和医校社区获辽宁省“妇女儿童维权服务与社会治安综合治理示范工作站”称号。

【妇女创业就业】2010年，中山区各级妇联组织积极开展“妇女创业就业”、“春风送岗位”等系列活动，为失业妇女、流动妇女、女大学生创业就业提供服务。组织开展各类创业就业技术培训，教育引导失业妇女调整心态、树立创业信心、增强就业能力。各街道妇联与驻街道企业联合，为辖区妇女提供技能培训和就业岗位，全区有3000余名妇女接受就业技能培训，成功实现就业2155人。

各基层妇联还组织辖区妇女开展巾帼岗位大赛、巾帼大练兵等活动，强化专业技能，提升专业素质，推动妇女岗位建功、岗位立业。

【妇女维权工作】2010年，中山区妇联以“促进和谐中山建设，加强妇女法制宣传教育，依法维护妇女权益”为主题，开展“维权宣传月”活动，广泛宣传《宪法》《妇女权益保障法》，帮助妇女树立维权意识。共举办维权、理财、法律等各类知识讲座40余场，开展广场咨询服务活动11场，发放各类宣传资料1万余份。通过法官进社区、律师进社区、法律知识竞赛、案例现场解答、教授客座社区、路街法律咨询等活动，为社区居民提供法律咨询服务，帮助妇女群众维护自身合法权益。

全年，全区各基层妇女维权服务站协调化解各类矛盾纠纷百余件，化解率达98%，为近千名百姓提供法律维权服务。

【妇女儿童节日活动】2010年，中山区妇联在三八国际劳动妇女节期间，举办“庆三八、话首善”全区各界妇女座谈会，组织区妇女企业参加“巾帼创新业，‘三八’欢乐行”大连妇女万种商品展销会活动。各基层妇联为贫困家庭送去慰问金、慰问品等价值10万余元。

母亲节期间，评选出11位“感动母亲”，并与区文联、区朗诵协会合作举办“妈妈，您好”感动母亲颁奖晚会。组织100多名志愿者慰问53名空巢母亲，为5名特困母亲提供救助金共2500元。

六一国际儿童节期间，以“关爱流动儿童，优化成长环境”为主题，开展“心手相连，快乐成长”关爱流动儿童志愿者服务、“青少年爱国主义读书教育”等活动，并为三八小学“阳光少年队”争取到资金1万元。各级妇联为全区百名特困儿童送上慰问金及学习用品3万余元，为“阳光书屋”新添书籍1000余册。

【关爱女性健康行动】2010年，中山区妇联积极开展“粉红丝带飘起来，关爱女性生理健康”、“健康大讲堂”、“呵护半边天，美丽俏佳人”等女性健康、文化、礼仪知识讲座43场，邀请医学专家和专业讲师，为3000余名女性提供健康援助。

开展“支持双丝带，共享好人生”为主题的“双丝带行动”宣传活动，普及“两癌”防治知识，发放宣传手册1000余份，邀请专科医生义诊咨询。与区机关党工委联手，组织机关女干部体检。与区卫生局联手，整合区内医疗机构的有利资源，为辖区百名特困母亲提供免费体检服务。各基层妇联为1200多名妇女提供价值4万余元的免费体检。

【特色家庭创建活动】2010年，中山区妇联以改善家庭成员之间、家庭与社会之间、家庭与自然之间关系为中心，开展平安家庭、和谐家庭、学习型家庭等特色家庭创建活动，引导妇女关心社区发展、参与社区建设，加强家庭与社区的互动。桂林街道解放社区被全国妇联授予全国“创建学习型家庭示范社区”称号；老虎滩街道中兴社区和桃源街道长利社区被省妇联授予辽宁省“和谐家庭示范社区”称号。8户家庭获市妇联授予的“大连市和谐家庭”称号；另有100户被评为区“文明家庭”，100户被评为区“平安家庭”。

青泥洼桥街道妇联开展关爱农民工志愿服务活动

【妇联干部帮扶特困家庭】2010年，中山区妇联开展“妇联干部走进妇女，共促和谐”活动，采取“一户一策”的方式，实现62名妇联干部与62户特困家庭一对一帮扶。妇联干部个人捐助现金近万元，捐物品百余件。

区妇联收集整理被帮扶家庭反映出来的就医、子女就学、就业、住房等共性问题70个，反馈到区委、区政府，畅通了百姓诉求渠道，年内已解决问题62个。

（吉芳娇）

基层妇联干部帮扶慰问孤寡老人

·中山区科学技术协会·

【概况】2010年，中山区科学技术协会有基层协会8个。

这一年是中山区再创建“全国科普示范城区”和“辽宁省科普示范城区”的申报年，也是市“星级科普社区”再创建年和社区科普大学启动年。区科协制定多个实施方案，其中《创建全国科普示范城区实施方案》经区委常委会研究通过，并以区委、区政府名义下发落实。区委书记李向东带队到科协了解全区开展科普工作和贯彻落实国家《全民科学素质行动计划纲要》情况。区长江亲瑜带队到社区现场查看科普画廊阵地建设，研究全区科普画廊设施升级、管理和利用问题。区科协制作完成《高扬创新之帆 提速科普之舟》科普工作宣传专题片，全面展示中山区近两年的科普工作成果。

继续推进“科教进社区”活动。充分利用各种资源，贴近群众需要，开展以科普大学、科普画廊、科普创建、科普文艺、科普电影和科普书籍进社区的“六进社区”活动。全区50多个基层科普站、3000多名志愿者参加科普宣传、教育和服务，展出科普挂图、展板500余张（块），举办科普讲座250余场次，发放宣传资料近万份。

【广场科普活动】中山区域内有广场多处，这些广场是市民聚集进

区科协承办全国科普日暨大连市“科普之秋”活动启动仪式

行文化娱乐健身活动的重要场地。每年夏秋特别是科技周、科普日期间，区科协都组织各街道，在各大广场轮流或集中举办科普活动。

2010年，中山区科协承办“大连市全国科普日暨科普之秋活动”。9 月19 日全国科普日当天，区科协联合中国健商杂志社和大连市天天科普推广服务中心，在胜利广场开展以“低碳大连拥抱时尚”为主题的科普活动，组织企业、医疗机构以及健康医疗专家、营养专家，举办健康讲座，免费提供义诊咨询，发放《夏季科学养生指南》等，进行文艺演出，吸引大量群众。共有1500余人参与活动，发放科普手册5万余册，展出科普挂图4000余张、展板500余张（块），举办科普讲座250余场次，呈现“主题鲜明、贴近民众、注重规模、突出成效”的特点。

【青少年科技竞赛】2010年，中山区科协围绕《青少年科技素质教育大纲》，重点组织青少年参加省、市各类竞赛和创新大赛活动，竞赛水平和参与规模都有提高。组织机器人、七巧板、科幻画3大项目103人次参加辽宁省第二十五届创新大赛，2个创新项目获金牌，其中中山区中心小学学生吴俊融获得参加全国科技创新大赛资格（获三等奖）；69幅科幻画获一、二等奖。组织 6人参加辽宁省青少年机器人竞赛，获一等奖1个、二等奖4个。广大青少年通过竞赛活动，学科学、用科学的精神和参与科技实践活动的热情以及创新能力都有较大提高。

【创建科普大学】中山区一直致力于市民科普学校建设。到2009年末，全区51个社区普遍建立科普学校。

2010年，大连市科协提出关于社区创建科普大学的要求，并制定下发《大连社区科普大学章程（试行）》，其目的是丰富社区科普活动内容和形式，形成继续教育、终身教育和自主学习的长效机制，不断提高城区居民科学素质 。

年内，中山区落实各项措施，稳步推进科普大学创建工作。成立由区科协主席为组长，街道秘书长为成员的区创建社区科普大学工作领导小组，制定下发《中山区社区科普大学活动实施方案》，并将科普大学创建工作纳入“十二五”规划目标管理考核体系以及年度科普工作计划中。在经费有限的情况下出资近5万元，为部分试点校配备桌子、椅子、图书等，为区校制作校匾和教室宣传板，为讲课教员提供补助。聘请热爱科普事业、有较高专业水平的在职或离退休科技人员，组成社区科普大学讲师团，以保证社区科普大学办学质量。

截至年末，全区已升级改建2所市级科普大学、 2所区级分校和6所

承办全国第二十届部分城区科协工作研讨会

社区试点分校，其他升级改建工作正在稳步推进。

【区域居民科学素养抽样调查】2010年4月初，按照国家公民科学素养调查领导小组要求，中山区科协组织进行区域居民科学素养抽样调查工作。区、街、社区三级联动，成立工作组，召开培训会议，明确分工职责，确定5个街道13个社区共230户作为入户抽查对象。共完成抽查样本230份，其中省样本200份、国家样本30份，是全市样本最多的单位。调查结果显示，中山区公民科学素养优秀率达到99%。

（李　妍）

·中山区残疾人联合会·

【概况】2010年末，中山区有残疾人1.96万人，其中肢体残疾4599人、视力残疾1461人、听力残疾3428人、言语残疾2320人、精神残疾1891人、智力残疾3862人、多重残疾2039人。

中山区残疾人联合会下设残疾人专用车、肢残人、盲人、聋人、精神残疾人亲友、智力残疾人亲友等6个专门协会。全区8个街道均设有残联，51个社区设残疾人专职委员，共有残疾人专职委员60名。

这一年，区残联始终坚持政府主导、保障权益、突出重点、因地制宜，创造性地开展工作，精心打造让全区残疾人“得保障的首善城区，能富裕的爱心城区，有幸福的和谐城区”。区荣获中国残联授予的“全国白内障无障碍区”称号；区残联被省残工委授予“辽宁省扶持残疾人就业创业先进集体”称号，被市委、市政府授予“大连市残疾人之家”称号，区残联副理事长王飞舟、区残联工作人员柏萍获市委、市政府颁发“大连市优秀残疾人工作者”奖。

8月2日，区政府召开中山区残疾人工作表彰暨推进“创建全国残疾人工作示范城市”大会，表彰20

区残疾人工作者、优秀残疾人代表等参观上海世博会

召开区残疾人工作表彰大会

组织残疾人参加用工招聘会

举办区第三届残疾人趣味运动会

位“中山区优秀残疾人工作者”、40位“中山区扶残助残先进个人”，以及“中山区残疾人工作先进集体”、“中山区残疾人职业技能培训先进集体”、“中山区安置残疾人就业先进集体”等，对“创建全国残疾人工作示范城市”工作进行再动员，有力地推动了全区残疾人工作蓬勃发展。

【残疾人就业】2010年，中山区残疾人劳动就业实现跨越。区政府制定出台《中山区扶持残疾人就业管理暂行办法》，投入300万元，用于扶持残疾人创业，鼓励残疾人就业，奖励用人单位吸纳安置残疾人。区残联拓展残疾人就业培训项目，建立残疾人职业技能、手工艺、盲人、聋人等14个示范培训实习基地，其中当年新建6个，扩大了残疾人就业选择范围。全年举办各种技能培训班8期，共培训残疾人299人次。采取个体创业、公益岗位、企业安置等多种就业路径，切实促进残疾人充分就业，安置残疾人实名制就业共142人次。规范发展盲人保健按摩机构18家。

【残疾人托养】2010年，中山区残疾人联合会把残疾人托（安）养列为工作重点，将低保重度残疾人全部纳入城市“三无”供托养体系。符合条件的残疾人全部纳入城市居民最低生活保障制度，实现应保尽保，对重度残疾人在低保标准基础上上浮30%－100%。

全区建有日间照料站6个，共托养残疾人70名。共向在区内托养机构、日间照料站享受托养服务的残疾人发放补贴49.4万元。转介市托养机构重度残疾人30名。本区智障人士自办自管的幽兰咖啡厅成为全国第一个民办公助的智力残疾人活动服务中心。

【残疾人康复】2010年，中山区残疾人康复工作以实现“人人享有康复服务”为目标，利用区、街道、社区三级网络，定期开展不同人员的康复培训。全年累计为1.5万人次残疾人提供各类康复服务，占有康复需求的100%。其中，为30余名听力、智障、孤独症儿童家庭开展康复训练；组织开办盲人定向行走训练和社会适应能力训练；救助257名贫困精神病患者免费服药，12人入院治疗（其中彩票公益金项目4人）；装配假肢、矫形器14余人，发放辅助用品用具170件。

【扶残助残活动】2010年，中山区扶残助残环境更加优化。

强力造势，形成氛围。加强与媒体合作，广泛宣传残疾人工作、残疾人典型，利用全国助残日等残疾人节日开展内容丰富、形式多样、吸引人、感动人、有特色的宣传活动，提升全社会扶残助残意识，创造关爱残疾人事业发展的良好环境。5月，邀请区委、区政府、人大、区政协有关领导，残工委成员和优秀残疾人代表、爱心企业代表，赴上海参观世博会历史上首次为残疾人设立的“生命阳光馆”，增强了他们“让关爱的阳光照亮每一个残疾人的心灵”的自觉性。

充分保障合法权益。为6名残疾人提供法律援助，解决了他们在就业、医疗、养老、社会纠纷等方面的法律困难。接待残疾人来访100余次，结案率达100%。加大残疾人保障金依法征缴力度，发放宣传材料4000余份，审核辖区企业1393家，缴纳残疾人就业保障金2000万余元，帮助残疾人过上有尊严，自食其力的生活。

建设无障碍设施。将无障碍改造延伸到社区和家庭，全年共完成360户重度和贫困残疾人家庭无障碍设施改建任务，极大地方便了残疾人生活。区荣获“全国白内障无障碍区”称号。

“送温暖，献爱心”。元旦、春节期间，各级党委、政府、有关部门及社会各界共走访慰问贫困残疾人2309人，送慰问金和物品价值89.9万元。区残联资助奖励残疾人学生及残疾人家庭子女93人次，金额5.6万元。

智囊助残，志愿助残。成立全市第一个由政协委员组成的残疾人事业发展智囊团，委员们利用各自优势，深入残疾人群调研，为全区残疾人事业长远建设科学发展献计献策。全区助残志愿者人数达到2262人，逐步形成共同关心支持残疾人工作的合力机制。

【残疾人文体活动】2010年，中山区残疾人文体活动更加活跃，扩大了残疾人工作的社会影响力。全区共组织各类残疾人文体活动20余次，共1000余人参加。

区残联首次组织近百名视力残疾人参加大连市第八届国际徒步大会，组织60名康复期精神残疾人参加市第三届“东方投资置业杯”精神康复者趣味运动会等文体活动，展示残疾人自强不息，勇于拼搏的精神风采。区轮椅篮球队、乒乓球队、羽毛球队、飞镖队等多支体育队伍积极参加各项体育比赛，勇夺市第三届轮椅篮球赛第一名，市首届飞镖大赛站立组、轮椅组2项冠军。成功举办中山区第三届残疾人趣味运动会。盲人刘振和、由亮参加市盲人演讲比赛，获并列第一名的好成绩。

（邱新岩）

区红十字会召开第三次会员代表大会

·中山区红十字会·

【概况】2009年 11月，根据中国红十字总会和市红十字会的要求，中山区红十字会机构正式独立设置（原为区卫生局内部机构），正处级单位，列入区委群团系列，行政编制3名。

其主要职能是：（1）宣传、贯彻《中华人民共和国红十字会法》，执行《中国红十字会章程》，组织落实中国红十字会工作的方针、政策；指导全区各级及行业红十字会开展活动，推动全区红十字会各项工作的开展。（2）开展救灾的准备工作，建设和管理备灾救灾设施；在自然灾害和突发事件中，开展救护和救助工作。依法接受国内外组织和个人的捐赠，及时向灾区群众和受难者提供急需的人道主义援助。（3）开展卫生救护的宣传和普及工作，在易发生意外伤害的行业和基层组织开展初级卫生救护培训，组织群众参加意外伤害和自然灾害的现场救护。（4）依法参与、推动无偿献血工作，表彰无偿献血的先进集体和个人；参与器官、遗体自愿捐献工作；参与艾滋病防治的宣传教育工作。（5）组织会员和志愿工作者开展人道领域内的社区服务和社会公益活动。（6）依法开展社会募捐活动；参与国际人道主义救助工作；开展与国际、国内红十字会的友好合作与交流工作。（7）开展有益于青少年身心健康、弘扬人道主义精神的红十字青少年活动。（8）宣传日内瓦公约及其附加议定书、红十字与红新月运动基本原则，并依照有关规定开展工作。（9）兴办符合红十字宗旨的社会福利事业和经济实体。（10）完成区委、区政府交办的其他工作。

2010年是区红十字会独立开展工作的第一年。该会紧紧围绕区委、区政府中心工作，弘扬“人道、博爱、奉献”的红十字精神，认真履行红十字会各项职责，全面推进全区红十字事业的发展。召开第三次会员代表大会，选举产生新一届理事会。在全区8个街道建立红十字会，在葵英街道向阳社区建立首个社区“红十字志愿者服务基地”。组织向青海玉树地震灾区捐款5万余元。开展“红十字博爱”送万家活动，慰问贫困家庭200户。

【中山区红十字会第三次会员代表大会】2010年10月29日召开。会议全面总结2004年第二次会员代表大会以来的工作，制定今后5年发展规划，选举产生新一届理事会。市红十字会党组书记、常务副会长乔善春，秘书长杨杰，中山区委书记李向东，区人大常委会主任宋国伟，区委副书记、区长江亲瑜，区政协主席薛京利，区委副书记何守林，副区长于笑出席会议。

会议听取常务副会长朴斐作的《中山区红十字会第二届理事会工作报告》。报告指出，6年来，区红十字专兼职干部、会员和志愿工作者大力推进救灾救助、自救互救、红十字青少年和社区服务人道主义“四项工程”，圆满完成抗 震救灾等重大任务。今后5年，该会将立足实现组织创新科学化、赈济救助项目化、防灾应急规范化、志愿服务常态化以及宣传传播社会化，逐步拓宽在人道领域中的社会救助范围，推进全区红十字事业全面发展。

大会选举产生第三届理事会理事43名。在随后召开的三届一次理事会议上，选举产生常务理事19名；聘请李向东、宋国伟、江亲瑜、薛京利为区红十字会名誉会长；选举于笑为会长，朴斐为常务副会长，尹兴宇、曲莉明、桑茂科、董曙勤为副会长，提名决定孙世梅为秘书长。

大会通过《中山区红十字会2010-2014年发展规划》，决定成立应急救护健康培训、志愿者、宣传、人道救助募捐等6个专门工作委员会。

【理顺基层体制】2010年，中山区

红十字会结合本区实际情况，制定街道红十字会新建（换届）实施方案，建议各街道红十字会名誉会长、会长、常务副会长及秘书长，分别由街道书记、主任、分管副主任及民政科科长担任，配备专干1名。区教育局、卫生局及其他有关部门红十字会人员，参照街道红十字会配备。

截至年末，8个街道红十字会先后成立并召开第一次会员代表大会，使红十字工作走进居民中，为政府减轻负担、百姓解决忧愁、社会平添安宁提供了一个有效途径和载体。6月3日，全区首个“红十字志愿者服务基地”在葵英街道向阳社区挂牌，市、区红十字会领导及百余名红十字志愿者参加挂牌仪式，全区51个社区将逐步设立志愿服务基地。学校红十字会工作不断规范和完善，被市青教委授予“大连市青少年教育保护工作先进集体”称号。全区累计有13所学校获“辽宁省红十字示范校”称号。

全区首个社区红十字志愿服务基地在葵英街道向阳社区挂牌

（孙世梅）

责任编辑　石黎明

法治·武装 FA ZHI WU ZHUANG

社会治安综合治理

【概况】2010年，中山区坚持用科学发展观统领综治稳定工作，以开展新一轮“争创全省平安稳定先进区 ”活动为主线，以推进社会矛盾化解、社会管理创新和公正廉洁执法“三项工作”为重点，着力加强街道综治信访维稳中心规范化建设，进一步完善社会治安防控体系，全区社会和谐稳定，治安秩序良好，群众安居乐业。区连续第4年进入“辽宁省平安稳定区”行列，连续第5年被评为“大连市平安稳定先进区”。

全区有5个街道、28个社区进入全市“一星级平安稳定单位”行列，大连大学附属中山医院、大连胜利广场有限责任公司成为“辽宁省平安稳定示范单位”。年初，区委、区政府表彰226个“综治维稳工作先进单位（集体）”、100户“平安稳定家庭”和1112名“综治维稳先进个人”。

【排查调解社会矛盾纠纷、安全生产隐患】2010年，中山区进一步加强对社会矛盾纠纷、安全生产隐患大排查的组织领导，健全人民调解、行政调解、司法调解“大调解”机制，完善区、街、社区、楼院四级“大调解”工作网络，加强街道矛盾纠纷排查调处中心和社区联合调处站建设。全区有各类调解组织225个，全部达到市级一类调委会标准。

全年排查调处各类纠纷1103件，防止群体访18件，防止非正常上访19起。排查易燃易爆网点和库房150个、生产企业536家，整改安全生产隐患249处。消防排查单位2985家，整改火灾隐患2893项。交通安全排查隐患16项，实施改造工程6项。排查餐饮企业832家、食品经营单位75家，均未发现安全问题。

【化解排查信访问题】2010年，中山区委、区政府始终坚持把做好信访工作，维护城区稳定作为首要政治任务，严格遵循“稳定为先、和谐为本、群众为重”原则，以“事要解决”为核心，以息诉罢访为目标，建立重大、突出信访和涉法涉诉上访问题联合化解机制，全面开展大接访、大排查工作。

继续坚持区级领导每日轮流接访制度。全年共接访151案次、1409人。对个别“老大难”问题坚持做到“四个不放过”，即问题不查清不放过，错误不纠正不放过、上访不停止不放过、群众不满意不放过，使群众上访事事有回音，件件有着落。全年，区共接待群众信访1641案次、3707人次，比上年分别上升27.4%和37.2%；受理群众来信131件，下降13.8%；解答群众信访咨询447案次、469人次。

开展信访隐患排查行动。共排查矛盾纠纷255件，解决尚未实施的上访89件。

认真落实积案清理和案件评查工作。区法院、公安局共化解积案75件，化解率95%。

【防范打击邪教组织】2010年，中山区建立完善“三级防控”机制，加强对“法轮功”等邪教组织的防范打处力度。公安机关立案30起，批捕2人，劳动教养24人，报教2

启动中山区综合治理宣传月活动

向省综治委检查组汇报“辽宁省平安稳定先进区”创建情况

人，拘留2人。组织监控力量8200余人次，监控看护重点场所、路街、要害部位，清理、销毁各类宣传品7000余份。

全面推进对邪教组织成员的教育转化攻坚和回归社会工程。区投入教育转化攻坚经费近10万元，教育转化21人。回访帮教刑释解教和学习班出班人员，为有困难的转化人员解决低保、重病补助等实际生活困难。妥善处置个别顽固分子的极端上访问题，全年未发生有影响的“法轮功”事件。

【排查整治社会治安重点地区】 2010年，中山区成立社会治安重点地区排查整治工作领导小组，制定下发全年、“春节”及“两会”期间2个《社会治安重点地区排查整治工作实施方案》，完善排查整治工作机制。

加大对重点地区的排查整治工作力度。特别是市综治委关于重点地区挂牌督办《通知书》下达后，区召开相关单位和部门紧急协调会，再次下发《关于加强大连火车站南地区社会治安专项整治工作的实施方案》，同时向8个相关单位和部门下达《整改督办通知书》，要求突出问题必须有效解决，治安乱点必须及时扭转。

在整治工作中，各职能部门积极配合，主动工作，形成齐抓共管合力。全区成立排查整治工作小组56个、群治组织90个，直接参与人员2200余人。辖区派出所接警6808起，比上年下降34.1%；刑事案件发案2271起，下降32.8%。站南地区凶杀命案为零，下降400%，重点地区整治取得明显成效。

【专项治理凶杀命案】 2010年，中山区进一步落实专项工作措施，切实加强凶杀命案高发问题专项治理。继续坚持包片督战的办法，重点督导发案“重灾区”。区及各街道定期召开治安形势分析会，对已发命案进行一案一析，找准发案诱因，研究防范措施。注重发挥街道、社区矛盾纠纷排查调处中心的作用，经常开展法律宣传和咨询活动，为居民群众进行心理疏导，有效预防了矛盾激化。

年内及时制止群体性械斗1起，防止民间纠纷引起自杀1件，防止民转刑案2件。全区共发生命案8起，比上年下降27.3%，命案破案率100%。无省市挂牌督办重大案件。

【打击处理刑事犯罪】 2010年，中山区公安机关始终保持对各类刑事犯罪活动严打高压态势，认真开展扫黄打非、打击赌博、打击盗窃破坏“三电”等专项行动，打击传销和反偷渡等专项工作，以及非法卫星接收整治等专项斗争。全面摸底排查辖区各类重点人员，建立分类管理档案，重点人员、高危对象指纹录入率达100%。共立刑事案件5902件，破案2589件，比上年提高14.6%。严重暴力和侵财性犯罪总体下降。

检察机关以打击多发性侵财犯罪为重点，加大对黑恶势力犯罪、严重暴力犯罪、严重危害社会治安的涉众型犯罪、严重破坏市场经济秩序犯罪的打击力度。共受理提请逮捕案件397件551人，批捕327件446人；受理移送起诉案件513件944人。提起公诉384件645人。批捕准确率达100%，公诉案件有罪判决率达100%。

审判机关受理各类刑事案件390件，审结369件，结案率94.6%，比上年提高1.6个百分点。

【服务管理流动人口】 2010年，中山区认真落实辽宁省综治办等4部门《关于开展出租房屋和流动人口清理整顿专项行动实施方案》要求，结合全省户口整顿和全国第六次人口普查的有利时机，坚持“以房定人”管理机制，全面加强流动人口和出租房屋管理。全年集中清查24次，补办居住证11157人，补充登记出租房屋782户。出租房屋户主与派出所签订《治安责任书》100%，出租房屋备案登记率100%。破获流窜人员作案357起、暂住人口作案42起，治安处罚149人，劳动教养25人，报批捕49人。抓获逃犯67名（其中省厅督办5名、市局督办62名）。破获1起案值达5000万元的特大电信诈骗案，抓获团伙案犯4名。

继续推行就业、福利、教育、政治等“四项服务”，对有就业意愿务工者实施定点、定向职业技能培训。各街道都建立流动人口管理服务中心，开通流动人口服务“绿色通道”，及时向流动人员提供就业、租房、子女入学和法律援助等服务。各派出所还针对流动务工人员时间较紧、出行不便的实际，主动将办好的证件送到他们手中。海军广场街道每个社区都成立“客乡人驿站”和“流动务工人员子女学校”，坚持派专人为“流动学生”补习文化。

【安置帮教刑释解教人员】2010年，中山区按照“帮教社会化、就业市场化、管理信息化”要求，对刑释解教人员开展“强化衔接、传递关爱、感化心灵”活动。制定《中山区刑满释放、解除劳动教养人员安置帮教和社会保障工作细则》，健全安置帮教工作网络，加强安置帮教基地建设，已有各类安置基地8个，各级安置帮教机构60个、帮教小组371个，层层签订帮教责任状。

实行社会帮教与家庭帮教相结合，对重点对象和154名社区服刑人员全部落实监管措施。全区有列帮人员328人，帮教率100%，安置率达95%以上，回归人员全部得到不同形式的就业安置。刑释解教人员重新犯罪率为零。

【校园及周边安全治理】2010年，中山区坚持把校园及周边安全综合治理作为重点工作来抓。区委、区政府先后3次召开专题会议，研究落实专项整治措施。区成立两个包片督导检查组，下设10个督导检查小组，扎实开展学校、幼儿园及周边安全综合治理行动。下发《中山区加强中小学校和幼儿园安全管理工作的实施意见》和《中山区2010年学校及周边社会治安综合治理工作实施方案》。实施学校、幼儿园安全工作一把手负责制，完善《门卫登记准入制度》《住校学生出校请假制度》《小学、幼儿园低年级学生、幼儿入、退校（园）时接送交接制度》，制定安保人员巡逻措施。

整治学校周边环境。对照辽宁省学校及周边治安综合治理工作考核各项标准，对全区13所中学、25所小学、61所幼儿园及周边安全状况进行“地毯式”检查，共出动检查人员4300余人次，检查经营户3965家次（其中网吧1400家次），收缴非法音像制品1.5万张、非法出版物1200余册，清理无证商贩500余人次。

加强校园警卫监控。新选配86名派出所领导和民警担任中小学法制副校长和校外辅导员，实现“一校一警”或“一校多警”。增配保安36名，全区中小学校共有保安111名。为各校园警务室配备2部高频手持对讲机，确保校园警情与指挥中心对接；为保安人员配备橡皮警棍、防刺手套等“单警装备”，提高安保人员应对突发事件的能力。对全区26所幼儿园、25所小学和2所中学内部监控系统进行升级改造，校园监控终端接入“天网系统”，确保校园重点部位全天候在警方视野之内。及时更新和增设临街学校和幼儿园周边道路设施、交通警示标志。加强对学校防控疾病的指导，完善公共卫生安全防控体系。

开展学生自护教育和法制教育。建立“青春自护学校”，利用寒、暑假期组织开展“火场逃生”、“急病救护”、“青少年模拟法庭”等自护教育。加强预防未成年人违法犯罪工作，全年开设各类法制教育课86课时，组织专项行动63次。

当年，全区校园周边治安案件明显下降，广大师生和家长满意度明显提高。

【社会治安防控体系建设】继续加大城区治安防控体系等基础设施建设力度。2010年，中山区投入资金2000余万元，新增设视频探头205个，城区“天网工程”功能得到进一步提升。全区娱乐场所全部安装视频监控系统，旅店、宾馆实现信息联网，联网率近100%。各星级酒店、宾馆监控系统得到及时维护更新，全部处于良好运行状态。

加大街道“综治信访维稳中心”建设力度。更新改造部分基础设施，配齐街道政法书记和综治办副主任及专干。进一步完善51个社区综治管理服务站，加强社区警务室和人民调解室建设，建立一区多警长效工作机制，把平安稳定工作的触角向社区、楼院延伸。

进一步加强群防群治队伍建设。组织社区离退休老党员、老干警、老军人、老劳模、老教师等，组建起治安巡防队、治安信息员、治安楼栋长、治安中心户长、平安建设志愿者等多支队伍，总人数达2.5万余人。

加强重点地区、重点场所管理。组织以巡警为主的专职巡防队伍，在学校、金融单位和广场、路街及餐饮文化娱乐场所、集贸市场等重点区域巡逻防控，提高街面见警率，有效压缩犯罪空间。强化单位内部安保工作，全区社会治安防控能力得到进一步加强。

（宋伯陶）

检　察

【概况】2010年，中山区人民检察院深入推进社会矛盾化解、社会管理创新、公正廉洁执法3项重点工作，全面履行检察职能，各项工作取得新的进展。共受理提请逮捕案件397件551人，批准逮捕327件446人；受理移送起诉案件513件944人，提起公诉384件645人；受理控告申诉案件64件；查办职务犯罪立案14件32人，为国家挽回经济损失1000余万元。积极开展“诉讼监督年”活动，对公安机关捕后改变强制措施、立案后撤案、事实不清、证据不足不捕案件，以及年内法院判决、裁定的案件等1700余件进行逐案检查，针对检查出的问题进行查处。新成立反渎职侵权局。

年内，区检察院被评为“辽宁省检察机关先进基层院”、“大连市检察机关先进基层院”，公诉科被评为“大连市检察系统先进集体”，王丽被省院记个人二等功，并被市院评为“大连市十佳检察官”，江志良、董任崎等4人被市院授予个人荣誉称号。

【打击刑事犯罪】2010年，中山区人民检察院宽严相济依法打击刑事犯罪，积极化解社会矛盾。

全年受理提请逮捕案件397件551人，比上年增加 56件39人，批准逮捕327件446人。受理移送起诉案件513件944人，比上年增加82件190人，提起公诉384件645人。依法严厉打击杀人、抢劫、贩毒、黑恶势力等严重刑事犯罪，盗窃、抢夺、金融诈骗、合同诈骗等多发性侵财犯罪和严重破坏市场经济秩序犯罪。对未成年人、老年人及邻里、亲属之间因民事纠纷引发的轻微刑事案件，当宽则宽，不批准逮捕54人，不起诉15人。

在案件受理时，通过准确高效执法、保障当事人诉讼权利、释法说理、推进刑事和解等，来化解案件久拖不决、诉求不能充分表达、对不批捕不起诉不理解等矛盾，促进了社会和谐稳定。

【查办与预防职务犯罪】2010年，中山区人民检察院加强职务犯罪线索收集和管理、案件侦查和犯罪预防、审查批捕和审查起诉、检务保障和工作监督，全力构建预防和查办职务犯罪大格局。

*加大办案力度。*共初查职务犯罪线索17件，立案14件32人。其中：贪污贿赂案件9件22人，立案人数为上年的2.75倍，所办案件均为大案，大案比例居全市基层院首位，其中涉案金额在1000万元以上特大案件3件3人，处级以上要案占27.3%，通过办案为国家挽回经济损失1000余万元；渎职侵权案件5件10人，立案人数为上年的3.3倍，在全市基层院中列首位。新成立职务犯罪案件公诉组，提高职务犯罪公诉专门化水平。建立案件质量管理机制，自侦案件有罪判决率达100%。

*开展犯罪预防。*结合侦办案件，深入发案单位，一案一回访，一案一分析，一案一建议。开展“廉政建设进项目”活动，在大连市政府地铁移设电缆工程、大连会展中心电力电缆工程中进行专项预防。在金融、交通等领域开展行业预防，进行多种形式警示教育59次，受教育3000余人。

【诉讼监督】2010年，中山区人民检察院认真贯彻辽宁省人大常委会《关于加强人民检察院对诉讼活动的法律监督工作的决议》，积极开展“诉讼监督年”活动。向区委、区人大常委会汇报活动总体方案，协调各政法单位共同参与，聘请9位特邀监督员全程监督，搭建起区委领导、人大监督、政法机关共同参与、面向社会开放的诉讼监督平台。

按照市检察院部署，将侦查案件检查、公诉案件跟踪、民商案件评析、社会服刑人员刑罚执行状况

开展“诉讼监督年”专项活动，向市民进行广场宣传

抽查确定为监督重点，采取集中检查与日常办案相结合、书面审查与走访调查相结合、重点案件一案三审等监督措施，共检查公安机关刑事案件89件，跟踪公诉案件610件，评析民商案件1320件，审查假释、监外执行等案件174件。

诉讼监督取得成效。（1）侦查监督。共监督侦查机关立案3人，追捕犯罪嫌疑人1人，追诉14人，对不构成犯罪和事实不清、证据不足的依法不批准逮捕51人，不起诉5人，纠正侦查违法行为29次。（2）刑事审判监督。对刑事判决抗诉6件，其中改判4件。（3）民事审判监督。对民事裁判提请抗诉4件，其中改判1件。发出检察建议52份。（4）刑罚执行监督。发现脱、漏管罪犯6人，已全部监督整改。

探索健全长效机制。完善检察长列席法院审判委员会制度，全年列席14次，参与讨论刑事案件22件。健全信息交流制度，与公安、法院相互通报发破案、批捕、起诉和审判工作信息。明确监督检查制度，定期检查公安机关治安劳教案件，依法监督法院对案件的裁判。确立监督案件反馈制度，对依法监督的案件要求在期限内反馈纠正情况。

【涉检信访】2010年，中山区人民检察院坚持大信访工作格局，在检察工作各个环节落实信访责任。完善信访工作机制，坚持检察长接待日、领导包案、首办责任制等行之有效制度，探索建立涉检网络舆情快速反应机制、重点案件风险评估监控机制。推行"阳光接访"，公开审查，公开答复，对重点案件进行公开听证。共接待来信来访71件次，受理控告申诉案件64件，均已办结并答复申诉人。全年无涉检进京上访案件，无重大群体性事件发生。

省检察院领导视察区检察院诉讼监督工作

【社会治安综合治理】2010年，中山区人民检察院促进社会管理创新，加强对特殊人群管理和特殊场所治理。对做出不起诉决定的15名犯罪嫌疑人，落实帮教措施，定期回访。对全区126名社会服刑人员改造情况加大监督力度，督促、帮助其回归社会。对车站、码头、商业区、娱乐场所等治安状况复杂区域多发的抢劫、敲诈勒索、诈骗、制贩假证及涉"黄、赌、毒"等犯罪案件，快捕快诉。积极参与青少年教育保护，坚决打击教唆、引诱、胁迫青少年犯罪行为，坚持"教育、感化、挽救"方针，指定专人办理未成年人犯罪案件，定期回访海城少管所。针对办案中发现的突出问题，发出检察建议3份，督促、帮助相关单位加强管理，消除隐患。

【保障服务民生】2010年，中山区人民检察院结合办案开展法制宣传，通过各类媒体发表宣传稿件37篇。依托辖区8个街道设立便民工作站，安放电子宣传装置，发放宣传资料。开展行贿档案查询和法律咨询，全年提供查询37次，解答咨询200余次。审慎处理非法集资、传销、暴力拆迁等涉及群众较多、严重侵害群众利益的犯罪，加强与公安、法院配合，尽最大努力减少群众损失，维护被害人合法权益。督促当事人行使诉权提起民事诉讼51件，对民事、行政申诉案件息诉61件。慎重使用对财产、人身的强制性措施，为企业发展创造良好环境。

【检察队伍建设】强化自身执法活动监督。2010年，中山区人民检察院坚持党的领导，重大事项及时向区委报告。自觉接受人大监督，向区人大常委会专题汇报查办职务犯罪工作，邀请人大代表旁听、评议庭审，对代表提出的意见和建议及时整改，同时加强与代表的日常联系，主动征求意见。主动向政协通报检察工作情况，接受区政协常委会和政协委员的民主监督。全面推行人民监督员制度，共设人民监督员7名，邀请人民监督员监督办案，

举行检察官宣誓仪式

监督评议案件3件。自觉接受社会监督，加强网站建设，不断加大检务公开范围和程度。强化内部制约，设立案件质量管理中心，建立案件质量预警和重点案件督察机制。

加强党的建设。开展“创先争优”活动，以“建设学习型党组织、创建学习型检察院”活动为载体，找准检察工作服务大局的结合点和着力点。充分发挥党支部堡垒作用和党员先锋模范作用，86%的党员被授予“执法为民先锋岗”称号，培养出“大连市十佳检察官”王丽等先进典型，引导和激励干警。

加强队伍建设。坚持德才兼备标准和公开、公平、公正原则，推行中层干部竞争上岗，一批年轻干部脱颖而出，7人走上领导岗位。做好检察人员招录工作，继上年招录6人后又新招8人，进一步优化队伍的知识结构和年龄结构。强化教育培训，开展侦查监督办案能手竞赛、百案庭审观摩、公诉人辩论赛、精品案例评选等活动，提高干警综合素质和业务能力。

加强廉政建设。开展“恪守检察职业道德，促进公正廉洁执法”主题教育，努力培育“忠诚、公正、清廉、文明”的检察职业道德。开展“反特权思想，反霸道作风”专项教育，整顿纪律作风。加强纪检监察和检务督察，全年无违法违纪情况发生。

加强基础建设。坚持科技强检，开通检察系统三级机要通道，检察专线网运行安全稳定,信息化水平不断提高。强化检务保障，在区政府支持下，更新办公办案设备、警用装备。

【反渎职侵权局成立】2010年7月18日，中山区检察院反渎职侵权局正式成立。

该局的主要职责是：惩治和预防国家机关工作人员渎职犯罪和利用职权实施的侵犯公民人身权利、民主权利犯罪，维护国家机关正常的工作秩序，促进国家机关工作人员依法行使权力，保障公民的人身权利和民主权利，为构建社会主义和谐社会提供司法保障。

直接受理查办的案件包括：《刑法》分则第九章规定的国家机关工作人员渎职犯罪和国家机关工作人员利用职权实施的侵犯公民人身权利、民主权利犯罪案件。共涉及滥用职权案、玩忽职守案、故意泄露国家秘密案、民事、行政枉法裁判案、徇私舞弊减刑、假释、暂予监外执行案等罪名。

年内，该局立案渎职侵权案件5件10人，立案人数为上年的3.3倍，在全市基层院中列首位。

（段洪峰）

审　判

【概况】2010年，中山区人民法院全面履行宪法和法律赋予的工作职能，大力开展各项审判工作，努力加强法院队伍建设，全面推进法院审判改革。全年共受理各类案件7199件，审结各类案件6813 件，结案率94.6%，比上年提高1.3个百分点，创下历史新高。未结案件仅存386件，无法定理由超审限案件为0，首次实现诉讼案件无超审限。调撤率比上年提高5.2个百分点，上诉案件发改率降低4.5%。

年内，信访、人民陪审员、司法警察、执行等工作获得“市法院系统先进集体”、“先进个人”、“执法为民先锋岗”、“优秀综合治理单位”、“优秀法官”、“办案能手”、“调解能手”、“文化建设先进个人”、集体三等功、“执行能手”等荣誉。

【刑事审判宽严相济】2010年，中山区人民法院依法惩治犯罪，全力维护社会稳定。共受理各类刑事案件390件，审结369件，结案率为94.6%，比上年提高1.6个百分点。共处罚被告人650人，其中被判处10年以上有期徒刑的51人，5年以上有期徒刑的60人，受到5年以下处罚的530人，免予刑事处罚的9人。

继续贯彻执行宽严相济的刑事政策。对人身危险性和社会危害性

大连市两级法院量刑规范化工作现场会在区法院召开

大的犯罪依法从重处罚，有效打击犯罪；对主观恶性较轻、社会危害性较小的犯罪依法从轻或减轻处罚，维护社会稳定。

*深入推进量刑规范化试点工作。*将适用量刑规范化的案件由原来的4项罪名扩展到15项，刑事自由裁量权得到进一步规范。3月，大连市两级法院量刑规范化工作现场会在该院召开，该院作为全省量刑规范化工作试点单位，在会上介绍经验并召开观摩庭，促进了全市法院量刑规范化工作的开展。全年共适用量刑规范化审理案件290件，处罚486人，仅有34件案件上诉，二审维持原判决31件，取得较好效果。

*注重强化刑事审判工作的社会效果。*加强刑事附带民事案件的调解工作，积极化解矛盾纠纷，最大限度地减少社会对立面。全年刑事附带民事案件调解率为94%。

【民事案件调判结合】2010年，中山区人民法院实行民事案件分类审理，切实保护各类主体的合法权益。共受理各类民事案件4646件，审结4344件，结案率93.5%，比上年提高1.3个百分点。

*坚持“调解优先、调判结合”的原则。*把调解贯穿于民事案件审理的全过程，尽可能做到“案结事了”。全年共有2179件民事案件以调解、撤诉的方式审结，调撤率为50.9%，比上年提高5.6个百分点。

*借助社会各方力量，加强案件调解。*与中山交警大队事故中队、区劳动争议仲裁委员会等部门建立联调沟通机制，通过提前介入调解、联合调解、委托调解等多种方式，共同化解矛盾，促进社会和谐。有一部分纠纷未进入诉讼程序就得以解决，全年受理的劳动、劳务纠纷案件比上年减少21%。

*推进法官专业化，统一执法尺度，提高审判质量。*对传统民事案件实行专业化分类审理，由民事4个庭分别对婚姻家庭、劳动争议、医疗和交通事故损害赔偿、保险纠纷案件分类进行审理，有效地提高了审判质量。全年被发回重审的民事案件比上年下降20%。

【行政诉讼注重调解】2010年，中山区人民法院加强行政协调，促进依法行政，努力化解行政纠纷。共受理行政诉讼、行政非诉执行案件120件，结案116件，结案率96.7%，与上年基本持平。

行政案件审理中，依法审查具体行政行为的合法性，保护行政相对人的合法权益，监督和支持行政机关依法行使职权、履行社会管理职能。慎重审理民事与行政交叉案件，力争在处理行政争议的同时彻底解决民事权益纠纷，减轻当事人诉累。积极开展行政案件协调工作，增进行政相对人与行政机关之间的理解和信任，缓解对立情绪，维护和谐的社会管理秩序。经与行政机关共同努力，一部分行政纠纷在诉前得以协调解决，行政案件收案数量比上年减少10.6%。

【案件执行加大力度】2010年，中山区人民法院规范执行行为，加大执行力度，切实维护司法权威。共受理执行案件1896件，结案1860件，执行标的总额1.8亿余元。

执行过程由原来的粗放型、强制性向规范性、人性化转变。严格执行《执行工作规范》等规章制度，切实做到执法有据。认真处理好强制执行与社会稳定的关系，对于双方当事人对立情绪较大、矛盾容易激化的案件，积极引导和化解，努力促使当事人自动履行或以和解方式结案。全年以自动履行方式结案379件，自动履行率为20.4%；以和解方式执结案件287件，执行和解率达到16%。

以贯彻落实最高法院《关于限制被执行人高消费的若干规定》为契机，决定在11月、12月及2011年

1月连续开展3次集中清理执行积案行动。在11月“执行大会战”中，共拘传被执行人29人，拘留12人，执行回款280余万元，切实保障了当事人合法权益，维护了司法权威。全年实际执结率为67.5%，比上年提高9个百分点。

【服务民生拓展职能】2010年，中山区人民法院拓展职能，服务民生，努力彰显司法人文关怀。

建设“立案信访窗口”，变立案大厅为诉讼服务中心。充分发挥导诉台的服务功能，实现导诉、查询、服务及司法救助等“一站式”服务，真正做到“咨询有人应，电话有人接，诉讼有人引，材料有人收，案件有人查，法官有人找”。

坚持标本兼治，全力化解信访难题。以“认真解决旧访，坚决控制新访”为指导思想，本着“让问题留在中山法院、让问题解决在中山法院”的基本思路，强化责任，狠抓落实。（1）充分发挥信访投诉中心的作用。值班的中层干部与院领导对来院投诉做到认真接待、及时解决，或责成相关部门定期答复。（2）实行信访案件投诉通报制度。每月汇总、通报当事人到区委、人大、信访局、市法院以及本院信访投诉中心的信访情况，并要求被投诉的审判员及所在庭庭长作出说明。（3）全程做好释法析理工作。审判、执行人员及时对当事人就诉讼程序、裁判结果提出的质疑做出合理解释，减少了当事人因心存疑虑而引发的上诉和上访。2008－2010年3年来，该院未发生新的进京上访案件，被大连市中院、辽宁省高院评为信访工作先进单位。

延伸审判职能，发挥矛盾化解功能。（1）探索建立多元化纠纷解决机制。建立行政案件协调机制，推进执行案件和解，积极开展刑事附带民事案件的调解，妥善解决矛盾纠纷。（2）深入开展“法官进社区”活动。各业务庭深入到街道、社区，举办法律知识讲座，解答法律问题，指导人民调解等，普及法律知识，增加法院的执法透明度。（3）司法救助特困群体。对存在特殊生活困难的申请执行人和刑事案件被害人，确实无法按法律程序实现权益的，给予适当的经济救助，使当事人感受到司法文明和人文关怀，最大限度减少和平息了不安定因素。

法官进社区，为市民提供法律服务

【主动接受社会监督】2010年，中山区人民法院主动接受人大、政协、社会各界及检察机关监督，努力践行公正廉洁执法。

人大监督。坚决落实区人大各项决议，积极配合检查调研，先后向区人大常委会报告法院执行、庭审等工作情况，并按照审议意见认真进行整改。高度重视、积极配合人大代表旁听庭审工作，针对代表发现的个别审判人员工作态度粗暴、违反庭审程序等问题，对相关人员作出停止审判工作、通报批评的处理决定。积极办理人大代表督办案件，指定专人协调处理社会影响重大的案件。深化人大代表联络制度，中层以上干部逐位向代表征询意见和建议。全年共联系代表210人次，收到代表建议和意见37件，办结36件，代表均表示满意或理解。

政协及社会各界民主监督。认真落实政协委员提案，聘请委员担任执法监督员，邀请委员旁听庭审、视察和座谈，定期向政协委员发送法院工作简报、信息，确保委员及时了解法院工作动态。开展“法院开放日”活动，邀请群众参观法院，了解审判工作。加强与媒体的联系沟通，主动宣传法院工作，广泛听取群众意见和建议。建立律师评价法官机制，共向全市136个律师事务所发函154份，请律师评价一线办案法官的综合素质，征求意见和建议。

检察机关法律监督。开展“诉讼监督年”活动，要求全体法官自觉树立接受法律监督的意识，主动接受检察机关对诉讼活动的监督。坚持检察长列席审委会制度，全年共列席15次审委会20余件案件。认真对待检察机关提出的检察意见，切实纠正工作中存在的问题。依法审理各类抗诉案件，共审

区法院“立案信访窗口”为市民提供“一站式服务”

结再审抗诉案件5件，其中维持原判决的1件，改判的4件。

【全市首个独立建制少年审判庭成立】2010年12月30日，大连市第一个独立建制的少年审判庭在中山区人民法院成立。该庭的成立，完善了未成年人刑事审判机制，有利于进一步贯彻“教育、感化、挽救”的方针，有效预防青少年犯罪。

根据未成年人的身心特点和未成年人审判方式的特殊需求，中山法院少年审判庭突出五大特色，凸显人文关怀：（1）实行圆桌审判，彰显司法关怀；（2）实行分案审理，进行特殊保护；（3）实行审前调查制度，助力教育、挽救；（4）实行特邀陪审员制度，注重感化实效；（5）建立少年犯档案制度，积极进行回访帮教。

这一符合未成年人特点的审理机制，将教育、挽救工作向审前和审后延伸，与公安、检察、共青团等部门配合，共同形成对少年犯的教育合力，以达到“标本兼治”的司法矫治效果。

（滕今桥）

公　安

·治安管理·

【概况】2010年，大连市公安局中山分局下设8个科室、6个业务大队、13个公安派出所，实有公安民警857人。

这一年，该分局以“保增长、保民生、保稳定”为目标，以大型安全保卫工作任务为主线，以“三项建设”为抓手，严厉打击各类刑事犯罪，大力开展社会管理创新，较好地维护了辖区治安安定和政治稳定。

春节、国庆“两节”和市人大、政协“两会”期间，共出动警力1.2万余人次，出色完成大型活动安保任务。全年受理治安案件19077起，查结16387起，查结率85.9%，比上年提高11.2个百分点。立刑事案件5902起，破获2589起，破案数比上年上升14.6%。受理经济犯罪案件1141起，破获1030起，为国家、集体和个人挽回经济损失2.35亿元。公安信息化、执法规范化、和谐警民关系“三项建设”不断深化，队伍建设继续加强，有5人被大连市公安局记二等功、12人记三等功，25人获嘉奖。

【“两节”“两会”安全保卫】2010年，中山公安分局出色完成春节、国庆“两节”和市人大、政协“两会”等大型活动安保任务。共出动警力1.2万余人次，完成各级警卫任务58次共计201批次，全部做到万无一失，得到中央及省、市有关领导的高度评价。

【治安管控】2010年，中山公安分局共受理治安案件19077起，查结16387起，查结率85.9%，比上年提高11.2个百分点。治安拘留866人，罚款1174人，警告3029人。

*加强流动人口和出租房屋管理。*开展集中清查24次，检查出租房屋9318户、写字楼和商住两用公寓78处、流动人口83711人次，补办居住证11157个。查处流窜人员作案357起、暂住人口作案42起，劳动教养25人，报批捕49人。抓获逃犯67人。

*有序换发二代身份证和办理落户。*共受理换发二代身份证20287件，办理“三投靠”592户730人、购房落户175户408人。在全市率先启用一站式办证大厅，集中办理居民身份证业务，日均接待群众300余人，既方便了群众，也为各派出所减轻了工作压力。切实做好第六次全国人口普查户口整顿工作，入户核对133989户，差错登记6874项，变更3791项，登记寄住人口9872户、29616人。

*强化危险物品管理。*摸排涉枪单位19家，清查重点部位19处，收缴管制刀具69把、军用子弹1351发、仿真手枪14支、气枪3支、雷管45

中山公安分局举行治安大巡逻出警仪式

发、黑火药2公斤。

深入推进防控体系建设。新成立专职巡逻队伍13支，分成若干组在全区35个区域实施专职巡逻。召开社区治保会522次，发放奖励资金2万元。新增社区巡逻制式警车33台，新上保安172人。利用视频监控系统破获各类案件共410起。

加大打击涉丑违法行为的力度。整治治安乱点5处，抓获卖淫嫖娼人员92人、涉赌人员73人、涉毒人员79人，收缴赌博机81台。

深化校园警务工作。整治校园及周边治安乱点21处，整改安全隐患75处。破获涉校案件1起，打掉涉校违法犯罪团伙1个，有力维护了校园良好的治安秩序。

【打击刑事犯罪】2010年，中山公安分局立刑事案件5902起，比上年的8111起下降27.2%；破获2589起，破案数上升14.6%。提起公诉708人，劳动教养195人。

当年打击刑事犯罪工作的主要特点：

1．命案侦破继续保持较高水平。兑现“命案必破”承诺，现行命案发8起破8起，侦破率达到100%。侦破“1.30”特大杀人案、“5.14”故意杀人案、“9.05”特大抢劫杀人案等一批影响较大的命案。

2．打黑除恶实现突破。打掉涉黑涉恶团伙6个，抓获团伙成员82人，破获各类案件88起。

3．打击侵财性犯罪专项行动扎实开展。破获侵财案件932起，抓获犯罪嫌疑人138人，刑拘130人，批捕128人，提升了群众的安全感和满意度。

4．追逃工作有新起色。抓获各类逃犯382人，其中抓获省厅督捕逃犯2人，外省市逃犯93.5人。

5．缉毒能力有新提升。强制戒毒（含劳教）32人，逮捕25人，缴获各类毒品5512克。

【公安“三项建设”】2010年，中山公安分局公安信息化、执法规范化、和谐警民关系“三项建设”不断深化。

信息化建设高端应用水平稳步提升。警务综合应用、情报信息研判、警用地理信息基础“三大平台”开通应用良好，采集录入各类基础信息585万余条，办公、办案实现网上流转，治安案件全部实现网上办理。“天网”视频监控系统二期建设全速推进，整合全区各单位

在商业区巡逻

向市民进行法制宣传

视频监控系统，数量已达9016个，基本实现“三区”（案件高发区、金融商业区、封闭居民住宅区）、“三口”（城市出入口、重要交通路口、重点单位门口）和五类重点场所（娱乐场所、网吧、监管场所、金融机构、大型企业）的视频全覆盖。积极推动“大情报”系统建设，成立以调度、研判、考评和视频建设等职能为一体的情报信息指挥中心，确保最大工作合力。

执法规范化建设扎实开展。大力加强执法培训，细化各类执法标准，严格执法程序，完善内外监督机制，开展专项执法检查，严格执法过错追究制度，有效提高执法办案能力和水平。全年应诉行政诉讼案件5起，复议案件7起，全部维持原决定，无一起败诉案件。

和谐警民关系建设持续发展。积极开展“大走访”征求意见月活动，变“开门纳谏”为“登门求见”，将触角延伸到社区和居民家中，共走访3571人次，征求意见、建议1390条，为群众解决问题118件，树立了公安机关的良好形象。

【公安队伍建设】2010年，中山公安分局加强基层领导班子建设，提高民警待遇。完成全部13个派出所领导班子建设、35个支部改选以及分局团委换届。全面开展非领导职务评定工作，共有282名民警得到晋升。

改善基层办公环境，强化警务保障。完成天津和昆明2个派出所的换建，13个基层派出所全部建立监控室和督察监控系统。为社区民警和巡警配置笔记本电脑120台、录音笔90部、数码相机90台，为派出所巡警车配备GPS定位导航系统，购置防护器具和装备111套、PDA手机139部，新增警车48台。

开展核心价值观教育活动。开展以“学雷锋、讲奉献、促和谐、铸警魂”为主题的系列教育活动，672名民警参与活动，参与率82%，弘扬了正气，提升了战斗力。

【成功破获“9.05”特大抢劫杀人案】2010年9月5日凌晨2时许，犯罪嫌疑人鲁长厚（男，36岁，河南信阳地区淮滨县人，无业）窜至中山区春华街11号溜门入室行窃，被居住在此的安徽来连务工人员夏广珍（男，50岁，安徽阜阳城父乡厦竹元村人）、其子夏茂云（男，24岁）发现。当鲁逃至春华街3号楼西侧约100米处时被夏广珍父子追上，鲁向父子俩连捅数刀后逃跑。夏广珍父子被送医院抢救无效死亡。

案发后，安徽卫视、网络《第一现场》《半岛晨报》等多家媒体连续报道此案，引起社会广泛关注。中山公安分局迅速成立“9.05”专案组，做出“不破此案，誓不收兵”的承诺。专案组民警发扬特别能吃苦、特别能战斗的精神，连续5昼夜进行缜密侦查和细致摸排，于9月10日19时许，在青泥洼桥步行街将犯罪嫌疑人抓获。此案的成功告破，迅速消除社会不良影响，体现出公安机关能打硬仗、善打硬仗的良好精神风貌，赢得社会各界一致好评。

【强化重点地区治安整治】大连火车站站前等地区是“三包”（盗包、拎包、割包）案件的高发地区。近年来，中山公安分局坚持对这些重点地区实施常态化、长期化和精细化的治安整治，收到较好成效。

加强信息研判。青泥洼桥派出所设有6人的研判队伍，实行周、月研判制度，详细分析站前地区“三包”案件的发案部位、发案时间、作案手段等，为有效侦防“三包”案件提供有力的信息支撑。

加强巡逻防控。日常巡逻防控由青泥洼桥派出所负责，该所将巡逻警力分成3组，在人员密集场所和部位着装巡逻。节假日人流高峰和发案高峰期间，分局再抽调100名警力分成10组进行巡逻，最大限度地控制发案。

加强秘密打击。将便衣中队作为打击“三包”案件的专门队伍，分成3组开展工作：1组负责控制二

“9.05”案件侦破后，群众向中山公安分局赠送锦旗

七、三八商贸中心等外围，其余2组在发案集中的胜利地下商场、大连商场和天津街实施侦控，注意抓获现行。

加强群众自防。广泛发动各大商场和人员聚集场所的从业人员，加强对“三包”案件的防范，时刻提醒群众注意。通过广播、电视、报纸、网络等媒体大张旗鼓地宣传，提高群众的自防意识。通过广告牌、LED大屏幕及商场门前的娱乐促销活动等载体，提醒群众加强防护，从而有效地遏制和减少“三包”案件发生。

2010年，站前等重点地区发生的“三包”案件比上年下降47.7%，破案数在上年提高13.2%的基础上，又提高5.8%，治安秩序明显好转。大连市副市长王立科在《重点地区整治情况专报上》批示：“中山分局工作任务明确，力度大。”

（翁明刚）

·交通管理·

【概况】2010年，中山区发生道路交通事故 3069 起，其中伤人事故335起，车损事故1958起；死亡14人，比上年上升1倍；受伤549人，下降9.3%；直接经济损失约896万元，下降2.3%。

这一年，大连市公安局交通警察支队中山大队共出动警力1.5万余人次、警车1.1万余台次，检查过往车辆23万余台次，现场取缔违法行为14178起，发放违法通知书78432件，扣留四轮机动车411台次、两轮三轮摩托车686台次，扣留驾驶证134件次，依法行政拘留271人。

完成各级别交通警卫任务、大型活动交通安保和特殊勤务731批次。其中一级交通警卫任务33批次、二级408批次、三级57批次，大型活动10批次。

增加交通岗勤

共接处警2593起，立案调查处理2395起，扣留交通事故车辆2105台，破获交通逃逸事故2起。事故快速理赔中心处理简易事故4759起。

【交通秩序整治】2010年，中山交警大队先后开展39次大规模交通秩序整治行动，全面改善辖区行车和停车秩序。

交通秩序整治百日攻坚战役　7-10月开展，重点整治违停、酒驾、涉牌涉证等违法行为。共投入警力8200余人次，出动警车3000余台次。现场处罚各种交通违法行为1860余件，非现场处罚1.2万余件，滞留违法机动车170余台。集中开展酒驾专项整治26次，查处酒后驾驶交通违法行为65件，拘留醉酒驾驶违法行为人5名。

交通安全严打整治行动　6月底至年底开展，重点整治超员、超载、超速、酒后驾驶、闯红灯、逆向行驶、故意遮挡、不悬挂号牌、假牌、假证和无证驾驶等行为，坚决遏制重特大道路交通事故。加大路面交通违法行为处罚力度，对上述严重交通违法行为，一律按上限从严查处。专门成立对无牌、无证三轮车和摩托车“三车”整治机动队，在全区巡逻管控，共滞留违法车辆310余台，行政拘留无证驾驶257人。

违法停车整治行动　3-12月开展，全面规范管理辖区车辆停放秩序。协调区城建、规划、公安等部门解决停车场问题，开放地下停车场，增加规范停车场数量。全区新增停车位1.8万个。专项整治违法停车行为，共开具违法停车告知单4.3万余件，罚款400余万元，有效遏制违法停车占道势头。

【大型活动交通安保】2010年，中山交警大队共完成各级别交通警卫任务、大型活动交通安保和特殊勤务731批次。其中一级加强警卫任务29批次、一级警卫任务4批次，二级加强警卫任务27批次、二级警卫任务381批次，三级加强警卫任务18批次、三级警卫任务39批次，照顾任务76批次，大型活动交通保卫任务10批次，特殊勤务147批次。

完成警卫任务过程中，由于警力部署合理，岗位安排得当，警卫

维持考场外交通秩序

秩序井然，大队连续两个季度考核名列全支队第一。

【路面施工交通组织】2010年，中山域内展开地铁、道桥、煤气、自来水、供热等多个建设施工项目，对道路交通形成干扰，并大幅增加交通流量。

中山交警大队以警力跟着施工走为原则，为建设项目施工提供便利。与港湾广场和中山广场地铁项目施工单位协调，制定施工疏导实施方案，提出8项工作措施，使周边交通在地铁动工后未受大的影响。在自来水、煤气和供热管线施工，解放路道路拓宽改造、中南路等道路摊铺改造项目中，现场协助指导施工单位，保证了施工期间道路有序畅通。

全年共审批道路挖掘和占用项目48件，均做到严格把关、协调到位。

【交通安全宣传】2010年，中山交警大队开展6次大型交通安全宣传日活动。期间，组织民警进企业、进社区、进学校，举办交通安全常识“大宣讲”活动8次，还组织开展交通安全知识竞赛答疑、答题活动。共制作宣传材料2.8万份、宣传刊板30余套、悬挂横幅200余幅，与驾驶员签订安全责任状5000份，取得较好的社会效果。

重点加强客运交通安全教育。以预防客运车辆群死群伤事故为主题，督促客运企业落实驾驶人交通安全宣传教育制度。组织观看交通安全宣传光盘、挂图近2000人次，签订单位责任状368份。发送《致驾驶员一封信》2万份、重点车辆检测表2000余份、交通安全组织审批表1万份、重点车辆驾驶人认证表1万份、交通安全宣传单2万份，在本市各大媒体发稿7篇。企业单位利用楼宇电视、电子显示屏发布交通安全信息2000余次。在大队事故处理岗位、违法行为处理窗口以及客运站场及单位、社区等场所，悬挂宣传集中整治活动的标语和横幅30幅，摆放宣传展板200块（次），播放交通安全宣传片300余次。

进一步完善各级交通安全组织。对全区各单位的交通安全组织重新进行登记，印发重点驾驶人重点车辆登记表、交通安全责任认证表、交通安全保证书等6种交通安全组织登记表。

【运输企业安全监管】2010年，中山交警大队与辖区8个街道、51个社区、295个管辖单位全部签订交通安全责任状，督促辖区单位检验中型以上客车571台次、货车1351台次、校车6 台、危险品运输车17台。办理记分驾驶员教育班30批次，千余名驾驶人受到教育。

强化客运企业安全监管。督促大连交运集团为217台客运车辆安装视频监控。深入该集团所属6个客运站、25个分公司，与全部客运单位、车主及驾驶人签订《交通安全责任状》1560余份，逐车核对客运车辆注册登记信息和客运班线，检查车辆的安全技术状况和安全设施配备情况，安装行驶记录装置1800余台次。该集团所属车辆定期检验率达到100%。

加强对辖区单位的监管力度。向全区966家运输企业下发《督促加强道路交通安全管理通知书》。对14家危险品运输企业逐一落实安全检查主体责任。对29家集箱装企业逐个落实安全管理归属。对个别安全工作不落实的单位下发《限期整改通知书》20余份。

【交通事故快速处理】2010年，中山交警大队采取多项措施，提高交通事故现场勘查速度。

针对事故车辆不能迅速撤离造成交通堵塞的问题，为事故中队警车配备折叠自行车2台，以便勘察员能快速到达现场。为岗勤民警配备彩色喷漆，以便对事故车辆、痕迹等勘查物证进行定位，使事故车辆能尽快撤离现场。

将事故处理工作向一线岗勤延伸，选拔10名政治素质高、业务能力强、群众信赖的民警为岗勤中队事故勘察员，经培训考试合格后，分配到各岗勤中队，以保证快速出警、快速勘察、快速处理。

（王延伟）

·消防管理·

【概况】2010年，中山区政府认真贯彻落实“政府统一领导、部门依法监管、单位全面负责、公民积极参与”的消防工作方针，制定并下发《构筑社会消防安全“防火墙”工程实施方案》，切实将消防安全纳入政府重要议事日程，由政府统一规划、部署，成效初显。

全区共发生火灾408起，无人员伤亡，直接财产损失710万元。与上年相比，火灾起数、财产损失分别下降28%和31%。未发生大的、有影响的火灾事故。

大连市中山区公安消防大队接警989起，出动车辆2136辆次，出动警力11750人次。抢险救援581起，抢救被困人员680人，挽回经济损失超1亿元。

【消防安全管理】多警联勤、协同作战。2010年，中山区公安消防大队与安监、工商、治安、内保及各公安派出所紧密配合，将消防工作纳入日常警务工作机制，构筑起全方位、立体式消防监督管理形式。会同公安分局治安大队，指导各派出所集中排查整治液化气站、加油站，储存、使用液化气钢瓶的小饭店、居民区、流动人口聚集地、棚户区、小旅店，室内机动车停车场，“三合一”、“七小”场所，公共娱乐场所，以及集贸市场、日用工业品市场和综合市场的火灾隐患，共整改火灾隐患102处。各公安派出所也充分利用户口普查、治安防范的有利契机，入户宣传消防常识，规范居民用火用电用气行为，大大降低居民区火灾发生的几率。

行业系统联合检查。自6月起，区政府组成由公安、消防、安监、城建、文化、教育、卫生等部门参加的联合检查组，按行业系统开展消防安全大检查，对消防安全条件达不到要求的人员密集场所采取综合整治整改措施，加大执法力度，坚决铲除人员密集场所消防安全隐患。

消防安全专项行动。年内开展遏制亡人火灾事故消防安全专项整治、七项消防隐患严打整治、消防产品及消控室专项整治等3项行动，严守重点场所，严查整治火灾隐患。区消防大队联合治安、安监、旅游、文化等多个部门，大力开展消防安全隐患排查整治。共检查社会单位2985家，采取三停、查封、拘留、罚款等行政措施，整改隐患2893项，依法取缔51家，三停13家，行政拘留22人，罚款57万余元，消除了大批火灾隐患，使全区消防安全环境得到有效净化。

【消防宣传教育】2010年，中山区各街道社区、各类场所充分利用媒介资源，播放“防火墙”工程公益宣传片，进一步增强人们的消防安全意识。

区政府先后组织构筑“防火墙”工程及其他主题消防宣传日活动4次，悬挂消防公益广告牌和条幅50多个，发放宣传单2万份，提高了群众消防安全意识和自防自救能力。

区消防大队组织各派出所巡警、协警500人次集中培训，讲解将消防工作融入日常警务工作的途径和办法，演示灭火器使用方法，进行灭火器灭火实战演习。组织“五进”（进学校、进社区、进企业、进农村、进家庭）宣传活动32次，主动走访政府职能部门10次，在70余个人员密集场所组建义务消防组织，组织指导30余家单位开展消防演习，共2万余人参与演习。

中山区应急救援大队正式成立

消防战士奋勇扑救“7.16”事故大火

【全面强化执勤备战】2010年，中山区公安消防大队突出抓好基本知识、基本技能、基本战术、基本体能等基本功训练，开展全员参与、因人施教的岗位练兵活动，做到既练兵、又练官，不断提高官兵的业务水平和实战能力。

结合消防安全专项整治行动，大力开展以高层建筑、易燃易爆场所、人员密集场所为重点的“六熟悉”（熟悉消防队责任区的交通道路、水源情况，重点单位的分类、数量及分布情况，主要灾害事故处置的对策及基本程序，重点单位建筑物使用及重点部位情况，重点单位内部消防设施情况，重点单位的消防组织及其灭火救援任务分工情况）和大型实战演练，共组织演练153次，收到良好的社会效果。各中队数字化灭火预案录入率达100%，重点单位建设内部消防设施“六熟悉”率达100%，官兵业务基础情况达到“一口清”，当年实施的灭火救援行动均未出现失误。

【区应急救援大队成立】2010年，中山区政府贯彻落实省政府办公厅《关于依托公安消防部队组建综合性应急救援队伍的通知》要求，拨付20万元启动资金，依托区消防大队组建区应急救援大队，以提高综合应急救援能力。

3月19日，中山区应急救援大队正式成立。下设中山、岭前、特勤一3个应急救援中队，接受区政府统一领导。该大队承担综合性救援任务，包括地震等自然灾害，建筑施工、道路交通、空难等生产安全事故，恐怖袭击、群众遇险等社会安全事件的抢险救援任务，同时协助有关专业队伍做好气象灾害、地质灾害、森林火灾、生物灾害、危险化学品事故、水上灾害、环境污染、核与辐射事故和突发公共卫生事件等突发事件的抢险救援工作。在日常管理中，建立健全各类突发事件的抢险救援预案，及时补充更新应急救援装备和物资，加强应急救援队伍建设，有计划地开展应急救援培训演练，不断提高应急救援能力。

当年，该大队抢险救援581起，抢救被困人员680人。

【增援扑救“7.16”爆炸事故火灾】2010年7月16日18时20分，大连新港一输油管线发生爆炸，引爆另一条输油管线并引燃1座10万立方米储油罐。

中山区公安消防大队在市消防支队统一调动下，除留守执勤车辆人员外，全力以赴增援事故现场。官兵们冒着生命危险，冷却抑爆着火罐及毗邻罐体，同时全力扑灭管线、泵房以及地面流淌火。大队领导在指挥扑救的同时，还负责调度外市增援车辆，共分流调派车辆上百台，有效保证泡沫和水源供应，为整个灭火战斗起到关键性作用。

在这次新中国成立以来原油管线储罐爆炸救火难度最大的扑救工作中，中山消防大队官兵奋战三天四夜，连续作战60多个小时，发扬了英勇顽强、不怕牺牲的战斗精神，为火灾的成功扑救作出了贡献。

（区公安消防大队）

司法行政

【概况】2010年，中山区司法局强化司法行政工作各项职能，力促法制宣传有创新、法律服务见实效、基层工作上台阶、机关效能得提高，为创建科学发展首善区提供高效优质的法律服务和坚强有力的法律保障。

年内，全区各级调解组织共调处各类纠纷1103件，各法律服务所共代理法律事务15件。各律师事务所共受理各类案件及提供法律咨询2899件；受理法律援助案件542件。区公证处办结各类公证事项2300件。

区司法局被评为大连市“人民调解先进集体”和“法制宣传先进集体”；蔡民强、孙秀智获“辽宁省人民调解先进个人”称号。葵英司法所获省“优秀司法所”称号，人民路司法所获市“优秀司法所”称号，14人获市司法系统“先进个人”称号。全区各司法所均被评为省级“规范化司法所”，在全市各区市县中属首个。中山区被辽宁省委省政府授予“普法教育先进城区”称号。

【法律援助】2010年，中山区司法局大力加强法律援助工作。对全区51个社区的法律援助专干进行法律援助知识培训，共有近200人参加培训。

区法律援助中心全年受理法律援助案件542件，接待咨询5783人次。对办结案件进行回访，满意率达100%，律师办案满意率为92%。年内，该中心被省司法厅命名为“辽宁省规范化法律援助机构”。

【矛盾纠纷排查调处】2010年，中山区有人民调解组织225个，全部达到市级一类调委会标准。共调处各类纠纷1103件。防止群体访18件，制止群体性械斗1起，防止民间纠纷引起自杀1件，防止民间纠纷转化为刑事案件2件，发现治安隐患50条，发现案件线索28条，防止非正常上访19起。

进一步加强与区法院联动调解机制，法官进街道、进社区为辖区群众讲法制课，为做好纠纷调解工作奠定了基础。

进一步深化与区劳动部门联动调解机制，将劳动争议纠纷调解平台前移到各司法所。全年共受理并调结劳动争议案件12件，解答咨询286人次。

【基层司法所建设】2010年，中山区加强各司法所规范化建设。启用司法行政基层工作网上管理平台，司法所组织建设、调委会组织建设、工作情况等日常基层司法行政工作和报表全部实现网上统计上报，司法所日常工作实现网上对接。

深入社区举办普法讲座

全区8个司法所实现“五统一”（统一对外悬挂的标识和标牌；统一印章；统一制式服装，制作工作证；统一各项管理制度；统一各项工作档案），实现面向社会群众的服务，接受群众监督，增加工作透明度。8个司法所全部被省司法厅命名为“辽宁省规范化司法所”，在全市各区市县中属首个。

【基层法律服务】2010年，中山区基层法律服务所共为8家单位、组织担任法律顾问，代理法律事务15件，代写文书21份，解答咨询562人次，为各类当事人避免和挽回经济损失220 万元。实现“零”投诉。

【普法工作】2010年，中山区调整充实依法治区领导小组成员，在区委党校建立法制宣传培训基地。全区8个民主法治示范社区全部达到市级标准。

对全区副处以上领导干部进行《侵权责任法》培训，对一般干部进行“五五”法律知识考试。开展“法律六进”活动。推选《普法三字经》《猜花》《三大妈说法》等6个优秀法制节目，参加大连“法治文化周”活动。“五五”普法圆满结束，通过了市检查组的检查验收。

【释解人员安置帮教】2010年，中山区有释解人员328人，社区服刑人员154人，其中当年新增15人。

区司法局在释解人员和服刑在教人员中开展“强化衔接、传递关爱、感化心灵”活动。对重点对象严格落实监管措施，确保其始终在工作视线之内。释解人员帮教率100%，安置率达到95%以上。全面启动服刑在教人员信息核查管理系统，做到随时登陆、随时核查、随时反馈。

【律师管理】2010年，中山区有律师事务所23个，共有律师178名。

区司法局组织辖区律师事务所开展“我的岗位我负责，我的工作请放心”活动，提高全区律师特别是办案办证一线人员的政治思想素质、工作作风、执业能力和阳光服务水平。

当年，各律师事务所为408家政府部门、企事业单位和其他经济组织担任法律顾问。共受理各类案件及提供法律咨询2899件，案件涉及财产标的额6183万元，其中非诉讼

身着统一制式服装的司法所干警在研究案情

案件393件，行政案件36件。出具法律意见书98件，审查起草修改合同132件，义务咨询解答5348件。为公益事业捐款1.38万元。

【公证工作】2010年，中山区公证处积极拓展多领域公证业务并取得初步成效，在“量”上有突破、“质”上有提升。共办结各类公证事项2300件，避免经济损失3160万元，拒办不合法公证事项326件。为弱势群体提供援助公证事项17件。

区公证处在房屋拆迁、企业改制、政府采购、招投标等工作中，服务大局、全力投入，成功化解旧城区改造拆迁中的矛盾纠纷14起，起到超前预防矛盾纠纷，超前化解的作用。

（李建平）

人民武装

【概况】2010年，中山区人民武装部按照“优势牵引、末端突破、亮点推动、整体跃升”的思路，全面完成民兵整组、军事训练、征兵、国防教育等项任务。经整编，全区有编制基干民兵2700人。进行3次共400人参加的民兵应急分队演练和拉动。征兵153名。国防教育初步形成多个网络。

区人武部获辽宁省军区“正规化建设先进达标单位”、大连军分区“先进党委”等称号。

【民兵整组训练】2010年，中山区人民武装部坚持“科学布局、改善结构、突出重点、加强职能、打牢基础”的整编原则和工作思路，调整民兵组织分布。坚持以属地化编兵为主，依托街道、社区的辐射功能，确立“抓住重点、联合编组”的方法，形成以大中型企业为主体、街道为依托的编组格局，完成当年民兵整组任务。年末，全区有编制基干民兵2700人，设民兵防空团1个，民兵应急排8个，民兵心理战分队、海上医疗救护分队、步兵分队、通信连、通信抢修分队、雷达观通分队、岛岸观察哨和信息站各1个。

民兵训练本着“平时服务、急时应急、战时应战”的思路，以任务牵引抓应急，围绕使命抓准备。进一步修改完善“一纲九案”（军事斗争准备纲要，城市防空袭作战、军事威慑行动、应对公共卫生事件等9项预案）战备方案和抢险救灾、维护社会稳定、反恐维稳等应急预案。组织各单位结合民兵整组和重大节日进行演练和拉动，提高了遂行各种应急任务的能力。在“7.16”事故海滩清污应

基干民兵参加“7.16”事故海滩清污应急行动

区人武部接受省军区正规化建设工作检查

急行动中，3次共出动民兵400多人，圆满完成军分区和区政府下达的清污任务。8月份参加省军区组织的高炮防空团首长机关联训，取得训练和理论考核双第一的好成绩。9月份参加省军区组织的全省民兵预备役高炮部队实弹演习和基础训练考核，获得优异成绩并受到表彰。

【征兵工作】2010年，中山区人民武装部针对近年来出现的“征兵冷、征兵难”的实际情况，制定“早动员，深挖掘”的征兵工作思路，深入基层开展多种形式的征兵宣传工作，把兵役法规和优抚政策宣传到户，人尽皆知。落实优抚政策，加大奖励额度，激发青年入伍热情。坚持“基层推荐、三级把关、交叉联审、集体定兵”的原则，依法廉洁征兵，做到公开、公平、公正，为部队提供优质兵员，圆满完成年度征兵任务。

当年共征兵153人。其中：男147人、女6人；陆军99人、海军17人、空军17人、武警20人；本科学历5人，中专、高中、职业学校学历131人。

【国防教育】2010年，中山区人民武装部强化领导、健全组织、落实经费、齐抓共管，初步形成以党校为载体的领导干部国防教育网络、以中小学为载体的普及青少年国防知识网络、以街道社区为阵地的群众性国防教育网络、以国防教育日和重大节日为平台的集中社会宣传网络，保证了国防教育工作有效开展。

坚持创新教育方法，认真抓好教育典型。采取“抓两头带中间”即抓党政机关、抓社区居民，带动非公有制企业的方法，推进国防教育深入普及。区委党校充分发挥阵地作用，在上半年举办的3期领导干部培训班中，均安排国防教育课，有210多名科级以上领导干部接受国防教育。区人武部每季度为各级主要领导干部编发1期《国防军事讯息》，提供最新的国防军事动态，强化领导干部的国防意识。依托民兵训练基地、民兵活动之家、社区国防教育活动中心和青少年军校等阵地，对民兵和青少年开展有特色的国防教育活动。

在《国防教育法》颁布实施（4月28日）9周年之际，全区各单位充分利用各种宣传媒体和宣传形式，组织开展丰富多彩的宣传教育活动，有10多万人参加活动。

5月22日，国家国防教育办公室检查调研组专程到桂林街道望海社区检查调研，对该社区高标准的国防教育阵地建设和国防教育“小社区大国防”的经验做法，给予高度评价。

【区人武部正规化建设】2010年，中山区全面落实《辽宁省（市、区）人武部正规化建设标准》，以推动人武部建设创新发展。区委召开常委议军会进行专题研究，区政府专项拨款126万元，并将武装工作纳入政府年度工作指标考核体系，全区上下形成“党委领武装、政府抓武装、自身强武装、社会促武装”的良好氛围。

整治更新硬件设施。投入40多万元大修营房，使老旧办公楼面貌焕然一新。更新配齐办公设备，完善“四室四库”（战备室、作战室、值班室、办公室，战备库、指挥器材库、训练器材库、军需物资库）建设，使装备器材随时处于战备应急状态。建立藏书万余册的图书学习室和文体活动室。

细分细化条令法规。规范上墙规章制度17种，规范登记文书资料107种，规范统一人员着装，形成高效务实、雷厉风行的工作作风和良好的精神风貌。

狠抓秩序作风养成。坚持以“学条令、明职责、严制度、守纪律”为主要内容，强化建立战备、训练、工作、生活等“四个秩序”。

10月27日，辽宁省委常委、省军区政委张琳少将前来检查指导时，对区人武部正规化建设工作给予高度评价。

（傅建龙）

责任编辑 石黎明

综合经济管理 ZONG HE JING JI GUAN LI

宏观经济管理

【概况】2010年，中山区发展和改革局围绕区委、区政府确定的年度经济发展目标，积极履行职责，认真调查研究，科学编制发展规划。年初，启动“十二五”规划编制工作，年底完成《中山区国民经济和社会发展第十二个五年规划纲要》编制。制定并出台《中山区四大城市功能区建设规划组织方案》《中山区四大城市功能区建设实施方案》。编制出台《中山区进一步促进区域经济发展的十六条鼓励政策》，提出四大功能区建设规划实施的政策保障措施和支持措施。开展楼宇资源调查，建立楼宇数据库，形成《中山区楼宇资源调查报告》。加强政策研究，完成中山区软科学项目——《中山区发展区域性金融中心核心功能区对策研究》和《大连市中山区区域性金融中心核心区建设研究》，开展中山区与国内发达城市主城区经济运行情况对比研究。组织各职能局完成19项主要课题研究，制订《中山区2010年度街道办事处工作考核办法》。

【完成“十二五”规划编制工作】2010年年初，中山区发展和改革局及时启动“十二五”规划编制工作，组织召开“十二五”规划编制工作会议，编写《中山区国民经济和社会发展“十二五”规划编制工作方案》。组织各职能局编写13项重点专项规划。年底完成《中山区国民经济和社会发展第十二个五年规划纲要》编制工作。

【制定四大功能区建设规划】2010年，中山区制定和出台《中山区四大城市功能区建设规划组织方案》。“规划”明确了四大功能区的发展思路、空间布局、功能定位和重点项目。同时，还制定和出台了《中山区四大城市功能区建设实施方案》。

四大功能区分别是：

以金融业为主导产业的CBD功能区；以天津街、青泥洼桥为核心的商贸功能区；以解放路、中南路为重点的生态宜居功能区；以南部滨海区域为依托的旅游观光功能区。

“规划”明确四大功能区的功能定位。

CBD功能区：强化金融总部、金融创新产品和金融高端服务功能布局，推进以东港区为重点，以中山广场为基础，以人民路CBD为纽带的“两圈一带”区域性金融中心核心功能区建设，进一步提升航运、物流、信息、邮轮等商务服务功能，促进总部经济、楼宇经济和会务经济发展。

商贸功能区：做大做强商贸业，不断提高商贸业辐射带动效应，大力发展高端餐饮娱乐服务业，强化多功能综合体项目建设，打造休闲、娱乐与购物天堂。

生态宜居功能区：以解放路、胜利路拓宽改造为契机，做好区域内旧城区的拆迁改造，在建设保障性住房的基础上，规划建设部分以中端为主、高端为辅的居住区，在桃源广场

区常委（扩大）会议研讨“十二五”规划

规划建设区域性商贸次中心。建设七七街、南山路沿线高端居住区。建设虎山路、山屏街沿线、中南路周边中高端居住区。在三八广场以东、鲁迅路沿线，结合生态宜居区建设，规划建设知识城。

旅游观光功能区：以开发独具滨海特色的海洋主题公园、休闲旅游产业、游艇总汇为重点，突出海洋文化、海洋动物和参与性娱乐主题，注重旅游景点、景区建设，着力打造中国北方知名的国内国际旅游目的地和高品位的休闲区。

“规划”还明确了四大功能区建设的重点项目。主要包括海洋主题公园、休闲旅游产业、游艇总汇、天津街功能再造、大连中心·裕景项目、解放路、胜利路区域内旧城区拆迁改造、七七街等高、中端居住区建设以及老虎滩海洋公园、海之韵公园改造，老虎滩渔人码头、琥珀湾等旅游项目建设和三山岛开发利用等等。

四大功能区分布图

附：

中山区四大城市功能区建设规划组织方案

为贯彻区委十二届八次全会“加快四个重点功能区(以下简称功能区)，打破行政区域界限，加快形成组团式发展格局”的战略部署，促进区域内资源优化配置，提升产业集群的创新动力和集聚效益，结合中山区实际，制定本建设规划组织方案。

一、四大功能区建设的重大意义

功能区是实现城市职能的载体，城市功能区的形成过程是产业或者城市功能要素在特定的城市空间集聚的过程，具有特色的经济功能区是城市经济功能细分的结果。功能区具有极高的集聚和辐射效应，有较强的社会经济效应，功能区间的竞争是现代区域竞争的主要形式，由特色功能区所形成的比较优势，是区域竞争优势的核心。

中山区作为大连的核心城区，传统的经济发展模式正受到越来越多的挑战，谋求进一步的发展，必须要拓宽经济发展思路。建设四大功能区的决定，是区委、区政府为转变经济发展方式、调整经济结构而进行的体制和机制的创新，全区各部门和单位要提高认识，统一思想，增强四大功能区建设的主动性。

二、四大功能区区域布局

在传统的北部中央商务区、中部生态居住区、南部旅游观光区布局保持不变的基础上，重点推进四个功能区的建设。即：1.以金融业为主导产业的CBD功能区。2.以天津街、青泥洼桥为核心的商贸功能区。3.以解放路、中南路为重点的生态宜居功能区。4.以南部滨海区域为依托的旅游观光功能区。

三、四大功能区的基本情况及发展方向

（一）CBD功能区

地域范围：西侧边界自北向南依次为民生街—天津街—民意街—同兴街—中山路—一德街—玉光街—友好路；南侧边界自西向东依次为武汉街—杏林街—朝阳街—鲁迅路—港湾街—长江路—华乐街—滨海北路。

发展现状：区域内商务设施完善，商务楼宇集聚，以金融业、航运物流业为主的现代服务业高度发达，分行（分公司）以上级金融机构已达到61家，占全市的75%，其中，分行级以上银行31家，占全市的85%。航运物流企业1400余家，全球排名前20位的班轮公司有16家在此设立了分支机构。总部经济集聚效应明显，共有44家世界500强企业设立了61个地区总部或分支机构。东港区部分项目已开工建设。区域内五星级酒店5家。以时代广场的世界名品廊、新世界名店坊和友谊商城为代表的高端商业的格局初步形成。

功能定位：着力强化金融总部、金融创新产品和金融高端服务功能布局，着力推进以东港区为重点，以中山广场为基础，以人民路CBD为纽带的“两圈一带”区域性金

渔人码头项目

融中心核心功能区建设，进一步提升航运、物流、信息、邮轮等商务服务功能，促进总部经济、楼宇经济和会务经济发展。

重点项目：以开发独具滨海特色的海洋主题公园、休闲旅游产业、游艇总汇为重点，突出海洋文化、海洋动物和参与性娱乐主题，注重旅游景点、景区建设，着力打造中国北方知名的国内国际旅游目的地和高品位的休闲区。

（二）商贸功能区

地域范围：由西向北沿五惠路－解放路－南山路－友好路－玉光街－一德街－中山路－同兴街－民意街－天津街－民生街以西区域。

发展现状：区域内有1个以本土商业零售企业上市公司—大商股份为龙头的市级商业中心，2条全国著名商业街（天津街商业步行街、青泥洼商业城）。区域内商业设施齐全，功能完善，有大连商场、新玛特、迈凯乐、百年城、太平洋百货等大型购物中心、百货店和大超市，全国家电连锁超市国美电器、苏宁电器，全市最大的量贩超市胜利广场等；香榭里购物广场已投入使用，大连中心·裕景大型商业综合体开工建设。

功能定位：做大做强商贸业，不断提高商贸业辐射带动效应，大力发展高端餐饮娱乐服务业，强化多功能综合体项目建设，打造休闲、娱乐与购物天堂。

重点项目：加快天津街繁荣振兴步伐，实现天津街功能再造、形象再造、文化再造。加快大连中心·裕景项目建设，推进原十五中地块、友好广场周边地块、五金交电商场地块的拆迁改造。盘活金座大厦等烂尾楼和半截子工程。启动火车站以东、天津街以北、胜利桥以西地区的拆迁开发改造。与地铁建设相配套，建设纵贯青泥洼商业城和天津街的地下工程。

（三）生态宜居功能区

地域范围：由西向东沿五惠路－解放路－南山路－友好路－武汉街－杏林街－朝阳街－鲁迅路－港湾街－长江路－华乐街以南，滨海路以北区域。

发展现状：伊顿山庄、欧洲小镇、悦泰·德里等项目引领中南路高档住宅的集聚发展；南山1910、南山2009等项目开建，引领南山路——七七街的升级改造；豪森茗家、捷山观海、锦府桃源、明秀山庄、卡纳意乡等住宅项目，提升解放路沿线居民的居住档次；解放路沿线改造顺利推进，不朽巷改造、青云街地块改造、桃源壹品等住宅项目将逐一开建，生态宜居功能区的规划和布局初步形成。

功能定位：构筑全市环境优美、山水相融、生态良好、节能环保、安全舒适、服务便捷的高品质生活居住高地。

重点项目：以解放路、胜利路拓宽改造为契机，做好区域内旧城区的拆迁改造，在建设保障性住房的基础上，规划建设部分以中端为主、高端为辅的居住区，在桃源广场规划建设区域性商贸次中心。建设七七街、南山路沿线高端居住区。建设虎山路、山屏街沿线、中南路周边中高端居住区。在三八广场以东、鲁迅路沿线，结合生态宜居区建设，规划建设知识城。

（四）旅游观光功能区

地域范围：滨海路及以南区域。

发展现状：区域内拥有42.5公里黄金海岸线，滨海路连接了燕窝岭、秀月峰、北大桥、老虎滩、棒棰岛、三山岛、东海公园等诸多旅游景点。区域内拥有全国5A级景区老虎滩海洋公园、4A级景区棒棰岛。

功能定位：以开发独具滨海特色的海洋主题公园、休闲旅游产业、游艇总汇为重点，突出海洋文化、海洋动物和参与性娱乐主题，注重旅游景点、景区建设，着力打造中国北方知名的国内国际旅游目的地和高品位的休闲区。

重点项目：积极打造主题公园娱乐游、滨海娱乐休闲游、滨海高端商务游等旅游项目，高标准推进老虎滩海洋公园、海之韵公园改造，加快老虎滩渔人码头、琥珀湾等旅游项目建设，开发利用好三山岛。

四、四大功能区建设的保障措施

（一）成立领导机构

成立中山区功能区建设领导小组。区委书记和区长任组长，各位副区长任副组长，相关部门及街道主要领导为成员。领导小组下设办公室，办公室设在发改局，主任由发改局局长兼任。四大功能区分别设立工作组。

（二）打破街道行政区域界限，建立分工协作机制

建立工作组例会、领导小组例会制度，从工作机制入手，打破原有的行政区划限制，组织协调解决功能区发展中的土地、规划、基础设施等方面重大问题，集中力量，简化程序，强力推进功能区改造和产业集聚。各街道要从功能区建设大局出发，按照功能区建设布局和资源、要素集聚要求，主动调整工作思路，发挥各自优势，形成工作合力。

（三）开展功能区发展规划研究

功能区的发展规划事关中山未来的发展，各职能部门要借鉴国内外成功的区域发展经验，认真开展功能区的发展规划研究，根据各功能区的发展现状、产业特点、发展潜力等情况制定中长期的发展目标及发展规划，增强前瞻性、科学性和可操作性，为加快各功能区科学发展提供重要指导。

（四）加强政策引导，争取上级政府支持

制定并不断完善符合功能区产业发展方向的各项优惠政策措施，设立功能区产业发展专项基金，加大对符合功能区产业发展方向的知名企业的引进和扶持力度，加大急需紧缺人才引进力度，为推进功能区的建设提供政策、资金保障和智力支持。

（五）加大功能区产业结构调整力度

坚持高端化和规模化，加大产业结构调整力度，巩固、改造和升级传统产业，大力发展新兴产业，深入挖掘优势产业，强力推进功能区产业集聚，形成产业集群，做到在发展中调结构，在调整中谋发展。

（六）强化以功能区为组团的招商模式

以功能区为组团，根据自身定位筛选招商引资对象，建立和完善招商项目数据库，精心设计概念，组织开展专题招商推介活动，注重发挥企业招商主体的作用，以商招商，形成“引进一个，带来一批”的产业集聚发展效应，为功能区持续发展增强后劲和动力。各功能区工作组对招商引资工作实行精细化管理，明确招商引资任务，落实招商工作责任，密切跟踪招商项目，巩固招商引资成果，促成项目落地，兑现招商引资奖励政策。

【开展楼宇资源调查】2010年，中山区加大CBD商务功能区调研，建立全区已有大厦及在建楼宇数据库，形成《中山区楼宇资源调查报告》，并对特色专业大厦的出租率进行动态跟踪，实时了解大厦的运营状况。

商务楼宇资源：全区共有建筑面积超过5000平方米的楼宇120座，其中商务写字楼67座，商住公寓11座，企业办公楼7座，三星级以上（包括三星）酒店29座，在建商务楼宇6座。在67座商务楼宇中，单体商务面积在5万平方米以上的有14座，2万平方米以上的有44座。中山区有80%的企业分布在120座大厦内，2010年全区楼宇经济贡献税收占全区税收的70%以上。培育特色专业大厦12座。

闲置公建资源：闲置公建建筑面积1000平方米以上的资源18处，涉及总建筑面积约31万平方米，招商意向主要集中在餐饮、休闲、娱乐、综合商场等方面。

拟竣工重点项目公建资源：拟竣工重点项目公建资源9处，涉及总建筑面积约12万平方米，招商意向主要集中在高端名品店，高档休闲、餐饮等方面。

国际金融大厦

【推进重点项目建设】2010年，中

山区提出“项目牵动、政策优先、步调一致”的工作思路，以及“意向项目抓落地，签约项目抓开工，在建项目抓进度，竣工项目抓效益”的具体要求，强化项目建设联系制度，开展“重点项目推进月”活动，加强重点项目调度协调，开展区级领导干部联系重点项目工作，完善强化重点项目考核激励机制，扎实推进项目工作。确定重点项目80个，总占地面积400余万平方米，总建筑面积900余万平方米，计划总投资780余亿元。80个重点项目中，在建项目36个、已摘牌未开工项目26个，储备项目18个。36个在建项目中，除普吉酒店暂停施工，国贸中心进行修改规划的审批工作外，其余34个项目进展良好。大连国际会议中心、万达酒店式公寓等16个项目主体封顶；大连中心·裕景酒店部分、世界金融中心、汇邦国际中心等11个项目正在进行主体施工；峰尚中南、明秀庄园、东港第等7个项目正在进行基础施工。26个已摘牌未开工项目中，春坪商务大厦、御山居、大连丰悦城等项目正在积极办理前期手续。18个储备项目中，不朽巷、箱包厂改造、青云街旧区改造等地块已经进行拆迁工作。年底，朗庭酒店等16个项目实现新开工。明秀山庄、良运四季汇、大连老街等20个项目实现竣工。

【加强政策研究】2010年，区发展和改革局完成中山区软科学项目——《中山区发展区域性金融中心核心功能区对策研究》和《大连市中山区区域性金融中心核心区建设研究》，开展中山区与国内发达城市主城区经济运行情况对比研究。组织各职能局完成19项主要课题研究，并制订《中山区2010年度街道办事处工作考核办法》。

（张玉琴　何　平　孔翔宇）

明秀山庄

新闻链接：

大连中山区：创新发展打造全域城市化样板区

《大连日报》 2010年5月27日 陈景峰

随着今年大连市全力推进全域城市化进程、城市北部众多区域先后崛起、新城区发展如火如荼之际，身为城市传统核心区的中山区并没有因此而淡出人们的视线，而是以一种更加积极的姿态，在全域城市化的进程中扮演更加重要的角色。

编者按

面对全域城市化蓝图的铺就，在城区发展中处于领先地位的中山区将如何重新审视自己在全域城市化战略中的位置？又将以何种思路和方式在全域发展中走出自己的特色？日前，中山区区长江亲瑜接受了记者的专访，详细阐述了中山区在全域城市化当中的发展之道。

做全域城市化样板　实现创新发展

记者（以下简称“记”）：随着全域城市化的推进，很多新城区先后崛起，一时间成为全市瞩目的焦点。在这种情况下，中山区如何看待自己在全域城市化中的地位？

江亲瑜（以下简称“江”）：作为大连老城区的中心，中山区应该可以称作是全域城市化的核心。所以在全域城市化的进程中，中山区要起到“辐射和引领”的作用，或者说应该是一个“样板”。新城区很多时候要以中山区为样板，才能建设出可以媲美甚至超越中山区的城区。所以中山区应该在全域城市化进程中，把“核心、龙头、引领、辐射”的作用切实发挥出来。而要发挥出这样的作用，中山区第一要谋求发展，第二要强化整个城区管理的精细化运营。

记：很多人都认为“中山区已经是大连最成熟、最发达的区域了，发展空间极为有限，没有什么可发展的了”。对此，中山区如何审视自己的发展瓶颈和突破方式？

江：当今社会，任何一个地方都要抓住“发展”的主题，中山区也不例外。只有不断谋求新发展，中山区才能做好大连全域城市化的样板。虽然中山区目前确实面临着

新世界大厦（效果图）

一些问题，但是，区委、区政府在发展上动了很多脑筋。我们在规划整个业态发展的时候，除了要巩固已有的八大业态，还一直在探索新的业态。我认为无论是美国的纽约、日本的东京还是中国的深圳，其他城市能做的业态，只要我们的政策和意识跟上来，中山区就同样能做。所以，中山区不是不需要发展，而是受到目前发展程度的制约，需要寻找新的发展增长点，在巩固已有优势的情况下，创新发展、迎头赶上。

建设四大功能区 解决区域短板

记：那么中山区现在具体做了哪些工作来寻找新增长点？

江：今年年初，我们区委、区政府已经把中山区整体的地理布局和业态布局做了一次深入的研究，提出了“四大功能区”的概念，包括CBD商务功能区、商贸功能区、生态宜居功能区和旅游观光功能区。这样一来，首先打破了行政区划的限制，每一个功能区都成立了专门的领导小组，由一位区领导负责牵头，各相关委办局合作来做功能区的建设，开展工作便捷了很多。其次，功能区明确划分之后，可以找出区域的“短板”所在，集中优势的资源来为功能区提供支持和服务。我认为，由领导小组来统筹管理、弥补其短板，应该是功能区设置最有特色的地方。

记：现在四大功能区各有哪些短板？具体有哪些改进的措施？

江：措施和构想有很多。比如，我现在亲自主抓人民路金融商务区建设，其优势是银行林立、物流集聚，但是短板是缺少相应的服务功能支撑。例如在人才引进方面，中山区在今年的政府工作报告中就提出了“人才大厦”的构想。我们拟通过建设人才大厦实施低租金甚至免租金等优惠措施，为人才解决其对新工作环境进行考察期间的居住问题。再比如吃饭问题，白领们需要咖啡店、酒吧和特色餐饮，我们就要打造一个集聚性的区域来为他们提供这些服务。

而在商贸区的建设上，中山区不仅要打造更多可以实现“以一顶十”消费效果的高档购物场所，让更多人可以享受购物的过程，同时还要丰富消费层次，满足各阶层的购物需求。为了实现这个构想，商贸区的商业体量就必须要进一步扩大，品位需要进一步提高，人气需要进一步的集聚。中山区正在考虑在解放路的北段做一个大型的地下工程，把目前相对孤立的地下商业空间串联起来，进而将整个青泥洼区域的地下空间盘活，还可以把客流从地下引导到天津街商圈，实现商圈的立体式发展。

除此之外，生态宜居区的建设也将不遗余力。夏书记曾在一次会议上指出，大连有很多有特色的建筑和设计，比如南山的别墅等等，我们应该保护和延续这种风格，并自己创造出一些新的精品建筑。未来中山区将在南山街、七七街建设高端居住区，打造一批像“南山1910”别墅这样的高档住宅项目。未来中山区的行政中心可能也要落户在生态宜居区内，同时建设图书馆等市民文化配套设施，让人们在青山环绕当中，感受舒适、现代的生活。

南部的旅游功能区，渔人码头和琥珀湾等项目已经逐步建设起来了，老虎滩公园的改造也将启动，我们在燕窝岭和滨海路等地还将打造的精品旅游景点。未来，三山岛可能也要利用起来。当然，旅游区目前也有短板，比如缺少五星级酒店等高端配套等。我们现在的任务就是要把短板找到，通过弥补不足去盘活功能区，实现突破式发展。

十大招商主题 落实新增长点

记：中山区将如何支撑四大功能区的建设和新增长点的落实？

江：这方面，中山区将从招商引资入手，通过主题性的招商，将已经构思和发掘出来的新增长点进行确实的建设。我们已经把2010年作为“招商引资年”。今年全区预计将引进外资10亿美元、内资50亿元，并在前不久提出了“十大招商概念”，其中包括东港区、“夜大连”概念、振兴天津街、“科技知识城”、开发三山岛等主题。我们今年将按照“突出重点区域、突出重大项目、突出产业特点、突出开拓领域”的要求，重点做好四大功能区和八大产业的主题概念招商，引进一批能够提升功能区服务档次和综合服务能力的高端化服务项目、新兴服务业态和总部经济。

（本文有删节——编者）

工商行政管理

【概况】2010年，中山区工商分局加大市场准入、市场监管、消费维权和执法监督工作力度，完善各项制度，推进管理创新，强化队伍建设，加强服务与行政指导，市场管理质量稳步提升。全年出动执法人员2000余人次，出动车辆480余台次，检查工商业户2000余户，罚没款16.6万元。发放食品流通许可证820余份，检测食品1200余批次。完成转企（个体户转为企业）升级工作141户。新注册商标8件，认定中国驰名商标1件，新认定辽宁省著名商标3件、大连市著名商标4件。中山分局“运用1+1指导法提升基层工商所注册登记水平”的做法被国家工商局作为经验进行推广。青泥洼桥、天津街工商所被辽宁省文明办、工商局评为文明优质服务竞赛“参赛单位”。青泥洼桥工商所分别在全国副省级城市和副省级城市工商局系统两个廉政建设会议上介绍了经验。温州城市场工商所建设“平安市场”经验在辽宁省工商局市场口进行交流。中山区个体私营协会被辽宁省个体劳动者协会、辽宁省私营企业协会评为辽宁省个体私营系统先进协会。青泥、春海工商所被大连市政府评为“市政风行风建设先进基层站所”。

【食品安全监管】2010年，中山区工商分局把食品安全监管作为工作重点，营造健康安全的消费环境。一是严把食品经营准入关，严格审查食品经营者的经营条件、设备和人员，对不符合申请条件的经营者不予发放许可证。严查无许可证、许可证过期、超许可范围经营食品等行为。向区政府提出“关于查处取缔无证无照经营工作建议”，邀请8个街道主管副主任召开清理无照工作联席会议，取得各级政府支持，加大清理工作力度。二是开展节日市场和旅游高峰期专项整顿活动，在春节和国庆节期间，加强对酒水饮料、糕点糖果、蔬菜、肉类、水产品、营养保健品等食品的专项检查，强化对旅游景区、交通枢纽等区域的食品消费场所的综合治理。三是会同农业、质检、卫生等有关部门，严查和治理农作物、水产品药残留超标、畜禽产品违禁药物滥用等现象。四是开展乳制品质量、食品添加剂销售和使用、违法经营病死畜禽产品专项整治。五是开展食品安全示范店全社区覆盖建设，在辖区51个社区设立食品安全示范店。全年检测食品1200余批次。收到食品流通许可申请920余份，发放许可820余份。驳回不符合条件申请近百份。

【市场监管】2010年，中山区工商分局创新市场监管模式，提高管理水平。

深化网格化监管。在建立网格化监管工作模式的基础上，分局制作《中山分局多极网格化管理体系示意图》，按照管辖区域分成三个不同层级的网格，即：分局（一级网格）、工商所（二级网格）、网格员（网格责任人），14个基层工商所共划分78个网格责任片区，网格责任人70人，做到责任区域明确、管理对象明确、监管职责明确，以提高各项管理水平。

推行规范化监管。在年检验照工作中，分局统一印制、发放《企业年检提示通知书》《个体工商户

区工商分局领导在市场调研

验照提醒通知书》等各种行政指导文书，对年检验照方式方法、工作流程及监督管理等进行具体规范。

开展预约服务、上门服务。年检工作中，主动联系邮政、医药销售连锁店、零售连锁店等分支机构较多企业、指导作好参加年检的资料准备工作，约定时间，统一受理。对写字楼里集中的企业，实行上门年检，现场受理。对经营过程中存在问题的业户，出具行政指导通知书，督促及时改正。全年出动执法人员2000余人次，出动车辆480余台次，检查工商业户2000余户，罚没 款16.6万元。

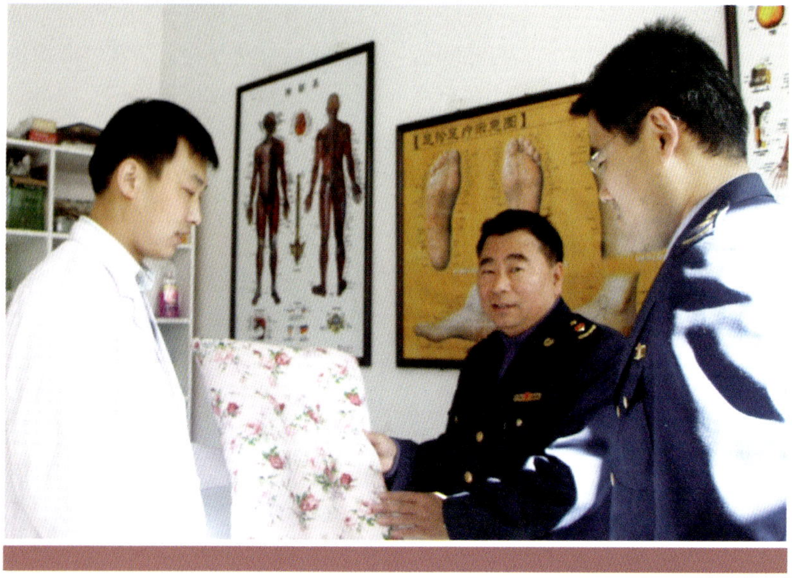

对经营业户进行检查指导

【市场专项整治】2010年，中山区工商分局开展多项专项整治工作，维护公平交易市场环境。开展工程建设领域突出问题专项整治行动、打击传销专项执法行动。开展打击非法出版书刊和音像制品“扫黄打非”专项整治活动、打击制售假冒伪劣商品行为、虚假宣传行为、商标侵权行为及欺诈消费者行为。开展对企业登记代理机构违法行为和“两虚一逃”（指企业虚报注册资本、虚假出资和抽逃资金）行为、烟花爆竹销售和校园周边环境等多项整治。同时，对食品卫生、网吧、娱乐服务场所、婚介所等重点行业严格把关，认真抓好信用分类监管，实施辖区巡查，动态监管。对符合条件的13处市场按照市局要求全部实行信用分类监管，指导工作全部完成。辖区市场企业实行信用分类监管达到100%，市场企业档案工作做到底数清楚、档案完整。

【商标、广告监管】2010年，中山区工商分局加大商标广告、合同监管和指导工作，提高企业竞争力。提出建成“商标战略示范区”的工作目标，制定80个重点商标培育梯队规划，向企业发放《商标策略提示书》《商标法律告知书》和《商标注册申请建议书》等指导性文书，设立天津街、春海街和明泽街商标战略示范所，在天津社区召开商标战略现场会、设立商标战略示范社区，把友谊商城列为商标战略示范单位。指导基层工商所建立商标注册登记台账和电子管理档案，帮助企业做好著名商标材料申报工作。完成新注册商标8件；认定驰名商标1件；新认定省著名商标3件、市著名商标4件；指导商标战略示范企业2家。完成辖区内户外广告审批材料建档及发布内容监督管理工作。

【加强服务与行政指导】2010年，中山区工商分局开展多种形式的服务和行政指导工作，为企业提供公平服务，营造公平竞争的良好环境。走访企业500余户，为企业解决增项、业务拓展、改制等问题43个，完成转企升级工作141户。其中，个体户转为企业12户，引导办理企业登记129户。

主动服务企业。分局班子成员带头走访企业，根据企业提出的问题，推出“主动服务”工程，组织召开“转企升级”和“兴企解难”座谈会，制订《中山分局“三深入两服务”工作规划》（“三深入两服务”即深入企业、深入社区、深入村屯，服务政府发展重点、服务百姓关注热点）和《转企升级联络表》，推出“政策快递卡”、“政策超市”和“注册登记联络卡”，开辟“转企升级绿色通道”，派出专人负责协助企业办理证照和相关手续，实行“面对面服务”。走访企业500余户，发放预约服务函163份，为35家企业开展预约、上门服务，解决公司增项、业务拓展、企业改制等43个问题。

加强行政指导。一是加强对基层工商所工作指导。指导天津工商所在社区、商场、写字楼建立6个行政指导联络站。指导青泥工商所开辟网上《注册登记网络指导》专栏，推出“1+1”指导法，即每月进行一次实地检查验收，每月在网上推出一期《注册登记指导》，及时传递政策信息，提出解决问题的意见，此做法被国家工商局作为经验推广。青泥和天津街工商所被辽

区工商分局表彰法制工作先进集体

宁省文明办、辽宁省工商局评为文明优质服务竞赛“参赛单位”。二是加强对企业的指导。大连商场食品经营区升级改造时，主动派人上门服务，帮助企业改进经营布局，解答企业食品安全管理的疑难问题，宣传《食品安全法》知识，得到企业认可。

【规范工商执法】2010年，中山区工商分局加强执法体系建设，保证公平公正执法。

完善依法行政制度和工作规则。出台《案件管辖及首案查办制度》《案件审核制度》《案件移送制度》《立、销案制度》《涉案物品管理办法》《行政处罚行为暂行规定》《行政强制措施制度》和《行政执法监督制度》等法制工作制度，规范执法行为。制定执法办案审核工作流程，并以文件形式作出明确规定。分局局长同各业务科室和各工商所领导签订《法制建设责任状》。在执法过程中，改进执法方式，推出“实施公平服务，推进公平竞争”办法。

加大执法培训力度。坚持执法干部定期培训、执法技能竞赛、案例分析评议和执法岗位轮换制度，提高执法人员专业素质。

【消费维权】2010年，中山区工商分局围绕“消费与服务”年主题，履行各项职能，营造安全放心的消费环境，保护消费者的合法权益。

抓好事前规范服务。根据经营者要求，在大连商场、新玛特、麦凯乐等9家大型商场推行规范经营和诚信经营10项承诺制，定期进行工商业务培训，集中授课8次。

开展考核评比。组织开展“消费者满意单位”评选活动，对原有的11家市级消费者满意单位进行考核评比，并重新发展80余家区级消费者满意单位。

加强企业指导。对于消费者投诉集中的问题，通过走访调查，理清纠纷症结，提出解决方案。在处理群体投诉方面，建议企业做到：(1)避免将责任归咎于消费者使用不当。(2)认真分析消费者提出问题的合理性，冷静对待。(3)建议消费者到相关部门咨询。(4)简化程序，各有退让，妥善处理。提高企业处理纠纷能力，化解消费纠纷。全年受理消费者投诉件1190件，案件办结率达100%，为消费者挽回经济损失30余万元。

【“两站”建设】“两站”指消费者协会投诉站和12315申诉举报联络站。中山区的“两站”建设工作始于2009年。2010年，中山区工商分局积极推进“两站”建设，将消费维权工作延伸到社区。年初，区工商局与民政局联合下发促进“两站”建设工作文件。3月11日，中山工商分局和消费者协会联合开展“两站”工作“先进单位”和“先进个人”评选活动和表彰活动，对成绩突出的5家“先进单位”和9名“先进个人”进行表彰。4月22日，中山区消费者协会在中山区政府会议室举行“两站”进社区及“消费维权宣传服务年”启动仪式，中山区各委办局、8个街道办事处负责人和51名社区书记参加仪式。在仪式上为510名社会监督员现场颁发社会义务监督员证，旨在通过“两站”和社会义务监督员在社区开展消费者权益保护的相关工作。年内，区工商部门走访辖区8个街道和51家社区，印制《社区“两站”投诉举报登记簿》，张贴消费维权宣传画，免费发放《消费维权》指导手册1500余册，在春海街道华乐社区“两站”开设消费教育课堂，讲授维权常识，展示打假维权成果，提高百姓知假识假能力。

【3.15宣传咨询活动】2010年2月26日，中山区工商分局组织辖区15家大型商业企业召开3.15活动会议，与商家联动开展形式多样的宣传咨询活动。活动中各企业打出“与中山区消费者协会联合打造诚信兴商、促进社会公平公正”的标语，设立宣传台，宣传“消费与服务”

年主题、相关法律法规和维权知识等，举办商品展，展销名优、无公害、绿色、环保、新技术、新数码及新节能消费品。区消费者协会为消费者提供现场消费维权咨询服务、受理消费者投诉等。现场发放各类宣传单2万余份，解答消费咨询30余件。

【建立“就业帮扶基地”】2010年，中山区工商分局针对当前大学生就业难和一些群众再就业难的问题，选择经营规模较大、管理规范、效益较好的企业和工商户建立“就业帮扶基地”。第一批次选定大连本柱工美集团有限公司、大连俊铭服装有限公司、大连桃源商业批发有限公司、大连爱地商贸公司、中山区天味绝饭店和大连妙婷美容美发养生会所6家企业为“就业帮扶基地”。企业的法人代表与分局签订承诺书，分局为企业颁发“就业帮扶基地”牌匾。在建立实习基地的基础上，分局还与有关部门沟通协调，在创业发展、引进项目、技术支持、资金保障以及政策扶持、人才交流、前置审批等方面给予倾斜和帮助。年内完成实名安置就业2040人。

【工商政风行风建设】2010年，中山区工商分局加强政风行风建设。

加强机制规范。开展“读书思廉”、“事业观、工作观、政绩观”主题教育活动和以“两个风险”防范为中心的党风廉政建设工作，分局与所有部门签订《政风行风建设责任状》，对照“民主评议基层站所”活动中反映的问题，分局职能部门及工商所出台自律整改措施，向社会承诺。青泥工商所开展“双风险”防控工作经验，受到中纪委和省工商局纪检小组领导好评。

强化制度建设。建立健全政务、局务公开制度，建立局务公开网站。完善《中山工商分局监督检查工作实施意见》《中山工商分局工作人员行为规范》等制度，与部门签订《政风行风建设责任状》。成立作风建设督查小组，暗访作风建设情况，编发《纪律作风督察通报》，促进工作作风改进。青泥工商所“双风险防控工作经验”分别在全国副省级城市廉政建设经验交流会和全国副省级城市工商局党风廉政建设研讨会上进行交流。温州城工商所建设“平安市场”经验在辽宁省工商局市场口进行交流。中山区个体私营协会被辽宁省个体劳动者协会、辽宁省私营企业协会评为辽宁省个体私营协会系统先进协会。青泥工商所、春海工商所被市政府评为“市政风行风建设先进基层站所”。

【建立网络工商廉政文化教育园地】2010年，中山工商分局春海工商所按照市局“工商文化进机关、进岗位、进工商所、进市场、进家庭”的要求，挖掘廉政教育资源，创新教育方法，创办以“网络廉政文化教育园地”为平台的多种教育载体，寓教于乐，效果明显。园地包括五部分：上级有关党风廉政工作的规定，市局、分局和本所开展廉政文化“五进”活动的方案、计划，廉政文化综艺节目（廉政电影、歌曲、小品、相声、诗朗诵、快板等），本所干部的廉政文化学习心得体会，网络廉政文化长廊（漫画和公益性廉政教育广告等）。春海工商所还制作“廉政文化图板”，悬挂“廉政名言警句”，建立《廉政文化教育档案》，内容每月更新一次，让学习内容新起来、动起来、活起来，深受全所干部欢迎。《中国工商报》刊文介绍了他们的做法，大连市工商局在全市系统转发。

新闻链接：

中山工商分局严把食品安全关

《大连日报》 2010年11月15日

食品经销是食品安全的最后环节，中山区工商分局消保科的工作人员对此深感责任重大。近年来，他们针对百姓关注的食品安全热点问题，不断创新监管思路，使中山区流通领域的食品安全保障和消费者权益保护工作得到了全面地落实和提升。

在对食品经营主体的监管上，中山工商分局首先严把准入关。食品经营者必须亮证、亮照经营。结合食品流通许可证的发放工作，工商严格审查食品经营者的经营条件、设备、人员，对不符合申请条件的经营者坚决不予发放许可证。一年来，中山工商分局消保科收到食品流通许可申请920余份，发放许可820余份，近百份申请因不符合申请条件予以驳回。在检查中，对没有食品流通许可、许可已过期、超出许可范围等行为坚决予以查处。在对经营食品的监管上，本着食品安全要从源头抓起的原则，他们还积极会同农业、质检、卫生等有关部门，严查和治理农作物药残留超标、畜禽产品违禁药物滥用、水产品药残留超标等现象。通过普查建档，严格监控，集中清理和查处所售食品中滥用食品添加剂、添加违禁物质和使用非食用原料等违法行为，严防重大食品安全事故的发生。去年，中山工商分局快速检测食品1200余批次，对检测不合格的食品，坚决下架、退市，并通过索证索票工作的落实，追溯相关商品的来源及相关责任人的责任。

中山区地处交通枢纽及商业繁华区，所以加大对重要节假日和重

陪同市领导视察区人口普查工作

大活动期间的食品安全综合治理力度，也是中山工商分局消保科的又一工作重点。每当旅游高峰期等特殊时期，他们都对重点公共场所实施重点保障，并强化对相邻区域、旅游景区、交通枢纽等区域的各类食品消费场所的综合治理。在春节、"十一"等重要节日期间，加强对消费量激增的酒水饮料、糕点糖果、蔬菜、肉类、水产品、营养保健品等高风险食品进行专项检查，将节日市场专项整顿活动逐步引向深入。

（刘　伟）

统计管理

【概况】2010年，中山区统计局发挥统计职能作用，强化服务意识，加大统计行政执法力度，提高统计数据质量，完成各项年报、定报和第六次人口普查工作，完成规模以下工业企业样本抽样调查、辽宁省统计局第二次R&D资源调查和科技人员状况调查、城镇居民可支配收入调查及私营企业调查、辽宁省组织工作满意度调查等专项调查统计工作任务。完成第二次经济普查收尾工作，被授予第二次经济普查国家级先进集体荣誉称号。统计执法全年立案13件，结案13件，下达限期改正书25份。

【年报和定报工作】2010年，中山区统计局先后召开工业、贸易餐饮业、国民经济核算、劳动工资及固定资产投资等10余个专业年报和定报培训会议，1000多人次参加了年报和定报统计业务培训。针对机构、企业改革及行政区划调整后统计工作中出现的新情况、新问题，一是着力加强组织协调，确保年报、定报渠道畅通，确保统计人员工作到位，确保各项年报、定报的质量和时效。二是对企业上报的统计数据进行评估和审核把关。抓好统计数据搜集、审核、汇总及上报等环节，对国内生产总值、社会消费品零售总额、固定资产投资等重要经济指标采用相互指标验证、比例控制和抽样推算等方法进行验证，对企业上报的不符合实际指标及时进行纠正，力求各项年报和定报数据的客观真实。三是改革汇总上报方式，所有专业年报和定报表实现网上申报、审核、汇总和反馈，确保报表的上报率，提高年报和定报数据时效。

【第六次人口普查】2010年，中山区制定《中山区第六次全国人口普查工作进度》《中山区第六次人口普查领导小组成员单位职责分工》《关于人口普查办公室内设机构职责的通知》等工作制度，下发《关于印发中山区做好第六次全国人口普查工作的通知》，组建区、街道人口普查领导机构，编制区人口普查经费预算，第六次人口普查工作整体进展顺利。完成市级人口普查综合试点单位——老虎滩街道杏花社区试点工作。完成普查人员2400余人的借调、招聘和培训工作。配合公安系统完成入户调查前摸底和户口整顿工作。组织协调各街道人口普查办公室进行入户登记调查工作。6月4日，中山区在辽宁省人口普查试点工作会议上介绍了老虎滩街道杏花社区试点工作经验。8月24日至25日，在上海召开的全国城市人口普查工作座谈会上，中山区作为大会唯一的区级受邀代表，在会上介绍了人口普查试点工作经验。

【专项调查】2010年，中山区统计局完成四项专项调查。一是规模以下工业企业样本抽样调查。二是辽宁省统计局第二次R&D资源调查和科技人员状况调查，完成辖区内84户从事R&D活动及其他相关活动的各类企事业单位和238户企业调查。三是城镇居民可支配收入调查及私营企业调查，完成8个街道500户居民和160户私营企业调查。四是辽宁省组织工作满意度调查，配合、协助省统计部门完成辖区30多个部门、单位的240个样本调查。

【第二次经济普查】2010年，中山

区统计局根据大连市统计局经济普查办公室《关于做好第二次经济普查收尾工作的通知》要求，开展经济普查分析总结工作，对普查数据进行认真整理分析，完成《中山区第二次全国经济普查主要数据公报》，依据普查资料撰写《区域综合经济实力分析研究》综合性研究报告，完成第二次经济普查收尾工作，被评为第二次经济普查国家级先进集体。

【统计行政执法】2010年，中山区统计局制定《中山区2010年统计执法检查计划》，明确检查目的、检查内容，细化检查步骤、检查标准。结合年报、定报工作和统计执法大检查，集中对辖区内企业进行统计执法检查，对75个迟报、拒报单位进行重点检查，对违法行为单位进行催报、通报批评，责令限期整改。对违法事实清楚，证据确凿的单位进行立案调查，依法处理。全年立案13件，结案13件，下达《统计执法限期改正书》25份，已结案件文书全部归档。

（彭晓霞）

审计管理

【概况】2010年，中山区审计局依法履行监督职责，加大审计力度，提高审计质量，积极发挥审计对依法行政和经济建设的促进和保障作用。完成审计项目25项，涉及审计和延伸审计单位107个，审计资金总额近9亿元，管理不规范金额1765万元，出具审计报告25篇。帮助被审计单位完善制度19项，提出可操作性审计建议32条，制定审计管理制度1项，撰写审计调研报告6篇，为区及以上部门提供审计信息4篇。

【预算管理制度建设】2010年，中山区审计局深化财政预算执行情况审计，从财政预算编制和预算执行入手，深层剖析，提出建议促进管理。提出四项审计建议：加强和改进预算管理，强化预算约束；深化非税收入实行“收支两条线”管理；加强对财政专项资金的监督管理；加强财政结余资金管理，建立结余资金与预算安排的衔接制度。建议从制度建设上保证全区预算内、外资金使用的合理、效益。

全年审计出管理不规范金额249.7万元，帮助被审计单位完善制度5项，提出可操作性审计建议4项，制定审计管理制度2项，撰写审计调研报告5篇。

区审计局领导班子评议审计报告

【重点项目审计】2010年，中山区审计局加强对民生、基建资金等重点项目资金的审计监督。安排业务骨干实施审计，对审计出的问题及时提出可操作性的审计建议，帮助被审计单位完善管理制度。2009年中山区用于重点项目的财政资金近5亿。审计工作中，被列为审计监督重点的包括：教育支出、就业再就业和社会保障支出、维护社会稳定及财政应急保障支出等民生资金支出，政府采购项目资金、基本建设资金、科技三项费用资金、货币化分房资金和城市建设专项资金支出。

【领导干部经济责任审计】2010年，中山区审计局加强领导干部经济责任审计，加强党政领导干部廉政警示教育、审前告知及日常咨询等制度建设，强化审前调查，向被审计单位的领导班子、群众了解情况，对审计人员的行为和审计工作过程实施有效监督，保证审计工作公开、公正。接受区委、区政府委托的经济责任审计49项，完成22项，其中领导干部任中经济责任审计8项。审计发现管理不规范金额1515万元，提出审计建议25条。

【专项与投资审计】2010年，中山区审计局完成对全区中小学校舍安全、清理海上污染工作进行专项审计和政府投资审计。

开展校舍安全审计。对35所中小学的51栋校舍进行安全检查，面积

28.38万平方米。发现需加固的10栋，面积3.97万平方米，需重建的3栋，面积0.67万平方米，需重新规划的4栋，面积0.89万平方米。为校舍的维修、加固与重建提供数据参考。

组织海上清污审计。包括：区、市财政拨付海域污染清理、海上漏油事故清理补助资金及清理物资的使用情况、中山区海域污染发生的清污费的使用情况以及区内各部门采购的清污物资、人工费等情况进行延伸审计，审计资金930.92万元。审计认为，清污物资采购、领用和发放手续完备。市财政拨付海域污染清理资金在使用过程中能够做到专款专用，未发现挤占挪用补偿资金的问题。

加强政府投资审计监督。制定《中山区政府投资审计监督管理暂行办法》，于2010年7月23日起正式实施。公开招考专业对口、学历高及素质能力突出的事业编制人员，加强政府投资审计监督工作队伍建设。

（王玉婷）

价格管理

【概况】2010年中山区发展和改革局积极创新价格管理工作，履行价格监管职能，取得明显成效。新办《收费许可证》44个，换证71个，增项17个，审验185个。征缴价格调节基金10.5万元。查处违规违法单位150余户，收缴罚没款1.8万元。接待价格政策咨询与投诉122件，给消费者退款2100余元。推行明码标价制度，全区大中型商业企业和个体经营业户标价率分别达95%、85%以上。

【价格监测】2010年，中山区价格管理部门关注市场价格走向和变动情况，加强价格监测。

组织价格巡防。指定专人对辖区市场价格情况进行巡防、采集，及时掌控，防患未然。先后出动150多人次对波动较大的副食品价格进行监测。

强化每日监测。设立监测点，每日监测，品种达50种。坚持每天上午10点向上级报送多种瓜果、蔬菜、粮油和副食品价格，为上级价格部门了解市场动态，及时采取宏观调控措施，提供可信资料。

强化走访调研。建立领导带队走访调研制度，对经销价格波动较大的重点和热点商品的商家随时走访、回访，全面掌握全区商品价格走势。

【价格监管】2010年，中山区价格管理部门把民生价格问题作为价格监督检查工作重点，加大价格违法行为的查处力度，成效明显。

强化收费价格监管。把《收费许可证》审验、换发、监管工作纳入价格决策、执行、监督的全过程。向35个单位征缴价格调节基金10.5万元（至10月末）。

强化价格举报工作。对于广告、家用电器维修行业明码标价中的价格欺诈行为的举报，坚持受理一起，查处一起。对难于办结的举报案件，召开案件研究审核会议，研究制定解决办法，协调其他职能部门协助解决，确保在规定期限内给举报人满意答复。答复率100%，保障了消费者和经营者的合法权益。

构建价格诚信平台。推行明码标价，引导商家、经营者诚实标价，诚信经营。全区大中型商业企业标价率达95%以上，个体经营业户的标价率也达到85%以上。

延伸服务职能。开展“价格服务进万家”活动，向社会提供优质、高效服务，向下延伸价格工作职能，提升物价部门良好形象。全年巡查经营单位300余家，经营业户500多户，接待来电来访的价格政策咨询与价格投诉122件，给消费者退款2100余元。

【清理收费项目】2010年，中山区价格管理工作结合行业检查和《收费许可证》年审工作，准确掌握各部门的收费项目、标准，及时取消、变更上级调整的收费项目20余项。在区行政服务大厅开设服务窗口，宣传国家价格方针政策，为收费单位服务，支持依法收费。对药品和医疗服务价格、教育和涉企等收费进行专项检查，抽调专人配合市、区纪委组织开展行政事业收费治理工作，查处违规违法收费行为，维护政府形象和广大群众的切实利益。

【规范价格秩序】2010年，中山区价格管理部门严守行政处罚报批、备案制度，认真履行首查不罚承诺，坚持常规检查和重点检查相结合、一般检查和行业检查相结合、日常检查和节假日检查相结合的原则，价格政策宣传和执法检查并举，出动检查379人次，对267家各类市场、商场、宾馆旅店等进行价格检查。查处一般价格违法案件30起。纠正价格违规行为192起，年度案件结案率达100%，没发生行政复议和行政诉讼案件。

【节日价格检查】2010年，中山区价格管理部门在重点期间，抽调人员组成专门检查组，进行节日价格检查，打击借节假日之机哄抬物价、垄断市场价格、搞欺诈性价格打折等行为，维护节日市场价格秩序。“赏槐会”和“服装节”期间，召集有关经营单位开会、送发告诫书和宣传资料，广泛宣传价格

接受区人大代表对药品市场的监督检查

政策；审定旅店业价格，公布公园门票、停车场收费等与旅游相关的收费项目，加强市场价格监管。对违规超标准收费者，除责令退还非法所得外，还进行严肃查处。

【价格服务】2010年，中山区价格管理部门开展价格服务进社区活动，在全区51个社区建立价格服务站，设立收费标准公示栏、价格法规宣传栏、发放价格政策宣传手册，开展价格法规、政策宣传。规定社区内收费单位和商品经营单位，必须建立健全价格、收费内部管理组织和管理制度，开展明码标价和价格收费公示，让居民明明白白缴费，明明白白维权。对各社区内行政事业收费单位、商品经营企业开展经常性检查和明码标价规范工作，在社区设置价格举报箱，公布12358价格举报电话，便于群众投诉监督。采取多种形式在社区内开展价格咨询、认证、评估服务，使很多价格咨询、纠纷和争议不出社区，就能得到消化解决。

（王韶霞）

药品医疗器械安全监督管理

【概况】中山区食品药品监督管理局成立于2009年12月。12月14日，根据中共大连市中山区委《关于印发〈中山区人民政府机构改革方案〉的通知》（中委发[2009]21号）规定，中山区组建区食品药品监督管理局，为区政府工作部门，履行原大连市垂直管理的大连市食品药品监督管理局中山分局的职责，负责药品和医疗器械监督管理。2010年，中山区食品药品监督管理局受理消费者投诉举报30起，立案查处5起。开展药品医疗器械专项检查12次，取缔无证经营药品医疗器械20余起，药品医疗器械监督检查覆盖率100%。全年办理行政处罚案件38件，其中一般程序26件，简易程序12件。被评为大连市“2010年度药品监管工作目标考评优秀单位”、“2010年度药品稽查打假工作先进单位”及“2010年度药械安全监测先进单位”。

【新增食品等监管职能】2010年10月25日，中山区政府下发《关于印

执法人员检查药品经营企业药品购入验收情况

开展安全用药用械进社区活动

发中山区食品药品监督管理局主要职责内设机构和人员编制规定的通知》，明确划定中山区食药监局的新职责范围：从2011年2月18日开始履行《国家食品药品监督管理局主要职责内设机构和人员编制规》方案中的药品、医疗器械、保健食品、化妆品和餐饮服务食品安全监督管理职能。即新增保健食品、化妆品和餐饮服务食品安全监督管理职能。在此之前，根据中共大连市中山区委有关文件（标题见“概况”条目）精神，2010年中山区食品药品监督管理局职能是药品和医疗器械质量的监管。

【药械日常监管】2010年，中山区食品药品监管部门召开中山区药品和医疗器械安全监管工作会议，部署全年药品和医疗器械安全监管工作，下发《关于对中山区药品经营和使用单位进行监督检查的通知》《关于对中山区医疗器械经营和使用单位进行监督检查的通知》，规范药品和医疗器械购入验收记录。加强医疗机构“规范药房”建设指导和督促工作，监督检查3家医院、10家社区卫生服务中心，均达标；监督检查门诊部、个体诊所155家，警告2家，整改后均达标；建立辖区医疗器械供应商和销售人员基础档案。规范社区卫生服务中心等医疗机构在用医疗器械的使用，全年对辖区涉药涉械单位检查覆盖面达到100%。

【药械专项整治】2010年，中山区食品药品监管局全面开展药械专项整治工作。

开展节日市场检查。在元旦、春节和中秋、国庆等节日期间开展药品和医疗器械市场专项检查，检查车站、码头、大型商场超市及学校周边的涉药涉械单位80余家，对10余家单位下达整改通知。

开展药品安全专项检查。开展为期4个月的中药饮片专项检查，重点检查50余家经营和使用中药饮片单位的药品采购渠道，抽验质量可疑药品。开展农贸市场非法流动药贩销售假药专项整治行动。打击无证销售药品违法行为，取缔无证经营药品3起。开展非药品冒充药品和中成药非法添加化学药品专项整治行动。开展含麻黄碱复方制剂等易制毒药品及医用氧购进渠道的专项检查。

接受区政协委员对药品市场的监督检查

开展医疗器械安全专项整治行动。开展隐形眼镜及护理液等专项检查，重点查处胜利广场、地下商场无证经营隐形眼镜及护理液违法行为。出动执法人员40多人次，检查业户322户，其中取缔无证经营商铺17家，处罚3家。开展医疗器械体外诊断试剂使用、医疗机构在用分子筛、口腔诊所“义齿和种植齿”等专项检查。

【药械安全监测】2010年，中山区食品药品监管局加大对药械安全监测制度建设和执行情况的检查，举办中山区药品不良反应监测和医疗器械不良事件监测培训班，全区涉药涉械单位的600余家负责人参加培训。全年全区上报药品不良反应报告110例，其中新的严重不良反应报告33例，占30%。上报医疗器械不良事件25例。未发生漏报、瞒报、迟报现象，上报率达100%。

【药品抽样检验】2010年，中山区食品药品监管局加大对质量可疑药品针对性抽验力度，及时掌握辖区药品质量状况。抽验药品150批次。不合格药品13批次，其中中成药1批次，化学药6批次（包含直接认定5批次），中药饮片6批次，抽验不合格率为8.7%。日常抽样133批次，专项抽样17批次，其中基本药物抽样9批次均合格。药品抽样品种的比例，化学药、中成药、抗生素及生化药分别为43:43:37:9，中药饮片抽样18批次。全年抽验药品零售企业30家79批次，医疗机构27家71批次。药品零售企业与医疗机构抽验比例为1.1:1。

【基本药物监管】2010年，中山区食品药品监管局成立基本药物监管工作领导小组，组长由局长担任。明确执法人员监管职责，切实加强基本药

召开中山区安全生产暨国际安全社区创建工作会议

表彰全国安全社区创建工作先进单位

物使用环节的质量监管，建立基本药物长效监管机制。对全区实施基本药物单位进行摸底调查和监督检查。检查重点包括：基本药物采购渠道、采购品种、验收储存等情况。出动执法人员36人次，对全区10家实施基本药物的单位进行监督检查，覆盖面达200%。全部基本药物从13家配送企业采购，采购的基本药物有145个品种、757个品规。同时强化基本药物质量抽验，已对9个品种基本药物进行监督抽验。加强基本药物不良反应监测工作，年内未发生基本药物严重不良反应。

【法律法规宣传】2010年，中山区食品药品监管局加强舆论宣传，利用媒体和网络平台宣传药品和医疗器械法律法规、监管动态、稽查信息和用药警示等。全年发布政务信息13篇。其中在中山区政府网站发布12篇，《中山信息》2篇，在市食品药品监管局内刊《监管信息》发稿8篇，在《大连日报》《大连电台》《大连晚报》《新商报》及《半岛晨报》各发稿1篇。举办药品医疗器械安全大型宣传活动4次，发放相关法律法规宣传册1000余本，宣传单3000余份，接受群众咨询200余人次。

【专业知识培训】2010年，中山区食品药品监管局注重内外培训，提升监管执法和药品从业人员素质。对工作人员进行公务员知识、行政执法、案卷书写、药品抽样、应急事件处理和法律法规等技能培训，提升监管执法人员的综合素质和能力。有7人参加省、市和局内各类线下培训300余学时，在线培训800余学时。同时，加强药品从业人员培训工作。全年配合大连市药学会举办3期药品从业人员上岗培训班，600余名营业员和200余名驻店药师参加培训。

【诚信体系建设】2010年，中山区所有涉药涉械单位与区食品药品监管局签订经营药品和医疗器械质量安全承诺书，公开承诺履行药品和医疗器械质量安全第一责任人的职责，信用体系档案建档率达100%。内容包括：企业基础信息、监督检查信息、不良信息等。区食品药品监管局利用辽宁省食品药品监督管理局网上诚信档案管理系统信息平台，对全区药品零售企业的诚信情况予以公示，对被行政处罚的单位在稽查管理系统中予以公示。年内辖区有涉药单位近321家，其中药品经营单位137家、药品使用单位184余家。有涉械单位235家，其中医疗器械经营单位62家，医疗器械使用单位173余家。

（董　辉）

安全生产监督管理

【概况】2010年，中山区安全生产监督管理局以建设“国际安全社区”为契机，狠抓安全生产管理和监督，治理安全隐患，开展安全知识培训和“安全生产月”宣传活动，推进全区安全生产工作稳步发展。全年检查企业536家，受理举报4家，查出安全隐患206处，下达限期整改指令书25份。中山区政府通过世界卫生组织国际安全社区认证，被评为国际安全社区。

【“国际安全社区”建设】2010年，中山区“国际安全社区”建设全面展开，年底通过世界卫生组织国际安全社区认证。

年初，区委、区政府联合下发《关于印发中山区创建“国际安全社区”实施方案的通知》，成立创建组织机构，建立安全社区促进项目协调组。聘请中国职业安全健康协会安全社区办公室主任欧阳梅为中山区创建国际安全社区专家顾问团顾问，并多次邀请到中山区指导工作。落实区委、区政府关于创建国际安全社区要求，定期召开全区安全社区创建调度会，区领导亲自参加。全区8个街道在创建全国安全社区的基础上，继续整合资源，扎实开展安全社区项目促进工作。12月份，世界卫生组织国际安全社区认证专家来连，对中山区国际安全社区创建工作进行现场评定。经过两天考察，中山区整区通过世界卫生组织国际安全社区认证，率先在全国进入国际安全社区行列。

【开展“安全生产年”活动】2010年，中山区开展“安全生产年”活动，加强安全生产目标管理、安全生产标准化建设和安全隐患排查整治。

签订安全生产目标管理责任状。2010年年初，在全区安全生产工作会议上，江亲瑜区长代表区政府分别与8个街道办事处、大商集团、友谊集团等19家单位签订了安全生产目标管理责任状，明确企业主体责任和安全管理目标任务。同时，启动商贸企业安全生产标准化建设，友谊集团等企业参加试点。

开展“安全隐患排查整治百日会战”专项行动。一是开展建筑工地、特种设备、消防、道路交通及商场酒店等人员密集场所的安全生产大检查。二是开展重大危险源、烟花爆竹销售等重点行业专项督查，对文园燃气、洪涛加油站实施动态监控。三是开展“打非”（打击非法生产经营）专项行动。由区安监局、卫生局、旅游局、文体局和消防大队等相关部门分别牵头，与安全专家组成59个联合检查组，对全区的重点行业领域和企业进行安全检查，其中区领导带队督查14次。

全年检查企业536家，受理举报4家，查出安全隐患206处，下达限期整改指令书25份。

【安全知识培训】2010年，中山区安全生产监督管理局加强对企业负责人、特种作业人员进行安全知识培训，从源头上扼制事故发生。

开展烟花爆竹经营销售安全知识培训。春节前夕，对全区烟花爆竹销售网点的154名负责人和经营人员进行培训。

开展危险化学品经营安全知识培训。联合培训机构对辖区危险化学品经营单位负责人、管理人员进行安全知识培训，40家企业117人参加培训。培训的主要内容包括法律法规、经营管理要点、事故预防与应急救援、重大危险源辨识与事故隐患排查治理及典型案例分析。全年培训安全生产管理人员473人、安全生产主要负责人230人、特种作业人员40人。

【举办“安全生产月”宣传活动】2010年6月13日，由大连市安监局主办、中山区承办的“大连市生产安全月纪念封发行暨职业安全健康知识竞赛抽奖活动”在中山广场举办，中山区安全生产月咨询日活动也同时展开。有关市区领导及各区（市）县安监局负责人出席活动。中山区驻区单位、街道主管领导安监站成员及辖区企业和居民代表等300余人参加了咨询日宣传活动。活动中悬挂宣传标语80余幅、安全旗60余面，宣传图板120余块、发放安全月纪念封2000余份、各种宣传单8000余份，有近万居民参与并受到安全教育。

【通过国际安全社区认证】2010年12月17日至18日，由世界卫生组织安全社区促进中心、香港职业安全健康局、中国职业安全健康协会及全国安全社区促进中心组成的国际安全社区现场认证考察团，在澳大利亚安全社区认证中心主席哈·汉克先生的带领下，对大连市中山区整区建制创建国际安全社区进行现场认证和考察。考察项目包括学校安全、残疾人安全、居家燃气安全、道路交通安全、公共场所安全、工作场所安全及暴力伤害预防等。经过现场认证考察，哈·汉克先生代表世界卫生组织国际安全社区认证中心宣布：中山区正式成为国际安全社区网络成员。同时，中山区政府与世界卫生组织安全社区认证中心签订了加入国际安全社区协议书。自此，中山区在东北三省率先跨进“国际安全社区”行列。

【开展建筑施工现场安全检查】2010年，按照区委区政府关于切实加强建筑施工安全生产大检查的工作要求，中山区安监局在坚持日常监察工作的基础上，加大重点时期联合检查力度。由区安监局安全生产监察大队、安全生产专家组专家和街道安监站组成联合检查组，对辖区部分建筑施工现场进行安全检查。检查发现的主要问题包括，建筑装修单位管理不规范，特种作业证件过期失效，使用过期作废设备，脚手架搭设不规范，施工现场临时用电、民工宿舍生活用电不规范及施工现场灭火器材配备数量不足等。检查组对问题单位责成立即整改，不能立即整改的下达限期整改指令书，责令限期整改。联合检查组共检查单位8家，查出事故隐患30条，下达整改指令书5份。

（周秀华）

质量技术监督管理

【概况】2010年，中山区质量技术监督管理局积极服务经济建设、加强质量技术安全监管，强化内部管理和政风行风建设，提高质量技术监督管理工作水平。全区食品生产加工单位39家全部取得食品生产许可证或签订食品安全承诺书。全年共监督检查企事业单位200余家，出动执法监察人员450余人次，执法车辆150余台次，下达监察指令书19份，发现并督促排除事故和安全隐患27个。查处违法企业立案21起，结案21起，结案率100%，罚没款20余万元。

参加打假行动

【食品安全监管】2010年，中山区质量技术监督管理局加强全区食品生产企业及小作坊的源头监管工作，确保食品安全。为解决监管工作人手少工作量大的矛盾，将全区分成两个监管区域，实行定人员、定企业、定责任的监管模式。

加强巡查。以打假责任区为基础，组织对辖区企业进行巡查，每个企业一年巡查不少于两次，重点企业增加巡查次数。

定期监督检查、专项抽查。除实施产品监督检验外，根据专项整治的要求和企业产品质量状况，不定期开展产品质量专项抽查。

强化产品检验。对不具备产品出厂检验能力或不按规定对产品实施检验的企业，实行产品强制检验。

严格年审制度。全区食品生产加工单位39家，其中食品生产加工企业22家，100%取得食品生产许可证；小作坊17家，100%签订食品安全承诺书。

【特种设备安全监督】2010年，中山区质量技术监督管理局坚持日常监察和专项整治相结合，确保特种设备安全。全年监督检查企事业单位200余家，检查锅炉90台、压力容器169台、电梯680部、厂车14辆。接受并妥善处理特种设备投诉4次，拆除“土锅炉”2台。出动执法监察人员450余人次，执法车辆150余台次，下达监察指令书19份，发现并督促排除事故和安全隐患27个，保证辖区特种设备的安全运行。

【电梯检查】2010年，中山区质量技术监督管理局根据中山区在用电梯多、老旧电梯多的特点，对人员密集场所的在用电梯坚持经常性检查和巡查。针对大连市质量技术监督局通报的49家单位的161部未及时检验电梯的情况，分局安排1名副局长带领相关人员集中处理，采取现场检查和电话沟通相结合的办法，下达指令书和法规宣传相结合的方式，逐家与使用单位、维保单位联系，经过细致工作，全部按要求补检完毕，消除了安全隐患。全年检查电梯680部。

【质监队伍作风建设】2010年，中山区质量技术监督管理局强调以强有力的作风建设，推动班子和队伍建设。倡导“要勤奋好学，学以致用；要真抓实干，务求实效；要艰苦奋斗，勤俭节约；要顾全大局，令行禁止；要发扬民主，团结共事；要秉公用权，廉洁从政；要生活正派，情趣健康；要严守纪律，规范言行”八种风气，促进作风建设，规范行政行为，造就政治坚定、业务精湛、作风过硬、人民满意的质监队伍。经过努力，使中山分局在队伍建设和业务建设上，出现了思想统一、责任和任务明确、工作思路清晰、纪律性和凝聚力增强的好局面，为完成全年工作打下良好基础。

（郑士涛）

责任编辑　张纾平

财政·税务 CAI ZHENG SHUI WU

财 政

【概况】2010年，中山区财政工作提前谋划，积极应对国内外经济形势变化，重民生、保稳定、促发展，攻坚克难，锐意进取，全年预算收支执行积极有序，保证了经济和社会发展的各项资金需求。

财政收入　区本级财政收入预算为16.43亿元，实际完成18.59亿元，为预算的113.1%，比上年增加4.3亿元，增长30.1%。其中：税收收入18亿元，占收入总量的96.8%；非税收入5857万元，占3.2%。财政收入与“十五”末期的2005年相比，增加12.21亿元，“十一五”期间年均增长达24.2%。

财政支出　年初财政支出预算为12.6亿元。由于受市财政下达专项支出指标、部分上解事项调整为列支事项、第二次规范津贴补贴、加大社会保障、加大城市环境综合治理投入等因素影响，经区人大常委会第二十次会议批准，年财政支出预算调整为16.08亿元。全年财政支出实际完成16.89亿元，为预算（调整后）的105.1%，比上年增加3.84亿元，增长29.5%。财政支出与“十五”末期的2005年相比，增加10.57亿元，“十一五”期间年均增长21.9%。

财政收支平衡情况　全年区本级财政收入完成18.59亿元，市补助收入1.73亿元，调入资金79万元，上年结余收入3204万元，总收入20.64亿元。

区本级财政支出完成16.89亿元（未含基金预算支出），各项专项上解3.29亿元，总支出20.19亿元。

收支相抵，当年收支平衡，略有结余。年终滚存结余4537万元，其中历年滚存净结余838万元，结转下年支出3699万元。

附：

2010年中山区财政收入情况

项　目	收入（万元）	比上年增长（%）
合计	185866	30.1
增值税	9153	6
营业税	64474	22.2
企业所得税	25757	75.9
个人所得税	16735	17.6
房产税	12613	22
印花税	12033	93.7
土地使用税	2300	5.6
土地增值税	36944	39.5
非税收入	5857	-21.3

2010年中山区财政支出情况

项　目	支出（万元）	比上年增长（%）
合计	168928	29.5
[illegible]	[illegible]	[illegible]
公共安全	5136	23.8
教育	38506	30.8
科学技术	4281	30
文化体育与传媒	1010	-48.3
社会保障和就业	37976	30.6
医疗卫生	8096	14.6
城乡社区事务	21927	52.6
农林水事务	977	81.9
资源勘探电力信息等事务	5451	-0.8
商业服务业等事物	190	-
住房保障支出	14626	-
其他支出	13677	-23.8

“十一五”期间中山区财政收入情况

年 份	收入（万元）	比上年增长（%）
2006	77900	22.4
2007	101518	30.3
2008	122000	20
2009	142900	18.2
2010	185866	30.1
“十一五”期间年均增长	–	24.2

“十一五”期间中山区财政支出情况

年 份	收入（万元）	比上年增长（%）
2006	28487	22.4
2007	93900	21.8
2008	114000	21.4
2009	130636	14.5
2010	168928	29.5
“十一五”期间年均增长	–	21.9

【积极培植税源】2010年，中山区定期召开税收调度会和财税协调会，健全协税护税网络体系，形成上下齐抓共管合力。协调税务部门与各街道，全面开展税源情况摸排，加强与企业的联系和服务，关注拟外迁企业，避免税源流失。

规范秩序，提高征管质量。推进税务所进驻街道工作，出台《中山区对个体零散税收加强征管的实施办法》，统筹市场、个体工商户和个人房屋出租等零散税收，营造公平、规范的征管秩序，着力提高征管质量和效率，努力做到依法征管，确保应收尽收。

发挥项目牵动作用。对重点项目进行跟踪服务，加大扶持力度，促成欧力士集团、力勤集团、绿地集团、中信大港等一批具有战略意义、雄厚实力和巨大牵动作用的项目落户中山区，同时确保重点项目各主体税种随之落地，为全区发展积攒后劲。

【社会保障和就业投入】2010年，中山区财政加大社会保障和就业投入，共拨付城市居民最低生活保障金1800万元，公益性岗位补贴4376万元，“4050”人员保险补贴5592万元，困难企业离退休人员补助和困难居民取暖费补贴1085万元，失业军转干部工资、保险及生活补助资金1446万元；下发创业奖励资金700万元，小额贷款担保资本金500万元，普惠制培训549万元；投入59万元，改造社区服务中心和社区办公条件；投入487万元，建设10所托老所，有力地保障了全区各类困难群体的基本生活需求。

【社会事业投入】教育事业　2010年，中山区财政在全面保障义务教育正常运转的基础上，增加教育专项投入。多方面筹措资金，确保三十五中学、风景小学建设需要；投入1000万元，在全市率先完成中小学校舍抗震加固工程；投入1361万元，完成解放小学、桃源小学、中心小学等学校的整体改造，为师生提供了舒适、安全的学习环境。投入500万元，用于校长、班主任、骨干教师异地集中培训、聘请外籍教师及特色教育升级，促进教育高标准、均衡化发展。投入240万元，为学校增配校园保安及防护设备，确保中小学校校园安全。

公共卫生和计划生育事业　加大公共卫生服务支出，扩大公共医疗政策惠及范围，促进社会医疗资源均等化。投入357万元，用于保证公共卫生机构运转，推行药品零差价销售试点工作等支出。投入582万元，改造春海、桃源2所社区卫生服务中心。投入37万元，建立居民健康档案。投入448万元，落实困难家庭独生子女父母奖励政策。

文化体育事业　投入3500万元，用于少儿才艺中心软硬件建设。投入166万元，维修改造市民健身中心。投入214万元，组织市民参加大连市第七届职工运动会、市国际服装节活动、京剧迎春晚会、“我要上电视”等文体活动，丰富了群众的文化体育生活。

【城区建设投入】2010年，中山区财政加大城区建设方面投入，居民生活环境得到提升。投入1180万元，对解放路沿线建筑物屋顶、墙体、门头牌匾、沿街公厕等进行升级改造；投入2000万元，建设葵英小学和青泥小学地下停车场，改造临时人行步道停车场，推进交通秩序整顿工作；投入691万元，实施迎宾路线和主干线的美化亮化工程；投入500万元，改造炮台山公园；投入360万元，改造65个弃管楼院；投入420万元，开展绿化建设；投入300万元，进行文明城改造工程；投入260万元，完成海军广场音乐喷泉系统改造；投入125万，免费开放全区公厕；投入120万，落实区人大关于城市建设方面提案。

【社会综合管理资金保障】2010年，中山区财政为和谐社会建设提供财力支持。投入493万元，解决信访疑难事件20余件。投入113万元，加强安全生产、产品质量和食品安全监督管理。投入100万元，创建国际安全社区。落实公检法司经费保障制度，加大对社会治安综合治理的经费投入，完成“平安城市”二期工程，使公共安全体系更加完善。

【部门预算管理】2010年 4月27日，中山区财政专门下发《关于下达2010年部门预算指标的通知》，从规范预算编制流程，强化预算定额管理，精细测算各部门预算支出等方面，加强对各部门预算的管理。加强分析研究，升级部门预算编制软件，采用科学编码的方法，规范软件流程，使预算编制工作更加规范化、科学化，确保部门预算的管理更加严格。

【政府采购】2010年，中山区加强政府采购法规政策宣传，扩大政府采购规模和范围，严格执行集中采购目录和采购限额标准，依法加强对采购代理机构的监管，严肃查处违规行为，确保政府采购公平、公正、公开。全年共完成采购预算10063万元，实际采购资金8860万元，节约资金1203万元，资金节约率12%。

【国库集中支付改革和国有资产规范化管理】2010年，中山区财政国库支付中心坚持“安全规范、高效有序”的原则，完善支付流程和制度，简化审批程序，提高财政预算的约束力，增强政府宏观调控能力，实现财政资金管理高效透明。

进一步完善房屋出租审批登记制度，严格执行国有资产审批制度。全区“非转经”收入917万元，较上年增收326万元，提高了国有资产的使用效率。

【财政监管】2010年，中山区财政局完善各项管理制度，切实加强对财政资金分配、使用、绩效评价全过程监管，规范财政资金审批、使用行为，提高资金使用效益。重点开展工程建设领域突出问题专项治理和“小金库”专项治理工作，对存在问题的部门和单位给予及时纠正并监督整改落实。

（曲鸿杰）

附：

"十一五"期间中山区国家税收增长情况

年 份	收入（万元）	比上年增长（%）
2006	58515	12.50
2007	93318	60
2008	126453	35.50
2009	115068	-9
2010	164677	43.11
“十一五”期间年均增长率	—	28.42

开展小金库专项治理

税 务

·国家税务·

【概况】2010年，大连市中山区国家税务局认真贯彻“保增长、调结构、抑通胀”精神，不断完善税收管理体制，提高税收管理水平，税收收入实现历史性突破。

全年共组织税收收入16.46亿元，比上年增长43.11%。其中，增值税6.04亿元，增长20%；企业所得税10.34亿元，增长62%；消费税0.08亿元，增长27%。

组织区级收入2.35亿元，比上

年增长56%。

当年税收收入与“十五”末期的2005年相比，增加11.2683亿元，增长 216.72%，“十一五”期间年均增长28.42%。

【纳税评估检查】2010年，中山区国家税务局修改完善《纳税评估、检查选案工作规程》《纳税评估、检查案件审理工作规程》，加大纳税评估、检查工作力度，提高了管理质效和纳税人的遵从度，有效拉动税收收入大幅增长。全年累计评估检查有问题户748户，完成补、调税合计2.4亿元，创历史最高水平。其中，入库税款3110万元，增值税调整留抵1660万元，企业所得税调整应税所得额1亿元，调减亏损9069万元。

【税收征缴】核定征收　2010年，中山区国家税务局对2009年度3369户核定征收企业所得税进行重新鉴定；对2010年核定征收工作方式进行结构调整，压缩零申报企业的核定征收面；加大对营业收入在100万元以下核定征收重点企业的核定征收力度。全年通过核定征收入库税款达3881万元，有效遏制所得税收入流失。

汇算清缴　2010年，中山区国家税务局共召开汇算清缴辅导会议20余场，对8126户企业开展汇算清缴，共清缴所得税8.4亿元，发挥了汇算清缴在税收征管中的重要作用。汇算清缴期间，审批减免税额559万元，审核通过财产损失税前扣除额2000万元。

【个体市场税收管理】2010年，中山区国家税务局围绕票证、定额管理不够规范等问题，全面规范个体市场的户籍管理、申报管理、定额及公开管理、发票领购及二审交验管理、代征代缴管理、人员岗位交流等，提高个体市场税收管理质量，确保了税款应收尽收。在税率下调、物价上涨的双重不利因素影响下，全年个体税收收入仍达4620万元，增幅达到5%。

【纳税服务】2010年，中山区国家税务局不断增强服务意识，为纳税人提供专业化、人性化的纳税服务。

利用短信平台，拓展服务渠道。对短信平台上7000余条手机信息进行核实，修改错误信息1200余条，使企事业单位和个人通过手机短信就能了解税收方面的各种信息。

改善办税环境。对办税服务厅进行集中改造，增加纳税人等候区面积110余平方米，改造暖气管网，有效解决办税服务厅冬天室温低的问题。

注重队伍建设。开展“网上税校”培训，共组织2次封闭性培训并进行考核，参训人员一级通过率100%，58人进入二级，79人进入三级，9人进入专业化培训；继续举办“中山国税论坛”，自上年起累计举办9期，已成为干部转变观念、提高素质的有效载体；坚持开展“最佳团队、最佳员工”评选表彰活动，大力弘扬“爱岗敬业、忠于职守、奉献团队、事精于细”的精神，有2个科室、12名员工分获最佳团队、最佳员工称号。

【税法宣传】2010年，中山区国家税务局采取多种形式，开展税法宣传。

开办“税法大讲堂”，共举办辅导讲座40余次，及时发布税收政策信息，纠正纳税人办税中存在的问题。共有7500余户次纳税人参加讲座。

与区政府、区地方税务局联合召开“税收经济政策说明会”，深度解读有关增值税、营业税、企业所得税、出口退税等方面的优惠政策，说明会现场还设置了“税收政策咨询台”，为纳税人提供咨询服务。300余户企业的法人代表参加会议。

结合税法宣传月、诚信兴商宣传月等活动，在辖区重要场所开展税法宣传，增强纳税人依法纳税、诚信纳税的意识。

（张晓燕）

国税局开展有训必考

·地方税务·

【概况】2010年，中山区共有纳税户35251户。

2010年，大连市中山区地方税务局紧紧围绕组织收入这一中心，注重加强税收征管，改进和优化纳税服务，积极推进纳税评估，全力做好规费征收管理，主动创新税务稽查手段，健全完善内控监督机制，有效提高依法治税水平，圆满完成各项任务，为地方经济健康平稳、又好又快发展提供强有力的地税收入保障。

全年组织各项收入共计60.02亿元，实现历史性突破。其中：税收收入48.53亿元，增加11.72亿元，增长31.85%；社会保险费收入10.51亿元(2010年首年征收)，居全市各区市县地税系统首位；代征工会经费收入7252万元，增长11.6%；残疾人就业保障金收入2457万元，增长11.7%。

当年税收收入与“十五”末期相比，增加31.95亿元，增长192.82%，“十一五”期间年均增长23.99%。

附：

2010年中山区地方税收分税种情况

单位：万元

税　种	本　期	同　期	增减额	增减率（%）	税收贡献率（%）
营业税	252671	193963	58707	30.27	52.07
个人所得税	92031	76460	15571	20.37	18.96
企业所得税	25202	11579	13623	117.65	5.19
土地增值税	36745	26033	10712	41.15	7.57
城建税	19484	15755	3729	23.67	4.01
房产税	28007	22824	5183	22.71	5.77
印花税	11892	6080	5812	95.6	2.45
土地使用税	4973	4465	509	11.39	1.02
教育费附加	8455	6750	1705	25.25	1.74
契税	1528	616	911	147.81	0.31
地教费	2815	2216	599	27.03	0.58
文建费	852	898	−46	−5.1	0.17
车船税	457	301	156	51.65	0.09
其他罚没	92	67	25	36.44	0.01
合计	485203	368008	117195	31.85	100

2010年中山区地方税收分税种所占比重图

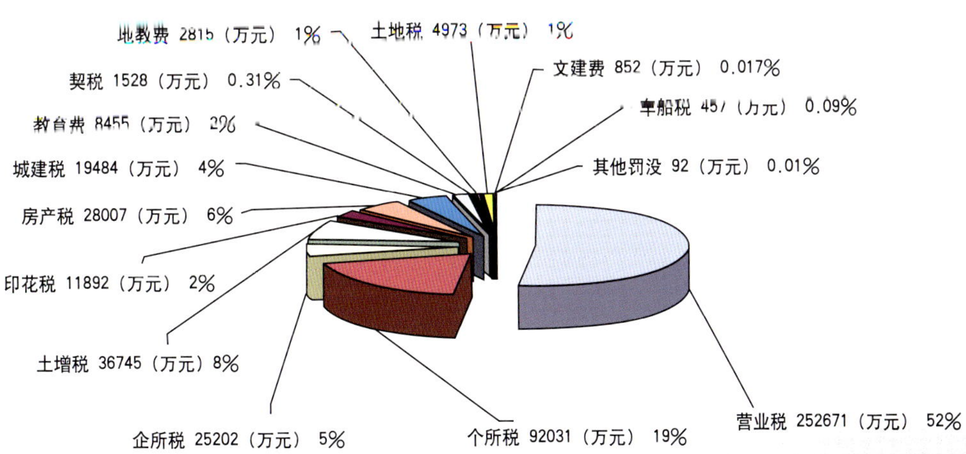

2005—2010年中山区全口径及地方财力历年发展变化图

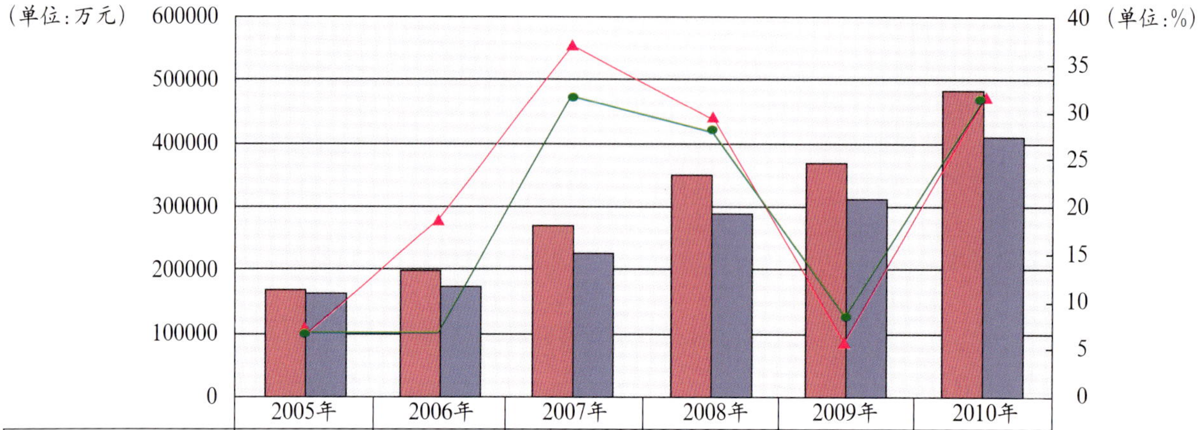

	2005年	2006年	2007年	2008年	2009年	2010年
全口径收入(万元)	165732	196341	269226	348229	368008	485203
地方财力(万元)	160079	171264	225611	288867	312915	411049
全口径增长率(%)	6.29	18.46	37.12	29.34	5.68	31.85
财力增长率(%)	6.65	6.98	31.73	28.03	8.32	31.36

【税收减免】2010年，中山区地税局依据政策，集中受理2009年度审批、认定、备案税收减免共计509户次，减免金额1.25亿元。税收减免有效促进了相关人员就业与再就业，扶持相关企业渡过难关。

【社会保险费开征】2010年是地税系统代征社会保险费的第一年。中山区地税局专门成立工作领导小组，调配培训社保费征缴工作人员，召开征收准备工作会议，加强与缴费户的联系沟通。协助大连市地方税务局做好接收数据测试。多渠道做好政策宣传，利用电子屏幕滚动播放缴费流程，安排人员进行政策讲解和咨询。积极开展未登记户清查，清查新增社保缴费户526户。全年社保费征收58886户次，共征收10.51亿元。

【税源管理】加强市场税收管理。2010年，中山区地税局制定《关于加强市场税收征管实施方案》，专项清理市场业户税务登记。根据市场业态、经营形式、管理方式等对业户进行分类，收集整理市场税源情况、业户（摊位）数量、租金收入等涉税信息，将管理模式分为重点管理、一般管理、简易管理三级，确定不同的标准和内容。与辖区内14个市场签订委托代征税款协议书，加强市场业户税收管理秩序。

深化重点税源管理。加强金融保险业、建筑业、房地产业的税收监管。加强重点项目专项管理与服务，对东港区新出售8个地块实行跟踪监控，建立并严格落实工程项目巡查制度，将税收管理环节前移。

【税政管理】2010年，中山区地税局开展所得税培训与汇算辅导，把亏损企业、小型微利企业、财产损失审核等作为工作重点，全面加强企业所得税管理。进一步加强年所得收入12万元自行申报管理，共有8758人自行申报个税，比上年增长42%。全面落实各项营业税政策规定，对566户企业开展营业税普

附：

2010年中山区地税税收减免情况

项 目	户次	税额（万元）
搬迁改造转让房地产	7	1673
军转干部新办企业	6	105
退役士兵新办服务型企业	4	426
中储粮企业	1	259
中小企业房产税和土地使用税	139	2744
房产税和土地税困难	7	3552
铁路房建单位	2	787
受理并认定下岗再就业企业	292	241
备案类减免	51	2684
合计	509	12471

地税税法宣传走进大连电台直播间

个人所得税申报到户辅导

查。加强土地增值税清算管理，清算入库土地增值税1.9亿元。认真做好房产税和城镇土地使用税政策落实，强化两税欠税管理。进一步加强非居民税收管理，通过政策宣传、完善工作机制、加强日常管理与服务等措施，促进和推动非居民享受税收协定待遇政策的落实。

【评估征管工作】专门设置纳税评估科，提升评估质效，加强税款征收管理；开展小额疑点网上发送，提升纳税评估疑点的作用范围，降低评估工作成本；开展特色专项评估工作，实现征收管理的精细化、专业化；加强重点建设项目管理力度，扩大税源税基。

【行政法治化建设】坚持科学民主决策机制，全年集体审议减免缓退税、检查案件等重大税收事项152项；全面落实执法风险防范机制，提高税收执法风险的防范和程序规范意识；推行“一案双查”制度，加强对执法行为的过程控制和监督制约；依法对907户纳税人实施了纳税检查，查补入库税款、滞纳金、罚款合计3286万元。

【优化纳税服务】2010年，中山区地税局设立“纳税服务日”，坚持局领导带班和科级干部值班制度，保证纳税人在业务、政策及纳税争议等方面的问题能得到快速妥善解决。在坚持上门受理纳税申报、预约服务、延时服务等特色服务基础上，以免费发放涉税资料、网上解答热点问题、每月开展2次政策辅导等形式，进行纳税咨询和纳税辅导。发挥社会力量，充分利用媒体、网站广泛宣传税收政策。建立纳税服务需求获取、响应机制，实现纳税服务需求管理流程化、精细化、常态化。

【推广网络版发票】2010年，中山区地税局开展“以票控税”先行试点，收缴旧版发票，推广网络版发票，以加强对纳税人的精细化管理。年内首先在建筑安装、房地产开发2个行业开展此项工作，共收缴旧版发票5596户次，2009年前换版的旧版发票清缴率为95.2%，2010年换版的旧版发票清缴率为100%；认定网络版发票房地产企业自开票户107户，建筑安装企业自开票户419户，为日后在全系统推广网络版发票打下基础。

【办税服务厅升级改造】2010年，中山区地税局完成了办税服务厅改造工程。服务厅设立办税服务区、咨询辅导区、等候休息区和自助办税区四大功能区域，设置值班长室，初步探索首席税务官职责模式，整合窗口职责，建立“窗口受理、内部流转、限时办结、窗口出件”的工作模式。开通绿色服务通道，发放“办税优先卡”，满足重点纳税人、残障人士的业务需求。改造后的办税服务厅，纳税服务职能进一步健全，为构建和谐的征纳关系创造了条件。

（王博楠）

责任编辑　周建平

经济建设 JING JI JIAN SHE

中央商务区

【概况】2010年，中山区落实“四大功能区”区域发展战略，以东港区建设为契机，以CBD功能建设为载体、全面推进中央商务区建设，港航服务企业总数超过1400家，企业区级税收贡献率达到15%左右。世界500强企业在中山区设立地区总部或分支机构62个。全球20大集装箱班轮公司中有17家在中山区设立分支机构。年内，新命名特色专业大厦1座，总数达到12座。新培育税收超千万元商务写字楼4座，总数达到20座。新引进欧力士集团入驻中山区，世界500强企业总数达到45家。

【总部经济】2010年，中山区坚持把总部经济和楼宇经济作为建设中央商务区的重要载体和内容，加快现代服务业发展。全区有建筑面积超过5000平方米的楼宇120座，其中商务写字楼67座，商住公寓11座，企业办公楼7座，三星级以上（包括三星）酒店29座，在建商务楼宇6座。中山区有80%的企业分布在120座大厦内，年内，全区楼宇经济贡献税收占全区税收的70%以上。通过主题招商、中介招商、以商招商及定位招商等途径，吸引欧力士集团入驻中山区。驻区500强企业达到45家，设立地区总部或分支机构62个。

人民路中央商务区

附：2010年驻中山区世界500强企业及分支机构一览

一、世界500强企业——外资公司

序号	世界500强公司	企业名称	注册性质	主要业务
1	法国道达尔	中化道达尔燃油有限公司大连分公司	中外合资经营企业	燃油
2	荷兰国际集团	首创安泰人寿保险有限公司	中外合资经营企业	保险
		首创安泰人寿保险有限公司大连分公司	中外合资经营企业	保险
3	美国花旗银行	花旗（中国）银行大连分行	外商投资分支机构	银行
4	法国安盛	法国安盛公司大连办事处	外国企业常驻代表机构	保险
5	英国汇丰控股	汇丰银行（中国）有限公司大连分行	港澳台企业分公司	银行
6	美国摩根大通	大连希望大厦有限公司	外资企业	银行
7	法国家乐福	香港家乐福全球采购亚洲有限公司大连代表处	港澳台企业常驻代表机构	食品药品店
		大连家乐福商业有限公司中山店	外商投资分支机构	食品药品店
8	日本日立	日本株式会社日立物流大连代表处	外国企业常驻代表机构	贸易
9	德国邮政DHL	中外运—敦豪国际航空快件有限公司辽宁分公司	中外合资经营企业	邮递
10	日本索尼	索尼（中国）有限公司大连中山分公司	外资企业	电子电气设备
11	韩国乐金	韩国株式会社LG商事大连办事处	外国企业常驻代表机构	多样化
12	韩国现代	韩国现代油化株式会社大连代表处	外国企业常驻代表机构	贸易
		韩国现代综合金属株式会社大连代表处	外国企业常驻代表机构	贸易
		现代商船(中国)有限公司大连分公司	外商投资分支机构	海运
13	日本东芝	东芝电梯(沈阳)有限公司大连分公司	中外合资经营企业	电子电气设备
14	芬兰诺基亚	诺基亚（中国）投资有限公司大连办事处	外资企业	网络通讯设备
15	丹麦马士基集团	马士基物流（中国）有限公司大连分公司 马士基(中国)航运有限公司大连分公司	外商投资分支机构	海运
16	美国摩托罗拉	摩托罗拉（中国）电子有限公司	外资企业	网络通讯设备
17	日本三菱商事	日本三菱商事株式会社大连事务所	外国企业常驻代表机构	贸易
18	日本三菱电机	上海三菱电梯有限公司大连分公司	外商投资分支机构	电子电气设备
19	美国麦当劳	大连麦当劳餐厅食品有限公司	外资企业	饮食服务
20	美国惠氏	上海惠氏营养品有限公司大连办事处	外商投资分支机构	制药
21	德国曼恩集团	丹麦曼恩B&W柴油机有限公司大连办事处	外国企业常驻代表机构	汽车与零件
22	日本邮船	日本邮船（中国）有限公司大连分公司	外商投资分支机构	海运
23	美国万宝盛华	上海万宝盛华人力资源有限公司大连分公司	中外合资经营企业	人力资源
24	日本鹿岛	日本株式会社鹿岛商会大连办事处	外国企业常驻代表机构	工程建筑
25	美国礼来大药厂	美国礼来亚洲公司大连代表处	外国企业常驻代表机构	制药
26	英国翠丰	大连百安居装饰建材有限公司中山店	外资企业	专业零售
		上海百安居装饰工程有限公司大连中山分公司	中外合资经营企业	专业零售
27	美国百胜	大连肯德基有限公司	外资企业	餐饮
28	松下公司	松下电器（中国）有限公司大连分公司	外商投资分支机构	商务服务业
29	英国渣打银行	英国渣打银行大连分行	外商投资分支机构	商务服务业
30	富士通集团	富士通微电子（上海）有限公司	外商投资分支机构	商务服务业
31	欧力士集团	欧力士（中国）投资有限公司	分支机构	商务服务业

二、世界500强企业——中资企业

序号	世界500强公司	企业名称	注册性质	主要业务
1	中国石化	中国石化销售有限公司东北大连分公司 中石化中海船舶燃料供应有限公司大连燃料分公司 中石化中海船舶燃料供应有限公司大连物资分公司 大连中石化物资装备公司	国有独资有限责任公司 其它有限责任公司 其它有限责任公司 国有企业	炼油
2	中国石油天然气	中国石油天然气股份有限公司东北销售大连分公司 中国石油天然气股份有限公司大连销售分公司 中国石油天然气运输公司大连分公司	股份有限公司 股份有限公司 国有企业	炼油
3	国家电网	中国电力财务有限公司东北分公司业务三部	国有企业	电力
4	中国工商银行	中国工商银行大连市分行	股份有限公司	银行
5	中国移动通信	中国移动通信集团辽宁有限公司大连分公司	外资企业	信息服务
6	中国人寿	中国人寿保险股份有限公司大连市分公司	国有独资有限责任公司	保险
7	中国银行	中国银行股份有限公司辽宁省分行	股份有限公司	银行
8	中国建设银行	中国建设银行股份有限公司大连市分行	股份有限公司	银行
9	中化集团	中化辽宁公司 大连中化辽宁油品公司	国有企业 国有企业	贸易
10	中国农业银行	中国农业银行大连市分行	国有企业	银行
11	宝钢集团	大连东北宝钢产品分销有限公司	其它有限责任公司	贸易
12	中国建筑工程	中国建筑第六工程局第五建筑工程公司大连分公司	国有企业	建筑业
13	中粮集团	大连中粮进出口公司 大连中粮广场大厦	国有企业 国有企业	贸易
14	中远集团	中远（香港）航运有限公司大连办事处 大连中远国际货运有限公司 大连中远集装箱船务代理有限公司 大连中远物流有限公司国际货运分公司 大连中远国际航空货运代理有限公司	港澳台投资企业常驻机构 其他有限责任公司	海运

【特色专业大厦建设】2010年，中山区加快完善特色专业大厦软环境，发展与临港产业相配套的港航服务业特色大厦。培育12座特色专业大厦，分别为希望大厦——总部经济大厦、宏誉大厦——航运专业大厦、虹源大厦——物流专业大厦、锦联大厦——科技专业大厦、国际金融大厦——金融专业大厦、成大大厦——进出口贸易专业大厦、海港大厦——航运专业大厦、时代大厦——航运物流软件大厦、银洲国际大厦——小企业创业基地、天安国际大厦——服务外包专业大厦，国运大厦——物流专业大厦以及上方港景大厦。加大对特色专业大厦的调研力度，更新中央商务区商务楼宇资源动态数据库。引导业主进行楼宇功能定位，根据功能定位，有针对性地吸引大的跨国公司、世界500强等知名企业入驻，促进金融、物流、总部经济等企业的聚集，优化行业产业结构，提升产业竞争力。已入驻特色大厦的企业有：驻区世界500强企业地区总部或分支机构35家，全球20大集装箱班轮公司中的企业16家，银行、保险、证券等金融类企业近200家。年内，区内有建筑面积在3000平方米以上商务写字楼51座，商住公寓317座。新命名特色专业大厦1座（上方港景），总数达到12座。

【大连CBD金融商务区建设座谈会】2010年8月5日，中山区政府召开推进大连CBD金融商务区建设座谈会，市金融办等8个部门领导参加座谈，从软环境建设、强化CBD功能、资本市场建设、完善引进机制等方面提出合理化建议。中山区常务副区长赵阳作了总结发言，明确了中山区CBD金融商务区建设的总体思路。即加快规划布局东港金融功能区，形成以中山广场金融核心圈为基础，以东港区为重点，以人民路CBD为纽带的“两圈一带”金融商务区。二是明确了中山区CBD金融商务区建设的目标，即根据大连核心城市建设和《大连市金融中心建设规划纲要》的要求，强化中山广场金融核心功能，拓展人民路CBD两翼，以东港金融商务区建设为重点，实现大连金融商务区的外延拓展和内涵提升。三是明确了中山区CBD金融商务区建设的任务，即大力提升金融管理、信息决策的功能，加快完善与辽宁沿海经济带开发开放和大连核心城区建设相适应的金融核心圈的功能。

【“十一五”中央商务区建设概况】“十一五”期间，中山区中央商务区域内有建筑面积超过3000平方米的楼宇156座，其中税收超千万元楼宇20座。企业8000余家，占全区总量的80%，全区具有总部经济性质的企业200余家，世界500强企业在中山区设立62个地区总部或分支机构，落户中山区的中国100强企业27家。大连市证监局、保监局等金融机构监管部门，大连市银行业协会、证券期货业协会、上市公司协会、保险行业协会等金融协会均设在人民路CBD区域内。CBD区域占中山区面积5.5%，税收占全区税收的70%。

（张玉琴　何　平　孔翔宇）

【东港商务区招商引资取得突破】2010年，东港商务区招商引资取得重大突破，摘牌项目累计达到19个，总占地面积约178公顷。继以色列凯丹集团、香港鹰君集团和万达集团之后，年内又有16个项目成功摘牌，进驻东港商务区。已在中山区注册的有盛都地产大连有限公司总部及4个项目公司、大连新星房地产集团公司。已落地项目有德意志银行大厦、欧力士集团总部、上海复地（阿里巴巴大厦）、上海绿地、美国英格索尔、浙江恒力、健风集团、威尼斯水城以及建设银行大厦等。其中东方威尼斯水城项目占地面积44.71公顷，建筑面积35.56万平方米，由香港东方投资

附：

2010年中山区楼宇一览

一、商务写字楼

序号	名称	地址	层数	建筑面积（万平方米）
1	东亚银行大厦	人民路7号	20	2.5
2	国际金融大厦	人民路15–17号	30	5.65
3	虹源大厦	人民路23号	39	6.3
4	辽宁新元大厦（丝绸）	人民路37号	17	0.57
5	亚太国际金融中心	人民路55号	28	3.7
6	凯美大厦	人民路61号	10	0.85
7	成大大厦	人民路71号	30	3.1
8	宏誉大厦	人民路68号	28	3.5
9	人寿大厦	人民路26号	28	3.5
10	平安大厦	人民路24号	28	3.3
11	恒通大厦	职工街28号	9	0.86
12	海港大厦	长江路12号	30	2.5
13	银洲国际大厦	七一街11号	30	2.8
14	世贸大厦	同兴街25号	51	9.4
15	盛世大厦	鲁迅路35号	24	3.73
16	万达大厦	解放街9号	24	3.28
17	时代大厦	港湾街7号	27	4.63
18	安达商务大厦	五五路32号	20	[illegible]
19	天安国际大厦	中山路88号	55	7.0
20	希望大厦	中山路136号	43	8.95
21	辽根大厦	人民路33号	22	2.4
22	纺织大厦	人民路35号	25	0.72
23	国运大厦	人民路85号	33	2.3
24	锦联大厦	祝贺街35号	20	1.7
25	安达大厦	鲁迅路78号	26	
26	宏孚大厦	长江路288号	24	4.0
27	上鼎大厦	上海路4号	29	3.4
28	万恒大厦	中山广场2号	5	0.6
29	国信大厦	友好路155号	25	2.38
30	丽苑大厦	明泽街16号	24	3.2

（控股）有限公司投资，拟建旅游、商业项目，该项目实际到位外资0.8亿美元。由以色列凯丹集团投资的以色列凯丹购物中心项目占地面积6.6公顷，建筑面积29.17万平方米，拟建大型商业及配套公寓项目，实际到位资金1.2亿美元。

【东港商务区项目进展顺利】2010年，东港商务区开发项目进展顺利。辽宁省检验检疫局办公大楼投入使用。万达公馆主体工程完工，正在进行外立面和内装施工。香港鹰君集团五星级朗廷酒店工程土方开挖，支护桩工程和锚杆工程基本结束。上海绿地集团、人民大厦项目进入基槽开挖阶段。以色列凯丹集团、日本欧力士集团、大连复城（上海复星、大连百年城）、中拥地产（美国英格索尔）、一方地产等项目进场勘测。其中，上海绿地集团开发的大连绿地中心高达518米，项目占地6公顷，建筑面积57.4万平方米，计划总投资80亿元，建成后将成为世界及中国500强的总部办公地、世界高级品牌及奢侈品集聚的高端商业中心、世界第四东北第一的世界级水平超高楼。

【东港商务区实现土地出让项目21个】2010年9月，东港商务区7个挂牌项目地段拍出规划地块20个，用地面积84.37公顷，建筑面积247.97万平方米，获土地出让金135.03亿元。商务区现有规划土地89块。年内共有21个项目落地，涉及48块土地，其中，划拨土地1块（国际会议中心），置换土地1块（省检验检疫局），挂牌出让46块，实现土地出让金302.54亿元，实现全社会固定资产投资150亿元，在已出让和正在洽谈的项目中，总部经济和区域金融中心项目16个，占已出让和洽谈项目总数的70%以上。

续表

序号	名　称	地　址	层数	建筑面积（万平方米）
31	光大大厦	五五路45号	17	2.0
32	辽机股份大厦	民主广场3-1号	19	1.2
33	报业大厦	民康街15号	29	4.29
34	宝嘉大厦	延安路5号	17	2.43
35	友好大厦	友好路158号	30	4.3
36	成功大厦	鲁迅路72号	19	1.6
37	日航写字楼	长江路123号	22	2.38
38	一方大厦	延安路9号		4.0
39	港湾壹号	丹东街13号	30	18.0
40	金座大厦	中山路7号		16.8
41	天通·金融大厦	鲁迅路58号	24	2.0
42	远大大厦	独立街19号	28	5.0
43	远洋大厦	玉光街11号		5.0
44	万科大厦	同兴街67号	29	26.0
45	迈克大厦	昆明街42号	8	0.42
46	中粮广场大厦	一德街9号	20	1.5
47	美华大厦	职工街77号	12	1.0
48	中港世银大厦	春德街	24	2.1
49	都市银座	上海路42号	18	2.3
50	安和大厦	人民路87号	33	1.5
51	香榭里街区东塔楼	长江路263号	23	2.0

二、商住公寓

序号	名　称	地　址	层数	建筑面积（万平方米）
1	曼哈顿大厦	友好路101号	50	17.2
2	鸿霖大厦	天津街299号	39	
3	悦泰诚里	友好路227号	14	5.0
4	易捷空间	昆明街266号		0.32
5	赛特公寓	中山广场警卫街2号	7	3.8
6	名仕国际公寓	五五路30号	28	5.3
7	雍景台	五惠路29号	32	2.1
8	恒元公寓	洛阳街20号	25	3.0
9	北良公寓	鲁迅路46号	19	
10	环海公寓	鲁迅路167号		10.0
11	泰宸伊景华园	解放路128号	30	
12	财富中心	港湾街20号		
13	都市海景	港湾街2号		
14	商务特区	武汉街42号		

续表

序号	名称	地址	层数	建筑面积（万平方米）
15	香格里拉公寓	人民路66号		
16	休斯顿公寓	常青街29号		
17	修竹大厦	天津街111-129号		
18	中山九号	杏林街2号		
19	中央公馆	友好路110号	29	
20	海景花园	民意街40号	25	2.8
21	文林公寓	文林街1号	19	1.8
22	喜临门大厦	友好街79号		
23	城市广场（铜锣湾）	武汉街73号	28	
24	花香维也纳	朝阳街57号	32	
25	嘉和大厦	职工街100号		
26	时代广场	人民路46-48号	47	14.0
27	香榭里街区中西楼	长江路263号		3.0
28	泛华领城	中山区鲁迅路42-1号	31	3.64
29	普照.假日广场	大连火车站东侧	27	2.8
30	港湾壹号	中山区兴和街27-29号	30	8.23
31	嘉和花样年华三期	中山区三八广场	30	3.26

【欧力士集团中国总部大厦项目启动】2010年12月21日，日本欧力士总部大厦项目在东港商务区正式启动，年末，欧力士集团在中山区投资总额已逾2亿美元。

1964年成立的欧力士集团为世界500强企业，在世界27个国家和地区经营保险、信托银行、证券、消费者金融、投资银行、房地产金融等业务，2009年度总资产近900亿美元，营业收入超过100亿美元。1981年欧力士集团进入中国，在近30年的时间里，中国业务稳步成长。

【大连地铁东港广场站主体封顶】2010年12月29日，大连地铁东港广场站成为大连地铁48个车站中首个主体结构封顶的车站。东港广场车站为单层地下侧式站，位于地面下3.4米，总长149.8米，宽54米，为单层八跨钢筋砼框架箱型结构，建筑面积1.02万平方米，共设4个出入口。该车站西距大连国际会议中心约150米，南距二七贸易大世界约200米。

附：

东港商务区简介

东港商务区西起大连港栈桥，东至滨海路的十八盘，总规划用地面积5.97平方公里，其中陆域面积2.78平方公里，填海面积3.19平方公里。按照规划，东部港区搬迁改造后，将成为大连市重要的商务基地、金融中心及重要的信息枢纽，公司总部、研发机构所在地，现代文化生活核心。

2010年初，市人大十四届三次会议形成《关于推进大连“钻石海湾”建设的议案》，备受关注的打造“三湾四区”的计划随之诞生，从滨海路的十八盘到甘井子区与开发区的交界之地，处处[illegible]，

绿地中心（效果图）

东方威尼斯水城（效果图）

万达公寓及酒店（效果图）

而地处大连“钻石港湾”东端的东港商务区，则引领着梭鱼湾和大连湾，成为了“钻石港湾”的龙头领军者。

东港商务区取名“东港”，是因为今日东港商务区开发的区域，正是以往大连港东部港区所在地。这里不仅是大连港开始的地方，也是大连城市开始的地方。

早在一个多世纪前，俄国人便钟情于此，在这里修建了港口码头，继而日本人又在中国的土地上与沙俄开战，夺得了旅大的控制权，在大连市区北部的海岸线布局大量工业。新中国成立后，大连沿用了殖民地留下的工业布局，但是随着现代化建设速度不断加快，原有工业布局的弊端也初现端倪。延绵的城市北部平坦的海岸线全部被码头、造船厂、军工厂所占据，大海给大连市民带来的生态资源财富并没有被合理地分配，对大连市民来说，这里始终夹杂着些许遗憾。

自中央提出“加快推进大连东北亚国际航运中心”的建设目标，在大连北部的大窑湾，一座座新型港口拔地而起，分化了原来大连港所承载的部分吞吐功能，于是大连港搬迁改造，东港商务区也逐渐浮出水面。

东港改造方案自诞生之日起，便得到大连市政府的高度重视。从2000年5月至2004年4月，市政府先后召集国内外的知名专家，召开了四次研讨会，对东港区域的规划进行了多方位论证。在经历了长达五年的规划、论证、修改之后，《大连东港地区改造规划方案》初步形成，2006年11月，大连港东部地区搬迁改造工程拉开序幕。

东港金融商务区面向国内外招商，吸引了大连万达、上海绿地、香港鹰君、大连海昌、一方地产、百年城、以色列凯丹等众多中外知名企业入驻，日本欧力士、美国英格索尔、华锐集团等世界知名企业机构纷纷将总部设在这里。“总部经济”、金融业一直是中山区经济发展的重要力量，走过百年发展历程的人民路CBD商务区，已经拥有了大连最多的公司总部和金融机构。作为人民路延伸区域，在东港的发展规划中，“总部经济”、金融业无疑成为了一大手笔，目前落户的总部和金融业项目占落地项目的70%之多。

新闻链接：

东港商务区进入总部经济发展新阶段

《大连日报》 2010年12月22日 赵蕴颖

昨晚，日本最大的非银行金融机构和最大的综合金融服务集团——欧力士集团中国总部大厦项目启动仪式在香格里拉大饭店和东港商务区欧力士总部大厦工程现场同时举行。随着欧力士集团等一大批知名度高、带动能力强的国际知名企业的进驻，东港商务区将进入一个全新的发展阶段。省委书记王珉发来贺信，市委书记夏德仁，市长李万才，市领导曹爱华、王萍、鞠文华、施中岩出席项目启动仪式。

欧力士集团是世界领先的综合金融服务集团，业务遍及亚洲、美洲、欧洲、大洋洲、中东及北非的27个国家和地区，为全球数十万家企业客户和广大个人客户提供各种金融服务。欧力士集团落户大连后，将陆续开展一系列投资发展规划，包括建设总部基地、与海昌集团共同发展旅游综合项目、在高新区开发日本软件产业园、设立面向日本企业的投资基金、开展金融股

东港商务区（效果图）

权投资及金融创新业务。欧力士中国总部大厦位于东港商务区的核心位置，占地2.5公顷，建筑面积22.5万平方米，是东港商务区招商引资中的又一个重要建设项目。项目计划投资4亿美元，将于2013年正式投入使用。截至目前，东港商务区已出让招商项目12个，其中国内外知名企业投资项目5个，实际利用外资7.33亿美元。在现已出让和正在洽谈的25个招商项目中，实际落地和意向投资总部经济和区域金融中心的就有16个，占已出让和洽谈项目总数的70%以上。

市长李万才在项目启动仪式上致辞说，欧力士集团是日本最大的非银行金融机构和最大的综合金融服务集团，集团决定将中国作为重点投资区域，以设在大连的中国总部为业务发展核心，充分显示了企业的战略眼光和对大连的信任。东港商务区是大连市历史上最大的城市改造项目，将成为大连未来现代服务业重点发展区域，是引领全市乃至东北地区总部经济发展的重要引擎。当前，大连正处在深入贯彻落实辽宁沿海经济带发展战略，加快推进全域城市化和“三个中心、一个聚集区”建设的关键时期。市委、市政府将一如既往地创造良好的环境和条件，竭尽所能帮助企业解决发展难题，提供优质服务。希望欧力士集团以总部大厦项目启动为新的起点，不断拓展在华业务，扩大在华投资，增强企业实力，为大连进一步完善金融服务体系、加快建设区域金融中心和辽宁沿海经济带开发建设发挥更大的作用。

欧力士集团会长宫内义彦在致辞中说，大连是东北亚最重要的城市之一，经过多年的发展，在中国东北乃至全中国的经济发展中占有重要地位，对于大连的发展前景我们深信不疑。欧力士将以中国总部大厦建设为契机，利用总部经济优势，扎根大连，与大连市政府及各界更加紧密地合作。尤其要加速BPO、垃圾焚烧处理发电设施、基金、汽车租赁等业务在大连的开展，并争取尽早取得成果。同时，还将以事业投资、高度专业的产业基金、高附加值的租赁业务等金融解决方案和经验为大连的产业升级作出积极贡献。

（王明高）

区委书记李向东会见日本友人

外向型经济

【概况】2010年，中山区继续坚持“以项目建设为核心，以产业升级为目标”的外资发展策略和有关外贸发展策略。完善招商引资优惠政策，实行重点项目区级领导分管负责、重大项目专人负责等制度。完善中央商务区网站，建立招商项目数据库，搭建对外招商和服务数字化平台，全面推进中山区CBD建设。年内，新办外商投资企业89个，协议外资额7.46亿美元，实际使用外资6.6亿美元，比上年增长55%，总量和增幅居大连市中心城区首位。完成外贸出口创汇7.24亿美元，比上年增长31.7%。完成内联引资到位金额52亿元人民币，比上年增长18%。

【优化投资环境】2010年，中山区将2010年确定为“招商引资年”，全面优化外资投资环境。召开全区对外开放工作会议，专题研究部署招商引资工作。层层分解招商指标，落实到街道和相关部门，并由区商务局牵头成立专门的招商推进团队，建立招商引资项目调度会机制，每月召开项目调度会，把合同履约率、资金到位率和项目开工率作为核心工作来抓，并在区委常委扩大会议上专题研究项目建设工作，发挥区级领导联系重点项目的作用，解决重点招商项目推进过程中出现的问题和困难，确保项目落实。

强化服务功能。加强招商队伍培训，提高招商人员工作能力。建立绿色通道，为投资者提供“保姆式”服务。强化领导靠前指挥，区级领导实行重点项目包干。加强招商引资信息化建设，建立招商项目管理动态信息库，及时了解和掌握项目推进情况。定期走访辖区重点企业，由区领导带队走访辖区企业，为企业排忧解难，为企业开拓国际市场提供资金扶持近2000万元。

【完善招商引资政策】2010年4月，中山区在招商项目说明会上发布中山区招商引资16条优惠政策，鼓励外资企业进资、鼓励中介组织（个人）引进外资、鼓励中介组织（个人）引进内资、鼓励企业入驻、鼓励现代服务业企业做强做大、鼓励楼宇经济发展、鼓励企业自主创新、鼓励高端人才的引进和发展等，为企业投资兴业提供政策保障。

【推出“十大招商主题”】2010年，中山区围绕“四大功能区”建设，提出“十大招商主题”，50个优秀招商项目。“十大招商主题”包括东港商务区开发、临东港区域的科技城和邮轮中心建设、长江路“夜大连”休闲娱乐特色街建设、人民路中央商务区功能提升、青泥洼商业中心的升级开发、天津街商业街振兴、桃源广场商业中心的升级开发、解放路沿线地块改造、滨海路旅游带开发和三山岛旅游度假区开发。50个招商项目中，地块开发招商项目21个，重点集中在东港商务区、解放路、长江路区域。公建招商项目18个，重点是一些公建项目的后续招商，商务楼宇（特色专业大厦）招商项目11个，重点面向金融、航运、物流等现代服务业的总部招商。

【创新招商引资形式】2010年，中山区全面创新招商形式，坚持科学招商，开展委托招商、以商引商，引进一批大项目。一是发挥中介机构的资源优势，与大连市台商协会、浙江商会等7家商会签订“招商合作框架协议”，与戴德梁行（大连）有限公司签订“招商顾问协议”。二是发挥驻外机构作用，与日、韩商会等外国驻连机构保持紧密联系，组织企业开展经贸交流等活动。三是发挥区人大代表、政协委员的人脉资源作用，帮助区政府推介、推荐重点招商项目；四是发挥企业的招商主体作用，引导、促进以商引商。年内，引进渤海银行大连分行、吉林银行大连分行、营口银行大连分行、日本欧力士集团地区总部以及力勤投资集团来中山区投资。

承办大连市中山区招商项目说明会

【重点外资项目建设】2010年，中山区一批总部企业、金融机构和高端商业地产等大项目相继落户中山区，新引进1000万美元以上的外资项目15家。其中，3000万美元以上的大型外资项目9家（含3000万），其中超亿美元的项目2家。9个大型外资项目分别是：大连复城置业有限公司、大连复年置业有限公司、大连东方水城发展有限公司、大连复百置业有限公司、欧力士置业和欧力士大厦、大连荣耀房地产开发有限公司、大连海昌德信置业有限公司及大连中美居置业有限公司。重点项目增资势头强劲。增资3000万美元以上的项目有3家（含3000万），分别是：朗城房地产开发（大连）有限公司、欧力士（中国）投资有限公司、中信丰悦（即海景酒店二期）。增资1000万美元以上的项目有2家（含1000万），分别是：裕景兴业和新世界大厦。

【赴欧洲、日本和香港招商成效显著】2010年，中山区组团随大连市代表团赴日本、欧洲及香港等国家和地区招商，成效显著。1月，去香港会见了嘉里集团、基汇基金等企业，与香港恒大亚太投资有限公司、香港融丰投资置业有限公司等企业签订投资意向。3月，赴欧洲拜会了荷兰领得高集团、德国德意志银行、法国雅高国际酒店集团等企业，扩大对欧洲国家招商。7月，在日本会见了欧力士集团等企业代表，实地考察了大阪心斋桥商业区、住友会所和住宅等项目；并到

欧力士集团大厦（效果图）

香港会见九龙仓、瑞安集团、鹰君集团等企业代表，推进一批在谈重点项目。全年外资项目签约15个，金额达42亿美元。

【欧力士（中国）投资有限公司入驻】2010年2月10日，大连市政府与欧力士集团签署战略合作协议，欧力士集团在大连设立欧力士（中国）投资有限公司，并整合集团在中国大陆开展的各项业务，使其成为欧力士集团在中国的总部。12月21日，日本欧力士总部大厦项目在东港商务区正式启动。

1964年成立的欧力士集团为世界500强企业，在世界27个国家和地区经营保险、信托银行、证券、消费者金融、投资银行、房地产金融等业务，2009年度总资产近900亿美元，营业收入超过100亿美元。1981年欧力士集团进入中国，在近30年的时间里，中国业务稳步成长。

【引进内资】2010年2月，中山区组团赴温州举办中山区2010年（温州）招商项目恳谈会，会见浙江海天建设集团等客商，考察温州名品购物中心、五马商业步行街等商业项目。5月，随大连市代表团赴深圳，参加大连市（深圳）新市区推介会，会见保利集团等一批企业代表，考察了深圳中信城市广场商业区、东部华侨城等项目。8月，随大连市代表团赴呼和浩特，参加大连市（呼和浩特）市情推介会，并与吉林银行和大连锐达房地产开发有限公司在会上签约，考察伊利集团等企业。10月，随辽宁省、大连市政府赴宁波招商，推介 “中山金融贸易区”，与北京力勤集团等企业签约。全年各类招商活动累计签约内资项目13个，金额162.5亿元人民币。

新闻链接：

中山区四大功能区建设开展主题招商推精品项目

《大连日报》 2010年4月30日

刘　磊　许晓楠

记者从昨日召开的中山区招商项目说明会上获悉，今年中山区将围绕四大功能区板块的10大主题开展招商活动，并推出了50个精品招商项目。副市长孙广田出席了招商项目说明会。

中山区作为大连市金融、商贸、信息、旅游、航运和总部经济集聚的中心城区，在全市“三个中心”建设和全域城市化发展中，定位于打造现代服务业集聚度、发展程度和产业能级最高的领率区。今年，中山区确定了以功能区建设为牵动，重点推进“四大功能区”建设的经济发展思路，全力推进以金融业为主导产业的CBD商务功能区，以天津街、青泥洼桥为核心的商贸功能区，以解放路、中南路为重点的生态宜居功能区和以南部滨海区域为依托的旅游观光功能区。

中山区委、区政府确定今年为“招商引资年”，重点围绕“四大功能区”确定了“十大招商主题”并筛选了50个推介项目。“十大招商主题”包括，东港商务区开发、临东港区域的科技城和邮轮中心建设、长江路“夜大连”休闲娱乐特色街建设、人民路中央商务区功能提升、天津街商业街振兴、青泥洼商业中心的升级开发、解放路沿线地块改造、桃源广场商业中心的升级开发、滨海路旅游带开发、三山岛旅游度假区开发。50个推介项目中，地块开发招商项目21个，重点集中在东港商务区、解放路、长江路区域；公建招商项目18个，重点是一些公建项目的后续招商；商务楼宇（特色专业大厦）招商项目11个，重点面向金融、航运、物流等现代服务业的总部招商。

200多位企业界代表出席此次招商项目说明会。会上，中山区政府与市台商协会、大连浙江商会等6家商会签订“招商合作框架协议”，与戴德梁行（大连）有限公司签订“招商顾问协议”。会上发布了中山区招商引资16条优惠政策，鼓励外资企业进资、鼓励中介组织（个人）引进外资、鼓励中介组织（个人）引进内资、鼓励企业入驻、鼓励现代服务业企业做强做大、鼓励楼宇经济发展、鼓励企业自主创新、鼓励高端人才的引进和发展等，为企业来此投资兴业提供有力保障，积极营造引商、安商、富商、亲商的良好氛围。

（韩晋东）

民营经济

【概况】2010年，中山区经济和信息化局积极改善民营企业发展环境，帮助民营企业解决资金短缺困难，组织民营中小企业申报国家、省、市专项扶持发展基金。落实“招商引资年”工作部署，组织中小企业参加国家和省、市组织的各项招商引资和展销活动，引进民营企业1675家，民营企业总数达到16448家。

【帮助民营企业解决资金短缺问题】2010年，中山区经信局组织近140家民营中小企业申报国家、省、市专项扶持发展基金，其中包括国家中小企业发展专项资金、辽宁省节能环保专项扶持资金、创新资金、大连市小企业创业基地扶持专项资金、中小企业发展专项资金和中小企业创业发展信贷风险补偿专项资金等，获得上三级政府支持资金500余万元，解决企业资金短缺问题。

【组织企业参加对外交流活动】2010年，中山区经信局积极为民营企业搭建对外交流平台，共组织340余家企业参加8次大型经济、技术交流活动。4月，组织100家企业参加市、区知识产权周系列宣传活动。5月，组织60家企业参加科技活动周系列活动。6月，组织6家企业参加第八届中国国际软件和信息服务交易会。7月，组织5家企业参加第六届AC中小企业技术交流暨展览会。8月，组织12家企业参加中国国际专利技术与产品交易会，组织4家企业参加中国中小企业博览会。9月，组织10家企业参加中国轻工产品博览会，组织10家企业参加大连国际服装节，组织36家企业参加中小企业节。

（刘胜利）

金　融

【概况】2010年，中山区拥有各类金融和融资类机构162家，其中，金融机构95家，融资类机构67家。金融机构中包括银行机构34家，保险机构26家，证券机构21家，期货机构14家。融资类机构中包括担保公司35家，小额贷款公司8家，融资类公司总部2家，保险中介机构21家，股权投资企业1家。有金融总部和功能性总部12家，占全市的66%。全区金融业全口径税收达到26.61亿元，占全市总量的65%。区级实得1.95亿元，占区级财政收入的10.5%。

【区域性金融核心功能区建设】2010年，渤海银行、吉林银行、营口银行相继在中山区设立分行；日本欧力士集团中国总部、德意志银行亚洲金融区域性总部、民生银行和建设银行大厦等总部金融企业进驻东港商务区。中山区有分行（分公司）级以上各类金融机构62家，有大连银行、中荷人寿、百年人寿等金融总部12家。有中国银行辽宁省分行和工商银行、农业银行、建设银行大连分行等国有商业银行，有证监局、保监局等金融监管部门以及银行业协会、证券期货业协会、上市公司协会和保险行业协会等金融协会。

【“十一五”金融机构概况】“十一五”期间，中山区设立和引进各类金融和融资类机构76家，其中，金融机构26家、融资类机构50家。全市新进驻的分行、分公司级以上金融机构2/3落户在中山区。引进的金融机构中有金融总部6家，其中，公司总部1家，法人总部2家，功能性总部3家。截至2010年末，中山区共有各类金融和融资类机构162家，其中，金融机构95家、融资类机构67家。有金融总部和功能性总部12家，占全市的66%。

（夏英杰）

·银　行·

【吉林银行大连分行开业】2010年5月18日，吉林银行大连分行在中山区举行开业庆典，这是吉林银行首家跨区域分行。吉林银行成立于2007年10月，是经中国银行业监督管理委员会批准设立的股份有限公司。截至年末，吉林银行资产规模达1478

营口银行

亿元，各项存款余额达1174亿元，各项贷款余额为790亿元，累计实现净利润近28亿元。

【渤海银行大连分行入驻】2010年1月18日，渤海银行在中山区设立的分行正式对外营业。渤海银行大连分行是渤海银行在东北地区设立的首家分行。渤海银行是1996年以来获中国政府批准设立的第一家全国性股份制商业银行，是第一家在发起设立阶段就引入境外战略投资者的中资商业银行，总行设在天津。截至年末，渤海银行资产总额2650.86亿元，负债总额2556.70亿元，不良贷款率仅为0.11%，实现税后净利润7.78亿元。

【营口银行大连分行开业】2010年7月17日，营口银行大连分行在中山区正式开业。营口银行成立于1997年4月，前身是营口市商业银行，是地方性股份制商业银行。截至年末，营口银行资产总额434.12亿元，不良贷款率0.56%，资本充足率12.23%，资本利润率20.15%，资产利润率1.32%，拨备覆盖率331%。

【韩国外换银行（中国）有限公司大连分行成立】2010年5月17日，韩国外换银行股份有限公司大连分行正式改制为外换银行（中国）有限公司大连分行，成为独立的法人机构。韩国外换银行（KEB）成立于1967年，是韩国国有的外汇专业银行，1989年转化为股份制商业银行，是韩国排名第一的全球性银行，在韩国共设有分支行352家，在海外22个国家共设有25家分支行以及8个当地法人，有540万存款客户。目前在中国已有北京、天津、上海、大连4家分行。

【工商银行大连市分行积极支持中

附：

2010年中山区分行级以上银行机构一览

序号	类　型	单　位
1	政策性银行	国家开发银行大连市分行
2		中国进出口银行大连分行
3	国有商业银行	中国工商银行大连市分行
4		中国农业银行大连市分行
5		中国银行辽宁省分行
6		中国建设银行大连市分行
7	股份制商业银行	交通银行大连分行
8		中信银行大连分行
9		中国光大银行大连分行
10		中国民生银行大连分行
11		招商银行大连分行
12		华夏银行大连分行
13		广发银行大连分行
14		深圳发展银行大连分行
15		上海浦东发展银行大连分行
16		兴业银行大连分行
17		渤海银行大连分行
18	城市商业银行	大连银行
19		哈尔滨银行大连分行
20		锦州银行大连分行
21		盛京银行大连分行
22		吉林银行大连分行
23		营口银行大连分行
24	外资银行	东亚银行（中国）有限公司大连分行
25		南洋商业银行（中国）有限公司大连分行
26		汇丰银行（中国）有限公司大连分行
27		外换银行（中国）有限公司大连分行
28		花旗银行（中国）有限公司大连分行
29		渣打银行（中国）有限公司大连分行
30	外资银行代表处	日本福冈银行股份有限公司大连代表处
31		中银信用卡（国际）有限公司大连代表处
32	资产管理公司	信达资产管理公司大连营业部
33		东方资产管理公司大连办事处
34	农村信用社	大连市农村信用合作社联合社

小企业发展】2010年，工商银行大连市分行将发展小企业金融业务作为调整信贷机构、实现经营战略转型的一项重要工作，健全完善各项体制机制，促进中小企业信贷业务的健康快速发展。截至年末，全行小企业各项贷款余额较年初增长14倍。

提高信贷人员服务中小企业的能力。分行多次组织小企业从业资格考试，筛选一批业务精、能力强、有志于从事小企业的客户经理；通过专家授课、座谈会、“一对一”业务指导等形式进行业务培训近50次，提高基层客户经理服务中小企业的能力。将小企业业务纳入对分、支行行长绩效考核当中，加大考核力度提高考核权重。设立小企业业务专项奖励，调动全行员工营销积极性。细化尽职免责制度，解除客户经理的思想负担，鼓励大胆创新。

组建1家小企业专业支行和信贷业务中心。在分行层面设立小企业金融业务部作为一级部室牵头管理小企业信贷业务，组建1家小企业专业支行、并在16家支行成立小企业信贷业务中心，制定小企业限时服务制度，梳理、简化小企业业务流程，提高审批效率，实现小企业信贷业务“专职化”，提高小企业前中后台队伍专业技能，根据小企业“短、频、快”的特点开展限时服务。在防控风险的同时进一步加快了业务办理速度。

【工商银行电子银行业务位居同业首位】2010年，工商银行大连市行以打造区域第一电子银行为目标，量质并举推进电子银行业务发展，各类客户指标和交易规模均以领先优势居同业首位。其中，实现电子银行中间业务收入较上一年同期增长25%，完成电子银行交易额较上

2010年中山区证券机构一览

序号	单 位
1	大通证券股份有限公司
2	大通证券股份有限公司大连民意街证券营业部
3	大通证券股份有限公司大连昆明街证券营业部
4	中国建银投资证券有限责任公司大连上海路证券营业部
5	平安证券有限责任公司大连人民路证券营业部
6	华泰证券股份有限公司大连中山广场证券营业部
7	中信建投证券有限责任公司大连同兴街证券营业部
8	海通证券股份有限公司大连天津街证券营业部
9	申银万国证券股份有限公司大连武汉街证券营业部
10	银泰证券有限责任公司大连五五路证券营业部
11	安信证券股份有限公司大连中山路证券营业部
12	齐鲁证券有限公司大连鲁迅路证券营业部
13	华西证券有限责任公司大连港湾街证券营业部
14	上海证券有限责任公司大连同兴街证券营业部
15	宏源证券股份有限公司大连友好路证券营业部
16	东北证券股份有限公司大连七七街证券营业部
17	中国银河证券股份有限公司大连延安路证券营业部
18	中国银河证券股份有限公司大连人民路证券营业部
19	光大证券股份有限公司大连友好广场证券营业部
20	大连北部资产经营有限公司
21	大连华讯投资咨询有限公司

2010年中山区期货公司一览

序号	单 位
1	渤海期货有限公司
2	大陆期货经纪有限公司大连营业部
3	光大期货经纪有限公司大连营业部
4	中信新际经纪有限公司大连营业部
5	华闻期货经纪有限公司大连营业部
6	国元安泰经纪有限公司大连营业部
7	经易期货经纪有限公司大连营业部
8	中粮期货经纪有限公司大连营业部
9	中期嘉合经纪有限公司大连营业部
10	海通期货经纪有限公司大连营业部
11	宝城期货经纪有限公司大连营业部
12	中信建投经纪有限公司大连营业部
13	国联期货经纪有限公司大连营业部
14	民生期货经纪有限公司大连营业部

2010年中山区保险机构一览

序号	单 位
内资保险机构	
1	百年人寿保险股份有限公司
2	中国人寿保险股份有限公司大连市分公司
3	中国平安人寿保险股份有限公司大连分公司
4	泰康人寿保险股份有限公司大连分公司
5	新华人寿保险股份有限公司大连分公司
6	太平人寿保险有限公司大连分公司
7	生命人寿保险股份有限大连分公司
8	平安养老保险股份有限公司大连分公司
9	中国人民财产保险股份有限公司大连分公司
10	中国平安财险保险股份有限公司大连分公司
11	华泰财产保险股份有限公司大连分公司
12	天安保险股份有限公司大连分公司
13	太平保险有限公司大连分公司
14	华安财产保险股份有限公司大连分公司
15	中国出口信用保险公司辽宁分公司
16	中国大地财产保险股份有限公司大连分公司
17	安邦财产保险股份有限公司大连分公司
18	中银保险有限公司大连分公司
19	合众人寿保险股份有限公司大连分公司
20	阳光人寿保险股份有限公司大连中心支公司
21	民生人寿保险股份有限公司大连中心支公司
22	幸福人寿保险股份有限公司大连中心支公司
外资保险机构	
23	中荷人寿保险有限公司
24	中宏人寿保险有限公司大连分公司
25	中美大都会人寿保险有限公司辽宁分公司大连营销服务部
26	恒安标准人寿保险有限公司大连营销服务部

2010年中山区小额贷款公司一览

序号	单 位	序号	单 位
1	大连中山宏泰小额贷款有限公司	5	大连中山万汇小额贷款有限公司
2	大连中山富润小额贷款有限公司	6	大连中山天汇丰小额贷款有限公司
3	大连中山大德通小额贷款有限公司	7	大连中山长江小额贷款有限公司
4	大连中山锦联小额贷款股份有限公司	8	大连中山良运小额贷款股份有限公司

2010年中山区融资类公司总部一览

序号	单 位	序号	单 位
1	中国融资租赁有限公司	2	欧力士（中国）投资有限公司

年同期增长近20%。

特色业务创新与营销成效显著。分行加快推进区域性产品研发和应用，特色业务创新与营销工作成效显著。工商银行大连市分行通过跟踪营销和个性化服务，使代缴费、电子商务、银企互联等多项重点项目取得突破性进展，打开了多年未对银行开放的地区代缴水电煤气费市场，实现了全渠道代缴手机和固定电话费，成功营销了“大商网”B2C网上支付及分期付款电子商务业务，为多家地区龙头企业、政府机关等重量级单位开通了银企互联业务。全年实现电子银行中间业务收入较去年同期增长25%。

电子银行服务能力稳步提升。结合工商银行“2010服务价值年”活动要求，分行大力开展柜面业务分流试点工作,进一步发挥电子银行渠道对提高网点效能的重要作用。深入优化售后服务流程，设立网银专属服务咨询热线和售后服务邮箱，加大电话外拨回访力度，开展企业网上银行不动户唤醒工作，建立动户率保障机制，售后服务管理水平不断提高。全年完成电子银行交易额较上年同期增长近20%。

防范电子银行交易风险。开展内控检查和自律检查，增强电子银行风险防控能力，有效保护客户的交易安全。抓好电子银行风险警示教育、制度培训工作，提高全体从业人员的风险防控意识和能力。认真开展电子银行操作风险大检查，突出风险控制、风险教育、问题整改、违规问责和检查责任落实，保证检查能够重点突出、切实有效。通过对以前注册的企网证书版存量客户全面开展排查，对网银证书新开户进行电话回访等措施，严密防范外部欺诈。

【交通银行大连分行携手国资委支

持龙头企业发展】2010年9月17日，交通银行大连分行和大连市国有资产监督与管理委员会在大连日航饭店举行战略合作协议签约仪式暨大连重工·起重集团有限公司短期融资券成功发行庆祝酒会，副市长曲晓飞出席仪式并致辞。市政府副秘书长、金融局局长曹煦、市国资委主任王春、交行大连分行行长鲁敏、重工·起重集团董事长宋甲晶，以及国资委直属企业代表等50余人参加会议。

曲晓飞副市长在致辞中指出，此次战略合作协议的签订和短期融资券的发行，是银政合作、银企合作的又一成果，将进一步优化企业融资结构，降低融资成本，对企业实现持续发展具有重要意义，也为大连市更多的企业积极开展债券融资，开辟新的融资渠道提供了很好的经验和借鉴。

大连重工·起重集团是大连市装备制造业龙头企业，此次发行短期融资券是企业筹措短期（1年以内）资金的直接融资方式。相比于银行贷款和股市融资，短期融资券在融资成本和筹资便利度等方面更具优势。此次，交行大连分行承销重工·起重集团短期融资券12亿元，首期发行6亿元，利率3.5%，总成本率约为3.98%，相对于银行贷款基准利率下浮10%后的利率4.779%仍低约0.8个百分点。

【大连银行设立第六家异地分行】2010年9月16日，大连银行第6家异地分行——上海分行正式开业，成为东北地区城市商行在上海设立的首家分支机构。

大连银行前身为大连市商业银行，成立于1998年，2007年更名为大连银行，后相继在天津、北京、沈阳、成都和营口设立了5家分行。在2010年7月出版的英国《银行家》

2010年中山区担保公司一览

序号	单　位
1	大连利洋担保有限公司
2	辽宁国融担保有限公司
3	大连恒信嘉惠担保有限公司
4	浙商联合（大连）担保有限公司
5	大连上达投资担保有限公司
6	大连东北亚投资担保有限公司
7	大连北方汇银担保集团有限公司
8	万安担保（大连）有限公司
9	大连凌宇担保有限公司
10	大连六合担保有限公司
11	大连中租国投担保有限公司
12	辽宁英和信用担保有限公司
13	大连渤威投资担保有限公司
14	大连嘉元投资担保有限公司
15	大连方元经济担保有限公司
16	大连中小企业信用担保有限公司
17	大连信和担保有限责任公司
18	大连万汇投资担保有限公司
19	大连市企业信用担保有限公司
20	大连联信投资担保有限公司
21	大连山河信用担保有限公司
22	大连市中山区企业信用担保有限公司
23	大连银合担保有限公司
24	大连鸿瑞德投资有限公司
25	大连天一投资担保有限公司
26	大连鼎力信用担保有限公司
27	大连恒金担保有限公司
28	大连锦联投资担保有限公司
29	大连天汇丰融资担保有限公司
30	大连润程融资担保有限公司
31	瀚华担保股份有限公司辽宁分公司
32	中裕华丰融资担保（大连）有限责任公司
33	大连联成投资担保有限公司
34	大连恒辉融资担保有限公司
35	大连峰盛融资担保有限公司

2010年驻中山区金融监管机构及协会情况

序号	单 位
	金融监管机构
1	中国人民银行大连市中心支行
2	中国证监会大连监管局
3	中国保监会大连监管局
	金融行业协会
4	大连市银行业协会
5	大连保险行业协会
6	大连市证券期货业协会
7	大连上市公司协会

杂志全球前1000家大银行排名中，大连银行位列第549位，在中国内地的银行中排名第36位。截至8月末，大连银行资产规模达1433亿元，一般性存款余额1143亿元，贷款余额684亿元，实现净利润13.24亿元，不良贷款余额为7.03亿元，不良贷款比例为1.03%，资本充足率为12.34%，拨备覆盖率达到214.52%。

【渣打银行开设境外企业人民币银行结算账户】2010年9月2日，渣打银行(中国)有限公司大连分行宣布已于日前成功为客户开设了境外企业人民币银行结算账户。这是自跨境贸易人民币结算试点项目扩大以来在大连开设的第一个境外企业人民币银行结算账户，是由渣打中国大连分行为北良(香港)有限公司所开设的。北良香港将可以通过该账户实现人民币跨境贸易结算,进而有效控制汇率风险,对企业的业务发展及规模扩大起到重要的推动作用。

【欧力士联姻大连企业】2010年1月5日，日本欧力士（中国）投资有限公司与大连海昌集团正式签署了资本战略合作协议。欧力士方面表示，将用3年时间实现在华投资3000亿日元的目标。大连企业海昌集团将借助欧力士集团在日本开发经营主题公园、水族馆、温泉馆等方面的行业经验和商业构想，在现有9大旅游项目的基础上，用5年左右的时间，在全国各主要旅游城市和中心城市再发展8—10个旅游综合项目。

1964年成立的日本欧力士集团（ORIX Corporation），是日本最大的综合金融服务集团，在纽约和东京证券交易所上市，在世界27个国家和地区拥有分支机构，为50多万家客户企业提供服务。欧力士集团在亚洲市场有着广泛的影响。在大连长兴岛临港工业区投资造船系列项目的韩国STX集团，其17%的股权为欧力士集团拥有。

【四家银行为大连绿地项目建设提供资金支持】2010年11月20日，在大连绿地中心项目开工典礼上，中国银行辽宁省分行、中国工商银行大连分行、中国农业银行大连分行及国家开发银行上海分行与绿地集团签署了银企合作协议，四家银行将总计为大连绿地中心的工程建设提供45亿元的资金支持。

大连绿地中心高达518米，项目总用地6万公顷，总建筑面积57.4万平方米，预计投资总额达80亿元。项目位于东港商务区的核心位置，毗邻夏季达沃斯论坛、大剧院和游艇码头，规划建设集超五星级海景酒店、国际甲级写字楼、高端商业、配套商务公寓于一身的超高层城市综合体。建成后将成为世界第四、中国第三和东北第一的世界级水平高楼。

（史 天）

·证 券·

【大通证券股份有限公司利润显著】2010年，大通证券股份有限公司注册资本增至22亿元，净资本达到31.06 亿元；实现营业收入 4.82亿元，实现利润总额1.75亿元,净利润1.29亿元。经纪业务市场占有率排名59位，较上年上升4位，市场占有率增长排名24位；星海一号产品荣获“中国证券公司最佳理财产品”、“最受欢迎的理财产品”之券商集合理财组十强等多项荣誉。获得代办系统主办券商业务资格、上证基金通业务资格、LOF申购赎回业务资格及ETF资格，近10家营业部获得IB业务资格。新设6家营业部，2家服务部升格为营业部并实施异地迁址，营业部数量达到35家。券商分类评审为B类BB级，比上年上升一个级次。

实施增资扩股。将注册资本增加到22亿元，公司净资产为 33.98亿元，净资本为31.06亿元，净资本在行业内排名由2009年底的65位，上升到目前的40位左右，不仅进一步壮大了公司实力，增强了公司抗风险能力，而且因净资本达到30亿元以上，满足了开展融资融券业务对证券公司净资本的要求，为公司开展融资融券业务创造了条件。

经纪业务网点布局取得突破。新设、调整经纪业务网点布局，营销和服务水平大幅提升，累计实现证券交易总额4468.2亿元，手续费收入4.9亿元，实现利润总额2.56亿元，资产总值314.3亿元；新增开户数3.6万户，新增客户资产39.8亿元。 加强营业部管理和考核，开展网点新设、布局调整和业务资格申报工作，并取得突破。年内新设营业部6家，跨省区异地迁址营业部5家，辖区内营业部迁址1家，服务部规范为营业部2家，营业部家数增加至35家，网点覆盖范围由6个省16个城市，拓展到9个省21个城市，布局更加合理，同时，对相关营业部进行装修改造，提升营业部整体形

大通证券增资扩股22亿元庆典

象。进行业务资格申报，取得“上证基金通”、LOF申购赎回、ETF业务资格，有近10家营业部获得IB业务资格。强化市场营销。成立区域营销中心并开展工作。组织营业部开展三次营销竞赛活动，均达到了预期目的。积极开展基金销售工作，销售7只开放式基金和私募基金，共计1.98亿元。

营销和客户服务水平大幅提升。建立了集中分布式呼叫中心系统。加强营业部客户服务团队建设工作，公司总部及营业部建立50个客户服务团队，团队员工人数达158人，服务客户6万人，服务客户资产78.50亿元，客户资产覆盖率达到25%。开展投资顾问服务，目前已有数百名客户签约投资顾问服务协议。全面推广“智信通”、“智慧通”、“智囊通”服务产品，截至12月31日签约产品客户数量达7.9万户，签约资产216亿元，产品覆盖客户资产比例为65%，其中10万元资产以上客户数量占比近80%。营销和服务水平大幅提升，累计实现证券交易总额4468.2亿元，手续费收入4.9亿元，实现利润总额2.56亿元。资产总值314.5亿元；新增开户数3.6万户，新增客户资产39.8亿元。

“星海一号”在同类产品中稳居前列。理财产品“星海一号”在同类产品中表现稳居前列。截至年底，星海一号份额4.20亿份，资产净值4.42亿元，累计单位净值1.211元，年度收益率14.97%。产品年度收益率在所有可比的79只集合理财产品中排名第5，在54只非限定性产品中排名第4，在38只混合型和股票型产品中排名第4。在集合理财产品的1年期评级中，星海一号获得5星级评级，荣获“2010年中国证券公司最佳理财产品”“最受欢迎的理财产品”之券商集合理财组十强等称号。

保荐业务资格恢复等工作进展顺利。开展保荐业务资格恢复和非保荐业务开拓工作。年底，恢复保荐资格的前期准备工作基本完成，目前已开始承做一个IPO项目。开展三板、财务顾问和债券承销业务。公司作为非保荐机构首家获得“代办系统主办券商业务资格”，扩展了公司的业务范围，推动投行业务与经纪业务发展。开展财务顾问业务，与多家企业草签财务顾问协议。开展债券承销业务，全年参与4只债券分销。

（王长义）

·保　险·

【平安人寿大连分公司创新保险服务】2010年，平安人寿大连分公司定位为“经营发展年”，更加重视加强营销队伍的建设和品质管理，业务品质持续提升。全年总保费收入41.87亿元，同比增长24.6%。其中个人寿险实现首年规模保费10.7亿元，同比增长14.4%。个人寿险实现年化标准保费8.22亿元，同比增长28.3%。银行代理实现规模保费收入3.05亿元，同比增长34.6%。

宣传“3.15”践行“易”承诺。2010年，平安人寿大连分公司积极践行“平安寿险 信守合约 为您寻找理赔的理由”的服务承诺，努力提升公司的客户服务水平和客户满意度。3月12－15日，一年一度的“3.15国际消费者权益保护日”展览活动在大连世界博览广场举行，平安人寿大连分公司作为保险行业代表参展。在本次活动中，大连寿险连续六年获得“大连市维权十佳企业”奖项。活动之前，分公司全面启动“3.15”客户权益保护工作，迅速成立“3.15客户投诉特别工作小组”，积极部署各项工作，旨在快速、有效解决客户在“3.15”期间的投诉突发案件。

创造单月寿险全国纪录。2010年10月，平安人寿大连分公司创新营销模式，通过个人客户答谢会、展示板下乡产品说明会、多种主顾开拓模式、特别是购物街主顾开拓模式等途径，全面占领市场。全月签单长期险33211件，年度化标准保费收入2.02亿元，当月计划达成率410%，个人寿险有效活动率85%，1年内新人活动率73%，主管有效活动率98.9%，所有指标均创造中国寿险业新高。其中主力产品平安智盈人生终身寿险签单3万余件，活动率80%，人均签单4.6件，均超额完成目标。

举办特定客户关爱活动。2010年10－11月，平安人寿大连分公司举办“绿色金融，服务畅通”特定客户关爱活动，在全市同业中率先将投诉客户纳入关爱范围。特定客户关爱活动是指对介于VIP客户和普通客户之间，且忠诚度及价值度较高的中层客户的附加值服务。本次活动针对续期账户及生存金账户的新增与变更的部分客户、需回访的部分投诉客户、系统无手机号登记以及保单失效等五大客户群，推出一系列关爱服务措施；同时，在活动结束后对接受关爱的客户进行电话回访，统计评估活动效果，及时了解和满足客户需求。期间，关爱客户总人数34637人，其中特定客户7608人，自定客户27029人，客户满意度为79%。

业内首推MIT移动展业模式。2010年，中国平安人寿保险股份有限公司启动MIT移动展业模式。10月，平安人寿大连分公司作为首批试点机构，正式运用MIT移动展业模式开展业务，极大地提高了服务效率。MIT移动展业模式是运用现代高科技手段的便捷销售服务作业系统，和传统的投保方式相比，MIT模式一是提高服务效率。业务人员只需携带笔记本电脑、3G网卡、E-POS机，为客户提供实时投保——自动核保——刷卡交费——实时生效——实时承保——即时出单的一站式综合金融服务，并且实现了刷卡即时转账。二是低碳环保。取消了纸质建议书、投保书和保单的使用（如果客户需要，可以选择同时寄送纸质保险单）。三是直观、便捷。整个投保过程简单、透明、直观、方便。

平安人寿参与社区保险服务。2010年，平安人寿大连分公司着重开展保险参与社区社会治安综合治理工作，取得良好效果。自2006年大连市启动保险进社区活动以来，公司累计建立社区服务站22个，配备保险服务人员100余人，通过定期值班、不定期开展小区活动、协助社区或物业日常管理，为居民提供保险宣传教育和服务。对进驻社区经营人员进行严格筛选，加强对社区经营者的培训和引导，搭建保险参与社会治安综合治理的宣传、教育和服务平台，提升社区居民保险意识，展现平安服务品牌。通过对社区保险市场的培育，平安人寿服务站所驻社区保费收入持续增加。

为国际徒步大会提供赞助及服务。大连国际徒步大会是大连年度体育盛会，2010年5月15－16日，平安人寿大连分公司再度与大连市政府及下辖的徒步协会合作，为大会提供赞助及志愿服务。分公司近500名志愿者担负着沿途指引、终点盖章咨询和英语、韩语翻译等服务工作。坚守沿途各个服务点位的志愿者不怕烈日暴晒、海风吹袭，微笑着为每一名徒步者提供周到体贴的服务。负责盖章的志愿者清晨5点就走出家门，直到晚上6点30分为最后一名到达终点的徒步者盖上徒步协会印章才结束一天工作。平安志愿者展示的良好素质和提供的优质服务，得到了外宾和大会组委会的一致好评。

举办第十五届客户服务节。在参与大连国际徒步大会的同时，在650名平安客户、百余人平安方阵队伍以及近10万大连市民共同参与下，2010年平安人寿大连分公司第十五届客户服务节拉开序幕。主题是“绿色承诺 平安起航”，围绕少儿知识和才艺比赛、亲子教育、营养健康、社区服务等主题开展形式多样的活动，传播绿色生活理念，引领健康低碳生活。活动的参与者纷纷用书写低碳誓言、环保签名等方式表达对绿色生活的向往，表达自己坚持低碳出行的行动和决心。

为客户举办《科学饮食，健康生活》讲座。7月3日，平安人寿大连分公司举办第十五届客户服务节暨健康专家宣讲活动，邀请中国农业大学副教授，中国营养学会理事范志红，作了《科学饮食，健康生活》的专题报告，指出了人们日常生活中常见的几大健康误区，指导大家通过合理的饮食结构和科学的生活方式改善健康状态，使客户们受到一次健康生活教育。

举办希望小学爱心捐助和扶助脱贫活动。11月30日，平安人寿大连分公司在普兰店铁西办事处圈

平安人寿业务骨干在“3.15”展会上接受客户咨询

龙山村平安希望小学举办“牵手平安 共筑希望”——中国平安爱心公益捐赠活动。分公司向学校捐赠了包括各类文具物品、体育用品和校舍维护费用共计人民币2万元整。自2000年援建希望小学以来，分公司已连续十年举办此类捐赠活动。

普兰店市城子坦镇源发村是平安人寿大连分公司帮扶脱贫定点单位。2月，分公司总经理张忠民代表公司向普兰店市城子坦镇源发村全村20户特困户捐助善款6000元，用于购买米、面、油等生活必需品。并在春节前，赠送了平安新年大礼包。

（徐 佳）

【百年人寿保险股份有限公司推动产品创新】百年人寿保险股份有限公司自2009年6月3日正式成立以来快速成长，已开设7家省级分公司，完成在全国四大区域战略布局。保险业务发展迅速，50余种保险产品受到行业和市场关注，市场排名持续上升。倡导企业低碳营销新理念，践行企业低碳运营，获得“十大气候公益营销活动案例奖”。

*成功开设7家省级分公司。*8月18日，百年人寿保险股份有限公司黑龙江分公司在哈尔滨市香格里拉大饭店举行隆重的开业典礼，这是百年人寿在全国拓展的第六家省级分公司。至年末，百年人寿保险股份有限公司开业1年多，已成功开设湖北、河北、辽宁、北京、河南、黑龙江、安徽七家省级分公司，初步完成了东北、华北、华中和华东四大区域的战略布局。

*推出50余种保险产品。*百年人寿在2009年6月3日正式成立以来1年多的时间里，向市场提供了50余种保险产品，其中以“百年富富有余年金保险”为代表的保险理财产品因兼具较强的保障和理财功能，受到行业和市场越来越多的关注和认可，市场排名持续上升。作为国内第一家在全国范围内大规模推广信息系统化服务平台的商业保险公司，百年人寿在中国保险业率先推出“一保通”的全新服务概念和举措，借助信息技术，通过“客户终身专属号码”帮助客户管理全部保险资产，并运用网络等电子化方式为客户提供“简单、快捷、方便、安全”的保险服务，让客户拥有全新的保险服务体验。

*获年度“十大气候公益营销活动案例大奖”。*10月24日，“中国企业财富创造与气候变化应对责任高峰论坛暨中国企业气候公益营销活动案例评选活动”在北京隆重举行。百年人寿获得“十大气候公益营销活动案例奖”。

“中国企业财富创造与气候变化应对责任高峰论坛”由中国商业联合会、中华全国商业信息中心共同主办。作为论坛的核心内容，中国企业气候公益营销活动案例经过权威审核，评选出一批在低碳公益、绿色成长等方面做出卓越贡献的企业。

*“百年低碳行动”公益活动。*4月22日，百年人寿正式启动“关爱2010——百年低碳行动”公益活动，为期1个半月。活动中，以大连总部为核心，携手各地分支机构及所在地的环保组织、相关媒体等，全面推动“低碳壹百承诺”等活动，践行低碳运营。涉及百年人寿日常办公、日常生活以及业务环节等诸多方面。其中日常办公50项，涵盖了办公设备使用、照明、供暖制冷、用纸、车辆、会议、公出等各个环节。日常生活40项囊括了衣食住行的方方面面。10项业务环节则集中在电子化业务和服务的使用推广上。

【首创安泰人寿更名中荷人寿】2010年7月1日，首创安泰人寿宣布更名为“中荷人寿保险有限公司”，这标志着由北京银行和ING集团强强联手打造的中荷人寿保险有限公司(原首创安泰人寿)正式诞生。

中荷人寿注册资本9亿元人民币，由北京银行与国际领先金融集团ING集团各持50%股份。目前公司已经设有北京、辽宁、山东、河南、大连和安徽6家分公司，并积极计划未来在中东部地区的发展。

经中国保监会批准，现任北京银行监事会监事长史元先生出任中荷人寿董事长，原首创安泰人寿总经理张剑锋先生继续担任合资公司总经理。合资公司股权变更后，原定的发展战略和业务政策保持不变。

作为一家全球化金融机构，ING集团在全球50多个国家为客户提供银行、保险及资产管理服务。

商贸服务

【概况】2010年，中山区商务局整合商业资源，创新商业模式，优化商业布局，进一步推动商贸服务业发展。香榭里商业广场、锦华钟表旗舰店、爱尚首尔特色商业街、卡迪亚珠宝旗舰店等商业项目开业，天津街的大连老街项目开始招商，渔人码头、长江路“夜大连”等6条特色商业街建设正在推进。确定中山区10个早餐试点单位，对新建、改造的10个社区便利菜店进行了验收，增设流动菜摊和流动快餐车。由区商务局牵头，开展“中国商业名区”争创工作，于12月入选“中国商业名区”。年末，全区实现社会消费品零售总额359.6亿元，比上年增长18%。其中，批发、零售贸易业额318亿元，比上年增长17.7%，占总额的88.5%；住宿餐饮业零售额41.2亿元，增长19.9%，

中国商业名区评选考察组考察中山区商业

召开中山区商业发展研讨会

占总额的11.5%。

【中山区入选“中国商业名区”】2010年12月10日，在由中国步行商业街工作委员会、苏州工业园区管理委员会联合主办的2010中国（苏州）名商发展高峰论坛上，大连市中山区获得“中国商业名区”称号，步入全国十大商业名区之列。

中山区从2009年开始申报“中国商业名区”。经过近一年的考察、论证，评审组专家认为，中山区商业具有广域的吸纳力、品牌的号召和领导力、完善的商业生态系统和今后发展的充分动力，中山区入选“中国商业名区”将对进一步提升全国商业区发展水平起到一个重要的联动作用。中国步行商业街工作委员会主任韩健徽指出：“中山区的商业发展是大连市商业发展的缩影和记忆，是大连传统商业和现代服务业结合的标志性典范，是全国商业发展的成功范例。”

中国名商发展促进会隶属于中国城市商业网点建设管理委员会，2009年开始在全国开展“中国商业名区”的组织评选工作。

【召开中山区商业发展研讨会】2010年10月24日，中山区商业发展研讨会在新世界酒店召开。会议由中国名商发展促进会和中山区人民政府主办。来连实地考察中山区商业发展情况的中国名商发展促进会秘书长孙峥等专家组一行、大连市政府副秘书长周洲、中山区区委书记李向东、中山区人民政府区长江亲瑜、副区长张锦明参加了会议。

参会专家在发言中高度评价中山区的现代商业和服务业，并提出要注重文化创意产业的发展，注重商业片区规划，注重深层次旅游、文化的挖掘等建设商业名区的对策和建议。

李向东致辞感谢专家的意见和建议，并强调中山区商业具备名街集聚、注重高端商业发展、商业具有特色和文化创意产业联动发展等基础和特点，一定会把商业名区建设好。副区长张锦明介绍了中山区商业发展情况。

【大连锦华钟表洲际旗舰店开业】2010年5月23日，大连锦华钟表洲际旗舰店正式开业。锦华钟表从1992年成立以来，一直坚持专业化经营，经过近20年的发展，企业从设在商场的一个专柜，发展到在友谊商城、百年商城、时代广场等多家高档商场均设有专柜，并在北京拓展业务，经营全球40余个高档品牌钟表，跻身国际一流的钟表专营市场。

大连锦华钟表洲际旗舰店开业庆典

【高端商贸业发展速度加快】2010年，中山区注重引进高端商贸业项目，集聚一批国际一线品牌。乔治·阿玛尼、迪奥·桀骜、朗雯、莫斯奇诺、杜嘉班纳、Glasstique、范思哲、古琦、普拉达、芬迪、赛琳、江诗丹顿、爱彼等世界知名品牌进驻域内名店名街，其中，路易威登、乔治·阿玛尼、迪奥·桀骜、古琦、普拉达、萨拉6个店为东北旗舰店。

（韩晋东）

【特色商业街建设】2010年，中山区商务局坚持"政府引导、市场运作、统一规划、突出特色、分步实施"的原则，以建设集购物、休闲、文化和娱乐功能为一体的特色、专业消费服务区域为目标，加快新、老特色商业街的建设和改造。

新商业街建设。"青云58街"是大连唯一的庭院式社区商业街，也是以便民、利民、满足和促进综合消费为目标的属地型商业街，展现一种富有特色的社区商业新模式。老虎滩渔人码头商业街，具有娱乐、观光、餐饮、购物和度假等多项功能，以亲海为特色的商业旅游观光区。

老商业街改造。勤俭街是大连主城区内的一条老街，定位为以大连特色海鲜、餐饮以及休闲娱乐为主，借助三八次商业中心的辐射功能，为三八广场附近的中、高薪阶层服务。延安路周边金融机构集聚，定位为休闲街，经过改造，引进多种风格的商业网点和中高档休闲娱乐设施，形成高端餐饮休闲业态聚集的商业街区。七七街顶级消费商业场所集中，定位为高端餐饮休闲商业街区。街区建筑以深棕、咖啡色为基调，以中小型商业店面为基本格局，通过旧楼翻新和新建如旧的改造，诸多精致、典雅的别墅式商业设施布局其间，是高端餐饮休闲消费的首选之地。

附：

2010年中山区主要百货商场一览

名　称	地　址
大连商场	青三街1号
大连秋林女店	中山路108号
大商男店	解放路18号
大商家家广场	友好街42号
新玛特购物休闲广场	青三街1号
麦凯乐大连商场	青泥街57号
友谊商城	人民路6-8号
新世界百货公司	天津街200号
胜利广场发展有限公司	胜利广场28号
大连国美电器有限公司	胜利广场28号
大连苏宁电器连锁加盟有限公司	上海路45号
太平洋百货	解放路19号
百年城	解放路19号
天植商城	天津街135号
大连奥特莱特商城	胜利广场3号
新华洋商场	中山路124号
大连海源电子城	长江路177号
大连新天百大楼	天津街199号
大连时代购物广场	人民路36-38号
新世界名店坊	人民路43号
大连久光百货店	友好街111号
大连香榭里购物广场	长江路313号

【便民商业设施改造】2010年，大连联华快客有限公司成为大连地区最大的连锁便利企业。该公司是中山区与上海联华快客便利有限公司合资组建的，目前共有300多家便利店，支持银联卡结账系统，并为顾客提供书刊杂志、ATM机等服务。扶持连锁企业亚惠公司建立饮食配送中心，新建、改造10家社区生鲜菜市场，满足居民对便利服务的需求。

【大力推进"早餐工程"】2010年，中山区商务局以大连市服务业委员会提出的"服务民生、满足民需、扩大内需、发展经济、吸纳就业"的要求为宗旨，按照"政府推广、市场运作、规范经营、有效监督"的原则，支持和培育大型餐饮龙头企业，改造建设主食加工配送中心等，大力推进"早餐工程"建设。中山区"早餐工程"龙头企业亚惠公司中标上海世博会餐饮项目，被国家财政部、商务部定为"主食加工配送中心"重点扶持企业，该企业在全国已有100家直营分店。区商务局被大连市政府评为"早餐工程"先进单位。

（王日东）

2010年中山区特色商业街简介

【勤俭街特色商业街】位于中山区大连港及港湾广场附近，是大连主城区内的一条老街，连接五五路、港湾街两条主干道，长335米、宽19米，现有商铺34家。商业街主要业态为海鲜特色餐饮、休闲酒吧、娱乐、便利小吃、小商品零售等，为三八广场附近的中、高薪阶层服务。该街有大连园饭店、天上人间大酒店、巴蜀山水川味馆、湘味斋朱大龙虾等大中型餐饮店，有王将日本料理、台湾牛肉汤及松竹梅面堂等特色餐饮店，有上岛咖啡、石烧咖啡、新西兰长相思红酒屋、布德龙咖啡酒吧、酷乐堡咖啡酒吧及TT造型沙龙、审美专业美发、金雨美容养生会所、蝶恋花美容等休闲餐饮和美容服务场所。

【延安路餐饮休闲街】位于中山区延安路，北起中山音乐广场，南至大连外国语学院，全长950米，是重要的迎宾道路。沿街中小餐饮业和休闲娱乐场所集聚，有企业92家，以餐饮休闲及其他商业店面为主。与其相交叉的7条路街和延安路50米辐射范围内共有各类商业网点60余家。该街功能定位是以高中层次餐饮、休闲、娱乐业为主体业态，重点突出日韩料理店和酒吧特色，服务对象为白领阶层、中外游客、收入或文化层次较高的中青年群体。商业街业态健全，其中天天渔港、中山园炖品店、今日世界酒店、川外川、从众居酒店、天一牧场、一心、金汉斯烤肉及千和烧肉等餐饮店家具有较高知名度。亚桥咖喱店、花居酒屋、日光日本料理、宝冠日吧、话乐、波波斯吧、朋友酒吧、鲜脂勘吧、黑田城吧、莲吧、日月明咖啡、朋友酒吧和青风酒吧等休闲娱乐店家具有日韩特色。巴菲特咖啡、芒果俱乐部为商务洽谈和休闲娱乐提供便利环境。鑫锋女子美容、佐登妮丝美容SPA、秋实足部健身院、绅士洗浴白金会馆和电气石汗蒸馆等提供高品质健康美容服务。

【青云58街】位于中山区解放路两侧青云林海和青云映山两个高品质住宅小区之间，建筑面积1.2万平方米，是解放路重要的黄金地段。“青云58街”采用美国Shopping center商业模式设计，全部是独立独门两层美国加州排屋式商店。提供特色餐饮、咖啡等休闲时尚消费，是以便民、利民、满足和促进综合消费为目标的属地型商业街。商业街在自主、自由中体现完美和别致品格，展现崭新而富有特色的社区商业模式。较有知名度的店铺有一心烤肉、肯德基、鼎鼎香、大梁骨头、58街火锅、小镇渔港、唐鹅炖品店、巴比松咖啡、怡悦咖啡及亲亲袋鼠儿童教育等。

【七七街高端餐饮休闲商业街】位于中山区七七街，商业街全长2050米，环境幽雅，有临街商业网点129家，毗邻日本风情街和儿童公园，是通往中共大连市委、棒棰岛的主要路街。商业街以深棕、咖啡色为基调，以中小型商业店面为基本格局，通过旧楼翻新和新建如旧改造，诸多别墅式商业设施布局其间，精致、高贵、典雅，富含古朴怀旧韵味。富丽华南山花园酒店、名轩、雪园、川王府、天天渔港和中艺厨房等高端餐饮店，天正河豚、银平本店、力士门、本善以及菊等精品日本料理店，柒七会所及金葵花一品店等休闲娱乐去处，都是大连顶级商业消费场所。

【经典生活商业街】位于中山区长江路东段，西南部为天津街商业区、大连火车站，南临人民路中共

特色商业街上的餐饮店

特色商业街上的餐饮店

商务区。商业街面积4万平方米，建筑风格清新、浪漫，十几条小街形成商铺群落，建筑主体均为2－4层独立街铺，铺铺见景，有充裕的室外情趣空间和浪漫的休闲氛围。周围写字间、酒店及商场林立，交通便捷，生活配套设施齐全，为都市白领阶层提供居住、休闲空间。经典生活商业区有70家店面开业。商业街业态以商务酒吧、特色餐饮、娱乐休闲和美容健身为主，以国际商务群体、国内外游客及白领阶层的商务洽谈为主要消费对象。

营业面积超千平方米的商家有现代食尚餐饮、66商务俱乐部、乐都商务会所、东升商务会所、银座日式酒吧及艾丽丝酒吧等。营业面积近千平方米的商家有金玫瑰韩式松骨、哇沙米日本料理、湘港红馆、真锅咖啡和澜典咖啡。

【老虎滩“渔人码头”商业街】位于老虎滩海洋公园东侧，山海相依，地理条件优越，自然景色优美。商业街东西长480米，南北长500米，海岸线长1768米，占地面积5.9万平方米，建筑面积6.9万平方米(含地下商业和停车场)。商业街由20栋单体建筑组成，分为主体商业区、东、西侧公寓区、灯塔和海上堤坝区。整体建筑为北美滨海小镇风格。商业街以商业和旅游为主，有渡船观光、钓鱼、特色海鲜烹饪、休闲娱乐等项目，较大的商铺有天天渔港、麦当劳、品海楼、石槽山庄、北京8号公馆洗浴和锦江集团家居式酒店等，海滨特色浓郁，是集观光、娱乐、文化、餐饮、购物和度假等多项功能为一体的综合性商业区。

新闻链接：

中山区入选“中国商业名区”

《大连日报》 2010年12月11日

12月10日，在由中国步行商业街工作委员会、苏州工业园区管理委员会联合主办的2010中国（苏州）名商发展高峰论坛上，大连市中山区获得“中国商业名区”称号，步入我国十大商业名区之列。

中山区作为大连的商业发祥地，已经打造出天津街商业步行街和青泥洼桥商业街两条“中国著名商街”和国家级社区商业示范点林海社区，培育出大商股份和大连友谊两家本土商业零售上市公司。近年来，随着中山区“北部中央商务区、中部生态居住区、南部旅游观光区”的区域三大产业发展布局战略的稳步推进，中山区以金融业为主导产业的CBD商务功能区，以天津街、青泥洼桥为核心的商贸功能区，以解放路、中南路为重点的生态宜居功能区和以南部滨海区域为依托的旅游观光功能区这四大产业功能区的产业聚集和功能辐射已经显示出很强的产业带动作用，覆盖了全区85%的商业活跃地带，为商业发展不断营造出新的发展空间和平台。

中山区从2009年开始申报“中国商业名区”，经过评审组专家近一年的考察、论证，一致认为中山区商业具有广域的吸纳力、品牌的号召和领导力、完善的商业生态系统和今后发展的充分动力，中山区入选“中国商业名区”将对进一步提升全国商业区发展水平起到一个重要的联动作用。中国商业街工作委员会主任韩健徽指出：“中山区的商业发展是大连市商业发展的缩影和记忆，是大连传统商业和现代服务业结合的标志性典范，是全国商业发展的成功范例。”

（韩晋东）

【天津街再现商业繁荣】2010年，中山区本着安商、扶商的原则，继续推进天津街重点项目建设，加快后续升级改造，盘活闲置物业，做好老街项目招商。

改造项目进展顺利。港汇中心已完成基础开挖和护坡工程，正在进行基础建设。老街项目商业公建部门12月开始交付装修。宏济大舞台4月主体封顶，10月30日举行庆典演出。

停车场改造建设全面展开。天津街商业街改造重点项目都市银座立体停车场已全面投入使用，可停车400台。天津街改造新建项目“老街”停车场正在加紧建设中，面积3万平方米，可停车500台。

主力店相继开业。按照能开尽开的原则，按照天津街购物、休闲、旅游、餐饮、文化的定位，积极引导盘活天津街闲置物业。年内，德川温泉养生会馆、大连古玩城、大连海产品平价超市一期开门营业。天伦皮草重新落户新天百大楼，海昌名城正在洽谈整体盘活事项。

吸引老字号进入天津街。加强协调服务，用好区政府给予的补贴政策，帮助老字号企业进入天津街。截至年底，四云楼、苏杨菜馆等9家老字号企业拟进入天津街，即将开始装修。圣邦皮草租赁的天海同乐城高档精品服装经营部分已经试营业。

（赵晓光）

航运物流 科技信息

·航运物流·

【概况】2010年，中山区加快航运物流业发展步伐，全力建设东北亚国际航运服务中心。建立完善信息服务体系，吸引国内外著名航运信息咨询企业入驻。“一关三检”等功能性服务机构和港航服务业企业齐聚人民路，港航服务企业区级税收贡献率达到15%，驻区港航服务企业总数达1400余家，占全市航运物流企业总数的80%。有以物流、航运业务为主的总部经济性质企业230余家。全球20大集装箱班轮公司中有17家在中山区设立分支机构，其中世界500强企业4家。年内，中山区推出的“十大主题招商”项目中，有11个项目重点面向著名航运物流企业。

（史 大）

附：　驻中山区全球20大班轮公司一览

序号	所属公司	大连企业名称
1	马士基-海陆	马士基(中国)航运有限公司大连分公司
2	长荣海运	长荣香港有限公司大连办事处
3	铁行渣华	铁行渣华（中国）船务有限公司大连分公司
4	达飞轮船	达飞轮船(中国)船务有限公司大连分公司
5	美国总统	美国总统轮船（中国）有限公司大连分公司
6	韩进轮船	韩进海运(中国)有限公司大连分公司
7	日本邮船	日本邮船（中国）有限公司大连分公司
8	中远集团	大连中远国际货运有限公司
9	中海集运	中海集装箱运输大连有限公司
10	东方海外	东方海外货柜航运(中国)有限公司大连分公司
11	川崎汽船	川崎汽船(中国)有限公司大连分公司
12	以星航运	以星综合航运（中国）有限公司大连分公司
13	商船三井	商船三井（中国）有限公司大连分公司
14	赫伯罗特	德国赫伯罗特货柜航运有限公司大连办事处
15	南美智利轮船	南美船务集团代理（香港）有限公司大连代表处
16	阳明海运	青岛阳明国际货运有限公司大连分公司
17	现代商船	现代商船(中国)有限公司大连分公司

（何 平）

·科技信息·

【概况】2010年，中山区加快推 动科技创新，引进高科技企业，扶助科技企业做强做大。引进科技企业130家，重点科技企业3家，重点在建项目3项，注册资金1.1亿元，其中软件和信息服务企业56家，实现高新技术产值30.1亿元，5家科技企业被认定为国家高新技术企业。企业申请国家专利1250项，发明专利300项。全年共有11家企业获得国家、省、市上三级政府533.65万元资金支持，给予69家企业资金扶持，共697.79万元；全年共组织233家企业参加8项对外交流活动。

【软件和信息服务业发展态势良好】2010年，中山区重点发展软件、航运信息和金融信息服务业、电子商务、信息基础设施等产业，提高软件和信息服务业企业自主创新能力，软件和信息服务业持续稳定发展。软件和信息服务业总收入达20亿元，从业人员超过8000人，获得计算机软件著作权登记65件，软件产品登记42件。2家软件企业，即大连科艺软件有限公司和驱逐舰（大连）信息技术有限公司，被认定为国家高新技术企业。1家企业（大连升达信息技术有限公司）被认定为大连市软件和信息服务外包企业。1

区长江亲瑜视察科技企业

家培训学校（大连希望教育专修学校）被认定为大连市信息技术人才职业教育培训机构。2家企业项目分别获得大连市行业信息化优秀项目一等奖和三等奖。

【加大研发资金投入】2010年，中山区经信局发挥研发资金的引导作用，为科技企业解决资金短缺问题，加强企业项目申报工作，加大扶持力度，全年发放两批研发资金，共697.79万元。第一批研发资金于9月向企业发放，安排资金400余万元，支持企业自主研发项目15项，科技企业贴租项目5项，专利资助项目59项。第二批研发资金安排280余万元，支持企业自主研发项目8项，科技企业贴租项目9项，专利资助资金项目80项，软科学项目2项，孵化器补助项目3项。

【拓展科技企业融资渠道】2010年，中山区经信局组织科技企业申报国家、省、市政府各项支持资金，拓宽企业融资渠道。一方面，与大连市科技局沟通，组织项目评审人员参观企业，开展座谈，为企业争取资金支持；另一方面，加强对企业的培训指导，使企业明确项目申报的要求、要点、规范和注意事项，提高申报材料的质量和针对性。组织31个项目申报国家、省、市三级政府支持资金，其中申报国家创新资金项目5项，辽宁省创新资金项目4项，市科技局科技计划项目22项。获得国家、省、市三级政府科技支持项目13个，支持资金533.65万元。

【知识产权保护工作取得新进展】2010年，中山区经信局深化知识产权保护工作。一是加强知识产权宣传。通过各种新闻媒介宣传知识产权保护知识，组织100家企业参加市、区知识产权周系列活动，组织12家企业参加中国国际专利技术与产品交易会，进行尊重和保护知识产权熏陶和教育。二是加强培训。举办知识产权培训班，培训企业相关人员。全年资助专利800项，金额73.5万元。专利申请1250项，其中发明专利300项，实用新型专利450项，外观设计专利500项。

【引进科技企业130家】2010年，中山区认真落实“招商引资年”工作部署和相关政策，拓宽招商引资渠道，创新工作思路，引进一批自主创新能力强、拥有自主知识产权的大企业、大项目。全年引进科技企业130家，其中软件和信息服务企业56家，注册资金1.1亿元。引进重点科技企业8家，即大连森通科技发展有限公司、大连渤海新港船舶服务有限公司、大连百利科技发展有限公司、大连金事达典礼科技发展有限公司、大连东毅生物科技有限公司、昱家科技（大连）有限公司、大连广泓矿业技术咨询有限公司、大连澳奕达生物环保科技发展有限公司。重点在建项目3项，即环宇国际科技城和国家级绿色低碳建筑示范区项目，创意产业基地建设项目。

【筹建环宇国际科技城项目】2010年，中山区经信局启动国家级科技孵化器创建工作，筹建环宇国际科技城项目。该项目由环宇阳光集团承建，计划3年内投资13亿元，用地4.72万平方米，建筑面积31万平方米，其中科技孵化面积11万平方米，高端人才生活公寓及各类配套服务面积20万平方米。建成后，科技城将成为国家级科技孵化器，并成为大连市规模最大、形象最好、发展空间最大的聚集和孵化IT、电子通讯、新材料、环保节能等高新技术企业的产业基地，打造东北亚电子信息产品交易展示中心。

（王　平）

【开展节能产品推广和绿色低碳示范项目筹建工作】2010年，中山区经信局贯彻落实财政部、国家发改委关于“节能产品惠民工程”的通知精神，利用科技活动周契机，借助市政府发起的高效照明产品活动，发挥街道和社区作用，开展节能灯进社区进家庭活动，推广高效节能灯10万余只。区政府提出打造绿色低碳首善区，筹建国家级“绿色低碳建筑示范区”项目。与力勤投资公司控股的北京四季微熵科技有限公司达成合作意向，拟改造项目将全面采用最新型太阳能热水系统、室内恒温系统、室内保湿系统及新风系统等一系列绿色低碳技术，实现综合能耗国家节能标准的80%，运营碳排放量降低30%。

（刘胜利）

【“十一五”区科技信息服务业状况】“十一五”期间，中山区科技与信息服务业加速发展，累计投入科技事业资金1.4亿元，引进和培育科技企业634家；获得专利授权2753项，实现高新技术产值120亿元。获得“全国科技进步先进城区”称号。

（王 平）

文化创意

【概况】2010年，中山区加快发展文化创意产业，将文化创意产业列为八大重点产业之一，积极培育新兴文化产业业态，促进文化创意产业集群化发展。在区域功能布局上，明确提出打造文化创意园区，推动东港区创意产业基地项目建设，全面开展文化创意产业项目招商，推动文化创意产业成为全区的支柱性产业。

年内，有文化创意产业企业2400多家。从产业布局上初步形成六大基地，即文博会展基地、创意设计基地、服装服饰设计基地、演艺文化基地、茶文化基地、现代传媒基地；从空间布局上形成“三片二区一带多点”格局。三片即民主广场片文化演艺业、特色主题酒吧业，青泥洼桥片互动演艺业，南山片日韩风情文化和私人会所业。二区即发展创意设计、文博旅游、会展业的东港区，发展咨询策划类及时尚消费类创意产业的人民路CBD区。一带指南部滨海路的观光旅游带。多点即指南部滨海路观光旅游带上分布的众多景点。

【演艺文化和现代传媒基地形成规模】2010年，文化创意产业已在中山区形成一定规模，成为区域经济新的增长点。其中，演艺文化基地聚集200多家文化演艺企业，从业人数5000多人。现代传媒基地聚集文化传媒企业200多家，从业人数8000多人。

（郭凤敏）

【15库创意产业园营业】15库大连创意产业园位于大连港东港区甲码头的15号库。15库创意产业园是以文化创意为核心的专业产业园项目，规划为文化艺术、展览展示、创意办公、餐饮娱乐等几大业态。项目由大连创意产业项目管理有限公司、大连港投资发展有限公司和大连维美机构共同出资成立的大连创意产业项目发展有限公司投资兴建。一期投资总额约4000万人民币。2010年，外部观景台全面建设，内部处于装修阶段，现已有东方9度红酒坊入驻营业。

区文化创意产业基地之一——中山区美术馆

背景资料：

15库大连创意产业园基本情况

15库大连创意产业园位于大连港东港区甲码头的15号库，该库始建于1929年，建筑面积2.6万平方米，为4层钢筋混凝土结构无梁楼盖体系的工业仓库，是当时亚洲最大、设施最先进的仓库。

15库，原是大连港15号仓库，是东港商务区建设中仅保留的3栋历史建筑之一。其风格独特的原创设计、依海临风的环境优势和深沉厚重的历史遗风，成为大连市创意产业标志性项目基地的最佳选择，15库大连创意产业园项目由大连创意产业项目管理有限公司、大连港投资发展有限公司和大连维美机构共同出资成立的大连创意产业项目发展有限公司投资兴建，一期投资总额约4000万人民币。建设目标是形成以展示发布、创意办公、文化艺术、时尚消费为主要产业主体的产业集聚区，重点培育以文化、娱乐、休闲、旅游服务为特点的现代服务业，使15库创意产业园成为大连转变经济增长模式的示范区。

项目二期拟规划占地9.8万平方米，建筑面积超过15万平方米的创意产业园。在紧邻15库北侧，结合一期15库创意中心项目，形成由公共活动区、生活工作区、创意产业园区三大板块组成的创意产业公共服务平台，成为全市创意产业集聚区。

（史　天）

【天津街旅游文化改造项目投入使用】2010年，中山区旅游局与天津街管理办公室共同改造和建设天津街东段旅游文化项目。其中古玩城、大连书画院正式营业，人民剧场改造项目（原宏济大舞台）竣工并投入使用。民生街的"老街"项目，已计划入驻的大连"老字号"餐饮企业有群英楼、苏扬饭店、糯米香等10余家，租赁面积合计4400平方米，占"老街"项目公建面积的40%。大连海产品平价超市已试营业，营业面积达4800平方米，专门为游客提供大连特色干海产品。

（李艳波）

【天津街动漫产业基地创建】2010年，位于天津街天河广场，由大连乐道创想传媒有限公司投资200万元创办的动漫产业基地正式营业。有6家企业入驻，办公面积508平方米，以数字信息技术为基础，以互动传媒为特点，利用先进的计算机技术和影像技术开发3D动漫产品及嵌入式游戏软件等。

（王　平）

旅　游

【概况】2010年，中山区围绕南部旅游观光功能区建设，进一步加大旅游规划和开发力度。编制完成区"十二五"时期旅游业发展规划和建设实施方案，成立南部旅游观光功能区建设领导小组。召开南部旅游观光功能区工作组会议，研究重点旅游项目建设、增强旅游观光功能区产业效益和服务功能等问题。东港区建设顺利推进，万达公馆、大连国际会议中心封顶，大连绿地中心项目开工。老虎滩渔人码头项目整体工程基本结束，并有8家企业入驻开业。虎滩湾升级改造项目全面展开，琥珀湾项目主体施工。天津街商业街四个项目竣工并投入使用，"老街"项目计划入驻10余家"老字号"餐饮企业。老虎滩海洋公园、15库创意产业园等改造项目进展顺利。旅游项目招商引进协议资金人民币3亿元。年内，有星级宾馆57家，旅行社137家；接待海外游客18万人次，比上年增长10.5%；

附：

2010年驻中山区国际旅行社一览

序号	单位
1	大连市中国旅行社
2	大连东北国际旅行社
3	大连铁道国际旅行社
4	大连康辉国际旅行社
5	大连市中妇旅国际旅行社
6	大连航空国际旅行社有限公司
7	大连国际交通旅行社有限公司
8	辽宁电力国际旅游有限公司
9	大连渤海国际旅游总公司
10	辽宁北方国际旅行社有限公司
11	富丽华国际旅行社有限公司
12	大连新世界国际旅行社
13	大连外运和平国际旅行社
14	大连金石高尔夫国际旅行社
15	大连浪漫时代国际旅行社
16	大连富盛国际旅行社
17	大连东来国际旅行社
18	大连光大国际旅行社有限公司
19	大连市国际商务旅行社

2010年中山区四星级以上饭店一览

星级	饭店名称
五	富丽华大酒店
五	香格里拉大饭店
五	瑞诗酒店
五	日航酒店
五	海景酒店
五	凯宾斯基饭店
五	泰达美爵酒店
五	大连新世界酒店
五	大连远洋洲际酒店
四	九州华美达酒店
四	丽景大酒店
四	良运大酒店
四	心悦大酒店
四	嘉信国际酒店
四	船舶丽湾大酒店
四	文园大酒店
四	渤海明珠大酒店

2010年中山区国家级旅游景区一览

名称	地址	级别	评定时间
大连老虎滩海洋公园	大连市中山区滨海中路9号	5A	2006
大连棒棰岛景区	大连中山区迎宾路	4A	2008
大连女子骑警训练基地	大连市中山区中青街9号	3A	2005
大连观光塔	大连市中山区绿山巷99号	3A	2005

旅游创汇1.2亿美元，比上年增长10.5%；接待国内游客550万人次，增长10%；旅游总收入70亿元，增长15%。中山区旅游工作获得大连市旅游工作领导小组授予的“旅游工作单项奖”。

【召开全区旅游工作会议】2010年3月11日，中山区召开全区旅游工作会议。大连市旅游局和区领导、辖区旅游企业200余人参加会议。副区长郭云峰回顾总结中山区2009年旅游工作，部署2010年全区旅游工作任务。区长江亲瑜在会上强调要推动旅游大项目建设，打造旅游精品。整合南部旅游带资源，加大旅游宣传促销力度。加强旅游人才队伍建设，加大政策扶持力度，提升旅游服务质量，营造良好旅游环境。会上，区旅游局与辖区旅游行业代表签订旅游安全责任状。

【旅游“十二五”规划纲要编制完成】2010年上半年，中山区旅游局完成《中山区“十二五”时期旅游业发展规划（草案）》的编制工作。该规划指出：“十二五”期间，中山区旅游业以科学发展观为指导思想，依据国家旅游产业政策，围绕“建设经典滨海城市休闲游憩区块，东北亚国际知名旅游城市的旅游服务中心、商务旅游中心和大连市海洋旅游产业的重要支点和领跑者”的总体目标，加快推进南部旅游功能区建设，加大旅游招商工作力度，推出精品旅游品牌，优化旅游行业管理，提升综合接待服务功能，构建完善“食住行游购娱”一体化的旅游产业体系。

【老虎滩渔人码头开业】老虎滩渔人码头项目总占地面积5.9万平方米，建筑面积6.8万平方米，投资6.5亿元，定位是具有观光、娱乐、文化、餐饮、购物和休闲度假等多功能的商业旅游特色街。年内，渔人码头陆上建筑主体施工基本结束，并有大连银行、羽映象摄影会馆等8家企业入驻开业。

【老虎滩海洋公园改造项目启动】2010年10月28日，老虎滩海洋公园改造项目正式启动。项目总规划面积290万平方米，西起北大桥，沿虎滩湾东至石槽村，其中海域面积125万平方米、陆域面积165万平方米。改造后，园区将由1.1平方公里扩至2.9平方公里。整体改造分为跨海大桥、护岸、市民广场三大部分。直接用于基础设施、公园升级、环境整治的资金达32亿元。年末，已完成市民广场开工和四维影院拆除工作。

【琥珀湾项目进展顺利】项目规划用地面积为9.25万平方米，总建筑面积约7万平方米，总投资5亿元人民币。项目A区（住宅区）年底建成4栋别墅。项目B区（商业区）年底前全部封顶。

【优化旅游市场环境】2010年，中山区旅游局结合“旅游优质服务主题年”系列活动，坚持行业自律和行政执法双管齐下，规范对旅游企业的监督管理，加强旅游安全隐患整治力度，优化旅游市场环境。全年旅游投诉为零。

【规范旅游市场秩序】2010年中山区旅游局组织召开两次整顿和规范旅游市场秩序专题工作会议，会同区安监局、站南管理处、消防、公安等部门开展联合检查，检查旅游景区（点）28家次，宾馆（酒店）84家次，旅行社及其门市部95家次，旅游品市场6家次，出动检查人员345人次。

【组织旅游技能培训】2010年，中山区旅游局邀请区消防大队、卫生局、公安局专家召开旅游行业安全教育、餐饮卫生、消防安全、安全社区建设培训会，举办日航杯——酒店业技能大赛，提升全区酒店业职工的技能水平。指导辖区旅游企业组织本单位安全教育培训9600余人次，组织消防实战演练50余次。

召开2010年中山区旅游工作会议

【完成星级饭店复核统计工作】2010年，中山区旅游局完成辖区23家二星级以下星级饭店重点复核和常规复核工作。完成32家旅游星级饭店统计管理系统各项统计工作。完成7家旅行社分社及29个服务网点登记备案工作。

【成功举办大连赏槐会中山分会场活动】2010年5月26日，由大连市人民政府主办，市旅游局、中山区政府承办，中山区旅游局协办的第21届大连赏槐会中山分会场活动，在南山旅游风情街正式启动，活动为期1周，举办各类文艺节目演出、展览和展演20余场次。其中有俄罗斯、日本艺术团百余名小演员的特色表演，“浪漫槐乡”大连民间艺术展、中外名家书画展演、大连民间文艺品展演，中外茶文化交流会，国内精品玉器、贝雕和陶艺展，中国非历史文化遗产皮影戏及辽南二人转展演，大连老建筑水彩画展演等。大连古玩城也举办了古玩艺术品、水彩画、岫岩玉、地方工艺品展销等活动。

【三山岛旅游开发达成合作意向】三山岛总体面积3.3平方公里，由大山岛、二山岛和三山岛组成。三山岛开发计划分三期建设。已与大连城达投资公司达成合作意向，争取用3至5年时间，将三山岛建成国家5A级海洋生态旅游风景区。

【举办优质旅游产品进社区活动】2010年，中山区旅游局加强旅游产品宣传促销，结合上海举办“世博会”契机，组织10家A级旅行社，40位优秀旅行社专家，开展“文明旅游，理性消费——旅行社优质旅游产品进社区”宣传推广活动，发放万余份文明旅游公约、旅游消费指南等材料，宣传展示优质旅游产品和“世博会”旅游产品。

三山岛

区长江亲瑜、副区长郭云峰视察三山岛

【旅游节庆活动掠影】2010年，中山区旅游局举办南山风情街、大连古玩城第21届赏槐会中山分会场活动，组织中外名家书画展演、中国非物质文化遗产——皮影戏及13场次文艺节目演出，受到市民和游客好评。

【加强旅游咨询中心管理和建设】2010年，中山区6个咨询中心共接待国内游客5万人次，接待海外游客近万人次，发放各类旅游宣传资料上万份，4个咨询中心更新“旅游咨询电子触摸屏”。会同区文化体育局组织旅游行业健身徒步大会，吸引100余家旅游企业近千人参加。

【开展“十类人士议大连”活动】2010年，中山区旅游局精心策划并开展“十类人士议大连”活动，组织全区各类人士参与全市城市精神大讨论活动。搭建“城市精神评述台”，把活动与中山区“四大功能区”的发展定位思考相结合。从作为大连金融和商贸业发展源地的角度，回顾城市发展历程，挖掘和光大推动城市发展的内在精神力量。除中山区旅游局以赏槐会为契机开展的“外国游客议大连”活动，中山区各部门还组织“机关干部议大连”、“企业员工议大连”、“外乡人员议大连”、“外国友人议大连”、“社区百姓议大连”以及“代表委员议大连”等活动。

【导入ISO9000质量管理体系】2010年，中山区旅游局根据质量管理体系要求，建立细致的质量管理体系文件系统，确定各项质量活动的控制原则和方法，通过内部审核、管理评审、模拟审核，纠正和预防等措施，持续改进自我完善机制，经过2次评审，通过ISO9000质量管理体系认证。

【编制中山区旅游指南】2010年，中山区旅游局积极为旅游观光区建设服务，组织力量深入调研、全面汇集和精心梳理资料，编制完成《中山区旅游指南》。

“指南”提供区内大量旅游景点的介绍、旅游地图、线路、图片及旅游服务等信息，具体介绍以三山岛为代表的海滨风光，以中山广场为代表的西式风格历史建筑，以南山风情一条街为代表的特色城市风情，以人民路中央商务区为代表的现代城市风格以及享誉中外的国家5A级旅游景区——老虎滩海洋公园、4A级旅游景区——棒棰岛宾馆等景区、景点，从地理环境、历史沿革、人文风情等角度全面展示区内丰富的旅游资源，尤其是正在建设和规划的景区景点，力求及时、全面、准确地展示中山区旅游景点、商业业态、市政建设、交通状况等最新情况，确保该书的准确性、时效性、实用性和权威性，打造一本好看好用的旅游出行指南，让读者更好地解读和感受中山文化。

全书彩色印刷，1万余字，收入图片、图表200余幅。

【香格里拉等多家饭店获奖升级】2010年，香格里拉大饭店、富丽华大酒店、良运大酒店荣膺首批100家“中国饭店金星奖”获奖单位，凯宾斯基、东达美爵酒店获评五星级酒店。

“中国饭店金星奖”是中国饭店业最高荣誉奖，评选活动自2009年11月启动以来，得到行业内外广泛关注。2010年1－4月，中国旅游饭店业协会全面启动对162家候选饭店的综合评选工作，经过对候选饭店得分综合统计和排名，最终产生了100家“中国饭店金星奖”获奖饭店。

【凯宾斯基饭店当选“中国最佳光环境酒店”】2010年6月，在由中国权威财经媒体《21世纪经济报道》和中国首家商旅杂志《商务旅行》联合主办的“第七届中国酒店金枕头奖”评选中，大连凯宾斯基饭店凭借其优良的照明光效和服务设施以及在节电环保方面的成效当选“2010年度中国最佳光环境酒店”。

“中国酒店金枕头奖”始于2004年，是中国乃至亚洲地区最为引人瞩目的酒店行业评选活动之一，已成功举办了六届。

【旅游商品获全国金奖】2010年7月5日，在浙江义乌举行的“2010年中国国际旅游商品博览会”上，由大连市旅游局和中山区旅游局组织参展的贝雕系列、女骑警雕塑旅游纪念品分获 “2010年中国旅游商品大赛”金奖和铜奖。是辽宁省唯一获奖作品。

中国国际旅游商品博览会每年在全国旅游产品中共评选金奖10个，银奖20个，铜奖50个。全国参赛商品千余件。此次获得金奖的贝雕系列产品是由中山区米达斯旅游纪念品有限公司、西岗区艺鲸贝雕有限公司和金石滩情感家饰有限公司分别研发的，获得铜奖的女骑警雕塑旅游纪念品也是由米达斯旅游纪念品有限公司研发的。

香格里拉大饭店

附：

景区·景点·公园·广场

中山区域内旅游景区景点主要为自然形成构成和人工建造构成，有棒棰岛、石槽村、老虎滩、秀月峰和燕窝岭五大风景区，有公园、广场与现代化建筑，布局合理、新颖独特，呈现绚丽多姿的立体化城市建设景观，是吸引国内外游客的重要人文旅游资源。域内有劳动公园、大连植物园、儿童公园、迎宾公园及老虎滩海洋公园。园内游乐设施齐全，是旅游观光的好去处。域内路街呈辐射状设置，每个辐射中心即是一个广场。广场是大连特色城市景观，中山区域内广场众多，特色突出。

【名胜景区】中山区域内重要景区有7处，其中棒棰岛宾馆景区为国家4A级旅游景区，老虎滩景区和景区内的极地海洋动物馆均为国家5A级旅游景区(景点)。海滨风景是名胜景区的突出特色。

南部海滨风景区　国家重点风景名胜区。位于大连市区南部，东起大连港东侧，西至凌水河口，南濒黄海，北依群山，总面积55.96平方公里，其中：游览区面积21.8平方公里，保护地带14.6平方公里，游览海域面积19.6平方公里，海岸线长33.1公里。中山区域内有棒棰岛、老虎滩、秀月峰和燕窝岭等风景区。

滨海路景区　位于南部海滨风景区海岸，东起海之韵广场，西至星海广场，全长40公里，贯穿12个主要景点，是南部风光观赏游览

滨海路

线。从海之韵广场经棒槌岛至老虎滩景区为东段或北段；从老虎滩经付家庄、森林公园至星海广场被称为西段或南段。滨海路以前是一条军事专用道，根据邓小平同志的提议开发为旅游线路。滨海路的景色以山海相融为主要特色，是集交通、游览、健身、休闲于一体的风光浏览路。

棒棰岛景区　为国家4A级旅游景区。位于滨海路的东端，距市中心约9公里，是一处以山、海、岛、滩为主要景观的风景胜地。陆地面积3.7平方公里。棒棰岛距离海岸最近处约300米，岛东西长350米，南北最宽处200米，海拔53米，其海蚀崖上的叠瓦式构造奇特壮观，因形似棒棰而得名。

棒棰岛海滨浴场　海岸线长750米，海滩总面积2.62万平方米，海滩由均匀的小卵石组成，水质清澈，无污染，潮流平稳，浴场周围山峦起伏，树木茂盛，环境幽雅，风景秀丽，是大连市主要海水浴场。

棒棰岛宾馆　为大连国宾馆。1958年开业，位于棒槌岛海滨，三面环山，一面滨海。有亚洲最大的园林度假式国宾馆之美誉，有中、日、欧式建筑风格的别墅15栋，客房300余间。另设俱乐部、康乐中心、高尔夫球场、网球场等。庭院中种植多种树木和花卉，宾馆是整个景区的重要组成部分。

秀月峰景区　位于市区南部海滨风景区中部，老虎滩景区西侧，南与燕窝岭景区相邻，北靠岭前居民区，距市中心6公里，面积5.2平方公里。多为丘陵山地，主峰秀月峰海拔214.3米，多黑棱树，间有山枣树，景色秀丽，山谷盆地有大片苹果园。登上秀月峰可远眺大海，近观城区。

燕窝岭景区　位于市区南部海滨风景区中段，北与秀月峰毗邻，面积0.8平方公里。景区山脉东西走向，形成长约1公里山岭，因常有黑燕飞来，故名“燕窝岭”。山岭与海岸平行，南临大海，数十米高悬崖峭壁直落海底，险峻、雄奇、壮观。景区内筑有2条1.8公里石板游览路和394层台阶，800米有护栏的石梯路直通海边。建有六角亭和瀛波轩，可凭栏望海听涛。区内建有燕窝岭婚庆主题公园，占地面积3万平方米。2009年，燕窝岭婚庆主题公园被全国第六届婚庆大赛组委会评为“中国婚庆第一园”。

老虎滩景区　位于南部海滨风景区中部，为国家5A级景区（景点）。景区有综合性海滨公园—老虎滩海洋公园。1989年，老虎滩海洋公园由老虎滩公园和秀月山庄公园合并建成，1992年5月12日正式开园。公园三面环山，南濒大海，占地面积118万平方米，海岸线长4000余米。老虎与美人鱼的传说名闻遐迩。600米长的跨海脉动循环式吊厢游览索道将公园与菱角湾连接起来。公园有极地馆、珊瑚馆、欢乐剧场、海兽馆、鸟语林等10余个精

棒棰岛宾馆景区

品旅游项目，是大自然与人工智慧的完美结合，是展示海洋文化，集游览、观赏、娱乐、科普及文化于一体的现代化海洋主题公园。

珊瑚馆　位于海洋公园内。2003年5月建成开放，有来自西太平洋等热带海域的精品珊瑚200余种、珊瑚鱼1000余尾、辅以声、光、影像等高科技及形态逼真的仿生岩石布景。内分珊瑚及珊瑚鱼精品区、水中万花筒、海底实验室、沉船探宝、科普走廊、潜水表演等六大区域。常设表演项目有水下梦幻婚礼、美人鱼、水中芭蕾、水下漫步等。

鸟语林　位于虎滩湾西角的山坳里，是半自然状态鸟笼，占地面积1.8万平方米。放养丹顶鹤、东方大白鹳、[illegible]、白孔雀、白天鹅及从国外引进的西非鸟、鸵鸟等150多个品种1000余只禽鸟。鸟类表演场表演白鹦鹉走钢丝、爬云梯、骑自行车、开火车和开飞机等精彩节目，经过训练的孔雀展翅东南飞，演绎“孔雀东南飞”的故事。

大连海洋动物表演馆　占地3500平方米，表演斑海豹、海狮水中推球、跳跃、套圈、敬礼、拍手、洗脸、鞠躬和顶球转体360度等节目。中央电视台“东方时空”曾播放海狮罗拉的表演，罗拉成为动物电视明星。

大连老虎滩海洋公园　国家首批5A 级景区。建筑面积3.6万平方米，占地面积2万平方米，总投资2.5亿元，2002年开业。是展示极地海洋动物、体验极地冰雪世界的场馆。馆内有极地动物展示、极地海洋动物表演、墨鱼展示、极地体验和餐厅、旅游纪念品商场等场馆。展示白鲸、北极熊、企鹅、南美海狮及海象等极地动物。

老虎滩海洋公园

侏罗纪激流探险　在8600平方米的“远古村落”里，有8个硕大的仿真恐龙和30余个形神夸张的小野人；高架“激流”水道长210米，落差15米，乘船顺激流之下，可感受远古激流探险的刺激与乐趣。

海岛景区　中山区有海岛4座。东褡裢岛、棒棰岛、三山岛、圆岛。海岛和东海公园、老虎滩海洋公园，燕窝岭构成“海上看大连”海上观光、海岛休闲娱乐特色精品旅游线。

东褡裢岛　位于付家庄公园的东南1500米处，面积0.042平方公里。1990年划归中山区管辖。东褡裢岛地理位置优越，风景优美，处于南部近海岛屿中心位置，开发价值较高。东可达三山岛、棒棰岛景区，西可至星海湾、小平岛景区，海浪、沙滩和海岛使其成为独具特色的旅游风景胜地。

圆岛　圆岛在大连港口东南方约39.8公里的黄海海域，西南距遇岩礁46.2公里，面积0.032平方公里，是辽东半岛沿海最南端的一个孤岛，为中国领海基线点之一。从南方海域到大连的船舶最早见到的陆地目标是圆岛，素有“发现了圆岛，就是看到了大连”的说法。所以圆岛有大连第一岛的美名。由于它形如圆圆的馒头，被命名为圆岛。

三山岛　位于市中心以东距陆地6.7海里的海面上，由大山岛、二山岛和小山岛组成，三岛总面积3.32平方公里，海岸线长40公里。这里沙滩、礁石、岩壁错落有致，海

圆岛

水清澈见底，浪平水缓，是游泳、垂钓的绝好去处。岛上有天然鹅卵石海滩、船舶停靠码头，具备接待300—500人的住宿、就餐设施，有发电、海水淡化设备，是度假、旅游、疗养和观光胜地。

迎宾路景区　位于市区东南部，南起棒棰岛宾馆，北止中南路。1960年建成。初为泥碎石路。1971年铺筑柏油路面，称友谊路，1983年改现名。全线长4公里，路面宽7米，与山峦路、中南路、滨海路等相连。1996年重铺沥青混凝土路面，增设水泥预制沟槽，回填平整道路边沟，铺种冷绿型草坪和各种观赏树木，安装喷灌设施。景区全线青山、绿草、鲜花，与果园、别墅、田野融成美丽田园风景。

【特色景点】中山区域内特色旅游景点中，有两处国家3A级旅游景点，有大连标志性建筑一座、标志性景观一处，旅游特色街和繁华商业街3条。

北大桥　是大连市标志性建筑之一。位于大连海滨风景区中的老虎滩景区与燕窝岭景区之间，1984年5月为纪念日本北九州市与大连市建立友好城市5周年而建。是一座近海临山横跨山谷的旱桥，雄伟壮观、新颖独特，可观赏和通行，是大连南部海滨风景区的一景，也是贯穿整个大连海滨风景区东西滨海路的要冲。

十八盘

十八盘　是大连著名标志性景观。东海公园内离海之韵广场不远的一段蜿蜒曲折依山而筑的观光路。这段“S”形的山路长1公里，坡度陡峭。自山巅俯瞰，确有山舞银蛇之意。十八盘路侧石壁上点缀的海洋生物雕塑形态逼真、情趣盎然。

怪坡　位于十八盘上部地段，长约52米，宽4米，眼观明显是东高西低的坡度，但驾车由西东行，挂空挡的汽车反而会被一股神秘的力量牵引往坡上移动；骑自行车上坡不用蹬车，反之，下坡必须用力蹬。是视觉差异还是地球磁场失衡，游客争相来此一探究竟。

大连观光塔　（原大连广播电视塔）为国家3A级旅游景区。位于市内劳动公园南秀丽的绿山之巅，塔高190米，海拔360米，采用空间桁架钢结构，是大连标志性建筑。大连观光塔是旅客领略大连风光的第一高度和最佳观景点。登山俯瞰，大海、市容尽收眼底，令人心旷神怡。党和国家领导人及许多外国元首和政要，都曾莅临视察和观光。塔内设有空中观光厅、旋转餐厅、咖啡厅、露天观景台、多功能厅等，是集观光、餐饮、娱乐于一体的综合性旅游景点。

女骑警训练基地　为国家3A级旅游景区。基地1999年12月建成，占地3万平方米，2001年对国内外游客开放。基地依山傍海，绿草如茵，空气清新，设有骑警勤务楼、跑马场、网球场、3栋马厩、旅游购物中心、荣誉室等。基地外有大型停车场。大连市公安局巡警支队女子骑警大队成立于1994年12月。女骑警掌握骑术、射击、车辆驾驶、擒拿格斗、电脑打字、外语会话等多项专业技能，被公安系统评为

北大桥

大连观光塔

"一警多能"和"文明单位"先进单位，获全国妇联和团中央"巾帼文明示范岗"、全国"青年文明号"、"全国职工职业道德百佳班组"等称号，多次受到党和国家领导人检阅和接见，是大连市城市精神文明的形象大使。

南山旅游风情一条街　位于中山区南山脚下，全长700米，占地面积11万平方米，有别墅120栋，500米商业步行街。商业街设有日本料理店、茶道、花店、书店、咖啡店、表演馆及综合商店等旅游设施。因具有东瀛特色，又称日本风情一条街。该街已成为大连赏槐会分会场。

南山旅游风情一条街

青泥洼　位于大连火车站前，大连重要的三大商业中心之一。有麦凯乐商场、太平洋、百年城百货集团、胜利百货、大连商场等高、中、低档时尚百货店。青泥洼商圈在大连商圈中占有主力地位，是大连商业的最繁华区域。

天津街　建成于1909年，是有着百年历史的商业老街。全长1700余米。2005年3月23日与上海南京路、北京王府井大街等一起被命名为"中国十大著名商业街"。

【中山夜景】中山区域内的中山路和滨海路华美璀璨的夜景令人叹为观止，是中外游客必赏之处。

中山路夜景　中山路是大连市街主要干线，路灯千姿百态，形状各异。还有各种不同造型的霓虹灯、树灯、房灯和草地灯，夜晚华灯初上，十里长街流光溢彩，宛如梦幻。

中山广场周边楼灯映照，外围有皇冠灯及三环艺术灯，里圈有水晶柱灯。广场及周围建筑群金碧辉煌、璀璨夺目。友好广场水晶球雕塑由3120块镀膜玻璃围合而成，直径为15米，内装7.85万只彩灯，红、黄、绿三色彩光交相辉映，周围有玲珑剔透、晶莹明亮的槐花灯点缀，广场光辉灿烂。胜利广场装饰多型多色彩灯、霓虹灯、楼灯、柱灯，五彩缤纷，璀璨斑斓。

滨海路夜景　大连市政府实施光明工程，西起星海公园，东至海之韵广场，傅家庄公园、燕窝岭、北大桥、老虎滩公园、棒棰岛、怪坡、十八盘等滨海路沿线全部安装路灯，夜空中俯瞰，仿佛银色长龙，盘踞山海之间，十分壮观。月光下的大海、礁石、山峦千姿百态，光怪陆离，神秘莫测。

【域内公园】中山区内有较大型公园四座，分别是劳动公园、大连植物园、儿童公园和迎宾公园。其中知名度较高的是劳动公园和大连植物园。前者历史悠久，景观丰富，后者植物种类繁多，适宜观赏。

中山广场夜景

劳动公园 位于中山区解放路西侧的绿山北麓，地势南高北低，面积102万平方米。是大连最大的综合性公园。俄国人始建于1898年，称西公园。1905年，日本人对公园进行扩建，在园内建相扑场、高尔夫球场、乘马俱乐部、游泳场等，易名为中央公园。新中国成立后，政府发动群众义务劳动重建公园，并在荷花池畔立碑，上书“劳动创造世界”，因此改称劳动公园。20世纪80年代后，公园几经改造，形成独有风格。园内分游览休息、花卉观赏、文化娱乐、儿童游乐、体育活动等五大区。东部有荷花池、假山、小岛、亭子。南部有长廊、游艇 、喷泉。西南部有放鹤坪，鹿鸣谷和雪松、龙柏等树木。东南部有大型游乐设施及福斯特索滑道等。园内还有足球式外形的大连建筑艺术馆。

儿童公园

大连植物园 位于市东南中部的南山麓北坡，面积32.4公顷。始建于1920年，原名南山麓公园，1930年更名为弥生个池公园，1950年重新修缮后改名为“南山公园”。1966年，再次改名为鲁迅公园。1980年，公园改建定名为植物园。园内分为观赏植物展览区、苗圃地和风景林区。园内树影婆娑、花草繁茂、曲径通幽，是读书、晨练和散步的理想去处。

儿童公园 位于明泽湖畔，总面积6万平方米，其中陆地面积3万平方米。建于1953年，原名海港公园、明泽公园。园内有湖，湖中有亲水台。冬季的湖面是儿童、青少年的天然滑冰场。园内还有各种树木花草、小溪、木制人行步道、休闲游览路和塑胶健身路。

迎宾公园 2000年4月，拆除原棒棰岛养鸡场，改建成迎宾公园。公园高档次绿地面积7.7万平方米，种植高灌木2200余株，栽植灌木花卉4万余株，铺草坪3.6万平方米。新建草坪把周边水光山色衬托得更加秀美多姿，风光旖旎。

植物园

【广场景观】广场是大连特色城市景观。中山区域内有较知名广场10座。即中山广场、友好广场、希望广场、港湾广场、华乐广场、海军广场、秀月广场、山峦广场、风景广场以及虎雕广场。

中山广场　位于大连市中山路东端，广场呈圆形辐射状，直径213米，有10条大路从这里通向四面八方。总面积3万多平方米，为文化娱乐型广场。广场周边建筑大多建于上世纪初，有罗马式、哥特式等，展示世界多种建筑艺术风格。因广场四周装有高级音响，每天定时播放世界名曲，所以又称中山音乐广场。2004年被国家命名为“全国特色文化广场”。

友好广场　位于中山广场与青泥洼桥之间，5条路街交汇于此。广场总面积9600平方米。东临中山广场，西接胜利广场，北靠天津街商业街。始建于上世纪50年代，是为了纪念中苏友好而命名的。广场中央有巨大的水晶球，建于1996年。水晶球重117吨，直径为15米，表面由3120块镀膜和透明玻璃围和而成。内有彩灯7852只，采用“LED”光源[illegible]夜晚可以幻化出多种绚丽光彩。球距地面1.5米，由5只不同肤色的造型手托起。象征着五大洲人民友好相处，共同建设一个星球，合力托起大连这颗美丽的明珠。

希望广场　命名希望广场，是因为广场西南角有大连市儿童医院，取儿童是祖国未来和希望之意。广场位于中山路与五惠路交汇处，劳动公园的西北角。总面积1万平方米。呈不规则几何形状。1995年，整体搬迁渤海啤酒厂，建成希望广场。广场铺方砖步道，植草坪，设雕塑小品，安装高杆路灯。广场地下有建筑面积8122平方米的标准公共地下停车场——五惠路地下停车场。

华乐广场　位于寺儿沟东部低洼区，1999年7月竣工。广场为欧式风格，占地5万平方米，配有坐席灯、水柱喷泉、叠水和灯光涌泉。可容纳3000人的台阶式坐席，可近观、远眺。周边有绿地、花坛、地灯、草坪、庭院和广场灯，可供休闲、观景和娱乐。

海军广场　位于海军大连舰艇学院政治系和中共大连市委办公楼之间，2000年建成。象征军民团结、共创美好未来。是继英国、美国后，世界上第三个以海军命名的广场。广场占地6.9万平方米，其中硬铺装2.9万平方米，草坪绿化4.4万平方米，栽植雪松、龙柏等名贵树木200余株。广场配有各种灯型和远程音箱，音响系统音域宽广，气势磅礴；由电脑控制的广场喷泉，水形可随音乐变化；表现水兵生活的海军写实浮雕墙高2.5米，长70米、面积为182平方米；广场中心有火烧板和光板拼成的世界地图，寓意大连与世界同步。

山峦广场　位于通往棒棰岛的山峦路中段南侧，面积6000平方米，山体喷饰面积2440平方米，2000年9月完工。建水池3个，瀑布高14米，气势宏伟，中间为休闲广场，东西两侧是精品绿地，是迎宾路上又一新景。

港湾广场　位于海港客运站南侧，占地面积5000平方米，其中水池占地面积2000平方米，绿地面积3000平方米。水池中间是郑和宝船下西洋水景造型，寓意大连乘风破浪，驶向世界。仿古宝船长28.8米，宽11米，高7米，9支桅杆高18米，钢架结构铜板船体。周边有喷泉涌浪，涌泉头1600个，效果灯1600盏，草坪灯11盏，仿佛船在海中航行，是游人观光的新景点。

风景广场　位于五五路与南山路交汇处，西邻儿童公园，占地面积1140平方米，其中硬覆盖595平方米，软覆盖546平方米。广场有欧式护栏23延长米，栽植雪松，冬青球、小叶黄杨1000余株。

秀月广场　位于中山区解放路景山街与白云街交汇处，邻近秀月桥，占地面积6297平方米，绿化面积3000平方米，铺装面积3300平方米，水景面积1469平方米，铺[illegible]871平方米，理石440平方米，铺装彩色人行步道700平方米，安装草坪灯90盏，地灯140盏，水下灯33盏，是人们休闲娱乐的好去处。

虎雕广场　位于滨海路中部的菱角湾，面积1.6万平方米，1998年6月25日建成。因建有群虎雕塑而得名。群虎雕塑由中国画家、雕塑家韩美林设计，长36米、高7.5米，由498块花岗岩组成，重达2000余吨。6只老虎形态各异，昂首东方，迎风长啸。地面7300平方米火烧板和菊花大理石拼成巨虎图案。13处不规则花坛衬出虎的轮廓，绿化面积3100平方米，铺砖5300平方米，安装草坪灯、庭院灯及泛光灯300多盏。广场呈不规则状，采用国外造

虎雕广场

站南旅游咨询服务中心

林艺术，怪石、奇石伫立灌木花草丛中，新颖奇特，绚丽多姿。

【旅游咨询服务中心】中山区有6个旅游咨询服务中心，负责旅游信息咨询服务、游客投诉接待及旅游市场推广等工作。

青泥洼桥步行街旅游咨询中心 位于大连商场步行街，占地面积50平方米，建筑面积75平方米。配备旅游信息触摸显示屏、大型液晶电视和液晶电脑等设施，资料架展示大连旅游景区及交通线路图等资料20余种。

中心整合包装推出旅游新景点、新产品和新路线，创新宣传手段，推介大连旅游资源。提供现场接待咨询、热线电话咨询、多媒体电脑自助查询和国际互联网网站咨询等旅游信息服务。实行市场化运作方式，拓展参观、考察组织及旅游团接待渠道，接待人员以多语种接待游客。

站南旅游咨询服务中心 位于火车站南广场西引桥，上下二层，占地面积50平方米，建筑面积100平方米。一楼为全开放式咨询服务台，设一日游咨询台、自助游咨询台、订票住宿咨询台、求助咨询台；二楼为小型会议接待室。服务人员掌握日、英、俄等语言，满足不同国籍游客需求。

大连旅游咨询服务中心 位于天津街商业步行街，中心为仿欧式建筑，与天津街整体风格一致。为游客提供旅游咨询、酒店预订、景点推荐、票务预定、导游服务、商场导购、旅游投诉接待等服务。采用数字设备和影音设备为游客介绍大连旅游信息。

大连天津街旅游咨询服务中心 位于天津街135号，中心占地面积30平方米，配置电脑、电子地图和空调等设施，配备懂外语的咨询人员，为游客提供团体及自游人观光旅游、度假旅游、商务旅游、承办会议、代办机票、车船票预定、酒店预定和机场接送等旅游服务。

【旅游工艺品市场】中山区有3个旅游工艺品市场，均位于市中心繁华地带。其中，大连市旅游局指定涉外旅游定点购物市场和指定购物商店两个，全新业态的景观式大型文化艺术市场一个。

大连古玩城 是大连市旅游局指定购物商店。位于中山区港湾街1号，经营古玩、字画、传统工艺品、地方工艺品、收藏品及中外文化艺术品，占地面积1万多平方米。

2006年，在大连古玩城二楼建立大连市地方工艺旅游商品中山交易市场，展销豆画、爱丽丝、贝雕、路明发光画、麦秸画等系列地方特色旅游工艺品1万多个品种。其中，获全国旅游商品大赛金奖系列20多种。

大连中国工艺品旅游品交易市场 是大连市旅游局指定涉外旅游定点购物市场。位于天津街，经

大连古玩城

营现代礼品、艺术品、旅游品、奇石异宝、古玩珍品、古典家具和仿古家具等。二楼大连书画市场有古今新老名家书画和新秀佳作，有书法名品、硬笔书法、文房四宝、现代油画、印象画作、抽象画作等。

2003年开始，市场每年3月在大连星海会展中心和大连世界博览广场举办全国艺术品旅游品博览会暨春季大连中国古玩艺术品博览会，每年8月举办中国工艺美术博览会暨大连国际古典家具博览会，发展旅游产业，繁荣文化艺术。

大连硕麟古玩城·文化艺术广场 位于天津街东段，建筑面积8万平方米，经营面积5万平方米，设古玩、字画、明清家具、工艺品、珠宝玉器、奇石根艺、邮币卡以及茶品等专营卖场和展览拍卖大厅。广场基础设施完备，配备客货电梯、自动扶梯、自动消防系统、自动报警系统、监控系统和网络电讯系统，有餐饮、娱乐和休闲设施，装修设计采用明清文化风格，有传统民俗特色，集购物、旅游、文化、娱乐、休闲、餐饮为一体，是景观式大型文化艺术市场。

（李艳波）

新闻链接：

中山区全力推进五大旅游项目建设

《大连日报》 2010年4月2日 李枝宏

中山区今年将全力推进五大旅游项目的建设，以此助推全区旅游业跨越式发展。

据介绍，中山区今年推进的重点旅游项目建设主要有老虎滩海洋公园升级改造项目。今年将启动为期2年的改造工程，拟投资30亿元人民币，进行资源整合，凸显海洋文化和提升娱乐功能，将公园打造成为核心旅游经济带。在大桥东部区域，建设温泉度假酒店、亲海海景度假村和船厂纪念公园。在虎雕广场区域，建设一流的20万平方米的游艇港、临海音乐厅、旅游文化街。在老虎滩海湾口的东西两侧，建一座横跨海湾口的跨海大桥，实现全程观海。在公园的核心景区等处，将建设地下立体停车场、市民广场和海上夜间旅游剧场。同时，公园还将建设虎鲸表演场、海牛馆、水母馆、大型儿童城、海洋动物研究中心等项目。

加快老虎滩渔人码头项目的建设。该项目投资6.5亿元，定位为集观光、娱乐、文化、餐饮、购物、休闲度假等多功能于一体的商业旅游特色街。目前，渔人码头陆上建筑主体施工基本结束，沿街公建部分招商正在进行，预计今年5月开门纳客，将成为我市旅游业一大亮点。

推动琥珀湾项目的建设。项目总投资5亿元人民币，包括温泉度假酒店、高级海鲜餐厅、特色旅游专卖店、现代别墅、花园洋房与观海公寓为一体的综合建筑群落，是一个具有海滨城市地标性建筑特点的高尚居住区。目前项目正在排渣灌桩和平整土地。

加快大连15库创意产业园的建设进度。该项目为大连国际邮轮中心先行项目，总投资6800万元，建筑面积2.6万平方米。已于去年开始全面改造，目前正在进行整体结构改造、加固和创意策划活动。15库创意产业园落成后将引入研发设计创意、文化艺术创意、咨询策划创意、时尚消费创意四大创意门类，集中发展以设计型企业为主的产业形态，时尚体验式消费为主的商业形态，还原老大连码头人文、历史、生活、商业特征的文化形态以及时尚表演、发布、休闲为主的旅游形态。

积极推进三山岛旅游开发项目。目前该项目正在进行规划设计，计划在三山岛大岛分三期建设五个主题风景区，共投资近3亿元人民币。目前已与一家企业签订了意向协议，争取用2至3年的时间，将三山岛打造成具有国际水准的，人人向往的国家5A级海洋生态旅游风景区，成为大连浪漫之都的一张亮丽名片。

其他产业

·工业·

【概况】2010年，中山区实现工业总产值117762万元。比上年增长0.8%。有规模以上工业企业21家，实现工业总产值（当年价格）70117.3万元，比上年下降1.5%；工业销售产值68352.8万元，下降3.86%；利税总额3216.7万元，增长8.57%；利润总额1773.9万元，增长32.6%。

规模以上工业企业中：有国有控股企业2家，实现利税总额665.7万元，利润总额642.7万元；轻工业企业6家，实现利税总额685.7万元，利润总额1214万元；重工业企业15家，实现利税总额2531万元，利税总额1632.5万元；中型企业1家，实现利税总额512.3万元，利润总额455.8万元，小型企业20家，实现利税总额2704.4万元，利润总额1318.1万元；亏损企业7家，实现利税总额-715.2万元，利润总额-1069.9万元。

规模以上工业企业中：有内资企业17家，实现利税总额3864.4万元，利润总额2458.3万元；港、澳、台商投资企业1家，实现利税总额-99万元，利润总额-99万元；外商投资企业3家，实现利税总额-548.7万元，利润总额-548.7

万元。

（史 天）

·房地产开发与建筑业·

【概况】2010年，中山区有营业收入200万元以上房地产业企业66家，年平均从业人数 5862人，营业收入10.42亿元，营业税金及附加0.5亿元，利润总额1.55亿元。房地产开发投资111.5亿元，比上年增长66.2%。有三级资质以上建筑企业144家（包括园林绿化、劳务分包），其中一级资质企业 10家，二级资质企业23家，三级资质企业93家，劳务分包企业18家，建筑生产总值完成124.66亿元。

（高文君）

·邮政电信业·

【大连市邮政局提升服务水平】2010年，大连市邮政局有邮政局（所）243处，城乡投递段道876条，承担地区的邮政普遍服务任务。报刊零售网点56处，信筒(箱)9800个。邮路总长度4995公里，服务面积1.25万平方公里，服务人口675万人。年处理邮件1.7亿件。从业人员3141人，全年业务收入完成4.51亿元。被大连市政府评为2008-2009年度先进单位，被辽宁省人力资源和社会保障厅授予“劳动和谐企业”荣誉称号，获大连市工商免检企业称号，被大连市总工会评为“大连市模范职工之家”。

与中旅大连分公司建立战略合作关系。积极拓展电子代办业务，寻求电子业务新的增长点，与中国旅游总公司大连分公司正式签订业务合作协议。合作主要以地区邮政网点代收旅游费、宣传推介旅游产品为主，先期以普兰店为试点，然后推广到其他县（市）区，合作对于发展农村旅游市场具有积极作用。

成立全省首家集邮专卖店 2月8日，位于大连市邮政局站前营业厅二楼的中国集邮专卖店大连店正式开业。作为中国集邮总公司特许的连锁经营单位，大连作为全国百店之一，特许编号为46号，这也是辽宁省首家开业的集邮专卖店。集邮专卖店具有调货快、连锁化、先占权、专家广、技术精、品牌强、产品全、服务佳、实力强等市场优势，是集邮爱好者一个收藏邮品的好去处。在中国集邮专卖店大连店开业的同时，大连市邮政局还同步开办集邮沙龙，为广大集邮爱好者提供了一个交流集邮信息、预订集邮藏品的平台。

开发“母亲节感恩卡”营销项目。此项目是由大连市邮政局、团市委、大连移动公司三方合作开发的“感恩母爱 幸运相随”母亲节感恩卡项目。大连市邮政局高度重视，成立专项领导小组，积极与团市委、大连移动公司等单位沟通协调，共同策划、宣传、实施，使本次“母亲节感恩卡”营销项目达到了“学生参与面广，母亲受感动，家庭得实惠，移动产品被推介，邮政函件业务增效益”的预期效果；此项目印制30万枚贺卡，收集有价值名址19万条。

学“东四”，树“五四”，打造服务品质店。大连市邮政局深入开展学习北京东四邮电局先进事迹活动。召开地区优质服务誓师动员大会，强化职业道德教育，提高职工素质；提升科学管理水平，规范服务行为；完善服务设施建设，优化服务手段；实施公示服务承诺，提高服务水平。选树五四营业大厅作为典型，加大软硬件投入力度，创建星级用邮环境；夯实内部基础管理，强化员工素质培训，全力打造邮政服务品质旗舰店，全面提升大连邮政品牌形象，让北京东四精神在大连邮政人中生根发芽，不断传承，发扬光大。

与中国平安大连分公司签署账单一体化合作协议。中国邮政集团公司与中国平安人寿保险股份有限公司在保险账单信函的制作与寄递方面建立长期友好合作关系。3月30日，大连市邮政局与中国平安

成立集邮专卖店

大连分公司在平安大厦举行保险账单一体化合作项目签字仪式。此项目对于推进邮政和保险业务协同发展，实现优势互补和资源共享具有重大意义。仪式上，大连市邮政局宋超局长作了讲话，他在回顾了双方的合作历程后，表示将继续加强与平安大连分公司的合作，力争在双方总部开展的2010年账单制作、投递竞赛活动中取得优异成绩。

举行爱心包裹项目启动仪式。4月28日上午，“爱心包裹项目全国贫困地区及灾区学生关爱行动”大连启动仪式在邮政宾馆隆重举行。大连市邮政局领导班子、机关全体干部、地区各单位领导，大连市委、市政府、民政局、体育局、慈善总会、团市委及各县（市）区民政、扶贫、妇联、工会等单位以及大连7家新闻媒体和社会各界爱心人士共计百余人参加了项目启动仪式。仪式由大连市政府副秘书长周洲致辞，大连市邮政局邹英书记作重要讲话，两人共同为“爱心包裹项目”揭牌。启动仪式现场，小学生代表、东北路小学少年邮局首任局长宣读“爱心包裹”倡议书，来自大连的企业、社会团体和个人积极捐购，当场募集善款19.5万元，大连市邮政局捐赠15万元。

与太平洋人寿大连分公司签订战略合作协议。5月5日，大连市邮政局与中国太平洋人寿股份有限公司大连分公司在太平洋大厦签订了战略合作框架协议，结成战略合作伙伴关系。在签订的协议中，双方达成共识：大连市邮政局积极支持太平洋寿险大连分公司银行保险业务发展，为太平洋寿险大连分公司业务发展提供充分的网点资源和优质服务，努力实现代理保险费收入占比50%以上的业务目标；太平洋寿险大连分公司大力支持邮政各项业务的发展，积极涉足邮政账单投递、贺卡、企业形象册、票务及思乡月等多项业务领域。签约仪式上，大连市邮政局宋超局长作了讲话，他在充分肯定双方长期以来亲密无间的合作关系的同时，对邮政今后工作提出了“六到位”的要求，即认识到位、宣传到位、组织到位、营销到位、激励到位、培训到位，以推动双方合作再上新台阶。

举行“庆祝建国61周年暨抗美援朝60周年”邮展。为庆祝中华人民共和国成立61周年和纪念人民志愿军赴朝参战60周年，9月25至29日，大连市邮政局与大连市委老干部局联合举办“大连市庆祝建国61周年暨纪念抗美援朝60周年集邮展览”。本次邮展共设展框46个、邮集10部、各种邮票和邮品共计5000余枚（件），集中展现了新中国成立60年来取得的伟大成就和改革开放30年来日新月异的巨大变化，反映了人民越来越美好的新生活，同时也歌颂了抗美援朝的光辉战绩和中朝两国人民的传统友谊。现场还展出了一些世博题材的邮票，使展览内容更加丰富。

（李　曼）

【中国联合网络通信集团有限公司大连分公司拓展服务业务】2010年，大连联通坚持规范、特色、差异化的客户服务策略，持续优化服务质量监控管理。实施3G客户服务全程关怀计划，打造有区隔的3G服务体系。实施“服务流程穿越计划”，各服务渠道积极参与，优化服务流程和管控手段，有效提高了客户首问解决率。开展“沃在你身边，满意百分百”活动，以“沃团队岗位技能大赛”为载体，推动服务渠道全员参与，服务人员业务与服务水平普遍提升。开展“零容忍”行动，各服务渠道自建动态“零容忍”库，有效组织开展自查及整改活动。加快服务短板持续改进，网络质量、资费争议、宽带修障、增值业务强行定制、窗口服务质量等服务短板均有明显改善。开展服务质量持续改善行动计划，被中国通信企业协会授予“2010年全国通信行业用户满意企业”荣誉称号。被辽宁省质量协会、辽宁省用户委员会授予“用户满意企业”和“用户满意服务”荣誉称号。获大连市委市政府授予“大连市先进单位”称号。WCDMA网络优化小组等9个质量管理（QC）小组分别获得全国、辽宁省通信行业优秀小组称号。

大连联通与市公安局合作开通信访短信平台。拓宽信访渠道，方便群众的信访投诉，1月28日，大连市公安局市公安局与大连联通合作，正式开通信访短信平台，号码为15504084445。市民可以通过手机短信，向市公安局提出信访事项。公安机关信访主管部门将严格按照国家有关规定办理，并根据信访人短信反映的具体情况，通过短信或书面方式及时答复信访人。

114电话导航开通商品团购服务。大连联通利用114电话导航话务量大、人气旺的优势开展团购业务，为企业与消费者搭建购销桥梁，使114成为企业的得力助手也成为消费者值得依赖的消费导航航标。公司于4月初开始策划该服务，一方面深入挖掘传媒业务现有合作商户资源、产品资源，积极洽谈合作项目，建立“114团购”业务数据库，另一方面及时进行员工培训。4月29日，114电话导航团购服务成功开通试运营。用户只需拨打114（116114）转到团购专席，查询所要团购的商品并留下联系方式，即可享受到“票务、户外用品、家电

“中国渔政21111”号首航仪式

及食品饮料”等八大种类1000余种商品的团购服务。

114电话导航拓宽中高考信息查询服务范围。开展中高考信息资讯服务，拓宽114电话导航服务范围。广泛搜集、准确核实数据，完善数据库信息，搞好人员配备，扩大中高考信息查询范围。一是丰富中高考相关查询栏目。“2010年中考较之往年的9大变化”、“中考录取批次规定”、“中考市内各区指标到校生如何录取”、“艺术、特长生申请报名”、“‘阳光高考’网上咨询周”、“高考体育专项考试”、关于高考的“2010年体育竞赛优胜者及报名资格审核”等等，成为咨询热点栏目。二是丰富中高考衍生信息咨询内容。考前提供考点周围的酒店等服务信息查询；志愿填报开始后，提供各大高校及招生信息查询。三是增派客户代表，保证用户拨打畅通。

（刘 伟）

·水产渔业·

【概况】2010年，中山区有机动船561艘，吨位22206吨，马力达37109千瓦。完成水产品产量3.7万吨，实现渔业社会总产值7.3亿元，其中渔业产值3.8亿元。被辽宁省海洋渔业厅授予“2010年度全省渔业倍增发展先进单位”。

【强化海域管理】2010年，中山区把海域管理作为城区管理的一项重要工作，海域管理取得新进展。

清理三山岛海域。按照《大连市人民政府办公厅关于印发南部海域养殖物第四期清理整治实施方案的通知》要求，区城市管理行政执法局对三山岛海域9家企业和个人进行清理，清理总面积16690.5亩。与8家企业签订清理协议书、完成自行清理。

加强渔船管理。控制非法越界捕捞问题发生。区城市管理行政执法局制定《中山区制止渔船越界捕捞专项行动实施方案》及应急预案，印制并发放《告中山渔民书》650份，帮助渔民了解和认识非法进入朝鲜和韩国海域捕捞问题的严重性和危险性。与40马力以上渔船船主、船长签订215份不越界捕捞保证书，与边防和具有入朝韩捕捞资格、在朝韩海域作业的渔船密切配合，制止捕捞渔船越界捕捞。

从严整治违规“三无”渔船。全年区城管部门共检查渔船590余艘，查处违章渔船445艘。联合中山渔监与船东、船长签订《渔业运输船舶不超载运输保证书》和《中山区捕捞渔船不私自改变作业性质保证书》361份，严格禁止运输船超载作业、捕捞渔船私自改变作业性质从事渔业生产。对小马力海上作业渔船进行安全检查，共检查渔船76艘，违章作业16艘，责令停航整改12艘，给予处罚的4艘。全年发放安全生产宣传单1200份，开展安全工作培训两次，有200多人参加。组织船东、船长和家属共50多人参加安全教育培训。

改造“中国渔政21111”号执法船。2010年8月，中山区在老虎滩渔港举行了“中国渔政21111”号执法船首航仪式。该船于1976年建成使用，由于海水长期侵蚀、设备老化，给海上安全生产带来隐患。2009年，中山区投入1100万元，在山东乳山造船厂对该船进行重新建造，改建后的执法船全长45.8米，宽6.7米，排水量310吨，两部主机每部780马力，高于大连市区市县执法船的相关配置水平。

（于富刚）

责任编辑 张纾平

城区建设管理 CHENG QU JIAN SHE GUAN LI

城区建设

【概况】2010年，中山区城建工作以“五个一”工程建设为重点，结合全国文明城市检查、大连国际服装节、“辽宁省绿叶杯”等重要活动，持续推进城区基础设施建设和环境建设。投入300余万元，对11处险墙险段进行治理；实施解放路升级改造；新建健身公园1处；更新绿地7处；新建停车场4个，新增停车泊位1050个；改造农贸市场2个；改造楼院56个；维修辖区道路160条街次；加大楼院垃圾、卫生死角和废弃物清理力度，共清除楼院垃圾2600吨、卫生死角垃圾530吨、废弃物1400吨，中山区在大连市率先实现无暴露垃圾点、无滞留垃圾的目标。

加速推进城区改造，动迁项目的力度不断加大。全年启动七个地块拆迁；新居、回迁工程项目进展顺利；22宗地块挂牌出让。荣获2010年度“大连市‘五个一’工程停车场建设优胜奖”、“大连市‘五个一’工程路街改造优胜奖”、“大连市‘五个一’工程旧城区改造优胜奖”，“大连市爱国卫生工作先进单位”等称号。

【“五个一”工程建设】2010年，中山区持续抓好“五个一”工程建设，不断改善城区的环境面貌和人居环境。

开发改造旧城区。2010年，中山区启动青云街、不朽巷、景山街、一德街北、春和老年公寓、华联宾馆和胜利路东段7个地块的拆迁；春和市场新居工程有序推进；鸣鹤街新居工程已经封顶；挂牌出让桃仙街南侧、中南路东等22宗地块。

与人大代表座谈城建工作

新建停车泊位。2010年，中山区采取政府投资和社会融资等方式，利用学校操场和新建场地，在青泥小学、葵英小学、悦泰天津街老街、枫合万嘉小区新建4处停车场，总面积3.09万平方米，停车泊位1050个。

改造炮台山公园。在位于春华街的炮台山区域，分2期修建一处集健身、休闲、观光以及爱国主义教育等多功能于一体的山林公园，并修建了防火通道。公园建设面积6万平方米。2010年，完成1期的修建任务。

改造农贸市场。2010年，对位于桃源街结合巷的亿隆集贸市场和位于华乐广场的天德源集贸市场进行改造。改造面积2400余平方米，设摊位180个。改造内容为完善配套设施，设置室内标识，更换老化电线，增加灯具，铺设防滑地砖，重新设置消防、排风、上下水、报警、烟感系统、装饰门头牌匾等。

升级改造解放路。对解放路沿线的33栋、共计12.7万平方米的房屋外立面进行粉刷，对20栋、共计1.15万平方米的房屋坡屋顶进行改造；对60栋、共计 0.4万平方米的房屋门头牌匾进行更新；对0.4万平方米的挡土墙、3处沿街公厕和1处车站调度亭进行了整体改造。

实施桃源桥至虎滩桥、全长2000米路段的拓宽改造，由双向4车道改造为双向6车道；在1200米长的桃源桥北至中山路路段增设12处港湾车站。升级改造后的解放路交通更加顺畅、沿街景观更加整洁宜人。

城区建设“五个一”工程成效显著

改造旧城区

弃管楼院改造前后对比

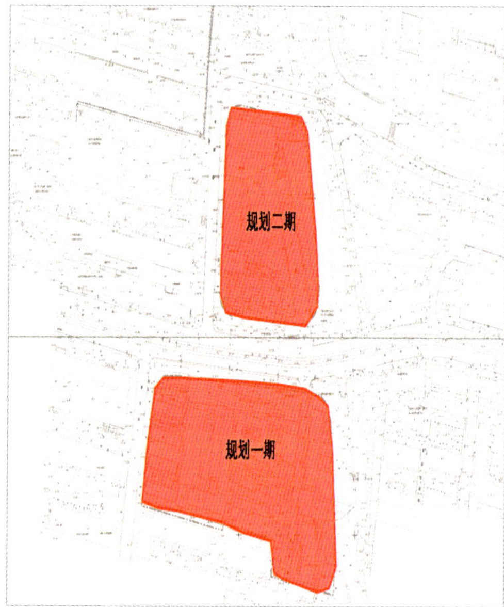

新建停车场

葵英小学地下停车场

金城街新旧停车场对比

新建（一期）炮台山公园

改造后的亿隆、天德源农贸市场

外墙翻新

外立面翻新

外立面翻新

屋顶改造

升级改造后的解放路

新建公厕

改造后的牌匾焕然一新

背景资料：

大连市城市建设“五个一”工程

2008年12月31日，大连市政府办公厅印发了“五个一”工程实施方案，方案提出市政府决定自2009年起，在市内四区、大连开发区和高新园区启动城市建设“五个一”工程：即每个区每年开发改造一片旧城区；新建一座停车场；新建一处市民健身场所；改造一处集贸市场；改造提升一条路街环境。力争通过3至5年时间实现若干个“五个一”工程的建设目标，不断改善城市环境面貌和人居环境，增强城市的综合服务功能，进一步提升人民群众生活质量，推动大连市经济社会更好更快发展。

“五个一”工程以高起点规划、高标准建设、高效能管理为重点，按照“市区联手、以区为主，社会化运作、政府补贴，统一规划、整体推进”的原则进行实施。

（摘自大连市人民政府办公厅关于印发大连市城市建设“五个一”工程实施方案的通知《大政办发【2008】223号》）。

【市政道路维修】为确保车辆安全行驶和居民步行安全，按照“安全、美观、畅通”的要求，2010年，中山区对辖区道路进行了大规模的维修。共维修辖区道路160条街次，其中车行道1.68万平方米、方砖步道6.88万平方米，砌筑边石1.79万米；完成道路挖掘修复134条街次，其中车行道4.26万平方米、方砖步道2.06万平方米，砌筑边石3005米。

【城区绿化】2010年，中山区全部绿地面积1879万平方米，其中，绿地面积446万平方米（公园372万平方米、街道64万平方米、小游园10万平方米）；风景林面积1158万平方米（区管风景林939万平方米，市管风景林219万平方米）；单位附属绿地170万平方米，居住区绿地104万平方米，生产绿地0.5万平方米。人均绿地面积53平方米，绿地覆盖面积1887万平方米，绿化覆盖率43.02%，全区人均公共绿地面积达13平方米。

为了丰富城区绿化景观，2010年，中山区通过栽植高档树木等方式，打造精品园林，提升整体绿化景观效果。全年引进多种高档彩叶树2960株、栽植宿根花卉14万株；加大游园绿地建设，改建大架山、大公街、中南路枫合万嘉3处绿地，面积1万平方米；更新草坪，对迎宾路等4处绿地的草坪进行更新，面积2.48万平方米。

【弃管楼院改造】2010年，中山区加大弃管楼院公共设施改造力度，全年改造楼院56个。改造内容包括修整楼院内道路、铺装人行步道方砖、维修各种下水井和挡墙、设置各种健身器材、休闲桌椅、院内绿化等。其中，道路维修3100平方米，铺设方砖2.2万平方米，砌筑边石1800延长米，抬高各类井口350个，排渣换土1.1万立方米。

【节日亮化】2010年，在元旦、春节、国庆节等重大节日，中山区加大投入，重点开展节日亮化工程。在中山路、人民路、五五路等路街安装树挂灯3000余株；在海军广场、中山广场安装新型流星树挂灯130余株和5000余平方米的绿化带网灯；在中山路、人民路安装街棚灯108跨。春节期间，在希望广场安装近10米高的灯光小品。

【环境卫生】2010年，中山区共有清扫道路666条，道路长度440817.33米；全区道路面积436万平方米，清扫率100%。有居民垃圾收集处356处，其中定时收集处218

修缮一新的中南路枫合万嘉绿地

海军广场花卉组团小品

处；有袋装收集户15.5万户；有单位垃圾收集处45处。共有环卫车辆100辆，其中，垃圾车72辆，扫路车10辆，洒水车2辆。

2010年，中山区按照“细化管理、重点突破、消除盲点、加大监管”的思路抓好环境卫生工作，全区的环境卫生得到改善。(1)推进楼院综合整治经常化。全年共整治居民楼院3068栋，整治面积144万平方米，清理垃圾2600余吨。(2)加大卫生死角治理力度。全年共清理卫生死角30余处，清除垃圾530余吨。(3)及时清理废弃物。全年清理大件废弃物150余件、装修垃圾130余处，除运垃圾1400余吨。(4)改革路街扫保、垃圾收集、垃圾除运方式，购置垃圾收集、除运设备，确保路街扫保、收集、除运一体化作业。中山区率先在大连市实现了无暴露垃圾点、无滞留垃圾的目标。

【建筑安全生产】2010年，中山区把建筑安全生产作为一项重要工作来抓，做到监督到位、检查到位。对监督、检查出的问题及时下达限期整改指令书，对未办理安全监督备案手续和存在重大安全隐患的施工工地，坚决予以查封。全年共查处安全生产方面的事故隐患11个，下达整改指令书16份、停工整改指令书4份，全年未发生重大建筑安全生产事故。

【防台防汛】2010年，中山区全面加强防台防汛工作的组织、检查和安全隐患治理。完善防台防汛工作预案，调整工作领导小组，组织抢险队伍21支、共计1000余人，配备大型抢险车辆16台和多种抢险设备；投资10余万元购置救生衣、编织袋、铁镐等抢险物资。对辖区各街道的险墙危房险段进行了多次排查，下发整改通知书181份，并对其中213处险墙险段进行重点看护、设立警示牌标志等；投资300余万元，对11处险墙险段进行治理。

冬季除雪

大连市国土资源和房屋局中山区分局在防台防汛期间，对辖区房屋进行两次安全检查和巡查，确保在防台防汛期间没有发生重大险情和重大亡人事故。

【冬季除雪】2010年，中山区城建部门从组织专业除雪队伍、配备大型除雪设备入手，确保冬季除雪工作的有效进行。全区共组织有1500人参加的专业除雪队伍，配备各种除雪机械60台，其中撒布机6台、推雪板18台、铲车16台、运输车20台。遇到下雪天气，所有除雪人员全部到岗到位，机械全部出动，共撒布融雪剂1000余吨，保证了市区道路冬季雪天交通的畅通、安全。

【护林防火】2010年，中山区采取多项措施抓好护林防火工作。依据护林防火预案，组织专业扑火队伍分片包干、流动巡视、严防死守；在重要的入山口设置检查站，悬挂、张贴警示标语，通过播放广播进行护林防火安全宣传；及时劝阻和管理吸烟、烧香等不当用火行为；在春节、清明节期间加大巡视、检查、宣传力度，全年共扑救山火16起。

（姜　勇　李建钟）

新闻链接

解放路：中山区生态宜居轴线

《大连日报》 2010年6月18日

陈景峰　付晓娟

备受瞩目的解放路拓宽改造工程日前已经正式启动，同时也宣告中山区生态宜居区建设工作向前迈出踏实的步伐。此次交通动脉的升级，将通过出行环境的改善，为整个城市生态宜居建设贡献新的力量。

日前，记者从中山区了解到，根据全市的规划部署，老虎滩区域将有望升级成为继星海湾之后的第二个“城市客厅”。而作为抵达“城市客厅”的首选交通路线，解放路再次被赋予了更高的城市使命。

近年来，随着大连被定为辽宁沿海经济带国家战略的核心城市、东北亚重要的航运中心，城市发展迎来了大踏步的飞跃。而城市发展需求的进一步提升，解放路作为城

开展植树活动

市中心区南北交通动脉，也一直不断地被赋予新的使命和要求。此次老虎滩区域改造目标的确定，将解放路推上新的台阶。对此，中山区常务副区长蔡先勃把解放路称为大连的“迎宾大道”。

众所周知，解放路北接青泥洼商圈，南至老虎滩海洋公园，沿线分布着多个在全市范围内人居环境发展最为成熟的大型居住区。作为中山区一条贯穿商贸区、生态宜居区和南部旅游区三大城市功能区的主干道，解放路将在未来承接更多市民的居住和出行需求，同时，也将成为更多外来游客赴老虎滩5 A级景区游玩的必经之路。此外，解放路的出行环境，还对其所连接着的胜利路、石葵路、八一路等其他几条城市主干道的交通状况产生直接影响。因此，解放路必须提升到一个更高的层次，才能更好地连接起城市功能区，提升市民居住便捷度，优化城市整体面貌。

据中山区政府提供的资料显示，此次解放路改造工程于今年一季度正式启动，拓宽改造的起点为桃源桥、终点至虎滩桥，要将全长2000米长的路段由双向4车道改造为双向6车道；将桃源桥以北至中山路1200米长的双向6车道路段增设12处港湾车站，西部通道南段将建高架桥，以缓解解放路的交通瓶颈问题。

城区管理

【概况】2010年，中山区城市管理工作按照“改革城市管理执法体制，加强城区管理和执法综合考核，努力实现城区管理的全域化和精细化”要求，注重建立健全发现及时、处置快速、解决有效、监督有力的城区管理长效机制，注重严格管理与人性化服务相结合，调动居民参与管理，形成全社会齐抓共管的良好局面。

【提升市容市貌】2010年，中山区从市容环境整治、绿地环境整治、临时建筑拆除、交通秩序治理入手，加强市容市貌管理，提升市容环境质量。

（1）集中整治市容环境。严格整治“野广告”、露天烧烤及乱摆摊、乱设点、占道经营的现象。全年区城市管理行政执法局查处大小问题38600余处，发出通报28期，并有针对性地进行集中整治。

开展“野广告”集中整治。区城市管理行政执法局对辖区内“野广告”进行全面的清洗，特别是加强对主干道、繁华地段等人流量较大路段的“野广告”进行整治，共清理粘贴野广告数万张，粉刷喷涂“野广告”4000多平方米。站南地区管理处专门聘请一支专业市容美容队伍，对站南地区的建筑物和墙体的野广告进行集中清理。

开展“露天烧烤”集中整治。6月份，区城市管理行政执法局组织8个街道的执法中队对全区范围内的露天烧烤进行集中整治，重点是各个广场、迎宾线路、三八广场周边、二七广场周边、大连外国语学院周边、寺儿沟地区、解放路沿线、虎滩路沿线等，共没收违章占道烧烤物品2800余件。站南管理处针对友好街、民生街等夜间户外烧烤情况，专门成立整治领导小组，抽调骨干力量进行执法，有效地解决了因户外烧烤产生的扰民、破坏市容环境问题。

（2）清理整治绿地环境。5月31日，区城市管理行政执法局对位于南山路以北、安阳街以东、儿童公园西南角约500平方米的绿地进行清理整治，将个人私自堆放在公共绿地上的物品全部清出。对3处占用人行步道堆放装修材料、5处建筑垃圾没有及时清运的业主，在批评教育的同时对物品进行及时清运。

（3）拆除临时建筑。区城市管理行政执法局依法加大对临时建筑拆除的力度，对春德小学以南、春德街以北、春生街以东、春华街以西区域约800余平方米的临时建筑物进行强制拆除，大连电视台进行了报道；从8月21日开始，利用一个月的时间，对全区7处即将改造地块的违法临时建筑（共计1800余处、26400平方米）进行拆除；11月3日，对群众反响强烈的卡纳意乡小

拆除违章建筑

区违法临时建筑进行强制拆除。

（4）交通秩序专项治理。重点加强火车站、青泥洼桥、友好广场、中山广场地区车辆秩序的专项治理。截至年底，共依法查处违法车辆138辆，各类违章车辆2600辆，保证繁华商业地段交通秩序的良好与稳定。

【集中整治渣土】2010年7月，中山区城市管理行政执法局按照市政府《建设工地及散流体物料运输专项整治工作》会议要求，与大连市交通局稽查大队、中山区公安分局、交警大队等执法部门一起，对辖区车流量密集、周围工地多的重要路段进行为期1个月的渣土集中整治。在港湾广场、胜利桥南端路边、老虎滩桥头附近设立3个固定“运输车辆检查站”，对散流体物料运输车逐一进行检查，共检查车辆1800余台次，查获违反渣土管理规定的运输车辆125台次，处理45台次，罚款16.84万元。

【加强站南地区环境整治】2010年，中山区加大站南环境改造和治理。投入80万元，对火车站东西引桥进行改造，当年完成东引桥的改造，大大改善引桥上“脏、乱、差”状况；投入500万元，对火车站附近的五金城内的地下管线、地面设施进行全面更新换代，解决了因设备设施老化而造成的路面破损、污水横流等问题。

（于富刚　王守山）

背景资料

站南地区管理处

站南地区管理处是根据大连市人民政府〔2002〕39号文件《关于调整城市管理部分执法权的通知》精神，于2002年5月成立的。正处级建制，编制41人。下设六个科：火车站广场管理一科、火车站广场管理二科、商业城管理科、市容管理科、执法监督科和综合科。

管辖范围由火车站站南广场起（含广场，以火车站二楼车道南沿垂直投影为界），向东经昆明街（含人行道和临街建筑），中山路、友好街沿长江路至火车站广场所辖区域。

工作职责：受中山区人民政府委托，负责管理站南地区综合管理工作，主要是市容管理、环境卫生管理、道路和广场管理。

（王守山）

【“7.16”火灾事故油污清理】2010年7月16日，位于开发区的大连新港油品码头一条输油管线发生爆炸，并引发海域污染。中山辖区内的东港区、棒棰岛、石槽、姚沟、北大桥、渔人码头、老虎滩、三山岛8处、共计8.2公里的海岸线和近6平方公里的海域受到不同程度污染。事故发生后，按照市里统一部署，中山区成立由区长任组长的清理工作领导小组。出动2艘执法船、4艘摩托艇，全程组织300多条次渔船，采取人工清除、草帘子阻挡、吸油毡吸附、渔网打捞、用勺舀、用桶装等方式，全面开展清理作　业。经过两个月的奋战，出色完成海上油污清理任务，其中完成复杂岸壁清污面积1000平方米，岸线清污面积2.2万平方米。

大连市环境保护局中山分局累计出动环保监测人员1000余人次，车辆760台次，组织开展海域、海岸线巡查和含油废物的漕运工作，漕运各类含油废物共计3794.55吨，完成114艘打捞船油污清洗的认定验收工作。在全市的表彰中，区城市管理行政执法局王光强荣记三等功，李茂全、刘培德被评为先进个人。

（于富刚　魏显明）

城区规划

【概况】2010年，大连市规划局中山分局注重强化城市规划管理职能，把好非经营性规划建设审批关。全年共审批项目用地约52400平方米，规划建设面积约159300平方米；立案查处违法建设案件9件，查处擅自改建外立面20余起；受理群众来信180余件，群众来访80余批（次）、900多人次。

【非经营性规划审批】2010年，大

连市规划局中山分局按照“合理、规范、满意”的要求，严格审批非经营性规划项目。全年受理非经营性规划审批收文及函件46件，向有关部门、建设单位回函50件；审批项目用地约52.4万平方米，规划建设面积约15.9万平方米。

其中：办理大连市二中旧楼改造、大连市友谊医院住院部5号楼裙楼改扩建、沈阳军区政治部大连综合楼等项目选址7件；办理大连市安全局培训中心改扩建、大连边防检查站指挥中心综合楼及监护大队所属中队营房等项目建设用地规划许可证8件；办理大连市破产及产权变动企业档案专用库房、辽宁省军区大连第六干休所离退休干部住房、大连市友谊医院住院部5号楼裙楼改扩建等项目详规审查8件；办理解放军210医院403临床部军官住宅、沈阳铁路局大连铁路办事处老干部活动中心等项目单体方案审查2件；办理中山区美术馆、大连铁路办事处老干部活动中心、大连市科技局陶艺馆等项目建设工程规划许可证5件；受理审核建筑物外立面、门头牌匾改造51项，办理16项。

【在建工程监察管理】2010年，中山区内共有在建项目31个，总建筑面积达376.2万平方米。为维护城市规划建设整体形象，树立城市规划法规的权威性，本着“预防为主，查处为辅”的原则，大连市规划局中山分局先后3次对在建工程项目进行认真检查，对辖区30多个在建工地的建筑档案进行整理，对查出的问题要求责任单位进行认真整改。

【信访稳定】随着城市建设的快速发展，居民围绕城市规划管理写信投诉、登门上访的逐渐增多。2010年，大连市规划局中山分局高度重视信访稳定工作，专门研究制定预防、化解矛盾的措施。

制定《中山分局群体性突发事件应急预案》《中山分局重大节日信访稳定工作方案》；与各街道建立联动平台，及时准确掌握重点信访上访人员的信息和动态；搞好教育引导、搞好政策宣传，热心解答城市规划管理方面的政策法规；认真查处违反规划要求的建筑。全年共受理群众来信180多封，接待群众来访80多批（次）900多人次；受理上级批转信访、上访案件20件，办结率达99%；依照规划管理程序，共立案查处违法建设案件9件，查处擅自改建外立面20余起，制止违法改建建筑外立面现象的发生。

（曲尚操）

环境保护

【环境质量】2010年，中山区环境质量持续保持良好水平，生态环境质量总体保持为良。

环境空气质量 市区（包括中山区）空气质量优为135天，占全年37%；良为226天，占61.9%；轻微和轻度污染天数为4天，占1.1%，其中3天是受沙尘等外来因素影响，1天是受春节期间燃放烟花爆竹的影响。与上年相比，优的天数多20天，污染天数少2天。空气中可吸入颗粒物是首要污染物的天数为267天，占全年73.2%，二氧化硫是首要污染物的天数为98天，占全年26.8%。

酸雨 2010年，大连市降水pH均值5.13，酸雨频率为27.3%，比上年下降13个百分点，市区（包括中山区）降水pH均值为4.90，酸雨频率为45.9%，比上年下降18个百分点。

声环境质量 2010年，大连市功能区环境噪声总达标率为93.9%，比上年下降1.2个百分点。中心城区（包括中山区）达标率在80%-87.5%之间；全市（包括中山区）道路交通噪声平均等效声级为67.9分贝，低于国家交通干线两侧区域噪声标准2.1分贝；全市区域环境噪声平均等效声级为53.0分贝，其中市区（包括中山区）区域环境噪声等效声级为54.4分贝。

电磁辐射环境质量 2010年，大连市中心城区（包括中山区）电磁辐射环境质量保持良好状态，环境电磁辐射电场强度监测值低于国家标准限值。

【环境管理】2010年，大连市环境保护局中山分局努力探索环境保护、环境管理新途径，在大气环境综合整治、环境监察、环境信访调处、建设项目审验、垃圾分类试点、排污口管理等方面开展工作。全年审批建设项目216项，验收185项，审批按时办结率100%；受理查处环境信访案件385件，查处率100%，信访回访率为100%，群众满意率95%；拆除锅炉18台、烟囱5根；查处扬尘污染行为14起，为中山区环境与经济的和谐发展作出了贡献。

【环境监察】2010年，中山区从维护辖区群众合法环境权益入手，围绕8个方面开展环保专项行动和环保督察(重点风险源污染隐患排查、建筑施工工地扬尘和噪声污染专项整治、沿海超标排污口整治、实验室污染专项调查、汽修行业专项监察、娱乐场所专项检查、建设项目环境监管、辐射安全许可证发放)，共出动环保监察人员2376人次，检查企业1188家次，立案查处环境违法案件82件。

【环境信访】2010年，大连市环境

市环保局领导调研指导区环保工作

保护局中山分局针对居民围绕环境保护写信投诉情况大量增多的实际，采取一系列措施解决环境信访问题。(1)建立限时办结、跟踪回访、重大信访挂牌督办制度，打造贴近百姓、贴近企业、贴近政府“三贴近”信访服务品牌。(2)积极协调区信访局，建立环境信访通报机制，化解矛盾，维护稳定。(3)深入企业进行环境保护法律法规宣传，引导企业把产品生产与治理污染结合起来。2010年，共收到围绕环境保护、环境管理方面的信件388件；信访查处率100%，信访回访率100%，群众满意率达95%

【锅炉拆除并网】为解决锅炉给城市和居民带来的污染，2010年，大连市环境保护局中山分局积极争取市环保局资金支持，协调相关部门，对锅炉集中的景山、虎滩、新兴巷等重点区域实施锅炉并网改造。共拆除锅炉18台、烟囱5根，新增集中供热面积44.3万平方米。完成景山区域综合物业和高原供暖站2处分散锅炉房并网工作，使景山小区的环境质量得到改善。

【扬尘环境监管】2010年，针对大项目建设多、城区改造多、建筑施工单位多，带来建筑施工扬尘污染环境问题日益突出的实际，大连市环保局中山分局着力加强建筑施工单位的扬尘环境监管工作。(1)制定《建筑施工环境保护管理指南》，提出了“六必须、六不准”（必须围挡封闭作业、必须硬化现场道路、必须设置冲洗设施、必须实行湿法作业、必须配备保洁人员、必须定时清扫施工现场；不准车辆带泥上路、不准高空抛洒渣土、不准现场搅拌混凝土、不准场地存有积水、不准现场焚烧废弃物、不准现场堆放未苫盖沙土），并以此为依据严厉惩处野蛮施工导致扬尘污染环境的违法行为，全年共查处扬尘污染行为14起。(2)在全市率先启动开征扬尘排污费工作。对填拆挖工地和粉煤灰堆放场，加大扬尘排污费征收力度，督促这些单位在施工过程中采取措施，减少对环境的污染。(3)对建设项目多的区域进行重点监管。针对东港区域建设项目多、施工单位多的实际，专门成立环境监察小组，对东港区域施工单位扬尘情况进行监管，大连电视台对东港区域2家施工单位治理扬尘的做法进行专题报道。

【排污口治理】2010年，大连市环保局中山分局把沿海超标排污口整治作为中山区环境保护年度的重点工作，对全区沿海现有的11个排污口建立电子档案，档案包括辖区沿海排污口数量、位置、排水类型、汇水区域等基本状况。查清8个超标排污口的超标原因，并着手进行整治。对东港区已经没有排污功能的2个超标排污口进行填埋，完成超标排污口整治达标任务。排污口的有效治理，对防止污水、垃圾和其他污染物破坏、污染海域环境起到至关重要的作用。

【建设项目环保审批】2010年，大连市环保局中山分局严把建设项目环境保护的审批关，在严格审批中强化企业既要重视项目的施工建设，也要关注环境的有效保护。一是按照把关与服务并重、审批与验收并重、质量与效率并重、惩罚与教育并重的思路，对每一个开工建设项目的环境保护逐一审验。二是为防范假冒、伪造环保行政许可文书现象的发生，对建设项目审批意见使用专用防伪纸。三是严厉打击违反环评制度，特别是建设项目环境保护工程的“三同时制度”（同时设计、同时施工、同时投产）的违法行为。全年受理审批建设项目216项，验收185项，环境影响评价率100%，审批按时办结率100%。

【垃圾分类试点】2010年，中山区城建局与中山环保分局一起深入到各个街道，组织开展垃圾分类试点工作，撰写出《中山区居民生活垃圾分类调研报告》，明确垃圾如何分类、如何管理的措施办法，并编写发放垃圾分类指导手册和倡议书15000份。确定试点小区2个，建成青云林海小区2次分拣点1处并投入使用。

（魏显明）

国土资源和房屋管理

【概况】2010年，大连市国土资源和房屋局中山分局注重规范业务程序，狠抓服务质量，强化土地资源的精细化管理，圆满完成以土地管理、住房保障、环境整治、地质灾害预防、弃管房和险房维修管理等为重点的工作任务。全年完成土地登记办证初审62宗，登记面积77万平方米；确权完成地块158个，面积895万平方米；收缴临时占地费57万元，审批划拨维修基金588万元；为8个单位办理停车场收费许可；完成房地产中介备案51家；受理审核经济适用住房货币补贴492件，发放补贴凭证487份，受理审核经济适用住房申请1166件，受理审核廉租补贴129件。被评为大连市地质灾害防治先进单位。

【地籍管理】2010年，大连市国土资源和房屋局中山分局在土地登记确权中严格按照业务程序办事，积极支持重点项目建设，主动为用地单位服务，为中山区经济发展提供用地保障。全年完成土地登记办证初审62宗地，登记面积为77万平方米，注销原土地登记证120本；确权完成158个地块，面积为895万平方米；完成抵押贷款分摊土地面积说明19份，完成地籍信息录入201条，档案扫描170份。

【地政管理】2010年，大连市国土资源和房屋局中山分局强化地政管理，确保在临时占地管理、地质灾害预防监测中不出现任何问题。

临时占地管理。针对个别单位和个人不交、少交、拖欠临时占地费的问题，大连市国土资源和房屋局中山分局，通过政策宣传、教育引导、耐心说服、依法追缴、限期补交等途径，有效地解决了临时占地费的收缴问题，全年共收缴临时占地费57万元。

地质灾害预防监测。按照国家、辽宁省、大连市的要求，制定地质灾害防治方案，建立地质灾害备案和巡查制度，联系有关专家与街道一起，对中山区11个地质灾害隐患点进行巡查，向隐患点附近的居民发放预防地质灾害的“明白卡”，对避险措施进行现场讲解。对岭前街16号后坡和虎山路瑞格中学斜坡2处市级地质灾害隐患点进行巡查。8月份，与区城建局、桃源、老虎滩街道办事处共同对这2处隐患点进行排险加固，避免因地质灾害引发险情的发生，被大连市国土资源和房屋局评为2010年大连市地质灾害预防先进单位。

【物业和房屋安全管理】2010年，大连市国土资源和房屋局中山分局依据国务院《物业管理条例》《大连市实施〈物业管理条例〉办法》的规定，强化物业公司为业主服务的意识和质量。全年换届改选24家业主委员会；对紫竹轩、金生佳苑、阳光住宅小区的物业公司进行重新选聘。

年内，审批划拨维修基金588万元，为8家单位办理停车场收费许可；办理在物业和房屋安全管理上的信访投诉、建议提案共计36件，其中市长督办的1件、区人大代表建议1件、区政协委员提案2件，省民心网6件、大连天健网26件，来人来访132人次，完成率、办结率都达到100%，群众满意率在98%以上。

【房地产市场管理】2010年，大连市国土资源和房屋局中山分局加强对房地产市场的管理。（1）加大预售商品房项目监管力度。对辖区7家预售商品房楼盘的施工现场进行实地检查，检查合格率达100%；搞好房地产经纪机构检查备案，全年完成中介机构备案51家，中介机构经纪人变更29人次。（2）做好经济适用房和廉租房审核。全年共受理审核经济适用住房申请1166件，受理审核经济适用住房货币补贴492件、发放补贴凭证487份；受理审核廉租房补贴129件，受理审核实物配租158件。（3）加强对国有拨用房和弃管房的调查核实。完成国有拨用产房屋预拆迁调查11件；对19栋无主弃管房产产权进行调查核实，对349栋有主弃管房产产权进行调查核实。

（李建钟）

公共交通管理

·公交客运·

【概况】2010年，大连市有普通公交、小公汽、有轨电车、无轨电车、快轨和快速公交等6种城市公共交通方式，共有公交线路105条，其中大公交线路73条（含1条环城旅游线路），有轨电车线路2条，无轨电车线路1条，小公汽线路27条，快轨线路2条。各类公交车辆3501台。

2010年，中山区内有公交线路57条（含1条环城旅游线路），其中大公交线路41条（1731台），有轨电车线路1条（21台），无轨电车线路1条（61台），小公汽线路14条（300台）。有各类公交车辆2113台。

（曲范宁）

·出租汽车·

【概况】2010年，大连市出租汽车

公司中山管理科共管理50家出租车公司，现有出租车 1777台，从业人数3554人，全年无重大交通事故发生。

2010年2月24至3月15日，市出租汽车公司中山管理科先后对50个单位进行考核。按照考核内容和合格标准，搞好对照检查，组织自查自纠，认真进行整改。通过考核,使出租车企业在强化管理、优质服务、提高素质、树立形象等方面得到提高。

2010年，市出租汽车公司中山管理科结合辖区车辆分布实际，开展出租车审验工作。3月11与17日分别召开个体业户和经营单位负责人会议，对审验工作进行部署，把审验的重点放在严格落实营运号牌使用管理规定上，完成辖区内1777台（单位：1299台、个体：478台）出租汽车的审验工作。

2010年，国家启动出租汽车2009年上半年的差额补款和下半年燃油补贴发放工作。为了把燃油补贴发放到每位驾驶员手中，大连出租汽车公司中山管理科对出租汽车驾驶员进行认真审核，逐一核对，建立发放登记台账、领取人身份证明和签字档案，对经营单位“油补”发放情况进行有效监督，圆满完成中山管区内出租汽车燃油补贴工作。

为树立行业文明形象，中山管理科组织各出租汽车经营单位以迎接全国“文明城市”测评检查为契机进行整改，把整改的重点放在强化服务规范、提升服务质量上。在个体业户管理中，充分发挥个体党支部、八个小队队长的作用，注重帮助经营者解决实际困难。个体业户通过优质服务自觉树立出租车行业的良好形象，呈现出“三多三少”的景象，即文明礼貌的多了、助人为乐的多了、热情服务的多了；违章驾驶的少了、发生纠纷的少了、乘客投诉的少了。

（李逸文）

公用事业

·供　电·

【概况】2010年，大连供电公司中山供电分公司全年实现安全生产365天，实现连续安全生产2557天，没有发生人身轻伤及以上事故、操作事故和设备责任事故，杜绝了负同等责任及以上交通事故和火灾事故。安全措施完成率100%，设备完好率100%，操作票、工作票合格率100%。配电一次障碍12次；配电二次障碍32次；配电设备渗漏率1.58%；供电可靠率、综合电压合格率均圆满完成相应指标。

全年供电量累计完成178700万千瓦时，比上年同期增长5.34%；售电量累计完成158374万千瓦时，比上年同期增长5.34%；线损率累计完成11.37%，比上年同期下降2.29%，少损电量4084万千瓦时（其中低压线损率累计完成14.53%）；全年压降15%以上高压台区338个，消灭负值台区84个；售电平均电价：748.54元/千.千瓦时。全年未发生集体上访和一、二类投诉事件。

【供电设施检查维修】2010年，大连供电公司中山供电分公司按照“全面、精细、及时”的要求，对供电设施进行检查维修。全年共巡视电缆7735公里，高压架空线巡视1425公里，沿线宣传246次，开关站巡视709座/次，配电站巡视11159座/次，柱上SF6开关压力检查898台，订正杆牌号31处，发现鸟巢30处，并及时进行清除。开关站清扫1座/次，低压线路巡视3.166公里，健全低压分支箱内回路标志50座，健全配电站回路标志和系统图96座，执行高低压订正图257份，签订防护通知书16份，确保设备的安全运行。

在“元旦”、“春节”、“烟花爆竹节”、“国际服装节”等重大节日和“全国政协棒棰岛会议”、“朝鲜、俄罗斯等国家元首访问”等重要活动中，实施保电特巡21次。

【配电设备改造及电网建设】2010

中山供电分公司开展供电政务公开日活动

中山供电分公司推进班组建设研讨会

年，大连供电公司中山供电分公司加大对配电设备改造和电网建设的投入。全年工程立项20项，占投资的49.1%。其中大修3项，技术改造3项，配套费14项。已报竣工8项，12项在建。对卡纳意乡、悦泰街里住宅小区等周边的配电网进行优化和改造。配合营业部门核台区9区，停运季节性变压器21台，更换满负荷变压器10台，更换高损耗变压器5台，处理渗漏配电站14处，架空线下地3150米，更换避雷器18组。

【专项检查】2010年，大连供电公司中山分公司开展各种专项检查活动，严厉打击各类窃电行为。

开展用电大普查活动。每月组织4次全局性的用电大普查活动，每次活动中山公安分局都派出警力予以配合。对各供电所提出的电量异常户，组织稽查人员进行检查，共查处窃电户和承包人上报的窃电嫌疑户共计185户。

开展重点区域专项检查。结合“大连市打击窃电专项治理活动”，每周到网吧、洗浴中心等场所进行一至两次夜间检查。对于难以查处的窃电钉子户，及时上报公安、保卫部门协助处理。全年共普查用电户20096户，查处有窃电行为的537户，两费（追补电费、违约使用费）收入743万元。

【供电营销管理】2010年，大连供电公司中山分公司通过严把改造质量关、实施精细化管理、细化考核、落实责任等途径，不断提升供电营销水平。

严把改造质量关。对实施改造的项目，按照“为降损、降耗提供技术保证”的要求，进行认真把关。全年完成计量装置改造11个台区、6201户，全部落实降损降耗的要求。

实施精细化管理。定期召开台区承包、同业对标分析例会，每周围绕电费完成情况、高损台区清理情况、两费及追补电量完成情况进行周例会；每月定期开展电表实抄率大检查，检查内容包括：实抄率检查、封印情况、电价执行情况、窃电情况。全年共检查36个高损台区，检查居民户3372户，商业户128户；加强基础管理，降低欠费风险。对高压用户逐年提高预收比例、加强负控装置安装及日常监控，对欠费风险大的用户，进行提前预警和电费跟踪，对居民户、非居民小户提早催费，对于不符合供电要求的用户按规定取消供电。

细化考核。修订电费承包责任状，制定电费收缴考核标准，将考核标准、责任目标逐级逐项进行分解，从分公司领导到抄表员，每一个层次、每一名工作人员都有具体的量化考核标准和担负的责任。

【做强服务品牌】2010年，大连供电公司中山供电分公司继续做实做细“明珠彩虹”服务品牌，营业大厅建立“明珠彩虹之家”服务区，增加排号机、系统查询机、自动缴费机等硬件设施，提高窗口软硬件的优化度和舒适度。通过多种途径了解客户需求，提升服务质量。一方面，借助“95598”等服务平台及定期召开监督员座谈会的形式搞好服务。另一方面，强化个性化优质服务，与桃源、震海等社区，联手举办“办事公开走进社区”为主 题的宣传活动，了解用户需求，为社区百姓提供“零距离”的优质 服务。

（王丽红）

·供 水·

【概况】2010年，大连市自来水集团有限公司中山供水营业分公司坚持优质服务、安全供水，确保全区用户用水安全。全年，销售水量2667万吨，销售收入7742万元，产销差率43.62%,每立方米平均单价2.9元，修漏及时率99.05%,维修及时率99.81%,抄表正日率99.69%,抄表准确率100%,水费回收率95.22%,换表及时率99.42%,用户满意率100%。

【供水服务】2010年，大连自来水集团有限公司中山供水营业分公司努力为用户提供优质服务。对企业和居民反映的供水难题，做到第一时间赶赴现场进行查漏、挖掘、铺管、改线；组织全体员工开展创建

“文明单位、文明班组和文明员工”活动，30多名干部职工在活动中受到表彰；围绕如何搞好优质服务，在居民中开展问卷调查，进行现场办公，努力为百姓排忧解难；设立公开栏，及时公布生产计划及完成情况，工资、奖金分配情况等，在透明、公开、公正中增强职工主人翁意识，提高企业经营收入和服务质量。

【供水管理】2010年，大连自来水集团有限公司中山供水营业分公司，严格落实维修、抄表责任，健全供水制度，提高供水管理水平。

强化制度。研究制定《2010年风险经营合同》《2010年风险经营合同考核办法及细则》。对于科长、室长、站所长和企业抄表员等重要岗位实行公开竞聘，对全年经营指标进行量化考核、指标到人。对通过考核不胜任、不作为的予以调整撤换。

强化收缴。成立清欠检查、管理抄表收费和水费核算办公室，加大清欠和对水费的收缴力度。将住户抄表所的所有非居民用水卡片全部清理到企业抄表（高层公寓除外），并逐步过渡到日抄表、集中收费的项目当中；企业抄表实行在抄表日内当日分、当日收、当日核算，住户抄表实行当日分取，隔日收回，遗漏卡片不许超过3天，并要求对卡片内容认真核定，维修人员必须及时到位。

（句润竹）

·供 热·

【概况】2010年，中山区围绕保证供热时间、畅通信访渠道、明确落实责任、加强安全教育、提高服务意识等方面，全面加强供热管理。全年共检查换热站40个，抽查供热单位20个，对部分供热质量差、服务态度差的企业进行通报批评。结合供热期发现的情况和信访投诉反映的问题，向供热企业下发《中山区关于加强节后供热管理的要求》。

全年大连热电股份有限公司东海热电厂完成供电量2.47亿千瓦时，同比增长741万千瓦时，增幅达3.1%；完成供热量327.4万吉焦，同比增长42万吉焦，增幅达14.7%；发电标准煤耗率完成337克/千瓦时，同比降低13克/千瓦时，降幅达3.7%；供热标准煤耗率完成38.9千克/吉焦，同比降低0.9千克/吉焦，降幅达2.2%。全年耗点炉柴油量38吨，同比少耗9吨，降幅达38%；全年耗水量194.8万吨。当年东海热电厂向中山区新增供热面积49.5万平方米，全年累计向中山区保障的供热面积达698.7万平方米。

（姜 勇 高树兵）

·供 气·

【概况】2010年，大连燃气集团有限公司中山营业分公司认真落实“保障正常供气、保障安全用气”要求。全年煤气销售量4774万立方米，比上年减少323万立方米；煤气用户总数23万户（当年新增6284户）；进行设备设施维修14632件、换表3882块、室内煤气设施改装2163户；改造进户线1394处、支线430处、更新户内老化煤气设施86户，完成改造项目涉及的37491户停气和恢复供气任务；入户安检到户110206户，实际入户88196户，入户率80.03%；煤气四项杂质含量合格率99.8%，灶前压力合格率100%、维修及时率100%、抄表准确率99.50%、用户投诉办结率100%；着力解决煤气配套历史遗留问题，为1340户居民挂表供气，公司被中山区授予年度“学雷锋企业”称号。

【安全用气管理】2010年1—3月，大连燃气集团有限公司中山营业分公司深入街道、社区，开展为期3个月的“关爱生命，共建和谐”安全用气宣传主题活动。活动期间，与86名社区书记、社区安全员建立联系，畅通安全用气宣传渠道，完善社区处理煤气突发事故快速反应机制。巩固“三位一体”（燃气公司、社区、居民融为一体）的安全用气管理模式，深入社区和居民家中进行安全用气宣传64次，举办讲座、座谈会35次，累计向用户发放宣传册3万册、发放煤气管卡子1万个。

7月，在创建中山区国际安全社区活动中，大连燃气集团有限公司中山营业分公司作为迎检单位，接受大连市安监局和专家组的检验，该公司组织辖区居民演示使用煤气的做法，受到市安监局、专家组的充分肯定，国际安全社区认证中心主席澳大利亚专家哈·汉克先生对中山区安全用气工作给出“是我所听过的最全面、最系统的燃气安全项目介绍”的评价。

（王晓光）

责任编辑 周建平

教育 JIAO YU

教育管理

【概况】2010年，中山区教育工作以教育改革与创新为动力，加强学校建设，合理配置教育资源，规范学校管理，深化课程改革，高标准、高质量、高水平推进素质教育深入发展，全力争创辽宁省教育强区。当年，全区有中小学校38所，其中公办小学22所、中学11所，特殊学校1所，民办学校4所。另有教师进修学校1所、幼儿园50所、民办非学历教育机构78个。全区在职教师2590人，中小学学生28352人。全区3-5周岁幼儿入园率为100%，6-12周岁儿童入学率100%，小学在校生年巩固率100%，13-15周岁人口入学率100%，初中在校生年巩固率100%，残疾儿童入学率100%，15周岁人口中小学教育完成率100%，17周岁人口初中教育完成率100%。

【优化名师培养机制】2010年，中山区从制度、办法和管理等方面全面优化名师培养机制。

完善制度。修改完善《中山区名师认定条件》《中山区名师培养工作室管理办法》等规章制度，改进名师培养工作思路，实现“两个适度”和“ 两项拓展”：适度扩大培养规模、适度加快培养步伐。进一步拓展名师培养过程的开放面，发挥辐射带动作用；进一步拓展导师的专业指导领域，让区域学校共享专家团队的优质资源。

强化培养考核。区政府通过政策、经费和评估三大手段加强名师选拔。通过推荐选拔解决入口问题，通过导师引领解决培养问题，通过考核认定解决出口问题，通过政策激励解决作用发挥问题，通过任期资格复评解决可持续发展问题。8月，名师考核与认定领导小组根据名师培养对象在考核、答辩、综合评定等环节表现，确定13名教师为中山区首批名师。11月，审核第5批名师培养对象确定33人。12月，完成新一轮导师聘任工作，组建名师培养工作室20个，培养对象扩大到130人。

实施动态管理。区级名师培养工作室导师跟踪名师培养对象，走进学校，坐诊课堂，指导校级名师培养工作室建设。被认定名师实行动态管理，任期5年，每两年进行一次复评。

【提升教师队伍素质】2010年，中山区坚持“以干部、教师专业化推动区域教育现代化”的发展思路，加强教师高端培训，注重教师选拔，强化师德教育。2009-2010年，依托华东师范大学、清华大学美术学院、中央音乐学院以及英国北林肯郡等5个高端培训基地，组织国内外培训14个班次，完成从校长到专任教师9个层面、640人次培训。全

区委书记李向东慰问实验学校教师

中山区首批名师命名大会

区中小学校级干部、教导主任基本实现全员培训，教师培训比率达25%。组成教师招聘领导小组，到北京师范大学等院校公开招聘和直接考核，招聘教师90名，全区交流优秀教师和干部93人。

【拓宽校级干部培训渠道】2010年，中山区在教育实践中强化校级干部培训，努力提高干部队伍素质。依托华东师大、英国北林肯郡等国内国际高端培训基地实施校级干部全员培训，并召开出国校长培训班总结汇报会。聘请国内著名教育专家山西大学继续教育学院教授南海、苏州市第十中学校长柳袁照、武汉市教育科学研究院教育科学研究所所长湛卫清分别作“教师专业发展的校本管理问题的系统分析与决策”、“学校文化精神”、“学校文化建设的灵魂——学校核心价值观的形成”等主题课程讲座，全区150余名副校级以上干部接受培训。

【开展大型开放式研讨活动】2010年1月11日，中山区在实验学校开展“培养教师的研究意识”大型开放式专题研讨活动。区进修学校教育发展研究中心主任谢莉苇主持，区教育局督学室主任宋学红、进修学校副校长李军、有关部门主任与教育发展研究中心全体成员、研究点校的部分校长和课题组成员参加。实验学校科研主任王玫玫从问题意识、反思能力、解决问题能力、创新能力等方面简述学校对研究型教师的理解，分析学校研究的子课题《培养教师的问题研究意识》前期调查问卷的统计结果，介绍根据问卷调查结果确定的子课题研究方向。物理组组长尹成炜组织物理组教师以《浮力》一课为例，以《提高学生物理学习兴趣》为专题，组织集体备课，围绕物理教学内容，研究、探索提高学生物理学习兴趣的8种策略。

【召开首届教师课题研究成果展示会】2010年6月29日，中山区教师进修学校教育发展研究中心在青泥洼

区长江亲瑜调研大连第十五中学

区委副书记付宁听取教育局安全工作汇报

桥小学召开“我爱我家”系列活动之三——首届教师课题研究成果展示会。4位教师展示了课题研究成果，分别是：大连市第四十中学教师王萍的《初中历史课培养学生自主质疑能力研究》课题成果展示；桃源小学教师冯莉的“学生个案研究方法”运用课题展示；青泥洼桥小学教师王萍的“分层教学在小学低年级数学课堂教学的探索和实践”；大连市第四十中学教师元延花的课题总结“如何做好结题的准备工作”。

【举办新教师岗前培训】2010年8月16－19日，中山区教育局聘请区内知名校长、优秀班主任和区内名师在实验中学对新教师进行为期4天的岗前培训。通过课程改革的基本理念与本地教育改革和发展、教育政策法规、班主任工作的理论与实践、教师职业道德、教师心理健康、课堂管理、学科课程标准和教材分析、教师备课与说课、教师专业发展——研究型教师的成长等10门教学课程，帮助新教师了解教育教学的基本技能，增强对教育教学工作的新认识和新思考。

【新师德建设工程】2010年，中山区实施以“学”养师德，以“规”约师德，以“标”导师德，以“情”化师德，以“案”警师德等新师德建设工程。“新师德建设工程”以《中小学教师职业道德规范》为行动准则，以“爱与责任”为核心主题，以“培训、教育、宣传、考核”为基本途径，以制度机制为重要保障，以“讲身边事，学身边人”活动为常规载体，目的在

副区长王世海听取教育局重点工作汇报

于建设一支与大连科学发展首善区相匹配的高素质教师队伍。为此，制定了《中山区中小学师德建设工作评估方案》《中山区中小学师德建设工作评估指标体系》。

当年10月13日，中山区“修敬业师德，谱大爱新曲”师德典型巡讲活动启动仪式在解放小学举行，标志着全区新师德建设工程正式启动。巡讲活动旨在充分发挥身边师德典型的引领、示范、带动作用，在全区中小学教师中形成“爱国守法、敬业爱岗、关爱学生、教书育人、廉洁从教、为人师表”的崇高师德风尚，以优良的师风带动教风，促进学风，优化行风。各学校在广泛开展“讲身边事，学身边人”师德主题教育活动的基础上，区教育局党委组织专家评审择优设立典型库，最终确定14名成员组成巡讲团。巡讲团在区内各校进行为期两个月的巡讲活动。

【校园安全管理】2010年，中山区落实区政府关于《中山区加强中小学和幼儿园安全管理工作的实施意见》，召开学校安全会议，检查学校安全工作，排解校园矛盾纠纷，完善学校安全规章制度，严格落实学校安全责任制。年内，为公办中小学新增保安人员36名，并配备防刺手套等技防设施，安装监控设备。印发《校园安全十大隐患》《校外安全十大隐患》《住宿制校园六大安全隐患》《家庭假期十大安全隐患》《教育不当产生的十大安全隐患》等宣传材料。实施“八查八看”安全督导：一查幼儿园安全工作的组织领导机构，看目标责任制的分解是否到位；二查幼儿园的封闭管理情况，看入园登记簿、交接制度的原始簿册；三查幼儿园安全教育工作，看活动开展的图片资料；四查幼儿园安全隐患排查情况，看重点部位的确定、自查、教师与家长的联合排查的记录；五查幼儿园的安全预警预案，看应急演练方式方法、紧急避险与逃生通道与各职能部门的协作情况；六查突发事件的值班制度，看自然灾害和重大传染病的避险措施、应急物品等；七查幼儿园安全相关制度，看安全工作档案是否建立健全；八查事故报告制度是否落实，看幼儿园教职员工、家长联络网的建立及使用情况。

【学校建设】2010年，中山区加快全区中小学建设步伐。年内，建成大连第三十五中学和风景小学新校舍并投入使用；完成大连第三十三中学等10所校舍的抗震加固、解放小学等18所校舍的维修改造；完成新建大连第三十五中学、风景小学

区教育局寒假干部会议

配套设施和中小学校教学设施的配备工作。

【落实教育惠民政策】2010年，中山区落实各项教育惠民政策，保障流动人口子女享受当地学生同等待遇。设立救贫助学专项资金55万元，为1454名贫困学生免除书本费13．8万元，提供午餐补助22.8万元。设立高考寒窗基金6.4万元，资助学生32人。投入高中助学基金8.8万元，资助高中贫困学生59人。

【对口帮扶】2010年，中山区落实市教育局关于《大连市推进区域间教育发展对口帮扶工作意见》，区教育局成立对口帮扶活动领导小组，制定中山区对口帮扶活动实施方案，明确各成员科室对口帮扶的具体任务与职责。4月23日，教育局局长尹兴宇带领对口帮扶工作小组及点校校长到普兰店考察交流，与普兰店帮扶工作领导小组商定具体帮扶内容和计划。帮扶点校达10所。

中小学教育

【概况】2010年，中山区贯彻落实国家教育方针，加强中小学教学管理，深化课程改革，规范办学行为，教育教学质量得到提高，学校管理、教育教学、文化体育、卫生等各项工作取得新成绩。

坚持“减量增质、减负增效”改革思路。通过提高课堂教学效率，激发学生学习兴趣，科学合理布置作业，学生课业负担过重问题得到缓解。

探索素质教育理论和实践。建立中小学质量监测体系，完善中小学质量评价方式、素质教育目标导向机制和监控机制，素质教育理念在教育教学中得到落实。

附：

2010年中山区中小学情况

序号	名称	地 址	性质
1	九中	昆明街199号	公办
2	十五中	秀月街连捷巷2-404-1	公办
3	十六中	鲁迅路7号	公办
4	三十三中	民意街1号	公办
5	三十五中	鲁迅路117号	公办
6	三十八中	景山小区	公办
7	三十九中	望海街39号	公办
8	四十中	中南路225号	公办
9	四十二中	拥军巷35号	公办
10	四十四中	秀月街97号	公办
11	瑞格中学	虎滩路398号	民办
12	嘉汇中学	北斗街75号	民办
13	中山高中	鲁迅路138号	民办
14	实验学校	自卫街4号	公办
15	春海小学	鲁迅路285号	公办
16	春德小学	春德街98号	公办
17	三八小学	鲁迅路137号	公办
18	风景小学	港湾街13号	公办
19	望海小学	风景街44号	公办
20	解放小学	望海街共建巷32号	公办
21	人民路小学	益民街5号	公办
22	民生小学	麒麟巷14号	公办
23	永和小学	繁华街14号	公办
24	青泥小学	武汉街43号	公办
25	中心小学	独立街6号	公办
26	[illegible]小学	[illegible]立巷60号	公办
27	[illegible]小学	[illegible]18号	公办
28	[illegible]山小学	[illegible]明街[illegible]号	公办
29	青云小学	连帆巷30号	公办
30	桃源小学	鹤街1号	公办
31	泰山小学	泰山巷9号	公办
32	白云小学	景山小区	公办
33	中南路小学	中南路38号	公办
34	山屏小学	山屏街47号	公办
35	秀月小学	秀月街16号	公办
36	虎滩小学	虎滩小区	公办
37	明星小学	青云林海小区	民办
38	培根小学	虎滩小区	民办
39	培智学校	永青街23号	民办

新建成的大连市第三十五中学校舍

强化特色教育。制定《中山区中小学校园文化建设指导意见》《学校特色建设工作方案》等文件，推进全区中小学一馆两室（校史馆、名师工作室、心理健康教育室）建设。区教育局组织各学校校长开展校园文化建设拉练活动，举办校园文化建设展示会。形成以大连第十五中学、大连第十六中学、大连第四十四中学3所完中“上挂高等院校、下联中山区中小学美术、国际语言、音乐教育教学中心”为龙头，区域中小学特色教育的发展态势。中山区区本课程建设经验在全市写字教学现场会上总结推广。

加强学校饮食卫生管理。联合卫生等有关部门监督检查学校饮食卫生工作，聘请专家对校医进行专题培训，多种措施确保学生身心健康发展。

【规范办学行为】2010年，中山区教育局加大中小学办学行为的监督检查，促进管理规范化。

重点检查。3-9月，全面开展全区中小学教学工作检查，重点检查课程计划落实、教学管理制度建设情况。

集中检查。落实市教育局关于“朝八晚五”、减轻学生过重课业负担等10项工作要求，严肃查处违反相关规定的学校和个人；开展中小学学区认定工作；公示初中指标生入学认定。

规范学籍管理。规范学籍管理、转学、休学等审批制度，完善学生电子学籍管理和学籍的动态跟踪管理机制，制定中山区学籍管理人员工作制度，定期组织培训。

【推进“一校一品”特色教育】2010年，中山区立足学生成长和学校特色发展需求，挖掘和利用校内外课程资源，组织开展校本课程开发培训活动，建立可供学生选择的、与学校特色建设相统一的校本课程体系，在全区推进“一校一品”特色教育发展。区教育局加大3所完中专业教师的配备和培训力度，积极推进大连市第十五中学美术校本特色课程体系建设和大连市第十六中学、大连市第四十四中学特色课程开发。10月29日，大连市第十五中学承办“大连市普通高中特色发展与课程建设现场会”，与会人员在校园解说员的引领下参观校史馆、陶艺室、画室、美术展厅，实地考察校园文化建设。11月27日，参加“辽宁省高中特色发展与创新人才培养论坛”的全省百所示范性高中校长到大连市十五中学参观调研，该校校园讲解团和专业教师为100多位校长介绍校史馆、艺术走廊、展厅等，从美术校本课程的架构、设

新建成的中山区风景小学校舍

计课程、色彩课程、动画校本课程入手，介绍和展示学校美术校本课程的实施经验。

【召开市小班化教学现场会】2010年，中山区着力抓好“小班化教育”，组建小班化研究团队，组织试点学校校长到上海等教育发达地区考察小班化专题教育，召开小班化教学研讨会，根据中小学班级和生源调研情况，规划全区小班化教育实施范围，确定区内3所中学、9所小学开展小班化教育。9月21日，大连市小班化教学研究现场会在捷山小学召开。捷山小学教师刘亚琴展示语文课《坐井观天》，该校“小班化”教学研究团队以课例《坐井观天》为研究对象，围绕小学二年级语文教学重难点，从前期课堂教学存在的“重形式、轻内容”问题入手，从“教师的教”、“学生的学”、“学习效果”三个维度观察小班化语文教学实践的改进与实效。

【体卫艺术教育】2010年，中山区认真落实音乐、美术、体育课时计划，促进学生素质全面发展。在全区开展学校阳光体育运动，加强足球、篮球、乒乓球、轮滑等体育特色项目建设。区教育局制定《中山区中小学科技创新节方案》《中山区中小学文化艺术节方案》，举办“中山区中小学第二届体育节”、“中山区科技创新节”、“中山区校园文化艺术节”，成立教师和学生艺术团，大力开展舞蹈、歌唱、诗歌等丰富多彩的艺术教育活动，为学生个性发展创设平台。

【中考工作】2010年6月26—27日，中山区初升高考试任务顺利完成。此次考试由市教育局组织，各区市县负责实施。中山区域设置标准化考点5个（三十九中学、四十中学、四十二中学、四十四中学、实验学校），标准考场102个，全区3018名考生参加考试，400名教师参与工作。期间，3至6月组织中招报名、摄像、志愿填报、培训指导等工作，组织初二地理、生物会考和初一、初二体育加试，完成初三信息技术、理化实验操作、体育、外语听力、政史等加试工作。

中山区人民路小学学生排球演练

【结对帮学】2010年11月，辽宁省骨干教师培训活动在大连市第四十四中学开展，参加培训的骨干教师参与该校的学科听、评课，走进学校课堂和学生自主学习小组亲临试教，给学生上实践课，教师与教师间形成浓厚的帮学氛围。四十四中学10名语文、数学教师与辽东、辽西的18名农村语文、数学骨干教师结成帮学对子

【获奖表彰情况】2010年，中山区中小学教师和学生在国内和省市举办的学术和艺术大赛获得多项表彰和奖励。

荣获省教育学会表彰。在2010年辽宁省教育学会举办的学术年会暨表彰大会上，中山区教育局课题“建立与实施社区、家庭和学校互动机制研究”被评为“辽宁省基础教育领域十项有影响的教育改革实验项目”，课题“提高中小学教师科研素质研究”被评为“辽宁省基础教育领域五十项优秀教育科学研究成果”，区教育学会被评为“辽宁省教育学会系统先进集体”，区进修学校教师李晓庄被评为“辽宁省教育学会先进学会工作者”，解放小学主任王慧被评为“辽宁省基础教育系统百名研究型名教师”，民生小学校长程岩被评为“辽宁省基础教育系统五十名专家型名校长”，并增补为辽宁省教育学会理事。

荣获省说课大赛奖励。2010年9月26日，中山区组织参加“辽宁省第七届中小学教师教育技术应用技能说课大赛”。桃源小学教师邓宁的参赛作品《伯牙绝弦》获小学“电子白板组”一等奖，解放小学教师周福慧的参赛作品《年、月、日》获一等奖，大连市第四十二中学教师陈红的参赛作品《探究凸透镜成像规律》获二等奖。

荣获市第二届中小学生合唱比赛冠军。2010年10月，在大连市第二届中小学生合唱比赛中，大连市第三十九中学“小百灵”合唱队默契配合，以层次分明的声部合唱和美妙歌声打动评委和全场观众，最终在激烈的角逐中脱颖而出，摘得桂冠。中山区教育局获优秀组织奖。

荣获全国艺术大赛奖励。2010年暑期，中山区少年宫体操、英语、钢琴、美术、声乐、提琴、口才等专业班96名学员分别参加在北京举办的“全国第六届艺术教育成果才艺大赛——舞蹈、英语比赛”、“中国农民艺术节——农民画精品展”、“全国大提琴比赛”，以及在云南举办的“第十九届美国音乐公开赛——全国钢琴总决赛”等，获全国金奖28人次、银奖49人次、优秀奖12人次。

荣获“中华之星”金奖。2010年8月，在大连举行的“中华之星全国总决赛”中，中山区中心小学三年级学生丁思文完美演绎查理兹名曲《夜莺在歌唱》，捧走世界华人电视交流学会、中国艺术教育学会、全国校园文艺汇演颁奖盛典节目、“中华之星”全国青少年优秀艺术人才展评组委会联合颁发的“中华之星”钢琴少儿B组（7-9岁）金奖证书和奖杯。此次比赛是经国内30多个地区层层选拔、12个省推荐，最终1000余名选手参与总决赛角逐。

学前教育

【概况】2010年，中山区全面落实《幼儿园教育指导纲要（试行）》及省、市文件精神，以“为社会提供优质学前教育服务”为核心，加强保教队伍建设，规范各级各类托幼园所管理，促进内涵发展。全区在册托幼园所57所（公办幼儿园20所）。其中，教育办园（政府财政投入）1所，事业单位办园6所，部队办园7所，区办（大集体）幼儿园3所，企业办园2所，街委办园1所，民办幼儿园37所（亲子园1所，托儿所7所）。全区保教人员999人，专任幼儿教师529人，适龄幼儿5555人，分布在8个街道，学前3年幼儿入园率100%。

中山区庆“六一”表彰大会

【学前教育管理】2010年，中山区贯彻落实《大连市防止和纠正幼儿园“小学化”倾向问题的实施意见》（以下简称《意见》），进一步规范幼儿园办园行为。

实行一票否决。区教育局与52所幼儿园签订责任状，将幼儿园是否存在“小学化”倾向问题作为幼儿园晋级、评优、评先进的重要指标，对“小学化”倾向幼儿园实行一票否决制。

加大专项检查力度。两次召开园长专题会议落实《意见》精神，印发《致家长一封信》5000余份。组织开园检查，重点检查收费、教师素质与培训、教学课程、饮食营养等，现场提出整改要求。4家幼儿园因“小学化”倾向问题受到警告处分，依法取缔山屏小学内社会力量办学前班。

认真落实新规定。规范幼儿园班级名称：托班（2-3周岁）、小班（3-4周岁）、中班（4-5周岁）、大班（5-6周岁）。不准搬用小学教材，不准教拼音、汉字书写、奥数、珠脑心算等内容，不准给幼儿布置家庭作业，不准进行任何形式的测验和考试，不准举办各种形式的小学预科班，不准在正常的幼儿一日活动时间内举办兴趣特长班。

严格新办园所审批。年内审批嘉州阳光幼儿园、蒲公英卡纳意乡幼儿园和兴业幼儿园，扩大办园面积1.1万余平方米。

【学前教育督导评估】2010年，中山区着力做好学前教育督导评估工作。制定《中山区公办幼儿园督导评估细则》《中山区民办幼儿园督导评估细则》，坚持“自评和复评相结合”原则，实施学前教育督导评估。各幼儿园进行自查，写出自

附：

2010年中山区幼儿园一览

名　称	地 址	性质
实验幼儿园	山屏街108号	公办
中山区第一幼儿园	七七街70号	公办
中山区第十六幼儿园	中南路86号	公办
南山幼儿园	望海街27号	公办
小浪花艺术幼儿园	望海街27号	公办
春德小学幼儿园	春生街8号	公办
大连港中心幼儿园	中南路286号	公办
舰艇学院幼儿园	解放路667号	公办
大连疗养院幼儿园	民主街19号	公办
大连军分区幼儿园	育才街17—3	公办
舰艇学院政治系幼儿园	七七街78号	公办
65711部队幼儿园	南山路哈尔滨街6号	公办
92373部队幼儿园	解放路教育巷10楼	公办
中山区第十五幼儿园	安阳街17号	公办
桃源街道龙江幼儿园	上海巷12号	公办
中山房管幼儿园	昆明街64号	公办
大连医高专幼儿园	解放路655号院内	公办
大连残疾人康复教育活动中心	中南路2354号	公办（特教）
巾帼幼儿园	南山路108号	民办
群星幼儿园	劳动公园2号	民办
新世纪幼儿园	虎滩路166号	民办
金钥匙幼儿园	中南路286号	民办
海昌欣城幼儿园	华乐街涟景园8号	民办
培根小学幼儿园	虎滩工人疗养院	民办
小牛津幼儿园	中青街196号	民办
[illegible]幼儿园	虎滩路451号	民办
枫叶枫桥园幼儿园	枫桥园23号	民办
明星幼儿园	[illegible]	民办
枫合万嘉幼儿园	中南路432号	民办
枫叶佳宝幼儿园	高尚路6号	民办
伊顿幼儿园	伊顿小区内	民办
爱尔坊幼儿学苑	华乐街润景园8号	民办
未来小哈佛嘉州阳光园	长江东路89号D座	民办
亲亲袋鼠早教亲子园	青云街44号	民办
兴叶幼儿园	劳动公园内	民办
蒲公英（大连卡纳意乡）幼稚园	景山街卡纳意乡4号	民办
虎滩新区幼儿园	虎滩新区碧波园1号	民办
未来小哈佛幼儿园	丹东街52号港景园16	民办

续表

名　称	地　址	性质
爱婴幼儿园	民建街43号	民办
阳光宝贝幼儿园	虎滩新区碧涛北圆3号	民办
亲亲宝贝一园	解放路604号	民办
亲亲宝贝二园	智人街吉利巷26-2号	民办
启明星幼儿园	春阳街46号	民办
蒲公英幼儿园	解放路文化街53号	民办
爱华幼儿园	岭前街59号	民办
盛旺第二幼儿园	景山小区高原街100号	民办
未来之星幼儿园	华乐小区奥景园12号	民办
秀峰幼儿园	秀峰东园16号	民办
向阳幼儿园	宪立街60号	民办
干休所托儿所	山屏街146号	民办
健康托儿所	春海街112-1-3号	民办
春山托儿所	春港巷56-1-1号	民办
南山里托儿所	南山里65-1-3号	民办
吉利托儿所	葵英街吉利巷34号	民办
阳光托儿所	西山巷83号	民办
苗苗托儿所	桃仙街37号	民办

评报告，填写自评得分表。区教育局成立督导小组，对全区幼儿园进行督导检查，打出分数、评出名次，对查有问题的幼儿园提出限期整改意见。12月，区教育局召开专题会议，全面总结督导评估工作。

【幼教队伍建设】2010年，中山区加强师资队伍建设，促进幼儿园内涵发展。(1)加强教学成果交流研讨。区教育局组织幼儿园园长到上海、南京参加幼教专家和中青年名师教学成果展示交流会、全国幼儿园园本教研、园本课程建设交流研讨会，观摩学习著名幼儿园本课程活动，召开学习实践经验交流会。(2)加强实验项目研究展评。完成“以园为本教研制度建设”实验项目研究。7月，召开实验项目专题研讨会，总结具有园所特色的园本教研经验。11月，举办“中山区幼儿教师自制玩教具活动”展评会，获奖教师50余人。(3)加强骨干教师队伍建设。做好市、区两级骨干教师申报工作，全区幼儿园市、区骨干教师49人。

【幼儿园安全管理】2010年，中山区把保障幼儿生命健康作为幼儿园建设发展的重中之重，着力做好幼儿园安全管理工作。(1)加强问题排查。区教育局3次召开中小学校长、幼儿园园长专题会议，要求做好学校、幼儿园安全工作，排查辖区托幼园所安全问题。各幼儿园按照要求进行地毯式自查，写出自查报告，填报《幼儿园安全工作自查明细表》。区教育局梳理汇总各幼儿园《自查明细表》，发现安全隐患限期整改。(2)强化整改落实。针对幼儿手足口传染病，区教育局召开园长会议部署传染病预防和监控工作，坚持报告制度，联合卫生保健等相关部门，综合检查幼儿园安全工作、园车管理、制度建设、卫生保健、教育教学、环境创设、资料整理、教育收费政策执行情况等，对问题单位提出限期整改意见。

【学前教育三年行动计划】2010年，中山区积极推进学前教育事业发展，做到统筹规划、确保公益、促进均衡、提升内涵，为学龄前儿童提供高质量的学前教育，保障幼儿身心健康发展，制定《中山区学前教育三年行动计划》。该计划认真分析学前教育现状并提出工作目标、工作任务和保障措施。其总体目标是：坚持学前教育的公益性和普惠性，坚持政府主导、社会参与，公办、民办并举的学前教育公共服务体系。按需增加公办性质幼儿园数量，规范民办幼儿园有序发展，积极推进标准化幼儿园建设，合理配置保教人员，整体提升保教质量，探索政府购买学前教育服务新途径，完善0－3岁早期教育服务体系，满足市民对优质学前教育的多样化需求。具体目标：(1)2011年学前三年适龄儿童的入园率保持100%。新建公办幼儿园1所，收回小区配套幼儿园2所并举办为公办幼儿园，扶持社会力量举办幼儿园1所。建立独立的早期教育指导中心，适应辖区内0－3岁婴幼儿家庭的需求。启动“十二五”师资培训工作，分级、分类开展全员培训，鼓励教师参加高学历培训。(2)2012年，学前三年适龄儿童的入园率保持100%。逐步改善各级各类幼儿园办园条件，收回小区配套幼儿园2所并举办为公办幼儿园，扶持社会力量举办幼儿园1所。保教人员配备基本达到规定标准，师资培训工作满足需要。(3)2013年，学前三年适龄儿童的入园率保持100%。收回小区配套幼儿园1所并举办为公办幼儿园，扶持社会力量举办幼儿园1所。教师接受教师教育由71%提高到95%，教师取得教师资格证由65%提高到80%，教师专科以上学历由84%提高到90%。办园条件和教育质量明显提升。

【推广户外幼儿体育教育】2010年，中山区以“珍爱生命 关爱健康 还儿童健康的童年”为主题，制定《中山区幼儿园户外体育活动实施计划》，在全区推广幼儿园户外体育教育。3月，区教育局召开幼儿园园长会议，详细解读该计划。5月、6月，跟踪检查指导全区50所幼儿园户外体育活动情况，了解每所幼儿园户外体育活动时间、内容、形式、玩教具的数量与质量、活动中的练习密度和运动量等情况，存在问题的幼儿园所现场提出改进意见。7月，区教育局召开“中山区幼儿园户外体育活动现场观摩会”，具有幼教特色的中山一园、南山小浪花幼儿园在观摩会上作现场展示、介绍经验。

【推广教学经验】2010年1月12日，在中山区教师幼儿园召开的大连市幼儿园“十一五”期间骨干教师培训会上，区教师幼儿园园长李庆玲作了题为《文化孕育课程环境建设》的经验介绍，展示了该园在常态教学中以幼儿为本，以幼儿生活为本，以幼儿发展为本，将探索型主题活动内容融入课程环境创设中、彰显园本特色课程内容的经验与做法。与会学员分别观摩该幼儿园大班“快乐购物”数学活动、中班“有趣的年历”科学活动和托班“五彩树”美工活动，参观园内各班级课程环境建设、幼儿活动区。

召开中山区幼儿园民办学校安全会议

职业教育 社区教育

【概况】2010年，中山区继续加强民办职业技能教育和社区教育。民办教育注重实施特色教育。社区教育注重挖掘教育单位和街道、社区市民学校资源，搭建区、街、委三级网络化社区教育体系，开展文化送社区活动和多形式、多层次的教育培训活动，满足社区成员的学习需求。全区有民办职业技能教育机构92个。其中，学历学校4所，文化补习类培训11个，外语类培训21个，电脑类培训3个，体育艺术类培训12个，考前助学类培训3个。学校专兼职教师838人，全年培训学生3.1万人次。社区大学1所，专职教师15人，兼职教师20余人。社区大学[illegible]社区设14门课程、66节课。

【开展民办公益活动】2010年，中山区民办学校积极开展公益活动，全年开展公益性活动26项（其中常年公益性活动8项，包括公益慰问演出，为特困家庭学生减、免学费，赠送学习用品等）。全区30个民办培训学校向社会无偿提供38个门类课程、191节课，课程内容涵盖初、高中生考前免费文化辅导、考前心理健康指导、大学毕业生免费就业培训等。6月，在区教育局举办的“奉献爱心回馈社会”公益活动月里，大连明星小学举行爱心对接仪式，向海军广场街道外来务工子女社区学校捐赠电脑书桌、黑板等学习用品价值1.5万元，捐助10名特别困难学生每人助学金500元。

【接受社区教育评估检查】 2010年11月8日，中山区接受辽宁省教育厅“首批社区教育示范区”评估检查。省教育厅通过听取汇报、查阅档案和资料、实地考察等环节，对中山区两年社区教育工作进行全面检查。人民路街道搭建的“白领服务站”、“未成年人道德超市”、“法律宣传进大厦”等学习平台，因地制宜搞好辖区教育的做法以及海军广场街道从社区教育核心入手，注重学校、家庭、社会“三位一体”有机结合，坚持8年设立“客乡人驿站”，免费开办“农民工子女学校”的特色经验，在检查中得到高度肯定。

【举办社区公益教学活动】2010年，中山区社区教育坚持服务于社区居民，为居民搭建娱乐、交流的平台。社区大学免费举办交谊舞、健身操、卡拉OK大家唱、钢琴演奏会、英语角、摄影、书法、手工剪纸、电脑、棋牌乐、小学生语数英学业诊断等各类公益教学活动，为社区居民提供活动场地，并对每项活动进行组织、计划和总结反馈，意在使中老年市民老有所学、老有所乐，创造和谐的生活氛围，提高社区居民生活质量，促进社区文化建设。

特殊教育

【概况】2010年，中山区有特殊学校1所，即培智学校，在校学生76人。培智学校面向全区51个社区7-18岁特殊儿童（包括智力障碍、脑瘫、自闭症、癫痫、先天性心脏病、语言障碍、肢体障碍等多重残疾的智力落后学生）提供九年制义务教育训练服务。学校当年荣获“大连市残疾人之家”称号，4名学生获“全国第五届特殊奥林匹克运动会E组篮球比赛铜牌”，学校获“大连市第十一届特殊教育学校田径运动会B组团体总分第三名”和“体育道德风尚奖”。

中山区培智学校“爱暖童心”新年联欢会

【学校管理】2010年，中山区培智学校建立并完善“集体学习、自主学习、社会实践、读书交流”四项制度，利用多元展示平台适时宣传学校工作特色和发展动态。学校坚持创新，开展以特殊教育改革和特教教师专业发展需求为导向的师德建设和校本培训，构建“个别教育、九年义务教育、职前教育”课程体系，编制一般性课程目标、选择性课程目标和学生学习质量标准，开发以教学主题为指导的教学主题框架，统整、完善九年义务教育阶段的自编教材，形成以学习质量标准为评价指标、以生活化训练为主要内容、以生活实践活动为主要方式的课程运作流程。

【教育教学】2010年，中山区培智学校拓展职前教育内容，确定生活休闲课程目标。学校“菁菁乐园——日间托养机构”是迄今为止大连市首家依托培智学校专业资源对16-24岁智障学生进行教育服务的专业机构。在课程建设方面，达成对学习内容按“需”设计、学习进程按“度”要求、学习效果按“会”衡量的主题课程开发目标，体现了内容反思性、发展渐进性特点。以“会生活、能工作、要健康”为课程开发宗旨，设计“生活休闲、职业导向、健康保健”主题课程，分别确定课程目标。编写 “一日三餐我来做”、“洗洗涮涮真干净”、“花花草草我来养”、“缝缝补补难不倒我”、“织布手艺大比拼”等主题自编教材。实践并提炼个别化教育计划操作流程，按照“课程应满足不同学生学习需要”的原则设置

"复式课表"，形成专业互补、能力互助的授课形式，确保每个学习团队都有符合学生学习需要的专业教师。

【提高教师素质】2010年，中山区培智学校从培训、管理等多方面提高教师整体素质。

加强专业培训和层级培训。培智学校对特殊教育教师开展"个别教育计划的理论培训"、"个别教育计划的制定培训"等互动式专业培训，引领教师用专业视觉观察问题、专业思考提出问题、专业手段解决问题。设计并落实教师层级培养机制，统整、完善《培智学校教师层级培养标准》，依托市区骨干教师和名师培养对象等专业资源，形成层级培养梯队。

加强教学过程性管理。采取坐诊课堂、教学观摩、期末调控等方法，提升全员教师的实做能力。在教学内容选择上把好教学实效第一关，完成6个学科学习质量标准，完善《培智学校教师专业能力标准》中达标课和诊断课的指标性导向要求，制定《培智学校课堂教学常规检查反馈》《培智学校常规教学成果质量分析反馈》《教研组研讨记录情况分析反馈》。

【开展科技周活动】2010年10月25日，中山区培智学校举办科技周系列活动。此次科技周以寻找生活中的科技为主题，注重发现身边的科技奥秘。活动在放飞机大赛中拉开帷幕，百名师生参加折飞机、组装飞机、放飞机比赛。教师在放飞机大赛中尝试实践操作，研制出多种适用于智障学生折飞机的方法及投放角度，保证飞机在天空中飞得远、停留时间长。

（张建坤）

关心下一代工作

【概 况】2010年，中山区关心下一代工作以创建学习型关工委为主线，加强各级关工委和"五老"队伍建设，拓宽工作领域，开拓民营企业关工委工作，发展"三结合"教育，扩大关心下一代工作覆盖面。以社会主义核心价值体系教育为重点，加强青少年理想信念、爱国主义、革命传统、思想道德、法制和荣辱观教育。开展节能、环保等活动，关爱特殊群体青少年，开创关心下一代工作新局面。区关工委关于"创建学习型关工委"的经验在市研讨会上交流，2篇论文被评为一等奖，关于《在民营企业组建关工委组织》的调研报告被《辽宁关心下一代工作》登载。海军广场街道春和社区经验在省工作会上交流，海军广场街道春和社区、桃源街道长利社区、人民路街道兴和社区获"辽宁省关心下一代工作先进社区"称号。

【建立学习马克思主义中心组】2010年3月8日，中山区关心下一代工作委员会成立学习马克思主义中心组。年内，中心组集体学习研讨6次，举办骨干培训班1次，结合工作实际研读马列著作12篇，学习笔记5万余字，撰写论文、体会文章8篇。在市关工委召开的"建设学习型关工委理论研讨会"上，区关工委学习马克思主义中心组撰写的两篇论文被评为一等奖。

【调整优化关工委队伍】2010年，中山区加强各级关工委班子建设，健全各级委员会，调整充实关工委委员和关工小组长。8个街道关工委常务副主任的年龄由过去最大83岁、平均63.3岁调整为最大60岁、平均56.4岁，文化程度均在大专以上，关工委秘书长多数由大学毕业生担任。基层关工委领导和"五老"队伍的综合素质得到提升。区教育系统关工委调整领导班子、加强"五老"队伍建设，吸收一批有特长、有热情、相对年轻的同志到关工委和志愿者队伍中来。区关工委组织采写的14名"五老"同志先进事迹在大连市关工委编辑出版的《五老

召开中山区关工委全委会

风范》中登载。

【建立民营企业关工委】2010年，中山区有民营企业8456家，其中规模以上、应建立关工委组织的企业25家。区关工委根据上级要求，制定下发《关于民营企业组建关心下一代工作组织的意见》，在青泥洼桥街道开展建立民营企业关工委试点工作。青泥洼桥街道辖区规模以上民营企业11家，全部按要求建立关工委组织，工作对象覆盖1.5万余名青年职工。企业关工委从实际出发，根据青年特点，同街道、社区紧密配合，开展理想信念、爱国主义、革命传统、法制等教育，教育青年员工爱岗敬业、岗位成才，为企业经济又好又快发展贡献力量。大连中杰房屋开发有限公司关工委组织企业百名青年员工参观旅顺历史博物馆和日俄监狱旧址，对青年职工进行爱国主义教育。大连雪龙产业集团公司和天已保险经纪股份有限公司开展“民营企业也有展示才华的空间”主题教育活动，每个企业选送2名青年员工在会上做典型交流。大连休斯顿集团公司免费把地处黄金地段350余平方米房屋提供给街道，购买电脑8台、图书1000余册、桌椅50余套，作为街道和企业青少年教育基地。区关工委关于在民营企业建立关工委组织的经验被《辽宁关心下一代工作》转载。

【开展培训和经验交流】2010年，中山区对130余名关工委副主任、秘书长、关工委成员进行系统的政治思想和业务培训，培训内容包括：(1)了解关工委组织的产生与发展历史。(2)掌握关工委的性质、宗旨、任务和工作原则。(3)明确工作方向和目标。区关工委召开“如何做好关工委副主任工作”经验交流会，海军广场街道关工委常务副主任马连生、桃源街道长利社区关工委主任张丽萍、大连第十五中学关工委常务副主任孙继华等在会上介绍经验。在人民路街道召开现场会，推广该街道加强青少年活动场所建设的经验。

召开中山区关工委工作年会

【爱国主义教育】2010年，中山区开展纪念抗美援朝胜利60周年、抗日战争胜利和世界反法西斯战争胜利65周年活动。区关工委举办报告会，中山区报告团团长李德连作“发扬志愿军爱国主义和国际主义精神，为捍卫祖国安全和世界和平作贡献”专题报告。海军广场街道关工委请参加过“百团大战”的老战士张志强作革命传统报告。人民路街道关工委组织辖区学生观看抗日战争影片、购置并收集整理百首以爱国主义为主旋律的歌曲、书籍、图片等送到社区，开展爱国主义教育。“八一”建军节前夕，区关工委老干部文艺宣传队举办“庆祝建军83周年，纪念抗美援朝60周年”联欢会，百余名离退休老同志参加活动。

【未成年人法制教育】2010年，中山区加强青少年法制教育。区关工委印发中央《关于进一步加强和改进未成年人思想道德建设的若干意见》300份，购置《未成年人保护法》《预防未成年人犯罪法》光盘发到8个街道，教育青少年学法、懂法、守法，增强法制观念和自我保护意识。8个街道、51个社区、30余所学校关工委整合公安派出所、交通队、网吧监督员等教育资源，加强青少年法制教育。老虎滩街道关工委打造“未成年人零犯罪社区”，成立预防未成年人犯罪工作领导小组，建立未成年人教育基地，由20名有经验的老教师组成未成年人教育辅导队伍，对未成年人开展法制教育。青泥洼桥街道关工委在青少年中开展“健康文明的网络生活伴我成长”主题宣传活动，发出“自觉远离网吧，健康文明上网”倡议，教育青少年自觉抵制不良网吧的诱惑。区公安分局和各派出所坚持到学校、社区为青少年上法制课。区人民检察院对未成年人案件指定专人办理，对服刑、刑满释放、监外执行的未成年人跟踪考

老虎滩街道开展丰富多彩的未成年人思想道德教育活动

察和持续帮教。区人民法院成立少年审判合议庭，选派专人负责少年犯罪案件审判，每年坚持到少年管教所回访，给少年犯带去学习、生活用品，进行面对面交流和帮教。区人民法院获辽宁省、大连市、中山区“关心下一代先进集体”称号。

【青少年思想道德教育】2010年，中山区各级关工委举办科普、文化知识专题讲座、展览，组织冬令营、夏令营、唱红歌、诵红诗、文艺演出、体育竞赛和“文明礼仪主题会”、“知荣辱、讲文明、树新风”等活动，多种形式开展青少年思想道德教育。区关工委制作两套、各17版的《青少年青春期健康教育》展板在8个街道和全区中小学校巡回展出，编著、印发《教子经》，帮助家长科学教育子女。桃源街道长利社区成立“青少年思想道德建设工作领导小组”、“青少年阳光海岸工作委员会”，加强对青少年思想道德教育的指导与协调。葵英街道林海社区关工委开展“读书小学者”活动。昆明街道关工委以“公民道德评述台”为载体，对居民和青少年进行社会公德、职业道德、家庭美德和个人品德教育。桃源街道举办第三届广场文化艺术节，组织青少年参与才艺展示和“家乡文化征集”活动。老虎滩街道关工委设立“青少年心理帮扶网站”、“心理帮扶电子公告牌”等宣传平台，开展青少年心理健康咨询活动。区教育局关工委组织中小学生参加全国“我是90后”读书、征文、实践活动，参与学生12473人，占全区学生总数的60%。区教育局关工委被评为“全国先进集体”，11所学校获“全国模范学校”称号，129篇征文分获全国一、二、三等奖。

【开展节能环保活动】2010年，中山区把围绕中心、服务大局作为关工委工作的重要内容。区关工委举办报告会，邀请市关工委报告团团长谭忠印教授作“发展低碳经济、倡导低碳生活”专题报告，关工委系统工作人员150余人参加。各街道、社区关工委结合实际举办普及环保知识讲座，开展“节能环保、践行低碳生活”活动。青泥洼桥街道关工委开展“争做节能减排小行家”活动。葵英街道关工委开展“低碳环保，从小做起”活动。昆明街道武昌社区关工委开展“低碳家庭，节能减排”活动。老虎滩街道关工委倡议“节约一张纸、一滴水、一度电”活动。桃源街道关工委开展“保护环境卫生，共创美好城市”活动。海军广场街道关工委开展“美化家园小市民志愿者”活动。

【关爱特殊群体】2010年，中山区各级关工委关爱特殊群体。海军广场街道成立“农民工子女社区学校”。老虎滩街道中兴社区建立“外来工子女辅导站”。青泥洼桥街道关工委建立关爱农民工子女志愿服务基地，申请希望工程助学款2000余元，并组织二十四中学共青团员为贫困生辅导文化课。人民路街道关工委开展“爱心助学金”、“春雨助学”等活动，联合辖区14个企事业单位，筹资1.7万元资助25名贫困大学生，筹资1700多元为培智学校残疾学生送去助学金和学习生活用品。桃源街道关工委组织帮扶活动，“五老”志愿者和共青团员每人帮扶一名贫困学生或一名农民工子女两年以上。葵英街道举办“就业专场招聘会”，搭建双向选择平台，帮助大学毕业生和待业青年解决就业问题。

（郭燕玲）

附：

域内院校园所选介

【中山区社区大学】中山区社区大学位于五五路99－1号，建筑面积3500平方米，区教育局直属事业单位。2005年12月成立，现有专职教师15人，兼职教师20余人，是一所整合社区教育资源，联合社会办学力量建立，面向全体公民开展多规格、多层次、多内容、多形式非营利性教育培训活动的社区教育机构。

2010年，学校坚持“准确定位、和谐发展、创特色学校”办学思想和“以人为本、从需求出发、提供高质量教育服务”办学理念，树“文明、尊重、友善”学校精神，通过“团结、服务、精业、自律”教风，打造“有独特课程体系的能保障和满足中山区市民和职工基本的学习权利和终身学习需求的教育培训中心；有高影响力的社团活动与文化交流中心；有成形可推广经验的社区教育研究和指导中心”。学校开展文化送社区、文化培训、开发与建设市民休闲教育课程体系等载体活动，推进中山区社区教育走高位发展之路。2005－2010年，为8个街道51个社区送讲座类课程300余次，参加学习1万余人，社区覆盖面100%。面向青少年、中老年、在职人员开设不同层次培训课程班，其中老年休闲教育课程系列“声乐、舞蹈、钢琴、英语、计算机、养生、瑜伽、美术、书法”等课程班50多个，年参加2万余人次。每周一下午开设免费“市民大课堂”，居民随时参与剪纸、书法、卡拉ＯＫ大家唱、摄影、电脑技术交流、健身、舞蹈、英语角、棋牌、器乐等10个兴趣小组的专题化活动。每周四下午提供“市民英语50句、亲子拼音、大众健身操、普及电脑”等免费惠民课程。学校“和谐之家大舞台”举办不同类别的社区教育成果展示活动，旨在建设大连市文化首善区办人民满意的社区教育。中山区社区大学开发的10门课程被评为国家社区教育特色课程，社区教育经验在全国第三届社区教育研讨会上作经验交流。

（杨志敏）

【大连市第三十三中学】大连市第三十三中学地处大连市中心区，毗邻大连世贸中心大厦和繁华的天津街商业区。学校占地面积7377.6平方米，建筑面积6498.3平方米。有教职工104人，教学第一线教师85人，18个教学班，学生850人。学校以“办人民满意的教育”为宗旨，转变教育观念，强化内部管理机制，注重提升教育方式，通过制度重组和深化，形成教育教学规范、严谨、务实局面。教师中8人获大连市骨干教师、17人获中山区骨干教师称号。学校是全国航天（空）模型基地单位，科技特色在辽宁省享有盛誉。学生百余人（次）参与制作和创造的航模作品在全国、辽宁省和大连市获一、二等奖和优秀奖。近年，学校挖掘学科资源，开发劳技“七巧板”、“语文阅读”等校本活动课程。大连第三十三中学先后获“大连市中小学大课间示范学校”、“大连市校园环境艺术化单位”、“大连市精神文明单位”称号。

【中山区实验学校】中山区实验学校位于自卫街4号。学校始建于1973年（原65中）。2003年9月，为了优化整合教育资源，中山区教育局将原劳动公园小学并入65中学。2005年在区政府及教育局的大力引领支持下，学校冠名为“中山区实验学校”。现有教学楼1.2万余平方米，操场3500余平方米，绿地1000余平方米及现代化教学设施，是大连市首批试点，拥有小学部、初中部、国际部（外国学生就学定点学校）的九年一贯制学校。教学班46个，学生2200余人，教职工173人（其中特级教师1人、市级骨干教师23人，区级骨干教师33人）。学校坚持多元化教育原则，确立“以德育为根、以管理为本、以质量求生存”的教育教学指导思想，成为中国作家协会分会、中国校园文化记者站、大连市中学生联合会会长单位、《大连晚报》小记者团分团、辽宁省作家协会小作家培训基地、大连市教育学院教育教学综合实验基地，

中山区社区大学

大连市第三十三中学呼拉圈表演

中山区实验学校校舍

是大连市排球特色学校（已输送各类国家级运动员17人）。中山区实验学校被评为“辽宁省艺术示范学校”、“辽宁省校园艺术化工程建设先进学校”、“大连市文明单位”、“大连市标准化学校”、“大连市校园艺术化示范校”、“大连市绿色学校”、“大连市中学生联合会会长单位”。学校数学组、史地组、体育组获“大连市优秀教研组”、“大连市青年文明号”称号。

【中山区桃源小学】中山区桃源小学位于桃源街，学校始建于1940年。在校学生1700余人，教师86人，教学班级42个。学校坚持“以幸福人生奠基”办学理念，以培养“科学素养和人文素养协调发展，具有创新能力的人”为目标，深化英语、艺术、体育、国际化教育特色，近千名学生在国家和省、市、区英语活动中获奖。学校外聘21位知名音乐教师，建立校管乐队、交响乐团、鼓号队、合唱队、舞蹈队、健美操队等艺术队伍，培养艺术特长毕业生2000余名。学校乐队先后赴日本、韩国、加拿大、法国、德国、英国、新加坡等国家进行文化交流，学校足球队、篮球队、田径队等在市区比赛中屡获大奖。学校倡导开放办学，同韩国江南区鹤洞小学、英国莫纳贷克小学、日本东京日暮里小学、新加坡南华小学、大连日本人学校等4个国家、5所学校建立友好学校，先后组织500余名教师和600余名学生出国访问。桃源小学被评为：“全国小学生日常英语实验学校”、“国家现代教育技术示范学校”、“国家健康教育金牌学校”、“全国示范少年军校”、“辽宁省模范学校”、“辽宁省文明单位”、“辽宁省校园艺术化示范学校”、“大连市示范学校”、“大连市优秀家长学校”、“中山区示范学校”、“中山区教育系统先进单位”。

【中山区人民路小学】中山区人民路小学（原丹东小学）位于高尔街5号，创建于1974年8月，曾于1977年8月更名为旅大市73中学，又于1981年7月恢复命名丹东小学。原占地面积1390平方米，建筑面积638平方米，操场面积300平方米。1998年由辽宁外运公司捐资支教，投资10万余元铺设了1000平方米操场，修建了升旗台及花坛。1999年中山区政府投资扩建，旧楼翻新改造，教学楼扩建了4层，操场扩建到1700平方米。2008年区政府再次投资改造校舍，并为学校操场铺设塑胶跑道。学校有教学班12个，学生400余人，在职教师38人。拥有多功能室、计算机室、劳技及实验室、语音室、电子设备室、电子阅览室、藏书及阅览室、音乐室、美术室、舞蹈室等。丹东小学先后获“全国中小学体育教学展示优秀表演奖”、“辽宁省大课

中山区桃源小学校舍

中山区人民路小学

中山区第一幼儿园

间操活动特色学校”、“辽宁省体育达标先进单位”、“大连市排球重点项目学校”、“中山区先进学校”等称号。2010年12月6日，该校正式更名为人民路小学。

【中山区第一幼儿园】 中山区第一幼儿园位于风景秀丽的南山风景区，创建于1958年，是寄宿制幼儿园，专为2—6岁幼儿创设。幼儿园设大、中、小8个班，具有环境、伙食、教育三大特色，拥有大型玻璃钢户外活动器械、多媒体教学设施、音体室等。幼儿园以多元智能创意课程和蒙氏教育为主，辅设阅读和形式多样的特长教育，设足球队、军鼓队、腰鼓队和幼儿模特队，是大连市示范幼儿园，先后被列为“九五”国家教育部重点课题实验基地、国家创造教育实验基地、幼儿个性化研究实验基地。

（张建坤）

新闻链接

发展特色 办人民向往的教育

《大连日报》 2010年1月28日

王大力 于洪全

编者按

大连市中山区不仅以繁荣的商贸中心城区而著称，更是以其区域学校特色教育而闻名遐迩。中山区一直在思考：办什么样的教育？如何办教育？教育是为人民服务的，大众的需求就是教育的使命。因此，办人民向往的教育才是最高的理想境界。随着时代的发展，人民群众对教育的要求也日益提高，这种需求已经不再是“大众化”的教育，而是“优质”和“多样化”的教育。发展学校特色就是办人民满意教育的最佳途径。中山区“校校有特色，人人有特长”的特色教育就是基于这一思考而展开的。

中山区为了提高学生综合素质，搭建100%参与的素质教育平台，本着“校校有特色，人人有特长”的特色发展原则，不断提升特色教师素质，大力发展特色教育，使得区域特色教育备受百姓青睐，特色教育硕果累累……大连十五中的美术特色教育，示范并引领全国中学美术教育的发展，并为国家重点美术高等院校培养和输送了大批优秀人才；大连九中、中心小学、葵英小学的科技创新教育屡屡在全国省市举行的大赛获得佳绩，前不久大连九中的学生获得了WRO世界奥林匹克机器人大赛二等奖，WRO世界奥林匹克机器人大赛中国区选拔赛冠军；大连十六中开设多门外语课程，与多国学校建立了友好联系，构建了国际理解教育体系，培养的学生更具世界眼光；大连四十四中学的艺术教育，让更多的学生提升了艺术素质，学校的学生铜管乐团多次受邀出国交流演出，展示大连学子的艺术才华……

国家战略发展和建设中国特色社会主义需要创新人才，而特色教育是培养造就创新人才的重要途径。为此，中山区着力打造学校特色，使全区“校校有特色，人人有特长”的特色教育成为现实。近年来，中山区区委、区政府将教育作为建设大连市科学发展首善区软实力的重要支撑。就是说，现在的中山区教育正处于一个发展的关键期，要在一个更高的水平上凝聚实力，大幅度提高优质教育资源的供给力、回馈社会的服务力和教育教学改革的影响力。一句话：中山区教育经过多年“量”的积累，现在进入到了整体升级的关键期。为此，中山区对教育工作进行再梳理，初步形成新时期中山区教育科学发展的基本思路——以培植学校特色为核心，盘活队伍潜力，形成支持合力，全力抢占“校校有特色，人人有特长”办学格局制高点，全面实施素质教育。

中山区打造学校特色呈现“五化”制，即常态化、制度化、校本化、课程化和全员化。并注重显性教育和隐性教育的有机结合和彼此互补，通过显性的校园环境和文化氛围的创设，巧妙借助文学、体育、艺术等外显活动的开展，通过渗透式、陶冶式等教育手段强化显性教育的隐性渗透作用，达到“润物细无声”的目的。因此，多项创新性、实效性的举措推进了“校校有特色，人人有特长”特色发展的进程。

其一，创造性地探索特色发展新策略。中山区采取了“整体规划，分步实施，逐步完善，追求品位”的推进步骤，积极探索“校校有特色，人人有特长”的办学新格局，鼓励和扶持学校因地制宜、自主办学、发展特色，不断地满足不同学生的发展需求。为此，中山区教育局制定下发了《中山区中小学校园文化建设指导意见》《学校特色建设工作方案》等相关文件，组织学校自主制定事业发展规划和特色发展规划。在学校特色建设的过程中，中山区区政府、区教育局因势利导先后分三批组织中小学校长赴外地进行专题性考察学习，对学校发展规划及学校特色的定位作论证式调研，以十五中学、三十五中学和葵英小学的经验在暑期干部会议上做典型引路，区政府还组织教育局班子成员和全区中小学校长在本区内搞特色参观拉练活动，促进学校之间互相学习。中山区在特色学校打造上，正在追求从实践的特色走向办学理念的特色。中小学按照学校自主制定的事业发展规划积极探索，以理念作统领，以项目作牵动，以课程体系建设为依托，以活动为载体的特色学校建设新思路。目前，基本形成了以十五中、十六中、四十四中3所完中“上挂高等院校、下联中山区中小学美术、国际语言、音乐教育教学中心”为龙头，区域中小学特色教育逐步呈现“校校有品位，校校有特色”的新格局。

其二，创造性地架构了特色教育学科教师的培训体系。与高校联手建立国际国内教师培训基地，是中山区中小学教师培训工作的一项新举措和新突破。中山区本着“通过特色人才培养优质特色教育来实施素质教育”的指导思想，利用国内外高校资源优势，建立五个教师专业化培训基地：名师、骨干和班主任教师——华东师范大学培训基地；美术教师——清华大学美术学院培训基地；音乐教师——中央音乐学院培训基地；校长、外语教师——英国北林肯郡培训基地；信息技术教师——东软信息技术学院培训基地。除对名师培养对象、优秀班主任等到华东师大培训一个月外，中山区还特别对特色学科教师实施全员培训，如：美术教师分批到清华美院进行一个月的培训，信息技术教师到东软进行三周的培训。还将陆续启动体育、心理健康等学科教师的封闭式专业培训。中山区创造性地架构了特色教育学科教师的培训体系，实施多样化、多元化的教师培训，目的在于全面提升特色学科教师的教育理念、专业技能和教育能力，提高教师的专业素养，增强了教师专业成长的自主性。

其三，创造性地推进特色校本培训模式。在校本培训实践中，中山区坚持“特色项目培育特色文化，特色文化形成特色学校”的发展理念，推进“制定培训目标——确定培训主——设计培训问题——选择培训形式——调控培训过程——反思培训活动——提升培训成果”的校本培训模式。研究制定了《中山区校本研修评估标准》和《中山区校本研修工作指导意见》，坚持抓实三个环节：一是抓实校级管理体系建设，建构以校长为第一责任人的校级管理体系；二是抓实学科教研组建设，对教育教育教学中关注的问题进行追踪式的解决；三是抓实教师参与校本研修的主体意识培养，以“校名师工作室”为平台，带动提升校本研训的水平质量。科学的校本管理体系和浓郁的校本研修氛围，加速了区域校本培训特色建设和特色教师的培养，打造了一批“校本研修”的特色校和示范校：第九中学的骨干教师培训；四十四中学的信息技术培训；实验学校植根于课堂的行动教育；民生小学网上校本研修；风景小学与高校联手，开展课题牵动式校本培训等等，促进教师专业发展区域特色的形成。特色化的校本培训体系，促进了教师的专业发展。

其四，创造性地研发区域性特色教育载体。中山区将学校特色与学校文化融为一体。每所学校的区域位置不同，历史文化发展存在差异，学校校风、学风、教风、传统也各有特点。基于此，中山区各学校坚持以校为本，以教师为本，以学生为本，科学确定办学思想、办学理念和发展目标，科学提炼校风，校训，教风和学风，实现学校精神风貌和发展愿景，在学校精神文化层面体系的把握上，发展学校特色。同时，创造性地研发区域性特色教育载体，区政府适时下拨专项扶持经费，奖励特色建设取得阶段性成果的学校。

责任编辑　王玉玲

文化·体育 WEN HUA TI YU

文 化

·公共文化·

【概况】2010年，中山区有区属文艺团体4个。有区群众文化馆1个、图书馆1个、美术馆1个（新增），街道文化站8个、图书馆8个，社区文化活动室51个。

2010年，中山区文化工作以“文化为民、文化惠民”为宗旨，全面提升公共文化服务水平，为打造科学发展首善区创造过硬的“文化中山”软环境。参加第二届全国城区家庭文化艺术节、第四届“魅力中山”迎春京剧晚会、第十五届广场文化活动、群众性主题歌咏活动、秧歌会演等大型文化活动。区美术馆落成，全区公共文化体系进一步完善。艺术创作、参赛作品喜获丰收，文化市场发展繁荣有序。

中山区文化馆被大连市文化广播影视局评为“大连市群众文化先进单位”。区文化馆馆长伞佳卉被省人力资源与社会保障厅、省文化厅评为“辽宁省文化系统先进工作者”，被市文化广播影视局评为“大连市群众文化先进个人”；区文化馆创作员王野被大连市人民政府授予“大连市劳动模范”称号。区文化馆伞佳卉、孙洪跃、王野等人创作的作品在中国舞蹈家协会和省、市文化行政部门举办的大赛中获得16个一等奖。其中：群舞《收获》获辽宁省第五届“舞协杯”比赛一等奖；舞蹈《情愫》获中国舞蹈家协会94届教学成果展演大赛一等奖；服饰表演《最美不过夕阳红》获全国老龄委举办的第二届全国老年文化艺术节金奖。

【中山区美术馆建成】2010年12月27日，位于迎宾路98号的中山区美术馆落成。美术馆占地5600平方米，建筑面积1.1万平方米，展厅总面积2500平方米，设有多功能报告厅、创作室、馆藏室等。

该馆以“功能完善、设施先进、服务优良、国内一流”为目标进行的高标准建设，是目前东北地区档次最高、功能最全、面积最大、现代化程度最高的区级美术馆。该馆的建成，与区市民健身中心、区图书馆、区少儿图书馆、桃源街图书分馆、区文化馆、区市民网球中心、区乒乓球活动中心一起，构成总面积达2.6万平方米的功能健全的区级公共文化服务设施主体。

中国美术家协会计划将该馆作为东北地区美术示范基地，每年在这里举办春季省级艺术展、秋季国际级美术展，组织开展国际艺术家和国际知名画廊美术展等活动。

【公共图书馆】2010年，中山区图书馆（含桃源分馆、少儿馆）共有藏书17万册，比上年增加 2 万册，接待读者3.9万人次，增加1万人次，外借图书4.05万册，增加0.8万册。完成新书加工9174册，办理借书证328个。组织“十佳书香家庭”评比、讲座等读书活动31项，涉及学校28所、街道8个。其中“给孩子自由成长的空间”、“如何在应试中取得胜算”等读书讲座8场；“科普

“正月十五中山区秧歌大会串”展演

知识伴我成长”、“我喜爱的一本书”读后感作品等展览活动4项，参加人数近2万人；接待上门咨询的读者686人次，通过电话、网络解答咨询698条，包括为区政府和领导决策提供当前经济热点等信息资源服务与咨询、向电视台提供有关大连历史资料、为有关单位和群众查阅有关土地征用与开发的信息。

大连市惠民工程——数字图书馆“一卡通”工程在中山区进入全面试运行阶段，为方便居民读书、掌握知识创造了条件。读者借阅册数增至3册，借期期限延长为1个月。开通“一卡通”的读者，可以到全市各联网“一卡通”图书馆通借通还，实现资源共享；还可以在网上进行书目检索、续借、预约，查阅下载上百万种电子图书、报纸、期刊，能方便、快捷、不受时间和地域限制享受到网络实时服务。

背景资料：

大连市数字图书馆“一卡通”工程

大连市数字图书馆“一卡通”工程是指以大连图书馆为中心馆，区市县图书馆为成员馆，乡镇（街道）、社区（村）图书室为分馆，通过网络服务实现资源共享的图书馆联合体。该工程自2008年开始实施，截至2011年5月，已建有1个中心馆、5个成员馆（鲁迅路分馆、普兰店市图书馆、金州区图书馆、西岗区图书馆、沙河口区图书馆）、12个乡镇（街道）和50个社区（村）分馆四级图书馆服务网络。系统现有持证读者29万余人，书目记录81万余种、282万余册。年图书流通量136万册次，年图书调拨量为1万余册。便捷的图书异地借还，让更多的市民得以亲近图书。读者可凭借“一卡通”读者证在不同馆际之间实现通借通还，还可登录“大连地区网上联合目录查询系统”进行网上查询、续借和预约，也可利用数字图书馆资源平台检索电子资源。（摘自大连市图书馆网站www.dl_library.net.cn）

【第四届“魅力中山”迎春京剧晚会】2010年1月16日，中山区举办第四届“魅力中山”迎春京剧晚会。晚会以红色经典现代京剧演唱为特点，著名京剧表演艺术家刘长瑜、李炳淑、杨赤以及来自京津沪的京剧名角同台献艺，特别是演出的经典剧目《霸王别姬》带给观众以美的感受。市委书记夏德仁，区委书记李向东、区长江亲瑜与千余名京剧爱好者一同欣赏演出。名家荟萃、精彩纷呈的“魅力中山·迎春京剧晚会”已经成为中山区和大连市一张靓丽的文化名片。

【群众文化活动】广场文化活动　2010年，中山区共组织各类广场文化活动20项40余场（次），获组织、表演、辅导、创作等奖项40余个，广场文化已经深深扎根于群众生活之中。5月14日，历时5个月的第十五届广场文化活动在桃源商城广场启动。活动期间，在大商步行街以“大商夏凉节——打造文化中山”为主题，组织各街道艺术团和馆办艺术团，进行音乐、舞蹈、模特、戏剧、曲艺等多种形式的群众文艺演出20场，舞蹈《康定情歌》等20个节目获优秀表演奖，8个街道获优秀组织奖。

秧歌表演　2月28日，区文化馆承办的中山区正月十五秧歌大会串表演，8个街道的秧歌队进行了各具特色的表演，参演人数达600余人；6月15日，组织秧歌队参加“首届辽宁沿海经济带秧歌大赛暨端午民俗文化节活动”。

三人舞“常青指路奔向红区”

国际服装节表演　第二十一届大连国际服装节期间，中山区共组织1万余人参加服装节暨狂欢节开幕式中山分会场狂欢表演；组织200余人的中老年模特表演队、苗族服饰表演队、彝族服饰表演队、蓝色激情表演队参加狂欢巡游表演。

群众健康舞推广　举办1期街道社区文化骨干舞蹈培训班和2期“百姓健康舞”培训班，30名辅导员参加培训，提高业务水平，使健康舞

"城市的记忆·老建筑画展"开幕

在全区广泛推广。10月21日，区文化体育局组织500余人参加大连市群众健康舞展演活动。

群众歌咏比赛 10月12日，中山区组织2支队伍共100余人参加大连市第三届"社区和谐"群众歌咏比赛，青泥洼桥街道获最佳表演奖，桂林街道获优秀表演奖。

区文化馆被大连市文化广播影视局评为大连市群众文化先进单位。

【参加全国城区家庭文化艺术节并获奖】2010年10月13–15日，由全国12个省（自治区、直辖市）的18个城区（市、县）共同举办的第二届全国城区家庭文化艺术节在重庆举行。中山区由副区长于笑，文化体育局局长殷传军和文化馆馆长伞佳卉带队，组织3个节目参赛，参赛的家庭是孙洪跃一家、关晓梅、关晓丹双胞胎姐妹。由孙洪跃家庭表演的三人舞《常青指路奔向红区》获家庭红色经典展二等奖，关晓梅、关晓丹表演的唢呐二重奏《龙舞丰年》获双胞胎艺术秀二等奖，摄影作品《小大人》获家庭趣味摄影大赛优秀奖，中山区获组织奖。

【东方美艺术团赴台交流获金奖】2010年6月7–17日，中山区东方美艺术团由区文化馆伞佳卉、王野带队，赴台湾参加艺术交流活动。在参加"阿里山杯"音乐舞蹈模特大赛中，服饰艺术模特《东方华彩》以编排奇特、表演精彩、服饰华美，在激烈的竞争中一举夺得本次大赛的最高奖——金奖。在个人单项比赛中，东方美艺术团的团员还分别获得3个最佳上镜奖、2个最佳气质奖、2个最佳风格奖、2个最佳亲和力奖、1个最佳服装奖，区文化馆获组织金奖。

【城市的记忆·老建筑画展】2010年2月2–7日，中山区举办"城市的记忆·老建筑画展"。市文化广播影视局局长王星航、副局长王家胜、市文联副主席张超，区委书记李向东、副区长于笑等领导和200多位市民参加开幕式。此次画展以第三次全国文物普查确定的建筑文物为创作内容，以油画作品为主，共展出22位画家的油画、水彩画40幅，并配以老建筑历史照片，展线150延长米。并出版"城市的记忆·老建筑画展"作品集。2010年12月10–17日，中山区组织《百年收藏第二回：旅顺旅顺》展览。

（郭凤敏）

·专业文化·

【繁荣京剧演出】2010年，大连京剧院共计演出109场，送戏下乡演出13场。

2月11日，在星海会展中心为大连市新春团拜会演出京剧《国粹辉煌》；3月31日，在天津市中华大戏院演出京剧《连环套》；6、7月先后赴瓦房店、普兰店、旅顺、开发区进行送戏下乡演出；8月21日，在麒麟舞台为"2010中国理论论谈专场演出"，演出《智斗》《打虎上山》等剧目；11月6日，在宏济大舞台为第五届全国副省级城市公安局长信息交流演出，演出了《泗州城》《智斗》《闹天宫》京剧；12月18、19日参加了由国家文化部组织的全国优秀剧目展演，演出的剧目《九江口》在展演中引起强烈反响。

【《风雨杏黄旗》屡屡获奖】由大连京剧院创作演出的京剧《风雨杏黄旗》于9月16日参加辽宁省第八届艺术节展演演出，受到专家和业内人士的高度评价，并获辽宁省第二届文化艺术政府奖文华奖"特别奖"，主演杨赤、王墨获优秀表演奖；该剧目获大连市洁华艺术人才基金会优秀成果奖，导演谢平安获大连市第十一届文艺特别奖，作者孟繁杰获优秀创作编剧奖。

【宏济大舞台改造竣工】宏济大舞台位于中山区民生街，始建于1908年，早期为天福茶园。1934年2月命名为宏济大舞台。

2009年，为弘扬民族文化，扶

持京剧艺术，大连市人民政府对年久失修、已废弃十余年之久的宏济大舞台进行改造，2010年9月竣工。改造后剧场建筑面积5400平方米，地下一层，地上三层。观众席一改过去固定座椅形式，采用散放茶座式结构，可根据需要自由组合。能容纳近600名观众观看演出。舞台288平方米，乐池自动升降，天幕为LED投影，灯光、音响器材属国内一流。由地下室至一、二、三吊桥有电梯升降，并配有调换灯光布景的电动吊杆。剧场外南墙有广告滚动的LED大屏幕。

10月30日，宏济大舞台举行开业庆典。市委书记夏德仁、区委书记李向东等领导参加庆典。中央电视台戏曲频道主持人白燕升主持庆典仪式，邀请于魁智、李胜素、奚中路等著名京剧表演艺术家，演出《贵妃醉酒》《将相和》《挑滑车》《大登殿》等著名曲目。至12月底，宏济大舞台共举办演出14场。

（马丽华）

【杂技节目创作演出】2010年，大连杂技团无论是在节目创作还是在国内外演出上都有新的突破，杂技节目屡屡获奖。

节目创作　新创作5个杂技节目：杂技舞剧版《霸王别姬》、杂技音乐剧《不莱梅的四个音乐家》、杂技节目《流星飞旋》《攀杠小子》《对手技巧》。

国内主要演出　2009年12月至2010年1月，杂技节目《现代男女软功——情》《力量》参加由中国文联和全国双拥办组织的“送欢乐、下基层”大型文化惠民慰问活动；2010年1月26日，《现代男女软功——情》参加由中国文联主办的迎春招待会演出，受到与会领导和各国驻华大使、文化参赞的欢迎；2010年9月21、22日，杂技《胡桃夹子》作为世博会的压轴演出剧目，为400多名世界各国要员进行专场演出；《胡桃夹子》和《群星荟萃——综艺晚会》参加辽宁省第八届艺术节演出。

开展惠民演出、送戏下乡活动，在市内四区和瓦房店、旅顺、普兰店农村演出66场，受到群众好评。

国外主要演出　2009年11月至2010年2月，杂技《胡桃夹子》第二次赴法国、瑞士等国家演出，共在欧洲36个城市巡演54场，观众达5万人；2009年9月至2010年8月，杂技团13人在日本名古屋等6个城市共演出596场，观众达30万人次；2010年2–4月，杂技节目《大连女孩——车技》在德国演出62场，观众达6万余人次。各项演出活动均受到国外媒体和观众的高度赞誉。

获得的主要奖项　2010年5月21日，在大连市第十一届金苹果奖评比中，杂技《现代男女软功——情》获“优秀表演奖”，王艺睿获金苹果奖“文艺新人奖”，赵玉兰获金苹果奖“文艺特别奖”；2010年9月，在沈阳举行的辽宁省第八届艺术节上，《胡桃夹子》获“优秀演出奖”，《群星荟萃——综艺晚会》获“演出奖”；10月份，在第九届中国武汉国际杂技艺术节上，《流星飞旋》获“芳草银奖”，《蹬伞》获“黄鹤铜奖”。

【杂技剧《不莱梅的四个音乐家》在世博会驻场演出】2010年，大连杂技团应德国不莱梅州政府邀请，选取《格林童话》同名故事，为上海世博会城市最佳实践区不莱梅案例馆，量身打造杂技音乐剧《不莱梅的四个音乐家》。5–10月，该剧在世博会连续上演184天，演出523场，观众约20万人次。大连杂技团被誉为“世博会驻场演出团体之最”和“世博会明星演出团体”。

（董　芳）

【人民文化俱乐部天天有演出】2010年，大连人民文化俱乐部把“文化为民，文化惠民”作为出发点和落脚点，采取多种途径确保剧场得到充分利用。全年接待会议、对外出租、进行各类演出活动共计337场，观众近21万人次，实现“天天有演出”的目标，社会效益和经济效益

杂技剧《不莱梅的四个音乐家》在上海世博会演出

世界舞蹈巅峰巨作《燃烧地板》在人民文化俱乐部演出

均创下历史最高水平。

【社区文化沙龙走进剧场】2010年，中山区文化局、区文联与大连人民文化俱乐部合作，以2个小厅为场所，每月举办1次社区文化沙龙活动，包括艺术讲座、演讲、民间艺术展等，并将社区群众的优秀文艺作品在舞台上展示，年内有10个作品登上俱乐部的舞台。

【话剧演出活跃文化市场】2010年，大连人民文化俱乐部演出话剧62场，市民对话剧这一传统文艺种类更加喜爱。其中，与万科集团合作，于1月和12月举办两届“万科话剧节”，演出《我不是李白》《同桌的你》《空中花园谋杀案》等话剧；将大连市话剧团的话剧《雷雨》搬上舞台；引进由著名影视明星梅婷主演的话剧《我爱桃花》，上海话剧中心创作的《21克拉》《杜拉拉》《武林外传》，由香港著名导演林亦华指导的话剧《远大前程》等一批知名话剧，演出场场爆满。大连人民文化俱乐部还将小话剧引进戏剧厅，全年演出《梁山伯与他的祝英台与她的马文才》《小飞象》《交叉跑动》等小话剧118场，受到话剧爱好者的欢迎。

【强强联手走特色经营之路】连续第6年与建设银行大连分行联手，举办“建行之声·大连新年音乐会”，把波兰国家广播交响乐团、联合国世界和平艺术家交响乐团、德国柏林交响乐团等世界著名的乐团引进大连，让新年音乐会一年好于一年；年内与万科集团联手举办两届“万科话剧节”，扩大了俱乐部和万科集团的影响力与知名度；与亿达集团联手推出首届“亿达之声——中国·大连夏季国际艺术节”。

【首届“亿达之声——中国·大连夏季国际艺术节”】2010年7月，大连人民文化俱乐部与亿达集团联手推出首届“亿达之声——中国·大连夏季国际艺术节”。艺术节演出话剧、舞剧、歌剧、交响乐、演唱会等8台精彩文艺节目，呈现出观众场场爆满的景象。艺术节邀请到日本东京交响乐团、美国黑人哈莱姆天使合唱团、德国的歌剧《费加罗的婚礼》、欧美《百老汇与红磨坊》、水晶布达拉宫《水晶乐坊与雪莲三姐妹》、中国京剧院研究生班的京剧《红色经典》、上海话剧艺术中心的话剧《杜拉拉》、上海芭蕾舞团的芭蕾舞剧《梁山伯与祝英台》等国内外著名演出团体和剧目，共有8200多名观众观看演出。

艺术节从策划到实施得到市委、市政府的高度重视和大力支持，将成为大连市一个新的文化品牌。

（李　颖）

【电影发行放映】2010年，大连市电影有限公司发行35毫米新片153部，共放映14.5万场，观众达550.7万人次，票房收入达1.73亿元。放映场次、观众和票房收入分别比上年增加7%、20%和37.78%。

全年开展了三次公益性放映活动：与市慈善总会合作，组建流动放映队到建筑工地免费为农民工放映电影；为爱心送考的出租车司机免费放映电影《唐山大地震》；倡导环保从孩子做起，举办“环保小先锋儿童手绘T恤大赛”、“影城盛夏—环保美童超级秀”等活动。

全年在农村放映电影11518场，观众200余万人，其中科教影片放映2850场，为推进社会主义新农村建设发挥了积极作用。

【华臣院线活动】2010年，大连电影有限公司下属院线公司大连华臣影业有限公司在全国共有影城（院）12个，在大连有影城（院）7个：即大连华臣影城西安路店、新玛特店、开发区安盛店、金州店、进步电影院、红星电影院、友好电影院。

6月11日–7月12日足球世界杯期间，大连地区华臣影城（院）开展了“全城热猜世界杯，全年电影无限看”世界杯竞猜活动。该活动以世界杯小组赛、1/8赛、1/4赛以及决赛为基础划分4个竞猜阶段，每个阶段产生19位获奖者，终极大奖获得者可以全年免费观影。活动收集有效选票2万多张，获奖人数近百人。看电影、聊足球、投选票，成为世界杯期间影城的一道独特风景。

9月17-24日，大连市4家华臣影院配合影片《山楂树之恋》的上映，利用影片的时代背景和元素，进行“最美麻花辫”老照片评选、“《山楂树之恋》麻花辫专场”放映等系列活动，共评选出10位观众，获得影院赠送的影楼写真以及电影票等奖励。

10月，大连华臣影城西安路店顺利通过国家IS09001质量体系认证的第二次监督审核。

（李晓彤）

附：

驻区专业文化团体简介

【大连京剧院】位于中山区麒麟西巷1号。始建于1949年4月，其前身为旅大京剧团。2007年5月更名为大连京剧院，人员编制105人。先后涌现出曹艺斌、蓉丽娟、哈鸿滨、张铁华、周少楼、闻占萍、刘慧琴、杨赤、李萍等著名艺术家；20世纪五六十年代创作演出的《甘宁百骑劫魏营》《松骨峰》在剧坛引起轰动，80年代的《合家欢》、90年代的《梁山根》《百花公主》引起省内外广泛关注；保留剧目《九江口》《白蛇传》堪称艺术精品。1987年，在辽宁省中青年京、评剧演员表演赛中，大连京剧院囊括前三名；1990年，有“全才花脸”之誉的袁派传人杨赤演出的《九江口》摘取了第八届中国戏剧梅花奖；1994年，在全国梅兰芳金奖大赛中，杨赤获梅兰芳金奖。同年，李萍也获得第十二届中国戏剧梅花奖。该团曾获得中国京剧艺术节金奖、优秀剧目奖，辽宁省政府文华特别大奖、辽宁省“五个一工程奖”等奖项。先后出访二十多个国家和地区，以精湛的技艺和良好的作风为祖国赢得了荣誉。2005年，在全国重点京剧院团评估中，被评为省级重点院团。

（马丽华）

【大连杂技团】位于中山区绿山巷28号。成立于1951年。现拥有编导、创作、作曲、舞美、教师和演员近500人，是中国最具实力的杂技艺术团体之一。

改革开放至今，杂技团累计出访60多个国家和地区，在世界上享有较高声誉。《大连女孩——车技》《大连男孩——腾飞》《男女现代软功——情》《蹬伞》《流星飞旋》等多个原创杂技节目，在摩纳哥蒙特卡罗国际马戏节、意大利罗马国际金色马戏节、法国巴黎玛希国际马戏节、中国武汉国际杂技艺术节等国内外重大杂技赛事中，累计荣获奖项240多个。与法国迪斯尼合作推出的大型杂技剧《木兰传奇》，与法国沙特莱歌剧院合作的歌剧杂技剧《猴·西游记》，独立创作的杂技版童话剧《胡桃夹子》，以及《大连女孩——车技》《肩上芭蕾》等，多次在国家领导人接见外宾和其他重大外事活动中进行表演。

建团以来，曾被国家商务部、文化部、广电总局和新闻出版总署联合授予“国家文化出口重点企业”称号；被国家文化部授予“文化部先进集体”、“精神文明奖”等称号；被辽宁省政府授予“文明剧团”和“外事工作先进集体”称号；被大连市政府授予“文明单位”称号。

（董　芳）

【大连人民文化俱乐部】位于中山区中山广场8号，1951年建立，由俄罗斯专家小组设计，郭沫若先生题名。周恩来、宋庆龄、彭德怀、徐向前等多位党和国家领导人曾陪同外国贵宾在此驻足。1995年和2008年由市政府投资，先后2次对俱乐部进行全面升级改造。现有大剧场、音乐厅、戏剧厅3个演出场所，能容

全面升级改造后的人民文化俱乐部

纳观众近千人，是大连市的政治、文化活动中心。

（李　颖）

【大连市电影有限公司】位于中山区五五路70号。其前身为大连市电影发行放映公司，成立于1992年。

2010年，该公司有市级公司1个、县级公司3个、发行放映机构1个，电影放映单位12个，其中影城9个、影院3个，观众席位1.3万个。在中山区有3个放映单位，即大连华臣新玛特电影城、大连进步电影院、大连红星电影院。

（李晓彤）

副区长于笑检查文化市场管理情况

·文化市场管理·

【概况】2010年末，中山区共有文化经营业户710家，比上年增加10家。其中书店224家，增加28家；卡拉ok154家，增加7家；音像零售（出租）45家，增加3家；棋牌室75家，增加5家；台球厅37家，增加4家；酒吧（舞厅）39家，增加8家；网吧85家；演出场所备案32家，增加7家；演出团体19家，增加3家。

【文化市场专项整治】2010年，中山区文化体育局坚持“两手抓，两手都要硬”的执法理念，将日常监督检查与专项治理相结合，与“扫黄打非”相结合，加强文化市场管理。调整“扫黄打非”工作领导小组，开展 “打击盗版图书、音像制品专项行动”、“ 网吧接纳未成年人专项行动”、“清理政治性非法出版物、非法小报行动”、“娱乐场所安全集中整治”和中、小学校周边环境集中清理等专项整治活动。

全年共进行“扫黄打非”联合行动5次，检查文化市场359次，出动车辆285台次，出动检查人员1300余人次。取缔游商、地摊402个。检查经营户2965余次，其中网吧1400家次、娱乐场所1565家次。共收缴非法音像制品1.3万张，查缴非法出版物1222本（其中政治性非法书籍122册、非法小报1100张），立案并处罚2起，刑拘2人，全区文化市场保持健康繁荣、有序发展。

当年，中山区文化执法大队被市“扫黄打非”工作小组评为大连市“扫黄打非”先进集体。

（郭凤敏）

档　案

【概况】2010年，中山区档案馆馆房面积2100平方米，馆藏全宗122个，档案7.1万余（卷）册、105535件，比上年增加0.2万（卷）册、13626 件；资料6713余卷（册），增加866卷（册）。全区有省一级档案管理先进单位46个，当年新增7个。

中山区档案局（馆）围绕科学发展首善区建设这个中心，加大改革创新力度，提高档案现代化管理和规范化服务水平。区域化档案信息资源系统平台基本建成，档案的利用更加便捷；区档案馆通过ISO9000质量管理体系认证，在全国县区级综合档案馆中，率先通过质量管理体系认证；在民营企业中开展调研，规范新经济组织档案工作；加强对各基层单位档案业务和升级达标工作的监督指导，区园林管理所等7个单位晋升为省一级档案管理先进单位。

【档案接收征集】2010年，中山区档案馆共接收机关25个部门2008、2009年归档的文书档案434盒、14922件；国库收付中心会计档案1907盒（卷）；人口和计划生育局获国家和省级牌匾、奖状、证书等26件实物档案；6个街道办事处永久档案1215卷、67盒、1859件，长期档案1669卷、106盒、6339件。征集各种制式警用枪套、武装带和执勤袖标等12件实物进馆，丰富了馆藏，改善了档案结构。

全年接待档案利用者1149人次，提供档案1563卷次；为政府信息公开和现行文件利用者提供15人

区长江亲瑜视察区档案信息资源平台建设

次、102件次服务。

【区域化档案信息资源平台建成】2010年，中山区政府投入180余万元用于区域化档案信息资源平台建设，并把这项工作列入区政府重点工作之一。

档案软硬件建设　为区档案馆新购置区域化档案信息资源中心系统、windows 2008操作系统、SQL SERVER 2008数据库、服务器、磁盘阵列和扫描仪等软硬件设备，提高档案管理的信息化水平。

档案网站建设　将档案信息网链接到区政府网站上，对原有网站进行扩容、增加功能等升级改造，使网站功能更全面、更强大。将馆藏古现代钱币、民俗饰物、老医书等实物档案制作成视频短片供网民浏览，受到广大网民欢迎。

档案数字化建设　与大连雅奇电脑学校合作，投入20人、28台设备进行档案数字化加工。把馆藏20盘大1/2录像带进行数字化转换并做好备份。

档案数据库建设　建立80余个全宗档案子目录数据库，建立文件级、案卷级、件盒级目录数据库以及档案全文、政府信息公开全文数据库，存储各类目录级、全文级数据70余万条。

截至年末，区域化档案信息资源系统平台基本建成，为社会各界利用档案提供了便捷周到的服务。

【区档案馆通过ISO9000质量管理体系认证】2010年，中山区档案局（馆）导入ISO9000质量管理体系，加强档案管理标准化、规范化，进一步提高服务质量，使档案查阅答复率、档案查全率、档案查准率、档案服务满意率有新的提高，通过区政府ISO9000质量管理体系认证，成为东北地区乃至全国首家通过该项认证的县区级综合档案馆。

【新领域档案工作】2010年，中山区档案局（馆）加强民营企业档案工作，在全区36242户民营企业中开展调研和规范活动，重点对档案管理达标的百年城商业地产公司、永欣香榭里实业公司等14家民营企业进行监督和规范，摸清民营企业档案工作现状，规范企业档案管理标准。

【档案业务监督指导】2010年，中山区档案局（馆）对大连市44中学、中山区城肥管理所等8个单位进行省一级档案管理标准评定指导工作。指导婚姻登记处完成1992－2006年期间形成的婚姻和收养登记档案材料的规范，检查整理639盒、21952件婚姻档案和140卷收养登记档案，

组织档案员观看展览

顺利通过市档案局组织的贯彻落实《婚姻登记档案管理办法》《收养登记档案管理暂行办法》情况检查。指导区园林管理所、环卫处、人民路街道办事处等7个单位顺利通过省一级标准评审，成为省一级档案管理先进单位。

【档案法制建设】2010年，中山区档案局（馆）加强档案行政执法检查工作。采取下发通知、听取汇报、现场检查指导、通报检查结果等方式，对全区中小学、幼儿园等50多个立档单位进行3次执法检查，推动这些单位档案工作有序开展。

结合纪念《档案法》颁布实施23周年，组织全区80余名档案员到市档案局观看《城市足迹》《大连解放》展览，在学习宣传《档案法》的同时，加深档案工作者对大连历史的认知。

（尹　萍）

体　育

【概况】2010年，中山区有综合性体育馆1所；健身路径84个，站点154个。全区有传统项目布局学校15所，其中中学4所，小学11所，主要项目有田径、足球、排球等。

2010年，中山区体育工作全面实施《全民健身计划纲要》，把体育工作作为实现精神文明建设的重要内容来抓，开展丰富多彩的体育活动。举办、承办体育赛事20项，参赛队伍近300支，参赛人员5000余人。参加市级比赛16次，参赛队伍65支，参赛人员1170人；中山区举办比赛28次，参赛人数16680人。

在大连市组织的比赛中，获个人奖40多人次，团体奖15次，优秀组织奖和体育道德风尚奖4次。7个单位被市体育局树为优秀社会体育指导站（点），12名站长被授予2009年大连市百优指导员称号。在市老年体协组织老年基层工作现场会上，中山区有10个单位、10名个人分获老年工作“先进集体”、“先进个人”称号。

国家学生体质健康标准达标率全区中学生为 97.33 %，其中及格24.9 %，良好62.4%，优秀10.03%；小学生为97.9%，其中及格27.52%，良好51.72%，优秀18.67%。全年培训体育干部8次，共计860人，向上级体育部门输送体育人才35人。

·全民健身·

【区第四届全民健身徒步大会】2010年4月30日，由中山区政府举办，区文体局、旅游局共同承办的中山区第四届全民健身徒步大会在老虎滩海洋广场举行，区四大班子领导以及全区机关、街道、行业和辖区单位近万人参加徒步活动。本次徒步线路自老虎滩海洋广场起，沿滨海路行进，途经小石槽、棒棰岛，到迎宾路止，全程10公里。

举办全民健身徒步大会是中山区贯彻落实国务院《全民健身条例》，推动全民健身活动的决策部署，自2007年起每年举办1届。

【全民健身日活动】2010年8月8日是全国第二个“全民健身日”。中山区在青泥洼桥大商步行街举行“人人共享体育，体育造福人人”为主题的“全民健身日”大型群众体育活动。活动以太极拳、剑、健身操等健身项目展演和知识问答于一体，达到了全民健身展示、引导、服务的效果，吸引许多市民和游客驻足观看，增强广大市民坚持健身强身的兴趣和意识。

【参加市领导干部运动会】2010年9月15-17日，大连市在长海县举行第二十五届领导干部运动会。中山区四大班子主要领导参加网球、乒乓球、排球、钓鱼等比赛和太极拳展演，为引领全区干部群众积极参加体育锻炼、营造良好的全民健身氛围，起到示范带头作用。

【市区人大代表及政协委员运动会】

中山区第四届全民健身徒步大会

竞争激烈的中山区中小学生田径运动会

2010年6月，由中山区人大主办的“大商杯”第三届中山区市、区人大代表“五项”体育运动会和由中山区政协主办的中山区政协第二届趣味运动会，先后在区市民健身中心举办，共有近300名市、区人大代表、政协委员参加。

【参加国际马拉松比赛】2010年4月17–18日，大连国际马拉松比赛在金石滩举行。中山区选派1840人参加迷你小马拉松健身跑，60人参加比赛助阵队。参加迷你小马拉松健身跑人员全部跑完4.2公里赛程。助阵队为运动员加油助威，营造出热烈祥和的气氛。中山区被大赛组委会评为优秀组织奖。

【网球运动普及推广】2010年，中山区充分发挥网球中心场地条件好、交通便利的优势，多次举办公益网球活动及幼儿、青少年网球培训班，得到网球爱好者的认同，网球中心成为大连市重要网球培训基地之一。

年内，网球中心会员与日本驻连企业的网球爱好者先后进行3次比赛交流，100余人次网球爱好者参加比赛，切磋球技，共同提高网球运动水平。此项赛事受到中日网球爱好者欢迎，将成为大连网球界一项传统赛事。

全年举办网球培训班 3 个，有 120 人参加培训，为培养网球后备人才创造条件。

【老年体育活动】为丰富辖区老年人的业余文化体育生活，2010年，中山区共组织辖区老年人门球赛、乒乓球赛、健身操等比赛7次，健身培训活动4次，参加市级各类比赛活动20次，参加省级培训2次、省级比赛活动1次。组织老年人展演展示项目67个，新推广项目19个，参加比赛和展演人数达3.5万人。组织开展的老年人太极拳活动，吸引许多日本友人来中山区进行太极拳交流，相互切磋，共同提高技艺，增进了中日民间情谊。

年内，全区有10个单位、10名个人被大连市老年体协评为老年工作先进集体、先进个人。

【国民体质监测】2010年6月21–27日，按照国务院《全民健身条例》规定，中山区体育中心国民体质监测站组织进行了第三次全国国民体质监测工作。监测内容包括人体形态、机能和素质三个方面，监测对象分为3–6岁幼儿、20–59岁成年人和60–69岁老年人3个人群，采取整群随机抽样的方法抽取监测对象。全区抽取监测对象610人，提取有效样本578人。

区政府承办的全国少年乙组羽毛球赛

监测数据显示，中山区市民体质状况良好，优秀率占被监测人群的38.5%，良好率43.7%，合格率17.8%。

·重要赛事·

【概况】2010年，中山区共主办、承办20项体育赛事，其中承办国家级赛事1项，即全国少年乙组羽毛球赛；主办职工比赛3项（乒乓球、足球、羽毛球）；老年人比赛2项（象棋、乒乓球）；中小学生比赛6项（足球、篮球、排球、田径、武术、围棋）；其他比赛8项。

规模比较大的比赛有：3月，承办大连银行羽毛球选拔赛，有8支队伍、86人参加120场比赛的角逐；7月，承办“李宁·凯胜杯”首届羽毛球俱乐部排名赛，500余人参加400场比赛的角逐；9月，承办“移动杯”大客户羽毛球大赛；10月份，承办的市委组织部机关干部职工羽毛球赛，来自市委组织部全体干部职工百余人参加比赛。

【承办全国少年乙组羽毛球赛】2010年4月17日，全国少年乙组羽毛球赛在大连交通大学体育馆开幕。此次比赛由国家体育总局乒乓球羽毛球运动管理中心主办，大连市体育局和中山区政府承办，是一次高水平的全国少年羽毛球赛事。

本次赛事分为4个组别，共有来自全国11个省（市）代表队的100余名选手参加角逐。福建尤尼克斯队、厦门伟士队分获98年龄组男、女团体第一名；辽宁队、广东队分获97年龄组男、女团体第一名。

【举办第三届大连市市民羽毛球大赛】2010年12月，由大连市中山区人民政府、大连晚报社主办，大连市中山区文化体育局、大连倍倍青少年体育俱乐部（国家级体育俱乐部）承办，李宁（北京）体育用品商业有限公司、北京红牛饮料销售有限公司协办举办第三届大连市市民羽毛球大赛。本次大赛除设有团体、男单、男双等传统比赛外，新推出“三对三”以团队配合为主的羽毛球争霸赛，共有近400余名运动员参赛。赛事得到大连市体育局、市羽毛球协会的支持，李宁（北京）体育用品商业公司、北京红牛饮料销售公司辽宁分公司提供赞助。

本届羽毛球大赛成年组男子单打甲组冠军王丹；乙组冠军胡超伟；男子双打比赛创造了历届参赛人数最多的记录，也是比赛竞争最为激烈的一届比赛，黄勇、朱振全摘得桂冠；兴鹏一队俱乐部在最具观赏性的团体比赛中夺得第一名。

【参加大连市第五届国际武术节】2010年10月1–6日，大连市举办第五届国际武术节，参赛选手1300多名，设表演和比赛项目60多个。中山区选派66人参加比赛，获得金牌17枚、银牌27枚、铜牌31枚，获得团体总分第二名，4人被评为优秀教练员。

（张爱国）

责任编辑　周建平

卫生 WEI SHENG

服务与管理

【概况】2010年，中山区辖区内有各类医疗机构188个，共有床位3581张、卫生技术人员4167名。

各类医疗机构中：医院9所，其中三级甲等医院2所、二级甲等医院4所、其他医院3所（中医医院1所、骨科医院1所、其他专科医院1所）；疗养院3所；社区卫生服务中心10个；（集）个体诊所、医务室134个；门诊部16个，其中综合门诊11个、专科门诊5个；采供血机构1个；妇幼保健所1个；疾病控制中心1个；卫生监督机构1个；其他卫生机构1个。

卫生技术人员中：执业医师1599人，助理医师34人，注册护士1831人，药剂人员256人，其他447人。

年内，中山区医药卫生体制改革领导小组成立，常务副区长、主管区长任组长，区总工会、政府办、发改局、卫生局、编委办、财政局、人社局、药监局、教育局、民政局、人口和计划生育局等11个部门任成员单位，全面指导、协调和监管全区医药卫生体制改革。开始实施基本药物制度，公办社区卫生服务机构基本药物销售比例达到78%。

【社区卫生服务】建设信息管理平台。2010年，中山区政府高度重视社区卫生服务发展，投入资金23.5万元，于10月上旬在全市率先开展社区卫生服务信息管理平台建设，为社区卫生服务规范化、信息化管理奠定基础。10月28日，大连市卫生局在中山区桂林街道社区卫生服务中心召开大连市信息管理平台应用现场说明办公会，向全市推广中山区经验。

实施基本药物制度。年初，按照辽宁省卫生厅和大连市卫生局统一部署，规范社区基本药物目录，在全市率先开展基本药物宣传进社区、进居民家庭的宣讲工作，实现基本药物上架销售。完成基本药物配送企业遴选，对4800余品规的基药实行网上采购。卫生行政部门定期督导及考核社区卫生服务机构基本药物制度推进情况。截至年末，全区基本药物销售额214.2万元，品规1449个，网上采购基本药物销售额占药品总收入的53%，公办社区卫生服务机构基本药物销售额占药品总收入的78%，配备基本药物品规数占国家基本药物307个品规的比例为62%。

区领导视察卫生工作

【妇幼保健】2010年，中山区妇幼保健所规范母婴保健技术，加强孕产妇和儿童系统管理。孕产妇系统管理率95.6%，比上年提高0.6%，未发生一起孕产妇死亡。婴儿出生缺陷发生率10.7‰，比上年上升1.4‰；婴儿死亡率2.8‰，上升1.41‰；5岁以下儿童死亡率3.75‰，上升1.37‰；儿童系统管理率94.6%，同比上升0.6%；儿童保健管理率97.3%，与上年持平。

【食品安全综合监管】2010年，中山区食品安全委员会办公室制作并下发规范性文件17件，分解布置大连市食品安全目标考核内容。全年组织食品安全进街道、进社区、进学校、进工地“四进”宣传活动6次，开展专项整治17次，联合执法3次。出动执法人员7856人次、车辆920余台次，受理群众投诉84起，查处案件31起，立案21件，罚款22.3万元。检查单位7578户次，检测食品2684个批次，监测合格率达到100%。

【医政管理】2010年，中山区卫生局完善“三基三严”（基本理论、基本知识、基本技能，严格要求、严谨态度、严肃作风）培训制度，建立健全医院感染监测和医院感染爆发信息系统，开展以改善医疗服务为重点的优质医院创建活动。

全年受理审批医疗机构设置28家、申请注销医疗机构9家。完成执业医师注册（含变更）126人次、护士注册 78人次。完成12个继续医学教育学术课题的申报，在岗卫生技术人员医学教育学习参与率、合格率均达到100%。接待医疗信访患者56人次，结案率100%。开展医疗扶贫工作，为50余位孤寡老人进行免费体检和治疗。对辖区27家生物实验室安全进行2次督导。

开展防治“手足口病”、防范医疗纠纷、住院医师、社区医生护士全科理论和临床实践技能模拟培训，制作培训光盘170套，参与培训人次838人，培训率达到100%。

【区医院建设】2010年，中山区医院开展“以病人为中心，以提高医疗服务质量为主题”的医院管理年活动，在提高医疗质量和服务水平的基础上，继续实施系列惠民措施，加强特色专科建设，业绩稳步上升。医院床位利用率56.89%；周转率12.81次/年；门诊接诊28840人次；出院病人1680人次。

（宋　艳）

区疾病预防控制中心

疾病预防和控制

【概况】2010年，中山区疾病预防控制中心依据区制定的《公共卫生体系三年建设规划》要求，注重抓好预防保健措施的落实，积极探索和加强重点传染病防控体系和人员聚集场所公共卫生保障机制建设。加强对人感染高致病性禽流感等传染病的防治监测以及人员培训，培训3037人次。加强社区、医院、学校的健康教育。脊灰、百白破等7种疫苗计划免疫接种率近100%。新建1支卫生专业应急队，使全区卫生医疗机动队达到3支。全年无甲类传染病发生、无“一般级”以上级别突发公共卫生事件发生。

【区疾控中心搬迁】2010年，中山区疾病预防控制中心由青云街进展巷69号迁入解放路485号。该楼五层，面积为4245平方米，区财政投入资金1000多万元，改善该中心办公条件和实验室工作环境，补充更新仪器设备，为疾控中心实现规范化、科学化、标准化管理奠定了硬件基础。

【传染病防治】2010年，中山区疾病预防控制中心加强传染病防治监测以及人员培训。

应急演练和培训　进行食物中毒及肠道传染病应急演练，组织辖区内5所医院的霍乱防疫机动队进行拉练，专项检查6家肠道门诊夜诊开诊情况，覆盖率100%。对疾控中心及辖区内二级以下医疗机构有关人员进行预防鼠疫、SARS（非典）、人禽流感的培训，培训3037人次，发放预防宣传单2000份，制作展板5个。对区内各学校、托幼机构的校医进行呼吸道常见传染病培训，培训32人次。

人感染高致病性禽流感防治监测　对8名常年在活禽经营市场和宰杀加工点，从事活禽运输、销售、宰杀、加工、贩运的人员进行采血，并送大连市疾控中心检测，结果均为阴性。同时，对50多名从业人员进行禽流感防治知识宣传培训，发放宣传资料100份。

附：

2010年中山区常规免疫接种情况

疫苗种类	基础			加强		
	应种人数（人）	实种人数（人）	接种率（%）	应种人数（人）	实种人数（人）	应种人数（人）
脊灰	5663	5660	99.95	1018	1018	100
百白破	5686	5682	99.93	1302	1302	100
麻疹	1986	1986	100	—	—	—
乙肝	5477	5475	99.96	—	—	—
麻腮风	1406	1405	99.93	—	—	—
流脑	3332	3332	100	2165	2165	100
甲肝	405	405	100	—	—	—

其他传染病监测　对水痘爆发学校、幼托机构进行督导，监测水痘病例267例、爆发点5点次，检查督导5点次，覆盖率100%；对爆发点患者进行流行病学调查，共计23人次，流调率达100%。监测流感病例33例、流腮病例39例、风疹病例296例，全年均无爆发。

开展鼠疫预防讲座

【计划免疫】2010年，中山区卫生防治站认真开展各项免疫规划工作，一类疫苗接种率全部达到并超出国家要求的免疫规划接种率95%的指标。全年完成免疫规划接种70063人次。

【健康教育】2010年，中山区卫生局制定健康教育工作计划，组织社区卫生服务中心、学校、医院健康教育专兼职人员，开展《健康素养66条》专业培训，有60人参加培训。

有针对性地面向社区居民、食品从业人员、学校师生3种人群开展健康教育效果评价，普及健康知识，每个人群调查问卷100份，发放健康素养材料2万份。为预防传染病流行，向区托幼单位发放手足口病预防宣传单3000份，流感挂图100张。

结合世界卫生日、无烟日、高血压日、糖尿病日、精神卫生日、爱牙日、爱眼日、艾滋病日，先后6次组织并指导社区、医院、学校开展主题宣传活动。为确保2011年实现卫生行政部门和医疗卫生机构全面禁烟的目标，多次对辖区医院进行创建全面无烟医院督导，落实无烟医院标准，指导医务人员掌握控烟方法。

【学校卫生安全】2010年，中山区疾病预防控制中心指导学校建立卫生档案，收集学校卫生相关资料，全区学校卫生档案建档率、合格率达100%。开展近视、沙眼、营养不良和肥胖、龋齿等学生常见病防治与管理。开展学校呼吸道传染病晨检工作，对校医及有关人员进行呼吸道传染病防治、地方病防治培训。对民生小学开展症状监测。

【碘缺乏病防治】2010年，中山区疾病预防控制中心开展碘缺乏病宣传活动，累计发放宣传画8幅、宣传单1万张、宣传册1000余份，制作板报20块、横幅5幅，直接受教育人数近万人。

制定中山区碘盐监测方案，确定按东、西、南、北、中划分设5个

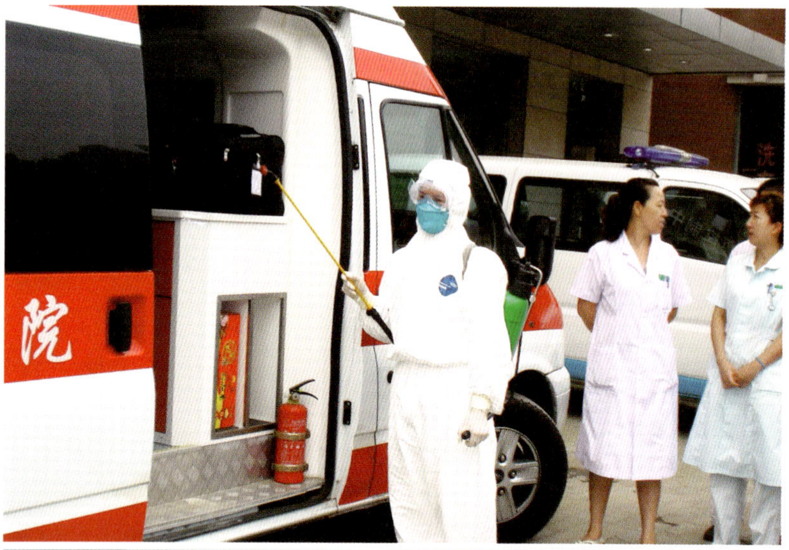

开展食品安全应急演练

【卫生应急队伍建设】2010年，中山区疾病预防控制中心完善单位内部的应急工作机制，重新制定食物中毒和防台防汛应急预案。成立1支由8人组成的卫生专业应急队，使全区卫生医疗机动队达到3支24人。提高应急处置能力，对照《全省卫生系统突发公共卫生事件应急物资储备目录》，及时清理过期物品，购置消杀药品、现场采样箱等应急备品，补充和更新队员应急包的应急物品。

（宋　艳）

抽样监测点，共抽取盐样300份进行检测，结果完全合格。开展重点人群碘营养监测，对辖区内婴儿、幼儿、哺乳期妇女、孕妇4种人群收集尿样，掌握食用碘盐及尿碘值水平的动态趋势。开展中央补助地方公共卫生专项资金地方病防治项目的督导自查工作。

【卫生监测】2010年，中山区疾病预防控制中心先后2次组织辖区内医疗、托幼机构200余人次培训，培训内容包括医疗、托幼机构消毒效果监测、一氧化碳中毒管理、食物中毒应急处置及医疗机构的职责、手足口病接诊处理及防控。对区卫生局内部职工进行一次食物中毒应急处置培训，内容包括食物中毒报告制度、流调及疑似样品采样细节以及调查技术报告的撰写。

针对辖区托幼园所日常消毒工作的薄弱环节进行督导。共监测医疗机构39家、托幼机构4家。完成9家医院及2家医疗美容机构消毒效果抽检。

进行室内空气、公用物品及游泳池水监测4点次，其范围涵盖旅店、浴池及游泳馆、美容美发场所。进行水质监测64点次，其中市政末梢水52点次、24项水2点次、二次加压水10点次，共采水样128份，检测项目545项，各项目的检测合格率均为100%。

卫生监督

【概况】2010年，中山区管辖各类餐饮单位1253户、集体食堂50户、养老院食堂15户、工地食堂5户、中小学食堂16户、托幼园所食堂45户；二次供水单位6家、旅店212家、洗浴场所71家、游泳场所5家、美容

附：

2010年中山区卫生监督所卫生监督实施情况（一）

监督项目	监督点次	监督频次	覆盖率（%）
餐饮服务业	3751	2.85	100
公共场所及化妆品	1004	1.16	100
保健食品经销店	1065	2.85	100
二次供水单位	12	2	100
各类医疗机构	220	1.01	100
职业卫生	8	2	100
放射卫生	109	1.3	100

2010年中山区卫生监督所卫生监督实施情况（二）

抽检场所	家	采集样品（份）	检测结果
美容美发	104	832	合格
住　宿	43	258	合格
游　泳	5	55	合格（含池水15份）
洗　浴	15	120	合格
二次供水单位	6	12	合格（含1所学校）

美发店519个、娱乐场所58家；各类医疗机构218家、职业卫生4家、放射卫生82户。

全年，区卫生监督所共出动卫生监督人员1.2万人次，比上年增加4.9%，出动车辆1369余台次；监督行业单位6161点次，比上年增加4.9%。围绕卫生安全，开展7项专项整治行动。受理群众举报55起，实施行政处罚26起，罚款2.3万元，分别比上年减少28%和22.4%。

【重大节日卫生监督】2010年，中山区卫生监督所强化节日卫生监督，在各大节日期间，对辖区内有影响、有特点的餐饮单位以及旅游景点、繁华地段周边的餐饮单位进行卫生监督检查，重点监督餐饮服务许可、从业人员健康证明、食品加工过程的卫生状况、餐饮具消毒情况、凉菜制作以及食品原料、食品添加剂的采购、索证、登记等。在全面监督的基础上突出重点，把是否使用非食用物质作为食品原料和非法使用食品添加剂作为卫生监督的重中之重。

强化食品监督，全面贯彻落实《食品安全法》《食品安全法实施条例》《餐饮服务食品安全监督管理办法》。培养餐饮服务单位自律能力，强化各项管理制度的落实，让餐饮服务单位的法人始终牢记餐饮食品安全第一责任人的责任。

【专项整治行动】2010年，中山区卫生监督所围绕卫生安全开展7项专项整治行动，分别是：

集中清查餐饮单位非法使用违法乳品和含乳食品专项整治行动。按照市食品安全委员会关于加强乳品及含乳食品监督管理工作要求，在全区乳品和含乳食品行业开展集中清查专项行动，共出动卫生监督员198人次，执法车辆28车次，检查各类乳品和含乳食品使用餐饮服务单位40家。检查的重点是采购索证登记是否严格、乳品和含乳食品的来源是否安全，通过检查未发现有问题乳粉使用的违法行为，但个别餐饮服务单位存在索证索票不全、来源不清等现象，责令立即整改。

结合娱乐场所专项整顿，督促检查食品安全。出动监督员448人次，监督286户次，全部查验涉及提供食品、饮用水娱乐场所的卫生许可证，复核其食品原料索证、台账等管理制度和食品、饮用水条件。通过检查，没有发现未经许可违法经营的单位。对发现的公共用品不消毒或消毒方法不正确、没有建立消毒制度以及健康证不全等问题的单位下达46份整改要求。

打击违法添加非食用物质和滥用食品添加剂专项整治行动。确定整治重点地区15个，出动执法人员288人次、车辆32台次，检查食品单位432户次，整治重点单位287个。未发现在食品中添加非食用物质和超范围、超剂量使用食品添加剂的行为。

建筑工地食堂专项监督检查。对区管辖5家建筑工地食堂卫生状况进行监督检查，其中4家合格。对存在布局不合理、水源情况不明问题的1家食堂，责令限期整改，整改合格后发放卫生许可证。

严厉打击使用“地沟油”和不合格一次性筷子专项行动。按照市卫生局《关于严防“地沟油”流入餐饮服务环节的紧急通知》的要求，对辖区餐饮服务单位开展专项监督检查。共出动人员66人次，检查单位33家。被检单位食用油脂基本都有索证，大部分为长期供货商，未发现使用“地沟油”的现象。监督不合格一次性筷子流入餐饮服务环节，出动人员66人次，检查单位33家，未发现不合格一次性筷子流入。但被检单位索取的证件以供货商（经销部）的为主，生产商的手续（证件）相对较少。要求这些单位解决没有生产商手续（证件）的问题。

海珍品质量专项整治行动。共出动监督员209人次，检查各类餐饮服务单位102家，重点监督加工经营海珍品的餐饮服务行业，严格采购索证登记，严查海珍品来源。未发

接受“辽宁省卫生应急示范区”评审

现海珍品有添加违禁药物和非法添加物的违法行为。对少数单位存在的索证索票不全、来源不清的问题责令整改并组织复查。

打击违法收售加工经营病死畜禽行为专项整治行动。共出动卫生监督员712人次、执法车辆150车次，全面排查辖区餐饮服务行业单位，严格检查肉类采购索证登记、肉品来源、进货记录、品质验收制度，未发现有非法使用品质不合格肉品的违法行为。

（宋　艳）

开展爱国卫生运动，发放除害药

爱国卫生

【概况】2010年，中山区全面开展爱国卫生示范街道和爱国卫生示范楼院评比达标活动。桂林街道办事处被评为省级健康示范街道，虹源大厦被评为省级爱国卫生示范单位。

深入开展环境综合整治活动，圆满完成中山区迎接公共文明指数测评任务。全面开展以医疗卫生单位、网吧、餐饮单位为重点场所的无吸烟单位创建活动。开展健康讲坛社区行活动和“走进健康生活”系列健康促进活动，组织参与市民健康状况调查。投入资金10万元，做好病媒生物防治工作，鼠、蚊、蝇、蟑螂4项自查达到《国家卫生城市标准》。

（宋　艳）

责任编辑　周建平

社会生活 SHE HUI SHENG HUO

社区建设

【概况】2010年，中山区8个街道共辖社区51个（详见附表），与上年同。

这一年，中山区以建设国际化宜居社区为主线，以构建和谐社区为基础，完善各项管理体制和机制建设，提高管理水平和工作效能，着力推进社区“十分钟服务圈”建设，构建以市场化为基础的公共服务体系，推进社区建设工作健康有序发展，为建设科学发展首善区奠定坚实基础。

附：

2010年中山区各街道所辖社区一览

街道	社区数	社区名称
海军广场	9	育才 港湾 海军广场 春和 春海 春德 春山 春景 华乐
人民路	4	兴和 福寿 七一 修竹
桂林	6	湖畔 林景 望海 枫林 解放 安民
青泥洼桥	4	上海 天津 双合 青泥
昆明	5	武昌 绿山 华昌 独立 武汉
葵英	9	向阳 石葵 清泉 青云 光华 文化 葵英 智仁 林海
桃源	9	长利 自由 洪顺 舰院 医校 滨海 高尚 震海 桃源
老虎滩	5	平安 中兴 迎宾 杏花 虎山
总计	51	——

【国际化城市宜居社区评估研究】2010年，中山区民政局与大连理工大学合作完成大连市2010年年度社会科学研究项目——《国际化城市宜居社区评估研究》。该项研究围绕我国城市宜居社区评价指标体系框架及评测方法，以构建《国际化宜居社区评估指标体系》的六个方面内容（社区文明、社区环境、社区生活便宜、社区数字化管理、社区公共安全和社区居民生活）进行研究探讨。该项研究成果对中山区国际化宜居社区建设具有重要指导意义。

老虎滩街道社区服务中心大厅

【推广“十分钟服务圈”】2010年，中山区全面推进社区建立“十分钟服务圈”工作。区民政局先后两次组织各街道民政科长和社区主任，到老虎滩街道杏花社区、桃源街道高尚社区进行实地考察，学习先进经验。

老虎滩街道杏花社区在全区率先提出“十分钟服务圈”商户加盟、商户服务的理念，设计出服务卡和服务记录，按照以“服务换服务”的思路，将商户对居民的服务兑换为社区对商户的要求，根据商户经营的产品、种类、范围，提出“十分钟服务圈”为居民服务的项目，为社区百姓提供优质、高效、便捷的服务。这一做法给其他街道提供了借鉴。截至年末，全区已有150余家企业加盟到社区“十分钟服务圈”行列。

桃源街道高尚社区高度重视“十分钟服务圈”档案的完整性制作及规范化管理，建立起“十分钟服务圈”的“平安服务”、“文体服务”、“卫生服务”、“生活服务”和“便民服务”档案，为居民提供的每一项服务、组织的每一场活动、采取的每一个措施都记录在档，提高“十分钟服务圈”的质量。

【提高社区工作人员待遇】2010年，中山区在社区干部中开展“一日社区主任、一周社区楼长”活动，提高他们的服务意识和主人意识。依据《关于提高社区工作人员补贴和社区办公经费标准的通知》要求，在全市率先完成社区工作人员补贴提标工作。年内共为全区626名社区干部补发工作补贴150.2万元，发放采暖补贴5.8万元。

（陈思瞳）

【春德社区“创先争优”活动扎实深入】海军广场街道春德社区党总支有党员486人，有楼院党支部12个。2010年，该社区党总支积极响应上级党组织号召，结合社区党员实际，扎实开展“创先争优”活动。

开展设岗定责当先锋活动。设立宣传岗、卫生岗、治安岗、互助岗，为参加活动的党员佩戴党徽。各楼院党支部认真管理各自楼院，并带动居民为文明和谐楼院建设献计出力。七星街119号楼和117号楼的党员与居民一起，将杂草丛生的绿地铺设成干净整洁的方砖步道，又在院子里安上桌椅、石凳，搭建凉亭，方便楼院居民的生活和娱乐。

关爱空巢老人。建立空巢老人家庭档案122份。举办“端午飘香情暖空巢”暨关爱空巢老人志愿服务活动，社区志愿者、党员志愿者与30位老人结成“一对一”帮扶对子，向老人发放志愿服务联系卡，为每位老人送去一箱鸡蛋。

青海玉树发生强烈地震灾害后，该社区党员积极带头奉献爱心，与居民一道为灾区捐款7379元。

“创先争优”活动强化了社区党员“我是一面旗帜”的党员先锋队意识，促进社区各方面工作迈上新台阶。年内，社区被中山区评为统战工作先进党总支、优秀党支部、关心下一代先进集体、平安社区。

（林　原）

兴和社区“石大姐调解工作室”调解矛盾纠纷

【“石大姐调解工作室”促进社区和谐】石桂凤是人民路街道兴和社区的一位普通居民，2002年被聘为兴和社区书记。在担任社区书记9年多的时间里，调解大量矛盾纠纷，在调解工作中积累许多经验。为了让人民调解在社区和谐建设中发挥作用，2008年5月，大连第一家以个人名义命名的“石大姐调解工作室”在中山区人民路街道兴和社区挂牌成立，现有工作人员2人、调解队伍10多人。

树立“品牌”形象。石大姐调解工作室以立足化解社区矛盾为根本，专管那些行政管不了、法律管不好的纠纷小事、扰民闲事。截至2010年年末，在近3年的时间里，累计调解各类纠纷300余件，调解成功率达98%以上，被群众誉为“百姓消气顺心的连心桥”。

建立诉求表达机制。石大姐调解工作室在楼院设诉求点、社区设诉求室、街道设调解庭，组建30多名以党员楼长为骨干的信息员队伍，随时掌握社区群众的诉求纠纷，对重大矛盾纠纷和群体性事件一经发现及时上报。制定并实施楼院先期调解、信息分析与反馈、接待咨询等8项制度，使调解工作规范有序。对居民的矛盾纠纷和关系到群众利益的事提出“三个办理”的承诺：找上门的立即办，看到的主动办，想到的及时报告协调办。

充分发挥协调站作用。以协商收取少量费用聘请保洁人员，解决弃管楼院环境卫生无人管的问题。在有条件的楼院划出指定停车场，实行有偿有序管理，对私家车登记造册，缓解楼院及大厦周边停车难的问题。对邻里之间因房屋装修、噪音、漏水等引起的纠纷，注重评估，分清责任，力求和解。对于大量的家庭矛盾，则以情感人、以理服人，耐心调解、息事宁人。

调解室还与辖区各律师事务所实行共建，保证辖区8个楼院和10座大厦各有1名律师，免费提供法律服务，参与调处，把一些矛盾纠纷消化在基层。

（陈　艳）

【解放社区成为全国创建学习型家庭示范社区】中山区桂林街道解放社区有居民2763户，常住人口8321人。2010年，该社区以“关爱人、服务人、教育人、凝聚人”为目标，以学习型家庭示范社区建设为重点，运用灵活多样的方法，充分调动党员和居民的学习积极性，全社区出现人人学习、处处学习、党员带头学习的新气象。

2010年，该社区组织辖区居民理论宣讲6次，207人参加。组织青少年国防教育1次，科普讲座、健康讲座11次，476人参加。社区党总支组织学习8次，组织全体党员学习6次，上廉政方面党课5次，受教育人数达142人。结合庆祝建党89周年，组织90多名党员重温入党誓词。

学习带动了文明社区建设。社区五好文明家庭占总户数的90%，和谐楼院比重达到70%，涌现出一批绿色家庭、平安家庭、健康家庭。年内，该社区被全国妇联、国家民政部、国家环境保护部、国家文化部、国家广电总局等五部委联合授予“全国创建学习型家庭示范社区”称号。

（杜　军）

【青泥社区开展“和谐楼院一带一”活动】中山区青泥洼桥街道青泥社区地处大连最繁华的商贸、金融、旅游中心，共有居民1842户、4668人，其中外来人口1139人。辖区单位318家、大厦13座，是外来人口多、空挂户多、动迁户多、单位多的“四多”社区，呈现出住户流动性大、人员素质参差不齐、相互不熟悉的特点。针对这种情况，青泥社区于2010年开展“和谐楼院一带一”活动。

该社区树立玉光街71号楼为“和谐楼院”典型，该楼有14户人家，在楼长王恒顺的带动下，楼院形成楼道玻璃脏了有人抹、楼道卫生有人扫、楼道植物有人管、邻里有难有人帮、居民患病有人看望的好风气，各家相处的就像一家人一样。14户人家还在一起照了“和谐楼院一家亲”的“全家福”，并把照片贴在楼道宣传板上，使楼院更有家的氛围。

社区组织其他楼院楼长和居民到该楼参观学习，并将该楼与五卅街22号楼结成对子，开展“和谐楼院一带一”活动。在该楼的带动下，五卅街22号楼也开始了和谐楼院创建。楼院居民在不到1个月的时间里，将4个门洞全部进行了粉刷，门前的破损路面也铺上了彩砖，60户居民共同栽上“爱心树”，街道还在楼院内安装了宣传画廊。7月下旬，在创建文明城活动检查组入户检查时，五卅街22号楼院展现了“和谐楼院、文明居民”的风采。年内，这两个楼院双双获得“大连市和谐楼院”称号。

开展“和谐楼院一带一”活动，有力地促进社区的精神文明建设。社区先后涌现出“省和谐文明标兵户”、“市平安家庭创建示范户”、“市文明家庭”、“区精神文明诚信家庭”和大连市“十大志愿者”、“辽宁省关心下一代先进个人”。玉光街71号楼“和谐邻里一家亲”的事迹在大连人民广播电台、大连电视台、《大连日报》《新商报》进行了报道，大连电视台还将其拍成公益广告进行播放。

（王思薇）

【武汉社区获“辽宁省家庭志愿服务示范基地”称号】中山区昆明街道武汉社区的家庭志愿服务组织“1211青年志愿者爱心小分队”成立于2007年3月。“1211”即每12名志愿者组建成1支“青年志愿者爱心

迎宾社区养老服务中心的休闲娱乐室

林海社区关爱空巢老人

小分队”，与社区1－3名需要帮助的人或家庭结成长期帮扶的爱心对子。至2010年年末，武汉社区家庭志愿者队伍由最初的1支增加到6支，志愿者人数由12人增加到97人，累计走访慰问贫困家庭500多户，提供义务理发、维修家电、爱心家教、心理咨询、清洁卫生、运煤等各种爱心帮扶服务，累计捐助价值近5万元的慰问品，受到辖区居民广泛好评。2010年，该社区被辽宁省妇联授予“辽宁省家庭志愿服务示范基地”称号，被大连市团市委和大连市志愿者协会授予“先进集体”称号。

（张　辉）

【林海社区创新关爱空巢老人“三位一体”模式】中山区葵英街道林海社区辖青云林海、青云映山2个居住小区，居民住宅楼75栋，有空巢老人41户、87人。该社区建立以物业公司为依托、社区为主体、物业志愿者为骨干、其他各类志愿者为补充的“三位一体”关爱空巢老人志愿服务模式，发挥物业志愿者在时间、工作和专业上的优势，有效解决空巢老人的生活难题，还帮助解决了社区居委会人手不够、资金不足的问题。

“三位一体”的关爱机制解决供暖、车站设置、减速带噪音、交通堵塞等36项空巢老人关注的热点和难点问题，还提供家居安防和园区管理系统智能化服务，使空巢老人在日常生活中享受到“小事不出家门，大事不出社区”的高效便利。如：设立24小时求助服务热线和紧急求助按钮系统、煤气报警系统、红外线监控系统等，为空巢老人的安全提供了保障；设立远程抄表系统，免去了水电煤气抄表员上门抄表给空巢老人带来的不便等。物业志愿者还根据空巢老人家庭的具体情况分类提供服务，对需要重点照顾的家庭，按客服、工程、保洁等专业落实到专人，定期登门走访、定点定时电话问候，随叫随到。

据不完全统计，2005—2010年，该社区累计为空巢老人提供重点服务200余次；共接到各种求助34起，有10余次因及时救助而挽救了濒危老人的生命；帮助老人处理着火、煤气泄漏、漏水等突发性事件70余次。共收到表扬信、感谢信、锦旗等56次。社区先后荣获全国“城市物业管理优秀示范小区”、“绿色社区”、“社区商业示范社区”，省“先进党总支”、“文明和谐社区”等30多项荣誉称号，每年接待参观考察团上百次。

2010年4月22日，大连市“关爱百万空巢老人”的启动仪式在该社区举办。9月19日，中山区在该社区召开关爱空巢老人志愿者服务现场会。

（于丽琴）

【长利社区做好离休干部“四就近”服务】2010年，中山区桃源街道长利社区有离休干部69人，平均年龄81岁。该社区把离休干部在属地社区就近学习、就近活动、就近得到关心照顾、就近发挥作用的“四就近”工作纳入重要工作内容，成立离休干部工作领导小组，制定《老龄工作计划和离休干部工作制度》等。发放“离休干部爱心联络卡”等，加强同离休干部的联系沟通。建立健全离休干部综合信息库，对离休干部情况做到“三清、四有”（底数、家庭状况和生活需求清；有花名册、服务记录、个人健康档案和志愿者服务队）。

该社区整合社区文化体育活动中心、党员服务站、老年活动室、健康服务室等资源，开办社区市民学校、老年大学、特色文化班等，为老同志的学习、娱乐、发挥作用等创造条件。把“四就近”融于社区党建工作中，定期向离休干部通报社区工作情况，邀请他们参加党员培训、七一活动、党员大会及社区其他重要活动。坚持走访慰问制度，及时掌握离休干部的身体、思想状况，排解他们的困难。组成社区志愿者服务队伍，建立社区网站，开设QQ群，采取集中服务与上门服务等方式，为离休干部特别是一些“空巢”家庭、高龄和生活不能完全自理的离休干部，提供日常生活照料和精神慰藉。

该社区先后荣获全国敬老爱老助老十佳社区，辽宁省精神文明先进单位、文明社区标兵、文化建设先进单位、雷锋号社区，大连市文明社区标兵、平安社区标兵、学习型社区标兵等称号。2010年，该社区的“四就近”工作经验在全市推广。

（张丽萍）

医校社区举办救助贫困母亲捐款活动

【医校社区健康家庭指导站特色服务】中山区桃源街道医校社区有居民户1306户、3379人，其中育龄妇女1134人，外来人口258人。辖区内有沈阳军区卫生技术干部训练中心等驻军团级单位2个，企业82家。社区工作人员以军嫂为主。

2006年，该社区充分利用许多居民曾在部队从事过医疗卫生教学或医务工作的这一独特资源和优势，成立社区健康家庭指导站。2010年，又将社区健康家庭指导站的特色服务纳入社区的“十分钟服务圈”，围绕人口和计划生育宣传教育、优生优育、男女性生殖保健、避孕节育、儿童早教、身心健康、便民维权等7个方面，通过分布在全社区的7个计划生育“健康家庭协调小组”以及若干个设在志愿者家中的“健康家庭服务点”，为居民提供足不出楼院的便利服务。各服务点设立“健康家庭服务”专区，配备有医药箱、血压计、计生政策法规手册和计划生育宣传册，先后为30多名计划生育服务对象提供服务。

2010年10月14日，该社区计划生育健康家庭指导站的经验做法刊登在《中国人口》报。同年12月，该社区被国家人口和计划生育委员会、中国计划生育协会授予“人口和计划生育基层群众自治示范村居”称号。

（刘　辉）

【杏花社区商户加盟“十分钟服务圈”】中山区老虎滩街道杏花社区，占地面积2.93平方公里，共有居民楼308栋，居民3321户、10039人。辖区内大小商业网点仅有44家。

2010年，杏花社区开展“十分钟服务圈”工作。根据居民的实际需要，以提供“快速优质、便捷服务”为理念，组织商户加盟到“十分钟服务圈”中。对辖区内商户进行摸底调查，与其中20家商户签订“杏花社区十分钟服务特约商户”加盟协议，根据商户经营的产品、种类、范围，提出“十分钟服务圈”的具体项目。同时，还引进原来没有的家政、婚庆、印刷等多项服务。加盟商户能为居民提供送货、送药、送餐、维修、家政、理发、照相、办卡、健康检查等10多项上门服务。

为了让居民详细了解掌握“十分钟服务圈”的服务项目和服务内容，社区把商户的联系电话、服务内容、服务方式、收费标准、主要负责人等，通过《服务手册》《十分钟服务指南》、“1675”服务热线广而告之。并通过召开居民座谈会、登门征求意见、电话询问，以及在社区QQ、社区博客、社区信箱中留言等方式，征求居民对商户加盟、商户服务的意见和建议，并及时向商户反馈。

商户加盟“十分钟服务圈”后，方便了辖区居民的工作、生活，也融洽了居民与社区、居民与商户、社区与商户的关系，社区呈现出“三快三好”的喜人景象，即为民服务快、与民反馈快、社区发展快；居民精神面貌好、邻里关系好、社区综合环境好。

（聂　磊）

劳动就业

·就业服务·

【概况】2010年，中山区的就业工

作成效显著，就业、创业、培训“三大基地”建设进展顺利，以创业带动就业的“123工程”稳步实施，为和谐中山建设和科学发展首善区建设作出了贡献。

全年，全区实名制就业17370人，完成计划指标的118%；稳定就业8168人，完成111%；再就业9471人，完成133%；创业就业4903人，完成153%；创业带头人360人，完成124%；创业带动就业2174人，完成125%。

普惠制培训4493人，完成计划指标的112%。其中：培训失业人员2621人，完成106%；创业培训683人，完成122%；培训外来务工人员1189人，完成119%；进行技能鉴定1709人，完成计划指标的107%，共投入549万元用于普惠制培训。

高校毕业生实名制就业率达到98%，完成计划指标的103.2%。84名困难家庭的大学毕业生全部安置就业，就业率100%。安置社区大学生51人，完成计划指标的127.5%；参加就业见习137人，完成137%；毕业生储备97人，完成194%。

全区实现无“零就业”家庭目标，失业率控制在2.4%以内。

【实施创业就业“123”工程】2010年，中山区人力资源和社会保障局着力实施以创业带动就业的“123工程”，即：

一体化建设。在秀月广场筹建中山区创业园，对创业者实行一体化创业服务。

提升两级政府服务。区政府将加强创业工作指导和创业资金投入，并争取使创业者和创业孵化基地享受到市政府资金与政策的支持。

形成三方联动机制。建立长效的政府相关部门、企业和创业者三方联动制度，用足用活创业扶持政策，由创业孵化基地对创业项目进行筛选孵化，使创业者能够尽快实现创业。

“123”工程的实施，为创业带动就业搭建了平台，提供了政策、资金等方面的支持。

【完善创业就业政策】2010年，中山区投入700万元专项资金，用于鼓励和扶持失业人员和高校毕业生创业。先后修订《中山区扶持创业带动就业奖励办法》《中山区高校毕业生创业就业奖励办法》，扩大奖励扶持范围，延长政策扶持年限，以激励更多失业人员和高校毕业生自主创业。年内，为316人审核发放创业带头人扶持资金65.2万元，为6家创业孵化基地发放奖励资金67.2万元，为创业孵化示范基地发放奖励资金80万元。为3619人次参加再就业培训人员提供培训补贴资金39.3万元，为1575人次参加职业技能鉴定考试人员提供补贴资金27.2万元，为13618人次减免职业介绍费6.8万元。

截至年末，全区建立创业孵化基地9家，其中“三八商圈”以三八商城为代表的失业人员创业孵化基地6家，“天津街商圈”以乐道创想传媒公司为代表的大学生创业孵化基地3家。建立高校毕业生培训基地1家、实训基地4家、见习基地20家。累计扶持创业带头人271人，带动就业1567人。进入创业孵化基地的失业人员和大学毕业生累计148人，实现自主创业的大学毕业生累计32人。

开展劳动就业服务指导

【困难群体就业援助】2010年，中山区开展针对就业困难群体和农民工的“就业援助月”活动和“春风行动”，对就业困难人员提出7个工作日内全部落实援助措施，实现辖区“零就业”家庭动态为零。

低保人员就业援助　区人力资源和社会保障局携手区民政局，在各街道建立劳动就业援助联动机制，对有劳动能力正在享受城市低保待遇且没有就业的人员进行求职登记，优先组织这些人员参加就业培训，优先安排就业及公益性岗位。全年共安排低保人员就业526人，通过就业援助联动机制优先安排就业265户，使这些人员全部退出低保。

召开中山区人力资源和社会保障工作总结表彰大会

高校毕业生就业援助　利用中山区高校毕业生就业信息平台，对困难家庭高校毕业生信息进行动态管理，通过举办招聘会、见习、培训、实训岗位对接及兜底安置等方式开展就业援助工作，84名困难家庭高校毕业生全部得到就业安置。全年共组织各种招聘会40场，2758人达成就业意向。

【失业人员生活保障】2010年，中山区为12401人实际发放“4050”双险补贴资金，共计5321.5万元。为3937人审核发放市、区公益性岗位保险补贴和岗位补贴，共计3606万元。为21424人次发放失业保险金，共计1611万元。为3421人次发放军转失业人员生活补助金，共计350.3万元。为872户（含19户无暖气）困难居民家庭发放2010年采暖费补贴资金78.3万元。为69名失业后退休的军转人员发放采暖费8.2万元。

对75771名企事业离退休人员实行社会化管理。为1516名无社会保障老年居民办理社会保险。为全区7.93万名灵活就业人员办理基本医疗保险，为10.53万人办理医疗保障，基本实现“应保尽保”的目标。

· 劳动监察 ·

【概况】2010年，中山区进一步落实劳动保障法律法规，加强劳动保障队伍建设，提高劳动执法能力。“两网”建设初具规模，劳动关系和谐稳定，社会保险制度得到落实。

全区实施劳动用工备案制度，8个街道全部建立劳动保障一级网络，率先在辽宁省开展“和谐劳动关系进大厦进企业”活动；积极推进劳动人事争议仲裁处理信息化建设，劳动争议调解率达到56%以上，按期结案率达到95%；注重维护劳动者合法权益，为劳动者追讨工资79万多元，责令用人单位为劳动者补交社会保险费267万余元。

【和谐劳动关系进企业进大厦】2010年，中山区以劳动合同签约履约为重点，实施劳动用工备案制度。对辖区内的4745家企业涉及的181886名职工通过审核录入到大连劳动用工备案管理系统，规模以上企业劳动合同签订率达到98.5%。8个街道全部建立劳动保障一级网络，对辖区用人单位覆盖率达到100%。在全省率先开展“和谐劳动关系进大厦进企业”活动，人民路街道和谐劳动关系进大厦进企业试点经验得到辽宁省人力资源与社会保障厅的重视。

【劳动争议处理】2010年，中山区受理劳动争议案件148件（国有企业15件，私营企业133件），人数148人；受理职工申诉案147件（国有企业15件，私营企业132件）。结案件数143件（国有企业13件，私营企业130件）；企业胜诉22件（全部为私营企业），职工胜诉121件（国有企业职工13件，私营企业职工108件），共挽回经济损失119.54万元。

【维护劳动者合法权益】2010年，中山区针对少数用人用工单位没有与劳动者签订劳动用工合同、拖欠劳动者工资、不按规定和标准为劳动者交纳社会保险费等问题，由区劳动监察部门依据《劳动法》，责令这些单位与劳动者签订劳动用工合同4270份，为1791名劳动者补缴社会保险费267万余元，为174名劳动者追讨工资79万多元，使劳动者的合法权益得到切实维护。

（赵振库）

社会保障

· 困难救助 ·

【概况】2010年，中山区按照“保民生、保增长、保稳定”的要求，稳步推进社会保障工作。全区最低生活保障对象3338户、6572人，年发放保障金1800万元。启动城市低保集体（听证）审批和引入阳光监督机制，低保政策的实施更加透明。为特殊困难低保对象和家庭核销医疗费130万元，减免采暖费244.4万元。发放临时救助金63.6万元、节日临时救济金156万余元。投入慈善资金12.35万元，救助贫困大学生和孤寡老人。受理并上报经济适用房货币补贴476户、经济适用住房申请1111户。

【落实低保提标】2010年4月，大连市城市居民最低生活保障标准第11次提高，由2009年4月的360元提高到380元。中山区民政局会同各街道和社区，及时完成全区低保提标工作，重新审核审批低保户3404户、6783人，月发最低生活保障金145万元。

【启动低保集体审批和阳光监督机制】2010年4月始，中山区根据大连市民政局《关于在全市推进城市低保集体（听证）审批和引入阳光监督机制的通知》要求，在全区8个街道办事处全面启动低保集体（听证）审批和阳光监督机制，形成听证审批制度、有色分类管理制度、疑难问题处置机制、审核审批公示公告制度、层级监察机制、阳光低保监督机制等六大制度，困难群众城市低保更加透明。全年新批保障对象476户、731人，停止保障对象632户、1169人，实现动态管理下的应保尽保。

新闻链接：

大连中山区600余户家庭主动要求“退出低保”

《辽宁日报》 2010年5月4日 朱勤

大连市中山区青泥街道双合社区居民于群患肺结核病加上失业，家庭生活异常拮据，街道为他办理了低保，但这只能解决吃饭问题。为了让于群早日脱贫，街道、社区又帮他办理了小额贷款、找房子、办工商执照……于群的食杂店很快就开张了，生意就像“滚雪球”，越做越大……4月30日，他兴冲冲地来到社区主动提出“退出低保”。

如今，大连市中山区8个街道全部建立了再就业基地，辖区内80%以上下岗失业人员实现了稳定性或灵活性就业，今年以来，全区先后安排1300多人就业，同时有效促进了一批低保家庭整体脱贫，600余户困难家庭“造血”脱贫后，主动要求“退出低保”。

“保障不是目的，重要的是要建立使困难家庭自食其力的一种机制。”中山区负责人介绍。据了解，中山区全面建立低保就业联动机制，在实行就业与救助的联动政策引导下，采取一系列卓有成效的措施，对有劳动能力没有就业的人员，进行求职登记。同时，与辖区用工单位联合，根据用工需求，优先组织低保家庭成员参加就业培训，并优先安排他们就业及进入公益性岗位工作。

引人瞩目的是，中山区民政部门并没有将工作局限于满足对低保家庭的临时救助层面上，而是全力以赴协助低保家庭创业脱贫，变单纯地“输血”为长远地“造血”，从而有效增强困难群体的自救能力。同时，各街道还建立了8个就业基地，像“老杨家政”、“好阿姨家政”、“维盛水产品经销公司”，中山区民政局负责人介绍，创办这些就业基地，就是要为低保家庭成员提供就业岗位，激励他们通过自己的劳动脱离贫困，“造血”的深远意义就在这里。

【分类施保】2010年，中山区以解决贫困群体特殊困难为目标，对有特殊困难的低保对象给予重点照顾。按照《大连市城镇居民基

区民政局组织社会援助工作培训

在民生小学开展防震减灾应急演练

本医疗保险实施办法》，为2142名未参加城镇职工基本医疗保险的低保人员续办医疗保险（不含大、中、小学生），核销医疗费130万元。为92户低保家庭办理廉租住房补贴手续，累计已办理650户。全年共发放廉租住房补贴400万元。按照《大连市困难居民采暖补贴办法》，先后分2批对2009－2010年度的2328户低保、低收入家庭，减免采暖费244.4万元，其中低收入家庭182户，减免采暖费14.5万元。

【临时救助和帮扶】2010年，根据大连市《城乡居民临时救助制度》，中山区民政局制定《中山区临时救助实施细则》，规范操作程序和运行管理模式。采取政府主导、慈善参与的方式，全年共落实救助资金90万元。对217人（户）在就医、突发意外和遭受自然灾害等方面出现的低保户、低收入家庭（低保边缘户）以及其他困难家庭给予临时救助，共发放救助金63.6万元。

元旦春节期间，向全区3710户最低生活保障对象、239户低收入家庭发放临时救济金156万余元。为三无、孤寡老人、孤儿、四个一级残、[illegible]家庭等特殊困难群众675人（户）发放价值9万余元的米面油。

年内，走访扶贫帮扶对口单位——普兰店市沙包镇贫困村，送去50万元扶贫资金和价值4万元的生活必需品。区四大班子领导走访12户困难家庭，为每户送去慰问金1000元，米面各50斤、油10斤，合计价值1.56万元。

【防灾减灾】2010年，中山区民政局制订《中山区自然灾害应急救助工作规程》，建立应对突发重大自然灾害紧急救助体系和运行机制，开展防灾减灾业务培训，建立区、街道和社区自然灾害应急救助队伍和信息员队伍，并实行网络化管理。

按照综合减灾示范社区标准，开展综合减灾示范社区创建活动。认真开展"减灾从社区做起"为主题的防灾减灾宣传周活动，在民生小学举办模拟发生地震应急疏散、救助综合演练。在市民政局组织的"福彩杯"防灾减灾进社区救灾技能比赛活动中，中山区获得一等奖。

【慈善捐助】2010年，中山区慈善总会投入慈善资金12.35万元，其中7.2万元用于救助36名新入学贫困大学生，5.15万元用于为103名"三无"孤寡老人办理"爱心医药卡"。元旦、春节期间，向困难群众发放慈善购物卡3777张。

中山区各义工队全年相继开展义务助学、功课辅导、文明交通、绿色环保、夕阳扶老、爱心助残、亲情关爱、义务向导等公益项目20余个，共组织活动1558次，2393名义工奉献工时6.3万小时，使2万人次居民受到爱心帮助。

青海玉树发生地震灾害后，区慈善总会在全区开展向灾区捐款活动，共收到捐款43.5万元。

·养老事业·

【概况】根据公安户籍数据统计，截至2010年末，中山区60岁以上老年人口已达72549人，占全区人口总数的20.35%，比上年增加1.99个百分点。全区有养老机构14个，总床位972张。其中，国办养老院1所，床位30张；民办养老院12所，床位942张。

2010年，中山区多途径、多渠道为老年人办实事、办好事，让老人们老有所养、老有所乐、老有所学。全面完成10所社区养老服务中心的建设任务。发放"三无老人"货币化养老补贴18.3万元，低保困难老人居家养老补贴48.9万元，高龄补贴3477人次、102.26万元，百岁老人补贴121人次、12.99万元。

附：2010年中山区养老机构情况

名　称	性质	床位数（张）
中山区社会福利院	国办	30
大连市中山区[illegible]疗养院	民办	120
大连市中山区幸福疗养院	民办	40
大连市中山区春天疗养院	民办	15
中山区晚情公寓	民办	30
中山区桂林养护院	民办	80
中山区昆明街道托养所	民办	17
中山区春和老年公寓	民办	200
中山区天赐养老院	民办	6
中山区虎滩老年休养中心	民办	120
中山区武昌温馨养老院	民办	7
中山区春霞养老院	民办	7
中山区三井老年公寓	民办	300
合计		972

2010年中山区百岁寿星情况

姓名	性别	出生日期	所属街道	去世时间
刘德祥	男	1907.03.14	海军广场街道	
蒋延洪	男	1910.04.26	海军广场街道	
葛春新	男	1907.12.03	海军广场街道	
陈天修	男	1907.10.25	桂林街道	2010.07去世
张金贵	女	1909.11.18	桂林街道	
王桂兰	女	1909.12.11	桂林街道	
班富贵	女	1905.10.29	人民路街道	2010.06去世
刘李氏	女	1905.12.20	昆明街道	
赵玉芝	女	1907.01.17	昆明街道	
朱玉芝	女	1907.10.31	昆明街道	
张作荣	女	1908.12.29	昆明街道	
阚　祥	男	1910.08.30	昆明街道	
于兰英	女	1910.10.15	昆明街道	
王本芝	女	1910.12.28	昆明街道	
孙殿学	男	1908.08.03	昆明街道	2010.07去世
王凤兰	女	1906.11.09	葵英街道	
张淑清	女	1905.09.05	葵英街道	
王桂英	女	1907.08.03	葵英街道	
宋家义	女	1908.10.31	葵英街道	
刘恒春	男	1908.11.11	葵英街道	
尹秀英	女	1909.02.03	葵英街道	
毛玉兰	女	1909.10.09	葵英街道	
李秀云	女	1910.02.16	葵英街道	2010年05去世
万王氏	女	1901.01.14	桃源街道	2010年08去世
李焕章	男	1907.10.13	桃源街道	
孙红梅	女	1909.10.12	桃源街道	
孙凤英	女	1910.05.23	桃源街道	2010年08去世
唐秀卿	女	1910.07.27	桃源街道	
尚李氏	女	1906.02.23	老虎滩街道	
薛桂花	女	1909.09.14	老虎滩街道	
隋希好	男	1909.10.20	老虎滩街道	
陈碧玉	女	1908.05.17	青泥洼桥街道	2010年08去世
高月英	女	1908.07.25	青泥洼桥街道	
张淑英	女	1909.03.01	青泥洼桥街道	
吕桂芳	女	1909.12.24	青泥洼桥街道	
王翠芳	女	1910.05.15	青泥洼桥街道	
李菊香	女	1910.07.05	青泥洼桥街道	
阎惠兰	女	1910.12.03	青泥洼桥街道	

【养老普惠工程】2010年，按照市政府社区养老服务中心建设3年规划要求，中山区完成10所社区养老服务中心的建设任务，各养老服务中心建筑面积均达到200平方米，内设老年人活动室、康复室、阅览室等，为老年人提供舒适的场所、便捷的服务。

全区14家养老服务单位安全、有序地为老年人提供服务，全年无责任事故发生。中山区民政局投资3万元，为三井老年公寓安装老年健身器材16套（件）。

中山区民政局积极开展“三无老人”货币化养老服务工作，全年共发放货币化养老补贴18.3万元。开展低保困难老人居家养老服务工作，共发放居家养老补贴48.9万元。

【基层老龄保障工作】2010年，中山区民政局及时发放高龄补贴和百岁补贴，全年共发放高龄补贴3477人次、102.26万元，百岁老人补贴121人次、 12.99万元。春节期间走访慰问百岁老人，发放春节慰问金27人次，共计1.08万元。重阳节期间走访百岁、空巢、特困、残疾老年人代表，为每人送上价值近千元的米面油等慰问品，送去慰问金共计4800元。全年新办理老年证4467件、优待证1235件。

全区51个社区通过夕阳红戏曲艺术团、金秋老年人合唱团、喜洋洋老年秧歌锣鼓队、门球队、太极拳队、冬泳队等近百支老年人活动队伍和60余个老年学习型组织，为老年人提供娱乐、健身、学习、交流的空间。

截至年末，全区参与敬老、爱老义务服务的义工已发展到2000多人，义工队下属的8个义工站均成立关爱老人项目组。在义工中开展做“三无”老人好儿女、走进老年公寓和养老院、上门义诊等关爱活动，为老年人提供包括生活照料、

区领导“八一”建军节走访慰问部队

心理抚慰、节日慰问、健康保健等方面的服务。

·双拥优抚·

【概况】2010年，中山区在双拥共建活动中，注重落实优抚安置政策，切实维护优抚对象的合法权益，努力为官兵解决后顾之忧。全年发放伤残金721万元，一次性抚恤金400万元，优抚对象生活补助费253万元，义务兵优待金263万元。安排32名军嫂进社区工作。

社会各界也踊跃参加拥军优属活动，捐款、慰问部队官兵和军烈属的慰问金、慰问品累计达347.3万元。

【拥军优属】“八一”建军节前夕，区委、区政府领导走访慰问海军大连水警区，送去70万元拥军费用，用于水兵宿舍网络配套设施建设；区人大了解到驻长海县某部队缺少学习及文体器材，专门为官兵们送去电脑、书籍、篮球、排球、健身器材等价值13万元的慰问品；为解决驻中山区某部队观通站看电视的难题，专门拿出10万元，为部队安装有线电视。

全年安排有特殊困难、特殊情况的32名军嫂进社区工作；制作出录像片《创新共赢首善区》，集中反映中山区3年来双拥工作取得的丰硕成果。

【优待抚恤】2010年，中山区有优抚对象69名，区民政局重新审核800余名伤残军人的户口、抚恤金账号和金额，为伤残军人发放伤残金共计721万元。为53名部队及干休所病故官兵办理病故抚恤手续，发放一次性抚恤金共400万元。为三属（烈属、因公牺牲军人家属、病故军人家属）、在乡复员军人、参战参试人员等优抚对象发放生活补助费253万元。为建国前无工作的老党员发放生活补贴5.8万元。为2009年冬季入伍的义务兵审核发放安置卡和优待金263万元。完成千余名优抚对象数据库的更新工作。

做好优抚对象、城镇退役士兵、参战参核人员和复员干部工作，落实好各项政策和解困措施。接收安置第四批无军籍职工40人，累计安置40人。

（陈思瞳）

民政事务

【社会组织管理】2010年，中山区有社会团体组织26个，民办非企业单位155个。全年围绕健全组织、培育扶持、规范管理的思路，加强社会组织管理工作。

中山区为驻区部队安装的有线电视开通

规范登记管理。全年依法对1家社团和18家民办非企业单位进行登记（其中教育类14家、体育类3家、其他类1家）；为2家社团和14家民办非企业单位办理变更登记；根据注销程序，为2家社会团体、4家民办非企业单位办理了注销登记；对连续两年未参加年检的4家社会团体、7家民办非企业单位予以撤销登记。

加强消防安全年度检查。根据大连市民政局《关于转发省民政厅等8部门切实加强全省民办非企业单位消防安全工作的通知》文件精神，对87家民办非企业单位的消防安全进行年检，参检率为84.5%，年检合格率为100%。

开展诚信评估。组织开展“中山区民办非企业单位自律与诚信评估工作”，经过专业评估机构的评估及网上公示，区民政局共评选出5A单位2家、4A单位4家、3A单位1家。通过自律与诚信的评估，促进民办非企业工作健康有序发展。

【区划地名管理】2010年，中山区民政局共审批办理地名申请6件，处理各类地名遗留问题15起，解答地名查询、咨询260多人次，补换、新安装标牌660块。

重新梳理、整理地名档案，使其基本达到大连市民政局档案管理的规范要求。补充完善地名信息检索软件，进一步扩充检索数据，方便百姓生活；提升地名楼牌管理，及时上报辖区破损楼牌及路标牌情况；参加省、市有关部门组织的地名普查培训，为2011年第二次全国地名普查做好准备。

【婚姻登记管理】2010年，中山区民政局中以“三心一意”（热心、细心、耐心，全心全意让群众满意）为工作目标，在婚姻登记管理中树立“甜蜜每一对，幸福千万家”服务品牌。按照全国婚姻登记规范化建设窗口单位标准，加强婚姻登记处硬件建设：婚姻登记室配置开放式登记工作台，候登室配置足够的桌、椅、笔等用品，提供样表，为当事人提供优质服务；开设咨询电话自动语音应答系统，为当事人提供全面翔实的政策解答；完善信息化、网络化办公机制，提高办事服务质量和效率，提升婚姻登记工作水平；加强婚姻档案管理，安排专人负责1979年以后的婚姻档案的整理录入。全年共办理结婚登记3390对、离婚登记1364对，补办结婚证1201件、离婚证229件，婚姻登记合格率为100%；开具无婚姻登记记录证明1.5万件，办理收养登记1件。

（陈思瞳）

计划生育

【概况】2010年，中山区人口和计划生育工作以“民需为先、我为民乐”为宗旨，以开展特色活动为载体，全面推进优质服务，高效圆满地完成全年任务，为创建大连科学发展首善区创造良好人口环境。

全区年末常住人口374284人。2009年10月1日至2010年9月30日，中山区出生人口2169人，人口出生率6.08‰，人口自然增长率-1.1‰，计划生育率100%，低生育水平保持稳定态势。各项人口计生工作指标发展态势良好。主要表现在：

户籍人口继续缓慢下降。年末，全区户籍人口共计356662人，比上年减少598人。

人口出生率小幅增加。全区人口出生率为6.08‰，比上年增加0.15个千分点。

出生孩次结构稳定。全年出生2169人，其中二孩多孩183人，占8.4%，比上年略有增加。一孩率为91.6%，继续保持较高水平。

女性初婚人数小幅下降。全区女性初婚3126人，比上年减少406人，下降11.5%。

人口出生性别比走势平稳。当年一孩出生性别比为100.80，二孩多孩为123.17。从近5年走势看，出生性别比均在正常范围内波动。

中山区人口文化移动传媒基地启动

育龄妇女数和节育率均程下降趋势。全区育龄妇女数为102978人，比上年下降10.67‰；综合节育率71.35%，下降1.47个百分点。

在第六次全国人口普查中，全区共清查补报政策外出生256人。其中：非婚生育42人，超生214人，超生占政策外生育83.59%；一孩男20人、一孩女13人，二孩男99人、二孩女91人，多孩男16人、多孩女17人。

年内，中山区被辽宁省人口计生委、省综治委授予“流动人口服务和管理示范区”、“辽宁省人口和计划生育工作改革示范区”称号。浦发银行辽宁分行（辖区单位）和老虎滩街道计生协获“全国计划生育协会先进集体”称号；区计生协副秘书长金霞、路兴凯分获“全国计划生育协会先进工作者”、“先进会员”称号。桃源街道长利社区和医校社区、人民路街道兴和社区、桂林街道解放社区、老虎滩街道中兴社区获“全国人口和计划生育基层群众自治示范村居”称号。

【纪念“9.25”公开信发表30周年】2010年9月14日，中山区委、区政府召开大会，纪念中共中央“9.25”计划生育《公开信》发表30周年暨2009—2010年度人口和计划生育工作表彰大会。会议总结30年来全区人口和计划生育工作取得的成就，分析现阶段人口计生形势和存在问题，部署“十二五”时期主要任务，对2009—2010年度中山区人口和计划生育工作先进集体、先进工作者和在人口计生战线连续工作10年以上的特殊贡献者进行表彰。17个单位、23名个人分获“大连市人口和计划生育先进集体”和“先进工作者”称号，区计划生育药具管理站站长曹润娟获“大连市人口和计划生育特别奉献奖”。

背景资料：

关于中共中央“9.25”计划生育《公开信》

1980年9月25日，中共中央发出《关于控制人口增长问题致全体共产党员、共青团员的公开信》，号召党员、团员带头只生一个孩子，争取在本世纪末把我国人口总数控制在12亿以内。中央要求所有党员、共青团员，特别是各级干部，用实际行动带头响应国务院关于一对夫妇只生一个孩子的号召，并积极负责地、耐心细致地向广大群众进行宣传教育。在提倡一对夫妇只生育一个孩子的同时，还要适当强调晚婚晚育。“9.25”公开信，成为我国计划生育史上的里程碑。（摘自中国人口信息网“国家——计生政策法规”）

【推进人口信息化建设】2010年，中山区人口和计划生育局组织开展“大连人口和计划生育信息管理服务系统信息质量年”活动，并将此项活动与创建“计划生育便民维权示范岗”活动结合起来。活动中，全区共入户3400多户（包括电话访谈240户），其中社区自查入户1600多户，街道入户1000多户，区入户800多户。按2009年末全区总户数133631户计算，入户率2.54%。

【加强流动人口计划生育管理】2010年，中山区累计流动人口为3.5万人，实际流入人口1.9万人，其中育龄妇女17706人。已落实技术服务3361人，参加流动人口“双情”检测2975例。

年初，区人口和计划生育局以“关怀关爱”为主题在大连火车站、大连港客运站码头开展“流动人口走四方，计生温暖伴身旁”新春送“福”活动，发放避孕药具、家庭历书和大红“福”字。为未返乡过年的流动人口送去米面油400余份，为留守儿童送去衣物876件、各种书籍2307本，举办文化课辅导班96次，636人次参加。全年为流动人口进行计划生育免费双情检测4526人；强化流动人口落实计划生育的基本国策。

应用PAIDS系统流动人口服务

纪念“9.25”《公开信》发表30周年总结表彰大会

管理工作平台，开展流动人口动态监测工作。区人口和计生局完成国家流动人口动态监测试点第二阶段选取的青泥洼桥街道青泥社区和老虎滩街道双合、杏花、虎山社区居委会的监测工作，第三阶段也已完成对100名流动人口对象的调查。

【健康家庭促进计划】2010年，中山区人口和计划生育局推进健康家庭促进计划走进家庭、学校、军营、商场、养老机构。共投资20万元，新建健康家庭指导站4个，建站率由上年的93%提高到100%。截至年末，全区有健康家庭指导站61个。

各健康家庭指导站开设孕前风险评估系统，共为居民做孕前风险评估1840例，发放叶酸542瓶，为新婚家庭和备孕夫妇开展服务661人次。为新婚新孕新生家庭发放“优孕优育”系列智能卡4620张。向新婚新孕家庭共计874人发放《增补小剂量叶酸预防神经管缺陷》项目宣传单、《自愿服用小剂量叶酸预防神经管缺陷》项目知情同意书、《待孕妇女叶酸发放及随访登记表》，并随访1282人次。为居民进行生殖健康体检456人，开展计划生育手术检查605人次。为707名下岗失业人员进行计划生育免费双情检测，其中电话随访咨询251人。

【药具管理】2010年，中山区人口和计划生育局分2批组织街道、社区和所属46家单位药具管理人员进行计划生育药具管理培训。建设“五化”（药具机构与设施建设标准化、药具工作规范化、药具管理信息化、药具服务多元化、药具队伍职业化）标准达标站，对大连大学附属中山医院、中山区婚姻登记处以及8个街道9个社区进行检查，“三送”（送一本药具知识手册、送一个连心卡、送一套避孕药具）服务用品发放率近100%。

参加全国计划生育药具知识竞赛选手

由区人口和计划生育局组成的计划生育药具知识竞赛代表队，代表辽宁省参加在北京举行的全国计划生育药具知识竞赛，获得“优胜奖”、“优秀选手奖”和“最佳组织奖”，是31个参赛代表队中唯一囊括全部奖项的代表队。

【奖励扶助】2010年，中山区共投入奖励扶助金448.44万元，从3个方面扶助奖励计划生育工作。

独生子女特别家庭扶助费。全区符合享受死亡家庭扶助条件和残疾家庭扶助条件共计697人，投入扶助金83.64万元。

失业转退休人员补助费。符合享受计划生育补助费资格人数为1704人，共投入扶助金336.6万元。

双方无业独生子女奖励费。符合享受独生子女奖励费人数为4432人，其中双方户籍在本区的2954人，单方户籍在本区的728人，离婚、丧偶750人，共投入奖励费28.2万元。

【计划生育协会】2010年，中山区计划生育协会共有基层组织448个，会员58269人，是全区最大的群众团体之一，协会会员已成为基层计划生育工作开展的重要力量。

3月11日，区人口与计划生育局组织街道、社区120名计生协会会员开展培训。

（金　霞）

民族宗教

【概况】2010年，中山区有少数民族26个，总人口5910人。人口在100人以上的少数民族有：满族3319人、朝鲜族1225人、回族630人、蒙古族404人、锡伯族129人。

辖区内有经区政府登记的宗教活动场所3家。分别是：基督教学士街礼拜堂、基督教玉光街礼拜堂、海源电子城韩国基督教临时活动点。

2010年，中山区民族宗教事务局认真落实国家民族宗教政策，依法加强民族宗教事务管理，全区呈现出各民族和谐相处、宗教领域较为稳定的局面。各宗教活动场所积极开展“送温暖、献爱心”活动，全年向困难家庭和福利院寄养老人捐款8000元；玉光街礼拜堂向希望工程爱心捐款3万元。

【清真饮食行业专项检查】2010年，中山区民族宗教事务局对辖区20家清真饭店进行专项检查，确保区内清真饮食业依法经营、诚信经营。年内，清真饭店“十头牛清真食府”荣获“中华清真餐饮名店”称号，董事长谭宏玉同时获“2010年中国优秀穆斯林女企业家”称号。

【依法取缔非法宗教活动】2010年，中山区民族宗教事务局制定《中山区依法治理基督教私设聚会点工作长效机制实施方案》，对辖区基督教私设聚会点的情况，做到早发现、早报告、控制住、治理好。依据民族宗教政策和国家法律法规，取缔藏传佛教非法佛事活动和基督教非法聚会各1起；查处基督教学士街礼拜堂个别信徒私发单张事件，通过堂委会批评教育私发单张的个别信教群众。

【加强对宗教活动场所的服务和管理】2010年圣诞节前，中山区成立由副区长于笑为组长的圣诞节安全稳定工作领导小组，区民族宗教事务局联合公安、消防等部门，分别从活动安排、治安、消防、应急等方面，全面检查各宗教活动场所，协调有关部门解决海源电子城韩国人基督教临时活动点消防通道存在的问题，以及玉光街礼拜堂圣诞节活动用电问题。

圣诞节期间，区民族宗教事务局、中山公安分局、中山消防大队和街道、社区干部共70余人，分别组成安保、消防、交通指挥、应急等队伍，分布在全区各基督教活动场所，疏导交通、维护治安、预防突发事件，确保宗教活动正常举行和信教群众的人身安全。

建立宗教活动场所负责人例会制度。区民族宗教事务局每2个月召开1次各礼拜堂主任牧师会，传达上级精神，了解宗教活动场所情况，加强宗教事务管理部门和宗教活动场所以及各宗教活动场所间的沟通联系。完成宗教活动场所教职人员备案和宗教活动场所许可证更换工作。

【学习贯彻《宗教事务条例》】2010年4月15日，中山区民族宗教事务局召开纪念《宗教事务条例》实施5周年座谈会。学习《宗教事务条例》，畅谈《条例》实施5年来，全区在民族宗教领域和谐稳定的成就和经验，研究探索依据《条例》共创政教和谐、教派和谐、民族和谐新局面的途径。

全年举办2次学习贯彻《条例》培训班，区相关单位、街道、社区有关人员及派出所干警参加培训，提高依据《条例》做好民族宗教工作的能力。

各街道、社区和宗教活动场所制作以《条例》为内容的宣传标语和宣传板。全区各宗教活动场所都在醒目位置悬挂标语，玉光街礼拜堂专门制作《条例》宣传板，在活动场所长期展示，供前来参加活动的信教群众学习。

（杨　静）

责任编辑　周建平

海军广场街道

【概况】海军广场街道位于大连市东部，东北两面临海，南面靠山，西面与桂林街道、人民路街道相临。辖区面积6.38平方公里，22780户居民，常住人口58652人，流动人口3580人。街道机关工作人员78人。党工委办公室、综合管理科、城建科、企业服务中心在中山区春生街15号办公；对外服务的职能部门，计划生育事务科、民政事务科、社会保障科、司法所、再就业保障所、社区服务中心在中山区勤俭街59号办公。街道下设育才、港湾、海军广场、春和、春海、春德、春山、春景、华乐9个社区。

2010年，海军广场街道以科学发展观为统领，深入学习党的十七届四中、五中全会精神，围绕"务实高效、创新发展"工作方针和"建设经济强街，打造实力民主"工作目标，创新工作方法，一心一意谋发展，千方百计保民生，推动经济和社会事业较好较快发展。全年税收完成1.87亿元，实现固定资产投资额38.41亿元，实际利用外资额2.34亿美元，吸引内资到位额20.47亿元，引进科技企业14家。街道先后获"辽宁省民兵预备役武装工作先进单位"、"辽宁省妇女儿童维权服务、社会治安综合治理工作示范工作站"、"辽宁省关心下一代工作先进社区"、"大连市民主评议基层站所工作先进街道"、"大连市优秀人民调解委员会"等称号。

【通过国际安全社区项目验证】"安全社区"是1989年世界卫生组织在第一届世界事故与伤害预防大会上提出的，是指建立了相关组织机构，社区内有关部门、企业、志愿者和个人共同参与伤害预防和安全促进工作，持续改进地实现安全健康目标的社区。国际安全社区建设涵盖生活、工作、环境等诸多领域，由世界卫生组织安全社区促进中心负责评审认定。

2010年12月，海军广场街道外来务工子女社区学校居家儿童安全促进项目和春景社区居家安全促进项目通过由澳大利亚安全社区认证中心、亚洲安全社区网络中心和全国安全社区促进中心的联合考察验证。

【通过ISO9000质量管理体系认证】2010年1月28日，海军广场街道发布质量管理体系，按照ISO9000标准实施街道行政管理服务行为。ISO9000质量管理和质量保证系列标准是质量管理和质量保证标准中的主体标准，内容包括"标准选用、质量保证和质量管理"三类五项标准。街道制定"以人为本，诚信服务，真情相助，高效廉洁"的质量方针，对所属保障科、劳动保障所、城管科、计生科、民政事务科、企服中心、社服中心、司法所、综合科、党办等行政部门实施质量目标考核。通过ISO9000质量管理体系的运行，街道的质量方针与行政管理宗旨保持了其持续的适宜性，质量目标经考核和统计逐步按计划实施完成。6月，专家组对海军广场街道ISO9000质量管理体系进行认证审

辽宁省发改委领导视察海军广场街道上方海景项目

核，对街道所属行政科室逐一审核、取证，给出“无不合格项，仅有一项沟通项”的优秀审核结论，一致通过认证验收。

【开展基础统计工作】2010年，海军广场街道开展基础统计工作，为政府制定行业发展战略提供科学依据。年内，完成服务业单位抽样调查（季报、年报）120余家，工业企业抽样调查（年报）1家，限额以下批发和零售业、住宿和餐饮业样本单位调查9家/月，87家限额以下批发和零售业、住宿和餐饮业样本单位按时在网上上报月报、季报，150余家企业按时上报季度劳动情况报表，完成城区城镇居民可支配收入调查40家/月。开展新办企业法人基本情况调查，上半年174家、下半年181家，私营企业人员调查30家，选定港湾社区10户完成大连市城镇住户基本情况抽样调查。

【学习宣传“科学发展首善区”】2010年，海军广场街道多举措开展学习宣传“科学发展首善区”活动。

请进来开思路。邀请区委政研室主任为街道中心组成员及全体机关干部解读中山区“建设大连市科学发展首善区”的发展目标和发展战略，探讨海军广场街道2010年乃至未来几年发展面临的挑战和优势，诠释在“首善区”建设过程中全民谋首善之举、行首善之风、做首善之人的理论和行动指南。

走出去传播。组织社区书记和理论骨干参加区委宣传部“科学发展人民心，努力建设首善区”理论宣讲骨干培训班集中培训，领会精神。成立由党工委中心组、街道机关干部、社区骨干组成的11支理论宣讲队伍，到街道、社区、楼院和居民家中传播科学发展观理论，宣传“首善区”建设战略思想，街道、社区、楼院、居民全覆盖。年内骨干宣讲66次，党员和群众受教育9000多人次。

【推进非公企业党组织建设“双覆盖”】2010年，海军广场街道积极推进辖区非公企业党组织建设全覆盖，确保规模以上非公企业党组织动态组建、规模以下非公企业党组织覆盖率大幅度提高，改善新经济组织党组织工作、活动条件，多种措施加强党员活动阵地建设。年内，摸底调查辖区1132家企业，按照地域、行业特点建立联合党支部7个，独立党支部13个，覆盖企业843家，覆盖率达100%。

【关爱空巢老人志愿服务工作】2010年，海军广场街道华丽山庄、百安和清华园小区3家物业公司积极组织物业志愿者为空巢老人送去关爱，为空巢老人提供8大项（便民服务、家居维修、生活照料、联系服务、心理抚慰、应急救助、安全保障、文体健身）志愿服务，包括提供代缴水电煤气费、便民工具箱借用、提携物品、维修电器、订阅报刊、电话慰问、上门问候、爱心门铃、志愿服务热线电话等各类服务，使“空巢老人”变为“暖巢老人”，大大提高了空巢老人生活质量和幸福指数。8月，市文明办领导到街道调研，对华丽山庄、百安和清华园小区3家物业开展志愿服务的做法给予肯定。

【设立爱心特民服务机构】2010年，海军广场街道关注弱势群体，设立爱心特民服务机构。爱心机构面向9个社区孤寡老人、残疾人、特困户、老红军、百岁老人、敬老院、孤儿院等，为弱势群体提供免费送货、送医送药等上门服务。服务人员经过严格培训，统一服装、统一配送、统一管理，随叫随到。销售服务实行厂家联盟，提供优质低价、专供孤寡老人、特困户的粮、油、蛋品等，实行送货上门、直营微利模式。大连棒棰岛海参、蒙牛、金龙鱼、鲁花、咯咕、畦龙鸭蛋等销售连锁店也加盟街道爱心特民服务机构。

海军广场街道举办迎“七一”红诗咏诵会

【爱心助学外来务工子女】2010年，海军广场街道积极组织企业、学校为外来务工子女助学献爱心。

6月，响应区教育局组织的“奉献爱心回馈社会”公益活动，在街道会议室举办“爱心对接”公益活动。大连明星小学向外来务工子女社区学校捐赠电脑、黑板、学习用品等，为外来务工子女社区学校的10名特困家庭孩子每人捐助学金500元，并建立长效对接对子。

10月，街道办事处与区青教办、南京中脉科技有限公司大连分公司联合在泰达美爵酒店举办“南京中脉爱心助学”活动。南京中脉科技有限公司大连分公司一次性捐助现金及学习用品总价值2万元，惠及辖区外来务工人员子女30余名，该公司获得大连市希望办颁发的“爱心助学”牌匾。

【完成低保调标工作】2010年4月，海军广场街道落实大连市政府《关于提高城乡居民最低生活保障标准的通知》和市民政局《关于落实提高全市城乡低保标准工作有关问题的通知》文件精神，成立街道低保调标工作领导小组，组织专干集中培训，掌握调标政策，集中人力、集中时间开展调标工作，最低生活保障标准由家庭人均360元提高到380元。调标后（截至4月末），街道低保户710户，1349人，总保障金额30余万元。上调保障金650户，增加6人，上调金额3.8万元；下调38户，减少6人，下调金额4404元；停止保障23户、52人，停保金额7325元。年内，全街道新增低保94户，157人，保障金8万余元，停止保障117户，222人，停发保障金2.9万元，全年共发放保障金357.5万元。

【推进再就业与劳动保障】2010年，海军广场街道着力推进再就业和劳动保障工作。全年选树创业带头人55人，带动330人就业，享受创业扶持政策15人，对526名失业人员实施技能培训。完成大学生见习基地建设，带动见习学生10人，借助政府对接平台，安排15名特困家庭大学生走上就业岗位，大学生自主创业2人，完成择业期2年内299名大学生的信息调查统计并录入微机，组织15家企业开展招聘工作，各项任务完成率100%。

【建设妇女儿童维权服务站】2010年，海军广场街道深入贯彻落实全国妇联关于“在社区（村）普遍建立妇女儿童维权服务站”的工作部署和市委、市政府《关于开展新一轮“争创全省社会治安综合治理工作先进市”活动的实施意见》精神，在9个社区全面开展具有街道特点的妇女儿童维权服务和实践载体活动。春和社区妇女儿童维权服务站坚持常年开展和谐家庭创建活动，做好信访和社会治安综合治理工作，维护社会稳定，全社区实现零暴力家庭、社会治安案件为零。经市妇联评估与考核，春和社区被辽宁省妇联、辽宁省综合治理办评为“辽宁省妇女儿童维权服务暨辽宁省社会治安综合治理示范工作站”。

【集中治理“野外烧烤”】2010年6月，海军广场街道集中整治辖区主、次干道“野外烧烤”点，还市民干净整洁市容环境。街道把6月份定为“野外烧烤”整治月，按照“主干道严禁、次干道严控、一般路街规范”的标准和要求，投入人力、物力集中整顿治理。做好思想引导。组织人员挨家挨户向“野外烧烤”点当事人宣传法律、法规，强化当事人的法律意识和道德意识，搞好思想引导，消除管理者与被管理者的对抗心理，征得理解和支持。延长巡查时间。执法工作时间延长至晚上21时，不间断巡查主、次干道，发现“野外烧烤”点，立即责令停止，并提出警告。落实“四定”（定人员、定岗位、定责任、定时间）措施。划定6个责任区，组织协管人员死看死守，及时发现、及时制止，“野外烧烤”得到有效遏制。

【改造居民小区环境】2010年，海军广场街道实施民心工程，重点解决群众“最直接、最关心、最现实”的小区环境问题。辖区春华街53－63号楼院毗邻春海早市，该楼院化粪池年久失修，下水道堵塞经常发生，每逢雨天道路泥泞，居民苦不堪言，脏乱差的问题困扰百姓多年。街道协调区相关部门斥资20万元硬化、净化、美化该小区环境，铺设方砖1000平方米、水泥路面800平方米，人居环境明显改善。

【港湾社区建立健康家庭指导站】海军广场街道港湾社区位于长江东路89E座，辖区面积0.8平方公里，常住人口2684户、8011人（其中，育龄妇女2570人，已婚育龄妇女2136人），流动人口258人。2010年，该社区建立社区健康家庭指导站，健康服务随处可见：设立电子触摸仪，群众可随时了解计生方针政策、避孕节育、优生优育、生殖保健等相关知识；设立免费避孕药具发放机；在办公大厅公示“家庭生命周期服务链”挂图，根据家庭形成、扩展、稳定、收缩、空巢等不同阶段，划分为新婚家庭、计划怀孕家庭、怀孕家庭、婴幼儿家庭、青少年家庭、更年期家庭、老年家庭等7种类型44个服务项目；会议室每月播放幻灯片、科教光盘，为社区育龄妇女、儿童和老人宣传家庭健康知识。会议室设图书角，有关计划生育法律法规、生殖健康知识、妇幼保健知识等书籍满足社区居民借阅；设立咨询室，内设咨询台、避孕药具展示柜、诊疗床、宣传看板，为育龄妇女提供生殖健康疑问咨询；设立孕前风险评估点，建立高风险人群跟踪服务档案、并提供评估师和咨询师回访指导服务；建立“随访日记”，依据每个家庭不同阶段确定随访服务内容，优质服务、代理服务、随访服务全程通向每个家庭。

（孙传美）

人民路街道被命名为“国际安全社区”

人民路街道

【概 况】人民路街道位于中山区东北部，东与海军广场街道相连，西与青泥洼桥街道毗邻，北与西岗区接壤，辖区面积3.2平方公里。居民9342户、26660人，常住人口2.7万余人。街道辖兴和、福寿、七一、修竹4个社区居委会，工作人员68人，其中：社区干部16人，一社一聘大学生3人，残协委员5人，社区工作者23人，军嫂21人。街道机关工作人员67人，其中：公务员39人，事业编19人。下设综合科、民政科、城建科、计生科、保障科、党工委办公室、司法所、执法中队、企业服务中心、社区服务中心、保障所、安全监督管理站。

2010年，人民路街道学习贯彻科学发展观，努力推进CBD功能区建设。集中精力抓重点项目建设和内外资引进，抓税源增税收，完成全年各项经济指标；社会民生关注社区群众的热点难点，较好地解决大学生就业和弱势群众实际困难；司法稳定工作注重人民调解，较好地消化吸收社会矛盾，促进辖区和谐进步和社会各项事业全面发展；党建、精神文明建设注重抓基层打基础，初步形成具有自身特点的亮点品牌。全年完成财政收入3.65亿元，固定资产投资18亿元，实际使用外资15933万美元，实际使用内资31亿元，新办科技企业16家，新办企业43家（内资企业37家、外资企业6家），其中注册资金300万元2家、500万元8家、1000万元5家、2000万元1家、5000万元3家，总注册资金2．7亿元。街道被评为“大连市区域城镇居民收入调查工作先进单位”、“大连市退休人员社会化管理示范街道”、“大连市爱国卫生示范模范单位”、“大连市人社局2008－2010年优秀服务窗口”。兴和社区被评为“国家人口与计划生育全国协会示范村委会”、“辽宁省‘关心下一代工作’先进社区”、“2009－2010年度大连市星级平安稳定社区”、“大连市绿色志愿者服务先进集体”、“大连市‘社区文化节’优秀社区”。修竹社区被评为“2009－2010年度大连市星级平安稳定社区”、“大连市交通安全社区”。福寿社区被评为“大连市交通安全先进集体”。

【人民路街道被命名国际安全社区】安全社区的建设把与广大人民群众与安全相关的内容纳入到一个平台上统一规划和运作，可以有效提高各类人群的安全意识和技能，为生产经营和各类活动提供保障条件，提升社区的安全能力。2010年6月8日，在辽宁省大连市举行的命名仪式上，世界卫生组织代表和亚洲安全社区网络中心代表为6个国际安全社区授牌并颁发证书，人民路街道成为世界第191个安全社区。世界卫生组织社区安全促进合作中心澳大利亚安全社区认证中心主席哈·汉克，香港职业安全健康局主席李启明，亚洲安全社区网络中心主席邓华胜，中国职业安全健康协会理事长张宝明，辽宁省委常委、大连市市委书记夏德仁，市长李万才等出席命名仪式。中山区区长江亲瑜在命名仪式上对中山区创建国际安全社区提出更高要求。

【中德第一响应人项目调研】 2010年9月25日，中国地震搜救中心主任吴建春、德国联邦政府技术减灾署专家克劳斯先生在大连市地震局领导、中山区应急办负责人陪同下到人民路街道调研应急管理、安全社区建设情况。调研组参观街道周边地区安全社区信息与资源管理模拟沙盘、应急物资储备库、未成年人思想道德教育展示厅、医疗救护培训现场、应急预警监控系统和兴和社区，并在医疗救护培训现场观看社区卫生院王院长指导30多名农民工和志愿者做心肺复苏训练，在兴和社区观看街道“10分钟服务区域图”（按照地域分布，社区可以在10分钟内为老、幼、残疾等弱势群体提供医疗、家政、救助等服务）。中外专家认为人民路街道的做法达到了国际先进水平，在义工培训、救助服务等方面甚至比发达国家更温馨、更人性化。克劳斯先生高度评价大连市在社区应急体制建设、安全教育培训等方面取得的成绩，并表示有信心在大连建立中德第一响应人项目基地，双方进行更深层次的交流与合作。

【通过省劳动争议调解工作检查验收】人民路街道在劳动争议调解工作中，逐步形成了“三三式”工作模式，即街道、兴和社区、文园大厦“三位一体”以点带面的基础建设工程和“三个制定”（制定劳动争议调解员和兼职监察员岗位职责；制定并明确劳动争议调解工作和监察工作流程图和流程单，实施网格化管理；制定劳动争议调解申请书、协议书、意见书、受理申请决定书和不予受理申请决定书，建立劳动争议调解台账），通过街道、社区、大厦行管和物业、区监察仲裁“三个平台”发挥作用。

街道投资800余万元在一楼大厅设劳动争议调解服务接待咨询窗口，二、三、四楼分别设劳动争议调解室、培训室、劳动争议调解工作室，投入200余万元在兴和社区设劳动争议调解服务接待窗口和《石大姐调解工作室》，举办“人民路辖区和谐劳动关系进大厦进企业”评选活动启动仪式，文园大厦会议室挂牌《劳动保障服务站》，在人事部设劳动争议调解受理工作室。“石大姐调解工作室”一年多调解各类矛盾纠纷300余件（其中劳动争议调解案件8件），成功率98%。文园大厦劳动保障服务站对企业实行分类管理，第一类企业劳动合同签订率达97%。街道“三三式”工作模式推进劳动争议调解工作的经验在全市推广。

2010年9月，人民路街道代表大连市中山区通过了由辽宁省人社厅、司法厅、总工会、企联/企协组成的检查团的检查验收。

【导入ISO9000标准建立质量管理体系】2010年，人民路街道按照大连市中山区政府关于“导入ISO9000标准建立质量管理体系实施方案”要求，建立管理制度7个、工作指导文件79个，确定适用法律法规及其他要求159个，记录文件389个。各部门根据岗位职责要求和子目标内容，将责任落实到人，充分体现“全员、全面、全过程管理理念”，实现各项服务规范化、程序化、制度化。

【成立“教育超市”】2010年8月，人民路街道“未成年人思想道德教育超市”成立。超市旨在加强未成年人思想道德教育，保障中小学生暑期安全，在辖区公安、学校、部队和居民中选聘20余名素质高、业务精，有一技之长和责任心的志愿者做专兼职教员，从德、智、体、美、劳等方面对辖区需要帮助的中小学生开展全方位辅导与教学，使青少年学生牢固树立遵纪守法、爱党爱国、崇尚科学和先进文化、崇尚社会主义思想道德，争做社会主义“四有”新人的坚定信念和正确人生观。

【大厦服务社会化】2010年，人民路街道在世贸大厦建立“白领服务站”和“白领心语驿站”，企业和白领在大厦内即可享受社会相关服务，形成街道党群组织与行政组织服务的完整体系。街道辖区有商务大厦50余座，各类企业3400余家，大厦员工6.5万人。党工委根据大厦内人流、物流、信息流、资金流汇聚集中等特点，围绕楼宇经济发展，探索在大厦内开展为企业和员工服务的有效途径，提出“大厦服务社会化”服务理念，以大厦党组织建设为切入点，投入经费，与大厦磋商共同建好党员活动室，为党员提供服务。

“白领服务站”和“白领心语驿站”为企业和白领提供8项免费服务（政策指导服务、经济服务、法律服务、劳动保障服务、人口健康服务、文体服务、心理咨询服务、帮扶服务），通过对大厦企业的周到服务，实现街道党组织与大厦企业组织的互动、企业党员与企业党组织的互动、企业白领与企业的互动、企业与企业党组织的互动，共同创建和谐大厦。

【劳动和社会保障取得新成果】2010年，人民路街道注重改革创新，着力做好劳动和社会保障工作，超额完成各项任务指标。

普惠制就业培训完成341人，创业培训完成44人，进城务工人员完成162人。劳动监察工作开展“春风行动”，全年督查辖区用人单位50余家，注册资金300万元以下企业，书面资料审查完成351家（其中新增户195家）。

调整辖区314户低保家庭保障金标准。年内，全街道有低保户295户，535人（其中“三无”人员14人、优抚对象6人 、残疾人95人、失业人员174人），年发放保障金160.2万元，新办低保户27户、34人,停保57户、92人。提标后，月人均保障金为252元，比原来提高34元。每户低保情况、信息、数据均录入低保系统网，网上信息管理与每月动态报表相一致。

【修竹社区被确定“省级光电录入试点单位”】2010年，在全国第六次人口普查工作中，人民路街道修竹社区被确定为“省级光电录入试点单位”，社区1000张普查表必须在10月8日前全部填报完毕，报送省人普办做光电试录入。时间紧任务重，区人普办会同街道人普办采取“分组分工、工序交叉、逻辑配合”措施和“三详、四重、五防”工作要领，全程监控报表数据量，按期完成任务。

“分工分组、工序交叉、逻辑配合”就是依据摸底初期普查数据分析，选择出7个符合试点工作要求的小区，集中全员力量分为入户、审核、填写3个小组，分头平行推进，减少怠工和人力浪费。先期完成的摸底表由审核组初审并抽取长表，入户组入户填报信息，再由填表组填报正式表。已完成的正式表由填表组交叉初审，审核组最终会审。入户填报坚持“三详”原则（普查范围详、普查内容详、普查要点详）实地入户。核实填报信息根据社区流动人口多、流动性强、出租房屋多、动迁空挂户多的实际，坚持“四重”（重实情、重居住、重地址、重流动），确保全员普查信息和人口数。 数据审核坚持“五防”（预防忙中漏人、预防信息不全、预防错误认识、预防漏普人员、预防信息不实），严把数据质量关，做到不漏户、不漏人，填报信息真实准确，字迹工整清晰，确保光电录入顺利流畅。

新闻链接

“家门口”工程彰显组织向心力

《大连日报》 2010年12月1日 訾玉茹

7月26日，中央文明委公共文明指数测评工作组，随意抽调人民路街道福寿社区，任意对13个门洞中的15个家庭暗访测评。通过受访居民反馈，对测评内容的绝大部分都投了赞成票，较真实地反映了社区精神文明工作和群众精神面貌。社区书记深有感触地说：公共文明指数测评，某种意义上说，测的是社区党总支与居民群众之间的距离，居民认同社区工作，这得益于社区党总支开展的“四个家门口”工程，把社区服务的职能前移至居民家门口，把服务工作做在平时。

“零距离”服务，家门口感受组织温暖。建国前老党员丛淑滋经常给别人夸：市委书记、区委书记到过她家，社区的书记、副书记更是隔三差五到她家，问家中困难，送学习资料。自己虽然行动不便，但在家却感觉与组织的距离很近。这就是社区党总支的“零距离”服务，让辖区老党员、空巢老人享受组织的服务。为让居民掌握社区的办事流程，为每家每户精心制作了《惠民服务书签》。上面印有政府各职能部门的应急电话、社区办公电话和社区书记、副书记的手机电话，详尽标明办理养老、低保、失业等事项流程。若行动不便可打电话，[illegible]到家中办理。为提高“零距离”服务的针对性，采取“4加1”工作模式。即每周4天在社区上班，一天进楼院入门入户走访，特别是白天联系不上的住户，利用晚上时间入户走访。重点掌握居民的自然情况和家庭成员的就业、入学状况，并逐项做好记录登记。对走访情况，每周进行一次汇总，有针对性地拿出解决的办法措施。去年，走访流动人口寇本开家时，看到其10多岁的女儿做饭。问其缘由，得知其父在施工中摔断了腿。母亲身体不好，上小学四年级就承担家务，走访人员深受感动。第二

人民路街道福寿社区举办“用您的真诚 献出您的爱”活动

天社区组织人员捐助米、面、油及生活用品送到她家。2个月后又为其母亲在家门口找到了打扫楼道卫生的工作。逢年过节，社区党总支为他家送去慰问品及学习用品等，孩子的脸上又露出了灿烂的笑容。为增强社区人员“零距离”服务能力，开展“四百”活动。即组织社区人员进百家门、知百家情、解百家难、暖百家心。每月开展一次竞赛，看谁最掌握居民家的情况。每季度进行一次民情日记检查，看有无漏时漏项。每半年进行一次民意测评，工作好坏让居民来打分。活动的开展使社区人员不愿在社区坐，都愿往居民家中走，有效地提高了社区人员“想群众事，解群众难”的能力。目前，社区党总支与36户低保家庭、空巢老人建立帮扶对子。低保家庭马英儿子2009年考入沈阳师范大学，由于家庭生活困难拿不起学费，社区党总支发挥辖区单位作用，每年资助其学费5000元至毕业。近两年来，社区党总支通过与辖区单位牵线搭桥，为社区低保困难家庭解决就学资金107000元，共救济7名贫困大学生。

楼院定责，家门口看到党员作用发挥。福寿社区共有47个楼院，尽管大部分已弃管，但门洞、楼院卫生始终有人打扫，楼院内始终有几支队伍在活动。社区党总支开展了“亮党员身份，履党员义务，树党员形象”楼院党员挂牌特色主题活动。要求楼院党员发挥表率作用，做到“三要三无”，即：奉献要带头、邻里要互助、家庭要和睦；门前无杂物、身边无事故、邻里无纠纷。从自身做起，从身边的小事抓起。根据党员的志愿和特长建立了10个党员责任岗，69名有活动能力的党员都认领了各自的岗位，承担起管理楼院的职能，让居民群众随时看到社区党员的作用。党员付苏英退休前是一名医生，退休后辞去高薪聘请，认领了医疗健康保健岗，成为社区一名医务志愿者。不管是白天还是夜晚，只要居民群众打电话，她都小跑到居民家中进行诊治。年初，明泽80号3—1党员刘道景老伴晚上犯病。接到电话后她用手机照明，背着小药箱赶到了他家抢救诊断，缓解病情。居民都称付党员是社区“不花钱的120”。新乐楼院党支部书记孙连凤，身患癌症，但她用积极乐观的心态对待生活，与楼院其他5名党员认领了文体宣传岗。带领楼院居民走出来、跳起来、乐起来、唱起来，丰富居民业余文化生活。民寿党支部6名党员认领了环境卫生保洁岗。平时把清扫楼道当成自家的活，楼院前的花坛也成了他们承包的“责任田”。看到他们的行为，居民群众称赞：雷锋又回来了，党员的旗帜又树起来了。在他们的带领下，社区“七老”志愿者已达100余人，直接联系帮扶群众1万多人次，他们活跃在社区楼院和大街小巷，成为社区党员服务居民的一道靓丽的风景线。

穿针引线，家门口实现就业和创业。下岗失业党员刁丽逢人就说：别看社区小，但社区能帮助像俺这样的失业人员在家门口找份活干，我干巡访，我丈夫干综合执法的活都是社区给介绍的，既有一定的收入，还可以照顾家。社区党总支在走访中深深感到，居民家中的难事有，但最难的莫过于家中有失业人员、有待业的学生。给居民讲一百个理论，不如帮助一个人就业管用。社区党总支把这项工作作为凝聚群众的重要内容，仅今年以来，已帮助35名失业人员实现了就业。主要采取了“三主动”服务措施，即主动上门与辖区单位联系“挖”岗位。今年以来，社区利用辖区大厦多，单位多的特点，主动上门与辖区20余家企业单位联系，挖出30余个就业岗位。如北良大厦的保安、地税局的保洁、快递公司的司机岗位等，都从社区下岗失业人员中调选。在辖区富丽华大酒店，还建立大学生见习基地，为辖区未就业的高校毕业生免费提供见习岗位。主动上门走访“摸”需求。每月走访中，重点入户了解失业人员的就业需求，按照想从事家政、保安、服务员、驾驶员、保洁员等大致10个岗位类型，逐一进行求职需求分类登记，并在社区和街道劳动保障科备案，辖区企业有用工需求，社区党总支第一时间与这些人员联系。主动上门为失业人员和用工单位“当”红娘。社区党总支在与辖区单位共建时，第一任务就是看有无用工需求，以争取更多的用工岗位。年初，社区党总支在走访虹源大厦时，了解到他们需要保安，社区立即翻阅社区求职登记簿，找到想干保安的失业人员宋春华，帮助其实现就业。街道社区一年2次召开辖区单位用工洽谈会，组织失业人员、待业大学生积极参与。每月月底的周六，还积极组织社区大学生参加区劳服举办的招聘会。

文明争创，出门体会文明创建成果。福寿社区地处人民路一测，耸立的商务大厦与分散的弃管楼院存在较大反差，社区党组织把争创文明城市作为缩小这种反差的有效手段，做到交通秩序有顺，楼院环境整洁，门洞卫生干净，让居民群众出门就能体会到文明创建的成果。让居民群众参与创建过程。社区党总支开展了“同在一个城，共建一个家”、“ 我为大连作贡献，我为城市添光彩”争当文明市民启动仪式，并向居民发放《社区文明市民公约》和《争做文明市民倡议书》等资料。通过发动，辖区内的绝大多数党员群众都参与到文明城市争创中来，自觉打扫门前卫生、自觉维护交通秩序。让社区人员、志愿者成为争创的主体。组织社区人员及志愿者，积极争当文明交通督导员，引导行人走斑马线，对不文明的行为进行制止。每月10日为党员学习日，15日为楼长召集日，坚持不懈地进行形势、政策、道德、法制教育，引导群众抵制不良思想影响。引导党员以身作则，从我做起，养成文明健康的生活方式。社区党总支每月开展一个主题精神文明争创活动。如推荐一名社区好人、推荐一名感动人物、推荐一户平安家庭。开展《城市精神大讨论》《红诗朗诵会》《争做文明小市民》。组织党员居民游览大连滨海路、大连自然博物馆、黑石礁红星村爱国主义教育基地。振奋城市精神，让文明健康的思想和行为占领社区的宣传阵地。让弃管楼院成为争创的示范点。把楼院卫生、门洞卫生进行分片包干责任到人，开展周、月、季、年争创活动。规定每周三社区人员与志愿者到楼院清扫卫生。每月一次街道科室包社区，进行环境卫生大整治。每月社区党总支发动辖区单位、社区人员集中清理一次楼院门洞卫生。年初以来共清理了100个门洞卫生死角，运出垃圾8吨。清理居民防盗门野广告上万张。粉刷楼道喷涂办证广告上千条。让社区环境卫生做到“三个”没有。即没有乱堆乱放，没有乱贴乱画，没有垃圾杂物。让文体活动队伍唱主角。开展居民喜闻乐见、健康有益、形式多样的“我们的节日”健康活动。社区文体队伍下设快板队、歌舞队、器乐队、模特队、乒乓球队、健身操队、抖空竹队、书法绘画队、诗歌朗诵队、戏曲京剧队。不断吸引社区居民积极参与，使邻里由陌生走向成熟、由淡淡的问候变成了友好的沟通，社区内形成了健康向上的和谐氛围。一出门口就能看到活跃的文体队伍，整洁的楼院卫生，安全的交通环境。

（宋清华）

桂林街道

【概况】桂林街道地处中山区中西部，南部与葵英街道相望，西与昆明、青泥洼桥街道接壤，北与人民路毗邻，东邻海军广场街道，面积3.18平方公里。辖湖畔、林景、望海、枫林、解放、安民6个社区，828个小组，居民15209户，46016人。有汉、满、回、朝鲜族等民族，汉族人口占98%。流动人口累计3057人次。辖区企事业单位1306个，个体经营业户612个。有大、中、小学校5所。街道辖社区服务中心1个，企业服务中心1个，劳动社会保障事务所1个，安全生产监督管理站1个。街道工作人员64人，离退休人员65人，待岗人员1人，离岗休息人员1人。

2010年，街道党工委贯彻区委十二届八次、九次全会和区政府全会精神，经济建设、精神文明建设、党的建设和社会各项事业协调发展，圆满完成各项工作任务。税收完成1.886亿元，固定资产完成41.48亿元，外资完成6151.84万美元，内资完成37.53亿元，高新技术企业完成15家。完成全国第六次人口普查工作。街道获“全国模范人民调解委员会”、“全国和谐社区建设示范社区”、“全国人口和计划生育基层群众自治示范村居”、“辽宁省第二次全国经济普查先进集体”、“大连市文明街道”、

桂林街道举办首届读书节

"大连市民防建设先进单位"、"大连市防止民间纠纷激化先进集体"等称号。老年人健身球参加大连市比赛获（女子组）银奖，组队参加"大连市'社会和谐风'群众歌咏比赛"获银奖。

【坚持项目牵动】2010年，桂林街道把项目建设作为经济工作的重中之重，经常走访项目单位，落实固定资产投资额，帮助企业协调解决实际问题。积极引进新税源，主动帮助办理工商注册、税务登记等，做好辖区个人出租房屋税收代征工作，全年征收341万元。引进企业21家。

【开展"亲和社区建设年"活动】2010年，桂林街道在社区工作人员中开展"亲和社区建设年"活动，着力提高社区人员管理水平。社区工作人员通过"亲和居民百姓、亲和企业单位、亲和社区同仁"，增强亲和意识和服务意识。建立社区工作人员、社区书记和业务部门领导之间3个层次动态监督机制，建立出勤率和群众上访率、工作开展情况、完成情况、成果反馈情况台账，以此为依据评定社区工作人员工作实绩。开展政策法规、业务流程等培训，年培训时间11天。在社区工作人员中开展"一日社区主任"和"七日社区楼组长"实践活动，提高社区工作人员组织协调、沟通能力。在6个社区开展"双评议"活动和社区工作人员"背靠背"考评，社区管理实现制度化、规范化。

【完成低保标准提标】2010年，桂林街道建立健全低保集体（听证）审批和低保阳光监督机制，严格把好低保家庭"进、调、退"三关，及时掌握保障对象动态，不同情况的家庭实行月审、季审和跟踪调查，认真落实提高全市城乡低保标准工作要求，依据低保家庭提供的收入证明，逐户逐人进行提标测算。经测算和审核，全街道上调保障金315户，下调保障金21户，7户、14人停保，2户、5人由低收入家庭调入低保，提标后低保家庭为331户、604人。

【救助残疾人和残疾人家庭】2010年，桂林街道坚持做好残疾人及残疾人家庭救助工作。年内发放轮椅1辆，手杖3个，拐杖1对，建立康复训练档案20人。申请救助1名精神残疾人住院，1名肢体残疾人住院，为14户重度残疾人家庭申请居家安养经费。宣传康复知识，向残疾人及其家庭发放康复宣传小册2000册。组织残疾人参加中山区残联行政礼仪培训班和中山区残疾人专职委员业务知识培训班学习，参加市、区残联举办的就业招聘会，残疾人培训56人次，实现就业20人。

【成立街道红十字会】2010年7月30日，桂林街道红十字会正式成立，会员36人。红十字会本着"动员人道力量，改善最易受损害群体的境况"原则，积极开展扶贫帮困活动。年内，通过红十字会对20户低保家庭实施棉被、毛巾等物资救助，价值2000余元，救助街头流浪2人，精神病患者1人，甘肃玉树、舟曲地震灾害发生后，街道机关及社区工作人员和社区居民分别向灾区捐款2.6万元和1.3万元。

【促进高校毕业生就业】2010年，桂林街道通过建立基地、强化信息等手段，着力实现高校毕业生就业目标。（1）建立两个高校毕业生见习基地：桂林社区卫生服务中心和大连希仕莱商贸有限公司。（2）开展"高校毕业生就业服务月"活动。（3）调查摸底。组织社区摸底调查辖区2008－2010年高校毕业生，了解其求职、创业愿望，登记择业期内高校生149人。（4）强化信息。搜集30余家用工单位62个岗位300余条就业、创业信息。年内，进入见习基地高校毕业生6人，向51名有求职愿望未就业高校毕业生推介职位和宣传创业扶持政策，实现就业35人，为2名困难家庭高校毕业生申请区公益性岗位，困难家庭高校毕业生就业率达100%，扶持2名择业期内高校毕业生成功创业。

【完成企业劳动用工备案】2010年，桂林街道劳动保障科多种形式向企业宣传劳动用工备案工作的意义，采取走出去逐家逐户宣传、请进来培训企业单位等方式，帮助企业提高认识，全面了解用工备案的重要性，掌握用工备案的操作程序，达到宣传和工作的实效。全街道完成用工备案508户，完成率100%。

【设立劳动关系调解室】2010年，桂林街道全面贯彻《劳动合同法》《劳动争议调解仲裁法》，制定《劳动关系进社区工作方案》，成立以街道主任为领导的劳动关系进社区领导小组，设立劳动关系调解室（设在劳动保障科），并在6个社区分别设立"劳动关系调解站"。街道召开领导小组和社区专干工作会议，明确责任分工和工作职责，加强劳动监察工作。年内完成企业书面资料审查189户（新增企业92户），日常巡视检查184户（新增81户），完成创业带头人34人，创业带动就业205人，为22名失业人员办理孵化基地创业用工手续，为3家企业办理捆绑贷款续代手续。

【创建"平安桂林"】2010年，桂林街道推进"平安桂林"创建工作。（1）加强综治维稳工作。投入综治维稳经费21万余元，保证综合治理维护稳定工作四到位（领导力量到位，领导责任落实到位，解决问题措施到位，综治经费落实到位）。制定党政领导信访接待日制度，设立专门信访接待室。街道、社区、居民小组三级调处网络，排查化解各类矛盾纠纷104起。组建基层党员为骨干的6人专兼职调解员队伍，调解各类矛盾纠纷108起。投资10万元，兴建硬件设施完善、技术手段先进、服务项目周全的社区综治管理服务站，实行“公开式”办公、“一门式”服务。专项整治废旧金属回收站点，清查无证、证照不齐站点2家，依法查封1家 ，封存违规物资1000余公斤。（2）加强意见征询。街道、社区干部走访小区13个，楼栋664栋，门店587家，居民1.5万户、4.1万人， 发放《致居民的一封信》《平安提示》等宣传材料6.5万份，征求居民意见建议100余条，帮助解决30余条。（3）集中整治校园及周边环境。联合司法、公安、工商、教育、文化、城管等相关部门大规模专项整治辖区中小学校、幼儿园及校园周边环境3次，出动车辆12台次，人员60余人次，依法收缴非法图书、音像制品等非法出版物200余册（本），取缔流动摊点20多个，强拆违规搭建门店2间，限期整改学校食堂1所。（4）开展安全生产月活动。全年组织大规模检查10次，整改安全隐患76处（次）。

【强化计生队伍建设】2010年，桂林街道把“思想上讲奉献，业务上讲精通，作风上讲扎实，管理上讲科学”作为计生队伍建设的核心，努力建设一支思想好、作风正、政策熟、懂业务、会管理、善于做群众工作的人口与计划生育工作者队伍。注重培训，分批、分阶段组织计生专干参与区人口与计划生育信息化系统升级培训，对社区系统操作薄弱环节做专门讲解培训，组织6个社区交流经验，相互学习、相互促进，共同提高。9月，街道及社区计生专干15人参加区计划生育岗位练兵500题考试，获得中山区计划生育岗位大练兵比赛团体第一名。

【成立健康家庭指导站】2010年，桂林街道与桂林社区卫生服务中心联合成立健康家庭指导站，成为全市首家街道与社区卫生服务中心联合建立的健康家庭指导站。健康家庭指导站组织开展计划生育宣传，以“关爱流动人口，促进社会和谐”为主题，开展“关怀关爱月”活动，在流动人口计划生育、生殖保健、生育关怀、便民维权等方面体现人性关爱。年内，举办“关爱流动人口，普及科普知识，珍惜生命健康”集中宣传活动，发放宣传资料100余份，《致流动人口朋友的一封信》300余份，接受咨询100余人次，推进“优孕优育”系列智能卡服务，发放“优孕优育”智能卡92个，为计划生育家庭提供个性化服务和指导。开展“双情”检测服务，定期请育龄妇女到街道健康活动室做“双情”检测，确保流动人口已婚育龄妇女身心健康。

【搭建道德评述台】2010年，桂林街道以提升市民文明素质，引导居民群众“为建设科学发展首善区建言献策”，发挥社区理论宣讲骨干作用，在6个社区搭建居民道德评述台，组织开展身边人和身边事评述活动。4月1日，解放社区组织居民评述祭祀日烧纸和送冥币祭奠先人的做法，社区居民通过评述提高认识，自觉崇尚科学，崇尚绿色文明殡葬，实行低碳祭祀、鲜花祭祀、网上祭祀。召开集体或家庭“追思会”，为先人献一束花、敬一杯酒、植一棵树、讲一段故事、播一段音乐等，用健康时尚的方式寄托哀思。

【城建卫生管理有成效】2010年，桂林街道强化城建卫生管理。（1）全力清理野广告。根据雨天容易清理的特点，组织雨天或雨后清理30次，主干线清理地广告每2天清理一次，年内清理野广告20多万张。（2）治理环境卫生。投入资金3万余元，清理垃圾300多吨。（3）整治市容秩序。集中治理大外麒麟东巷及儿童公园附近市容环境，整治主干线路广告牌匾12处，拆除违章、户外广告牌匾20余块，条幅64块，清理占道经营商贩260余人次。

【加强基层党组织建设】2010年，桂林街道强化基层党组织的领导核心地位。（1）健全基础知识、基础资料和基础制度。组织社区党总支书记、副书记11人参加党校“基层党建负责人”培训班，指导社区重新建立“两本一册”（总工作记录本、楼院党支部活动记录本和党员手册），组建社区干部党支部，加强党员中心户管理。（2）发挥机关党总支的战斗堡垒作用。坚持政治理论学习，确保思想上的先进性。学习科学发展观理论、《2010理论热点18问》、电脑操作技巧等知识，组织党员参观革命先烈关向应故居，举办党的基础知识有奖竞答、新老党员座谈会，重温入党誓词。（3）开展党员志愿服务，设岗定责，结对共建。机关和社区设共产党员示范岗40个， 53名党员做出服务承诺，173名党员认领服务岗位20个。组织党小组和党员参加创城包委行动、海上清污行动、应急小组防台防汛值岗巡察、义务奉献清理白色垃圾等活动。（4）完善新经济组织党员信息库。更新和完善学历、岗位、通讯等信息。（5）创新教育方式。根据新经济组织工作特点，推出“手机移动课堂”，开展科学发展观教育，信息沟通及时，达到工学共赢效果。

青泥洼桥街道

【概况】青泥洼桥街道位于中山区西北部，西北部与西岗区接壤，南至五惠路、武汉街，东到民生街、延安路，面积1.59平方公里。辖区内坐落着青泥洼桥商业步行街、天津街商业步行街和中山音乐广场。大连商场、新玛特、麦凯乐、百年城、新世界百货、新天百大楼等众多驰名商家在这里云集，是大连市最繁华的商贸、金融、旅游、娱乐、餐饮和信息服务中心。街道辖上海、天津、双合、青泥4个社区居民委员会，320个居民小组，有居民11216户，人口23303人。汉族占98%，另有回、蒙、朝鲜、彝、锡伯、满等少数民族，外来人口1262人。

2010年，青泥洼桥街道党工委贯彻落实区委十二届十次会议精神，深入学习实践科学发展观，以加快发展、改善民生、维护稳定为主线，以“创建大连科学发展首善区最佳窗口街道”为目标，解放思想，创新思路，全力执行区委区政府“两圈一带”金融业发展总体布局，努力实现辖区经济、党的建设和社会各项事业快速健康发展。全年实现财政收入4.2亿元，完成固定资产投资32亿元，外资到位3050万美元，内资到位10.1亿元，新办科技企业13个，新办各类企业25家。在全区率先通过ISO9000质量管理体系认证。街道被评为“辽宁省文明单位”、“辽宁省优秀街道工会”、“大连市先进单位”、“大连市社会治安综合治理先进集体”、“大连市信访工作先进集体”、“大连市支持工会工作先进单位”。街道“三管好六个不”道德承诺被评为“大连市精神文明建设最佳品牌”，街道劳保所被评为市“AAA级劳动保障事务所”，街道团工委获“大连市红旗团委”称号。

【加快高新技术产业发展】2010年，青泥洼桥街道培养和扶持高科技企业发展，新办13家科技企业中，注册资本30万元以上7家。其中，大连德源林机电设备有限公司位于长江路休斯顿写字楼，注册资本200万元；大连北方汇银科技发展有限公司坐落于希望大厦，注册资本100万元；大连弈德科技有限公司落户在上海路4号上鼎大厦，注册资本30万元；大连平山佐贺光触媒有限公司落户在中山区友好路105号，注册资本40万美元；新优冠生物科技（大连）有限公司落户在曼哈顿大厦，注册资本30万元；大连智软科技有限公司落户在天津街207号，注册资本50万元；大连上岛科技发展有限公司落户在常青街29号1-E-20-5，注册资本50万元。办公面积在100平方米以上的企业有4家。

【开展创先争优活动】2010年，青泥洼桥街道党工委组织基层党组织和全体共产党员开展创先争优活动，确定“高扬先锋旗帜，争创中山区全面推进大连科学发展首善区建设最佳窗口街道”活动主题。在机关干部中开展以“服务提质、交通提速、工作提标、环境提优”为内容的“争先锋做表率活动”，在“两新”组织中（新经济和新社会党组织）开展以“党员服务于企业发展，服务于企业员工、服务于和谐社区建设”为内容的“为党旗增辉添彩”载体活动，在社区楼院党组织中开展“党员牵手困难群众、牵手弃管楼院、牵手难点和重点问题的党员牵手”主题活动。党工委决定在建党90周年之际表彰20个先进基层党组织、60名优秀共产党员和20名优秀党务工作者。

【启动“手牵手·相聚2010”活

青泥洼桥街道组织下岗失业职工劳动技能培训

动】2010年1月26日，青泥洼桥街道党工委在休斯顿大酒店启动“手牵手·相聚2010”活动仪式。开展“手牵手·相聚2010”活动，旨在让辖区单位、非公企业党组织、社区党员干部、楼院党组织、居民及弱势群体以结亲、共建的形式形成紧密联系，深化党员干部受教育、人民群众得实惠的目标。49家辖区单位、40余名党员在“手牵手·相聚2010”活动画面上签下自己的名字，庄重承诺：为青泥辖区和谐建设、经济发展和社区居民幸福生活作出贡献。中国银行辽宁省分行营业部团支部牵手贫困家庭学生姜家全，资助其学费并承诺在学习上提供帮助。民生银行胜利桥营业部党支部与常青楼院党支部签下牵手共建协议，天津社区4个楼院党支部、13个楼院党小组与非公企业党组织达成牵手共建协议，通过资源共享、互帮互助，进一步提升社区党组织与企业党组织建设水平。

青泥洼桥街道开展计划生育宣传活动

【聘请“百名城市文明使者”】2010年，青泥洼桥街道在辖区单位和居民中选出100名关注文明城市建设、热心社会公益事业、自身文明素质较高的企业员工和居民，聘请他们为“城市文明使者”。6月18日，街道召开“创建文明城市动员大会”，会上宣读《聘请“百名城市文明使者”的决定》，并为百名文明使者挂上胸牌。文明使者积极参与文明城市创建的各项活动，改正身边的不文明行为，劝导社区居民文明用语、礼貌待人，监督社区周边的公共卫生、公共设施、公共绿地、公共交通、公共秩序、施工工地和社会管理状况等，及时向有关部门反映并监督解决文明创建工作中存在的问题。

【建立健康家庭指导站】2010年，青泥洼桥街道以提升计划生育服务质量，打造优质服务品牌为目标，建立健康家庭指导站5个，组织开展“健家·惠民·利民”活动，落实“科学生育、文明生活、身心健康、守法诚信、幸福和谐”五条健康家庭标准。6月25日，在天津街新天百大楼建立新天百健康家庭指导站，建立服务五区：总体服务区、儿童保健区、楼道文化区、实物展示区和宣传教育区，把计划生育政策化、标准化、个性化、多样化和系统化优质服务工作落实到位。

【廉政文化进社区和机关】2010年，青泥洼桥街道在青泥社区精品楼院制作楼道廉政文化宣传板20块和12块可移动《廉政专栏》，并在4个社区巡回展出。街道与中信银行联手制作廉政文化宣传板47块，悬挂在天津社区40余个楼洞，内容有廉政标语、格言警句等，让楼道说起“廉政话”，成为传播廉政文化的宣传使者。街道制定廉政文化进机关示范活动相关文书，在全街道开展以“廉政文化”为主题的“红诗辽宁、激情大连、魅力中山、清新青泥”文化展演，机关干部参与率达95%。

【建立非公企业工会联合会】2010年，青泥洼桥街道采取“党建带工建、工建促党建”方法，加大非公企业的建会力度，推广“三联”（联建、联管、联动）工作机制，开展非公企业AAA标准化组织建设，加强工会组织规范化、标准化建设，积极培训企业工会组织和职工会员，并在20家企业中推广典型单位。大连休斯顿大酒店AAA标准化组织建设经验。11月，街道工会筹资1万元，为胜利广场有限公司、亚泰科技等5家企业职工送去新版图书1000余册。年内建立联合工会26家，独立工会3家。

【拓宽就业渠道】2010年，青泥洼桥街道围绕区委区政府提出的“实现零就业家庭至少有一人稳定就业”目标，拓宽就业渠道，推进就业、创业、培训“三大基地”建设，构筑就业、创业、培训“三位一体”就业模式。全年开发用工岗位3100个，实现实名制就业1252人，稳定就业565人，再就业633人，创业就业393人，带动就业236人，普惠制培训343人。举办技能培训班10期，培训人数343人。组织和参与大连市大型招工洽谈会6次，参加人数1230人次，实现再就业620人。

【提升社区工作者素质】2010年，青泥洼桥街道以构建“十分钟服务圈”，满足居民在社区内美发、加工服装、管道疏通、拆洗缝补、清洗油烟机等需求为目标，着力抓好社区队伍建设，提升社区干部素质与服务水平。(1)建立服务网络。街道设计“便民服务卡”，建立健全“十分钟服务档案”，形成40余个服务项目的全方位社区服务网络。(2)加强制度管理。制定《青泥洼桥街道社区工作人员管理手册》，建立各科室组织社区专干培训、开会、借调登记簿和社区工作人员外勤登记册，完善社区工作人员请销假制度。(3)提高社区工作人员素质。对4个社区工作人员进行《社区工作人员管理手册》和《社区工作人员应知应会手册》知识考核，提高社区干部驾驭社区、治理社区、服务社区的能力。6月，街道在上海社区启动“一周社区主任”活动，该活动旨在让社区工作人员亲身体验社区主任岗位，在实践中得到锻炼，学会管理，提高服务水平，塑造社区工作人员新形象。

【低保工作实现动态管理】2010年，青泥洼桥街道有低保家庭177户、288人，占辖区总人口的2.6%。其中重病47户，残疾79户，三无16户，其他35户。街道在全区率先完成低保提标重新审核工作，规范入保审批程序，发挥“阳光低保监督队伍”作用，严格把好“四关”：居民入保申报关、街道社区入户调查关、社服审核复查关、街道领导小组审批关，在全街道建立低保对象有增有减、低保金有升有降，良性运行的动态管理机制。年内，发放最低生活保障金77万元，全年新增低保户15户，停保29户，变动12户。

【完善爱心捐助三项机制】2010年，青泥洼桥街道完善宣传发动、运行、组织三项机制，确保中山区“送温暖、献爱心”活动顺利展开。(1)强化宣传。街道印发《致辖区单位的一封信》，动员街道科室、社区走访辖区企业单位，向他们讲解群众困难情况，讲清企业参与捐款的意义和捐助活动具体方案。对积极参与活动的企业，街道组织新闻报道的宣传策划，引导更多企业参与活动。(2)有效组织。捐助活动接收的现金和物质，采取统一接收、统一登记、统一开具收据、统一上报、统一分发的方式，做到两个确保：确保实现捐赠人的意愿，确保受赠人得到有效的救助。(3)加强监督。街道成立“送温暖、献爱心”领导小组，领导小组成员每天到社区巡访，对接收的款物进行指导、监督，发现问题及时处理。(4)适时动员。召开“送温暖、献爱心” 捐助动员大会，辖区3家企业捐助现金6万元，在玉树、舟曲发生地震灾害的第一时间，组织辖区企事业单位为灾区捐款10万元。

【加强城市建设管理】2010年，青泥洼桥街道以争创全国文明标兵城市和最佳旅游城市、提升中心城区城市形象为切入点，做好城市管理工作，破解中心城区管理中的重点和难点。在全街道广泛开展爱国卫生月主题活动，组织清理野广告35万余张、垃圾89吨、楼道125个，清理各类条幅、广告、灯箱、牌匾460处，取缔无证商贩1000人次、店外店95处，拆除临建房37个，整治弃管楼院45个。组织维修五卅街等道路1万平方米。

【建立特色调解室】2010年，青泥洼桥街道社会治安综合治理工作按照“一社一品、一委一特色”工作思路，在4个社区建立特色调解室，即青泥社区的“老党员调解室”，双合社区的“老干部调解室”，上海社区的“劳模调解室”，天津社区的“楼长调解室”。 特色调解室旨在完善处理突发事件和处置重大群体性纠纷快速反应机制，畅通信访渠道，解决辖区群众合理诉求，抓好社会矛盾纠纷排查工作，做到早发现、早调解、早解决，把矛盾解决在萌芽状态。年内，街道、社区排查调处纠纷246起，调解成功率达100%。

【加强基层党建阵地建设】2010年，青泥洼桥街道注重党建阵地建设，实现“党员工作生活的地方就是党的宣传阵地和发挥作用的阵地”。(1)建设楼院党建阵地。投入物力和财力，为青泥社区五卅街22号楼院4个楼道刮大白、修理防盗门，在院内安装8米长的宣传橱窗、26块党建宣传板，将居民楼院建成具有浓厚党建氛围的精品楼院，玉光街党支部成为具有示范效应的开放式楼院党建阵地。(2)建设非公企业党支部宣传栏和党员活动阵地。利用企业会议室等场所，张贴或悬挂党的宣传资料，休斯顿和万科大厦两家企业活动室成为企业党员与社区党员教育、活动的共用场地。(3)建设网络虚拟阵地。投资1万余元，新建青泥洼桥街道党建网站，为由于工作时间等原因不能参加组织活动的党员提供虚拟阵地，并为党支部和党员提供资料下载、网上学习等服务，扩大党工委宣传领域。

新闻链接

青泥洼桥街道为弱势群体撑起一片蓝天

《大连日报》 2010年1月11日

汤艳新　王　丹

青泥洼桥街道在学习实践科学发展观活动中，以维护困难群众的根本利益为工作的出发点和落脚点，积极探索，不断创新，完善机制，积极为弱势群体服务，努力将党和政府的惠民政策落到实处。

为全面了解辖区居民家庭的基本情况和实际需求，掌握困难居民生活情况，青泥洼桥街道在辖区开展了一次地毯式的居民生活情况普查活动。历时两个多月，完成了对辖区6814户常住居民生活情况普查，填写了《青泥洼桥街道民情普查表》，掌握了辖区居民生活的第一手资料。按照居民收入和实际生活水平，辖区常住居民分为：收入较高且稳定的人群5908户，收入一般且不稳定的人群488户，低保边缘人群43户。并据此分类录入微机，建立了青泥洼桥街道居民档案数据库，指派专人进行管理。通过此次普查，比较细致地掌握了辖区居民家庭情况。

青泥洼桥街道组织街道低保专干和社区低保专干2人一组，每季度对低保家庭进行抽查走访，掌握辖区低保家庭的动态情况，并记录在册。街道实行了“五步”工作法。即：看、问、查、核、答。即：深入到低保对象家中，看一看家庭摆设、家庭生活用品使用情况；对有工作单位的，到所在单位问一问工资等收入情况；到邻里走访了解日常生活状况、临时收入、到劳动部门查一查就业情况；核实水费、电费、燃料费、电话费等消费支出情况及相关证明等；对所调查的新增、调整、取消对象及时明确给予答复。家庭收入超过低保标准的，实行渐退帮扶救助退出低保；家庭收入发生变化的，及时调整低保金。充分做到低保金有升有降、低保家庭有增有减，使低保管理工作更加规范、合理。

街道建立了“分类有色档案”管理、“个体信息档案”管理和“电子信息档案”管理三种档案管理模式。“分类有色管理”档案就是按照绿、橙、黄、红四种档案颜色，把低保对象分成了稳定型（半年审核一次）、基本稳定型（半年审核一次）、相对稳定型（一季度入户审核一次）、不稳定型（重点审查，每月一核查）四种类型。对持有不同颜色档案的低保人员采取侧重点不同的“个体信息档案”管理，详细记录低保家庭信息；电子信息档案管理，完成了低保审批工作全部网络化，实现社区、街道低保信息联网，只要在网络上点击一下低保家庭户主姓名即可查阅其家庭及家庭成员的所有基本信息情况。

为解决监督不够、既当裁判员又当监督员，最大限度地提高群众参与度等问题，街道实行了开展群众监督的阳光低保，建立了阳光低保监督员队伍。成员由社区居民代表会议选举产生，他们都是在群众中有一定影响力，受到群众的信赖的人大代表、政协委员、派出所民警、社区居民代表等。监督员任职期限为两年，如果在任职期内，不作为或出现错误，通过居民代表会议讨论后撤换。由群众推选的监督员，本着“以民为本、为民解困”的宗旨，以“维护群众利益”为出发点，以“阳光操作”为立足点，以“百姓满意”为目标，对低保工作进行监督，增加低保工作透明度。明确了监督方式。对低保审核、审批过程中是否做到公开、公平、公正和公示进行监督；对低保申请、审批、资金发放等每一个环节及现有低保户是否符合低保标准、是否如实提供家庭动态情况等进行双向监督；监督队伍每季度召开一次例会，学习低保政策，汇总群众反映的情况及监督过程中发现的问题，对街道低保工作提出合理化建议；每半年对街道审核、审批程序及档案进行复核评议。

为了进一步完善扶贫帮困救助体系，整合辖区救助资源，推动经常性社会捐助，营造“困有所助、难有所帮、贫有所扶”的良好氛围，街道成立了“爱心加油站”。“爱心加油站”以街道主导、动员社会各界广泛参与为主要方式，坚持自觉自愿、量力而行的原则，切实有效的以多种形式筹集款物，所筹款物全部用于帮助辖区困难群体。辖区人大代表、政协委员等爱心人士，积极参与到“爱心加油站”捐资助学活动中，多年来，受助的低保家庭学生达80余人次，在爱心人士的帮助下，有的学生已经顺利完成学业，并实现就业，带动了家庭经济状况的好转，从而实现了退保。

街道建立弱势群体心理援助站，实现精神帮扶与物质帮扶并重，以心理讲座、普法宣传、观看心理健康教育录像等活动载体，采取个别辅导、团体辅导、活动辅导与跟踪辅导相结合的工作模式，为辖区“三无”、“低保”、“残疾”、“下岗”“失业”、“外来务工”等弱势群体开展心理咨询活动，为他们提供心理援助、法律援助及就业援助等服务，更好地保障困难群众的基本生活权益。几年来，共举办团体讲座11场，270余人次参加，提供个体辅导43人、176次。目前，弱势群体心理援助已成为青泥洼桥街道精神帮扶的一项重要举措。

（夏兴桂）

昆明街道

【概况】昆明街道地处中山区西部，东与桂林街道相连，西与西岗区相接，南接葵英街道，北与青泥洼桥街道为邻。辖区面积1.55平方公里，常住居民13870户、人口37863人，汉族占辖区人口的99.2%，满、回、朝鲜族等少数民族占0.8%，外来人口1668人，辖武昌、绿山、华昌、独立、武汉5个社区居委会。街道党工委下设5个社区党总支，1个非公有制组织党总支，51个党支部，党员1716人。辖区大中小企业579家，个体工商户603家。

2010年，昆明街道唱响“和谐昆明，你我同行”主题，务实创新，开拓进取，推进经济、党建、精神文明和社会各项事业健康、和谐、持续、稳定发展。全年完成税收1.15亿元，固定资产10亿元，引进内资6亿元，外资到位780万美元，新办高新技术企业7家。街道被评为“国家安全社区”、“大连市残疾人之家”、“大连市计生工作先进集体”、“大连市市容环境综合整治200天先进集体”、“大连市安全社区先进集体”、“大连市妇联系统先进集体”、“大连市优质服务品牌先进单位”。离退休干部党支部被评为“大连市离退休干部先进党支部”。

【完成ISO9000质量管理体系认证】2010年，昆明街道完成质量管理体系的文件编写、程序运行、规范完善、整改落实等工作，顺利通过国家认证公司认证。按照中山区政府关于ISO9001质量管理体系认证相关工作要求，规范各部门工作、人员岗位职责和过程方法，科学设计部门工作流程，工作人员通过强化培训和反馈修正，养成较为熟练的操作行为，实现管理高效化、运行规范化和服务标准化，为辖区居民提供优质服务。

【建立社区“康乐中心”】2010年，昆明街道与残疾人联合会联手，在武昌社区建立残疾人活动中心与康复中心为一体的社区“康乐中心”，面积150平方米。社区“康乐中心”组织残疾人开展有主题内容、有特色的健康家庭活动，有计划、有针对性地向社区残疾家庭提供婴幼儿早期、青少年性健康、男性生殖健康、避孕节育等生殖保健和计划生育服务。

【残疾人康复工作】2010年，昆明街道推进残疾人康复工作。为30名肢体残疾人建立康复训练档案，制定康复训练计划，并由社区卫生服务中心的专门医护人员指导进行康复。免费为22名重度残疾人发放辅助器具（其中轮椅5台，床上大便器2个，手杖6个，四脚手杖8个），为盲人发放电话式收音机39部，为10户残疾人家庭和公共场所进行无障碍改造，组织5名智力残疾人参加区残联组织的社会适应能力训练，为56户残疾人办理宽带优惠卡。建立残疾人日间照料站，吸纳10名智力残疾人在照料站做康复训练和技能培训，开展文化娱乐等活动。请大连理工大学经济系60名青年志愿者到武昌社区与盲残人结成“一助一”帮扶对子。

【成立残疾人活动中心党支部】2010年，昆明街道武昌社区成立大连市首家残疾人党支部。武昌社区残疾人居住较为稠密，有聋哑、盲残和肢残等残疾人296名，其中党员7人，过去散编在辖区各党支部。党支部在保障残疾人党员的权益、发挥残疾人党员的先锋模范作用、带动残疾人群体身残志不残，为和谐社区建设作贡献等方面发挥积极作用。

【就业和劳动保障工作】2010年，昆明街道着力做好就业和劳动保障工作。采取多种形式，创新服务模式，加大服务力度，推进失业人员

昆明街道独立社区托老服务中心

及高校毕业生就业与创业。全年完成普惠制培训398人，失业人员培训250人（含创业培训64人）。完成进城务工人员技能培训148人，技能鉴定225人。实现实名制就业1572人，产生创业带头人41人，分别带动686人、886人实现稳定就业和再就业，高校毕业生实名制就业率达99%。书面审查202家，检查重点控制单位191家，完成企业网上用工备案审核234家。

【集中治理市容环境】2010年，昆明街道动员居民和社会力量集中整治环境卫生。（1）动员居民集中清理楼道卫生。街道、社区组织卫生专干、楼长和社区志愿者，“地毯式”清理辖区卫生差楼道67个，清除杂物、垃圾10车50吨。（2）动员社会力量集中治理无物业小区的卫生死角。4月3日和10日，组织大型卫生清扫活动2次，组织街道机关、辖区驻军、学校、行业单位和社区志愿者参加“千人大清扫活动”。辖区单位出人出车，共同整治铁山巷、武昌南巷等8个无物业小区的卫生死角，清除垃圾30吨。（3）做好“四害”防治工作。组织大型宣传活动一次，办宣传橱窗34期，重新设立鼠站240个，投放鼠药400公斤，辖区鼠密度由灭前阳性率2.8%下降为零。

【严格行政执法】2010年，昆明街道以日常巡察和重大任务落实为重心，开展行政执法工作。年内日常巡查880小时，受理群众投诉举报22件，清理各类广告牌匾、橱窗大字、条幅、灯箱480余处，取缔无证占道经营商贩2700余人次，现场纠正各类违章违规行为720余人次，制止无手续和不规范占道施工行为28起，整顿规范店外店经营22家，立案查处违法行为15宗。

昆明街道武昌社区开展重阳节庆祝活动

【建立“三联”工会工作机制】2010年，昆明街道党工委以党建带动工建，以工建推动党建及群团建设，实现党工团联建。4月27日，街道召开“三联”工会工作机制启动大会，形成街道工会联合会为主联合建会，社区工会为主联合管理，会员单位为主联合活动的工会工作新格局。年内，建会194家，发展会员3010人。

【开展城市精神评述】昆明街道独立社区是接待外宾的文明典范。2010年6月13日，昆明街道独立社区在红旗小区举办“文明友善 让城市更美好”公民道德暨城市精神评述现场会，评述接待外宾过程中体现的“社会公德、职业道德、家庭美德、个人品德”情况，用自己的行为践行公民道德，体现大连的城市精神，即“海纳百川、文明友善、热情好客、谦逊礼让”。

【巾帼志愿者服务获奖】2010年，昆明街道武汉社区被辽宁省妇联评为“辽宁省巾帼志愿者服务社区”。该社区成立以党总支书记为组长的巾帼家庭志愿者领导小组，下设6支特色服务小队：“1211”活雷锋爱心小分队、自管委员会、女人花舞蹈队、社区服务队、家政服务队、心理辅导队。特色服务队根据社区居民需求拓展服务内容，把社区服务、社区卫生、社区环境、社区文化纳入服务范围，服务对象延伸到残疾、特困、失业人员和社区居民。巾帼志愿者长期向服务对象无偿提供精神、文化、教育、体育、医疗、养老等综合服务。

【开展党组织书记双向述职】2010年3月25日，昆明街道召开述职评议大会，党工委书记、社区党总支书记分别上对区委组织部，下对社区党组织、基层党员做“双向”述职。党工委书记从把握方向、总揽全局，健全机制、配强队伍，加大投入、强化保障，监督落实、督促整改等方面向基层党组织书记和党员代表做工作述职，并公布个人邮箱，请党员和群众建言献策。5个社区党总支书记配合多媒体演示，分别结合对外开放型、学习教育型、自管互助型、关心关爱型、文体娱乐型等社区特色工作，就抓党建、履行党建工作第一责任人情况向街道党工委书记做述职报告。与会党员代表从研究谋划基层党建工作、领导班子和党员队伍建设、落实基层党建工作目标、抓好基层党建协调工作、带头抓好基层党建工作落实等5方面对街道党工委书记、社区党总支书记履职情况做结构化测评。

【“党员中心户”服务千家万户】昆明街道有党员1716名，离退休人员占80.5%。2010年党工委从优化基层党组织设置，提升基层党组织功能入手，开展“我为党徽增光，我为党旗添彩”主题活动，确立56名威信高、能力强、素质好、工作热情、乐于奉献的离退休老党员做“党员中心户”，担当社区“五大员”（组织员、宣讲员、调解员、巡逻员、勤务员），以此辐射带动基层党员，盘活基层党组织，服务基层群众，有效发挥基层党组织的战斗堡垒作用和离退休党员的先锋模范作用。独立社区的刘永智等5名“党员中心户”组成科学理论宣讲团，在街道机关、社区、辖区单位、学校巡回演讲30余场，受教育群众5000余人。

【独立社区32年接待外国游客6万人】昆明街道独立社区寻常百姓家32年接待20多个国家和地区的6万余名外国朋友，2006年国家旅游局为该社区挂上全国首个“家庭接待外国友人接待站”牌匾。2010年“十一”期间，美国“钻石公主”号等4艘邮轮抵达大连，60余名外国游客下船后选择到昆明街道独立社区一些居民家中做客。76岁的沙金叶大妈家里到访3批外国客人，外宾们通过普通老百姓的家庭生活感受到中国发生的巨大变化。1989年，澳大利亚客人瑞克斯曾到沙金叶大妈家做客，称赞中国大妈热情好客，事隔17年后瑞克斯仍念念不忘，2006年给沙金叶大妈寄去一张全家福照片和一封热情洋溢的信，瑞克斯在信中称赞“大连是旅行中最理想美满的地方”。

（李云龙）

葵英街道

【概况】葵英街道位于中山区西南部，南连桃源街道，北接昆明街道，东邻老虎滩街道，西与西岗区接壤。辖区地势起伏不平，面积3.7平方公里，辖向阳、石葵、清泉、青云、光华、文化、葵英、智仁、林海9个社区居委会，常住居民22164户，人口57748人。街道机关工作人员66人，其中：公务员 45人，事业21人。下设综合科、党工委办公室、民政事务科、社会保障科、计划生育事务科、城建科、司法所、再就业保障所、企业服务中心、执法中队、社区服务中心、安监站。

2010年，葵英街道党工委贯彻落实科学发展观，夯实组织基础，创新管理模式。加大招商力度，提高经济发展质量；立足社区服务，为居民群众办实事、解难题，社会各项事业成效显著；发挥基层党组织的战斗堡垒作用，党组织建设和党风廉政建设健康发展。全年实现税收5300万元，完成固定资产投资14 .2亿元，对内招商7.5亿元，新办科技企业10家，外资到位6215万美元。街道被评为“大连市群众文化先进单位”、“大连市百个优秀社会体育指导站”、“大连市城镇居民可支配收入调查先进单位”、“大连市关爱老年人健康行动先进集体”、“大连市反邪教先进集体”、“大连市残疾人职业技能培训先进集体”。葵英街道司法所获“大连市优秀司法所”称号。

【完成国际安全社区迎检】2010年，葵英街道在中山区“整建制”创建国际安全社区工作中，完成青云58街经营单位安全管理（工作场所安全）和林海社区居家安全两个迎检项目任务。（1）组织宣传活动。开展“安全社区，人人参与”宣传教育活动，印发《致辖区生产经营单位的一封信》，开展“我参与，我平安”倡议活动，搭建外勤民警参与社区安全宣传活动的平台，为居民讲解防护知识。（2）开展安全培训。组织青云58街36家企业经理人参加安全生产培训，培训率100%。邀请区公安局消防大队、区安监局安全监察大队对58街36家经营单位安管人员进行消防安全知识、生产安全知识专项培训。（3）强化小区安全管理。在林海社区加强治安智能化管理、安全文化宣传和居家安全（关爱“空巢老人”、儿童及弱势群体）工作。根据小区居住外国人较多的特点，制作楼道安全文化双语牌，建立小区安全知识长廊和停车场交通安全文化展示。小区志愿者服务站12支特色服务队、163名志愿者向“空巢老人”、儿童及弱势群体提供生活照料、心理抚慰、应急救助、健康保健、法律援助、安全保障、文体健身等服务。

【五项载体创先争优】2010年，葵英街道党工委精心设计5项载体，在全体党员中开展“创先争优”活动。（1）庆“‘七一’党员意识教育”活动。举办“红色记忆永驻心头”系列主题教育，激发党员责任感、使命感。（2）“机关作风建设”活动。着力解决机关党员干部在工作秩序、服务态度、环境卫

葵英街道深入学习实践科学发展观

生、节约爱家等方面存在的突出问题。（3）“党建工作创新”活动。按照“一社区一亮点、一楼院一品味”要求，开展基层特色党组织创建活动。（4）“扶贫帮困解忧”活动。走访慰问困难党员群众、建立党内关怀关爱机制。（5）“党员先锋工程”活动。成立千名党员志愿者服务队、建立党员先锋岗、开展优质服务评比活动。全街道建立党员先锋岗100个，志愿者服务队15支，200多名党员认领服务岗位，为居民群众办好事300余件，化解居民矛盾100余件，资助救助困难群众50人。

【青云社区迁新址】2010年9月29日，葵英街道青云社区居委会由原来奋斗巷26号正式乔迁新址办公。社区新址位于中山区捷山街51B-2捷山观海小区，房屋由长策房地产开发公司按照政府有关规定为社区提供。新建筑3层，使用面积311平方米。内设一站式服务大厅、社区爱心超市、人大代表接待室、调解室、警务区、活动室、会议室、社区党员活动中心等，并配备电视机、DVD、电脑等办公用品。

【成立社区残疾人心理疏导服务站】2010年，葵英街道9个社区成立“社区残疾人心理疏导服务站”，为残疾人提供寄托和心理疏导服务。寄托设立服务热线，向残疾人发放联系卡，公布社区、楼长、志愿者联系方式，残疾人可自主选择楼长或志愿者上门服务。心理疏导服务则寻求专业心理医院的技术支持，建立社区残疾人心理疏导网络，将心理疏导知识应用于残疾人和残疾人家属，为其提供健康心理疏导。社区残疾人心理疏导服务站通过心理导航、康复训练、技能培训等帮助残疾人参与社会、融入社会。社区楼长、志愿者经过培训成为心理疏导员、康复训练员和技能培训员，为残疾人提供更好的服务。

【加强大学生就业指导】2010年，葵英街道加强高校毕业生就业与创业指导服务。建立基础档案、台账18个，参加区街业务政策培训32人次，联合入户摸底调查432户，登记各类高校生264人（其中，困难家庭毕业生15人全部就业），有就业愿望的实现就业187人，就业率95%。大学生自谋创业8人，享受政府政策补贴6人，培养见习基地2个，推荐见习5人，安排市区公益性岗位就业12人。

【成立“岗位用工信息超市”】2010年，葵英街道在“服务进城务工，帮助就近就业，扶持返乡创业”主题活动中引入“超市化经营”理念，调动起各社区再就业指导站和用工单位的积极性，为辖区失业人员、外来务工人员、高校毕业生提供更多、更快、更好的就业、创业机会。4月15日，在青云林海广场举办“岗位用工信息超市”开业仪式。“超市”以街道为主、9个社区连锁，将岗位用工信息供需的形式引入市场化经营、服务理念，使岗位选择多样化，服务具体化。当日，有65家企业加入“超市”，提供岗位1800余个。到场人员600余人，达成就业意向150余人。

【开展“一日社区主任”实践活动】2010年，葵英街道在所属9个社区开展“一日社区主任”（亦称社区值班主任）实践活动。一日社区主任（社区值班主任）的职责是履行社区主任的日常工作职责，安排、布置当天社区工作，抓好督促和落实，遇有重大或棘手问题难以决策须向社区主任请示、报告，当天工作结束后按规定填写值班日志。参加“一日社区主任”实践活动的人员范围为居委会成员、社区工作者、军嫂（不含社区主任、副主任、副书记）。实践活动为社区干部队伍的后续建设奠定基础。

【成立首家社区养老服务中心（托老所）】2010年，葵英街道投资40余万元，建立街道首家社区养老服务中心（托老所）。该养老服务中心位于原石葵社区旧址——中山区石葵路140号，由原石葵社区办公用房改建而成，建筑面积370平方米，内设健身室、棋牌室、图书室、小影院、食堂、卫生淋浴室等，有3个标准间休息室供入住的老年人使用。

【开展低保集体听证】2010年，葵英街道举办由街道纪检、民政、保障、信访、司法、人大代表、辖区片警、居民代表等19人参加的“低保集体（听证）审批会”，审核低保证666户，为319户符合条件的居民办理经济适用住房货币补贴手续，为147户低收入家庭办理廉租住房补贴手续，为6户符合条件的低保户办理实物配租，为22名困难群众办理一次性困难救助和临时医疗救助4.1万元。全街道因收入变动上调低保户537户、1028人，下调82户、191人，新增4户，取消15户。

【提升市容环境】2010年，葵英街道着力做好市容管理、环境整治。坚持日产日清工作制度，解决居民卫生投诉问题（解决率100%），处理污水外溢等问题21起，协调区旧改办投资15万元在奋斗巷工地设立安全围墙，配合城建局改造岭前街小区楼房，建设葵英小学地下停车场。粉刷墙体1500平方米，清理垃圾150车，清理楼道600个，清理广告15000条，拆除违章临建15处。组织防台防汛值班12次，险情险段排查20次，协调治理岭前街16号山体滑坡等。开展居民爱国卫生教育6次，举办健康宣传4次，除“四害”集中灭鼠6次。

（王维旗）

桃源街道

【概况】桃源街道位于中山区南部，东邻老虎滩街道，西与西岗区八一路街道为邻，南临黄海，北与葵英街道接壤。面积12.24平方公里，境内依山傍海，丘陵起伏，自由河、岭前河交汇流入老虎滩湾。常住居民24534户、65028人。

2010年，桃源街道贯彻落实科学发展观，围绕建设“大连科学发展首善区”目标，以经济建设为中心，以民生建设为重点，以党的建设为保证，推动经济和社会事业全面发展。全年实现区级税收4077万元，完成固定资产投资32.2亿元，实际利用外资4200万美元，内资到位5.5亿元，新引进高科技企业6家。街道办事处获“大连市2009-2011年度星级平安稳定街道”、“大连市2008-2009度文明街道标兵”、“大连市2009-2010年度人口和计划生育工作先进集体”称号。长利社区和医校社区被评为“全国人口和计划生育基层群众自治示范村居”，长利社区获“全国妇联基层组织建设示范社区”、“辽宁省妇女儿童维权服务暨社会治安综合治理示范工作站”、“辽宁省和谐家庭示范社区”称号，医校社区获“大连市2009-2010年度人口和计划生育工作先进集体”称号。

【重点项目建设成效显著】2010年，桃源街道有重点项目15个。其中在建项目6个：明秀山庄、锦府桃源、卡纳意乡、梧桐苑（原恒泰花园）、鸣鹤街7号新居工程、明秀庄园；拟开工项目3个：御山居、桃仙5号地、清溪南街南侧；现拆迁项目3个：不朽巷改造、景山花园（含大连箱包厂改造）、华联宾馆改造；推进项目3个：桃源广场、国际高档社区（原大连沿海城市商业经济信息培训中心改造）、山海巷周边改造。不朽巷改造、景山花园（含大连箱包厂改造）和华联宾馆改造等3个项目拆迁工作在进行中。

【加强党建阵地建设】2010年，桃源街道党工委着眼于社区党总支、楼院党支部和党员队伍建设实际，深化和拓展“凝聚力工程”建设，社区党建阵地实现全覆盖。坚持为区域内党员提供组织归属、学习教育、思想交流、志愿互助、关心关爱等爱心服务，创建具有社区特色的集学习、交流、活动、服务为一体的“社区党员服务站”，寓党的教育于服务之中，增强基层党组织的凝聚力和战斗力。进一步丰富完善9个社区党员服务站和楼道党员服务点的服务内容，培育示范社区党员服务站4个，社区党员活动点9个，党员中心户18个。明秀山庄520平方米党员服务站在内部装修中。

【打造“10分钟服务圈”】2010年，桃源街道着力打造群众满意工程，在全街道开展社区“10分钟服务圈”活动。社区“十分钟服务圈”包括：“十分钟家政服务圈”、“十分钟卫生服务圈”、“十分钟文体服务圈”和“十分钟平安服务圈”，居民在10分钟内就能得到所需的养老、家政、餐饮、医疗、文体活动、治安保卫、民事调解等多方面咨询和服务。创建两个平台向居民提供信息服务：设立电话快捷咨询服务平台，向社区居民公布服务电话；设立网络信息查询服务平台，居民在网上就可查到辖区行政服务机构、公共服务机构、医疗卫生机构、部队、学校等地理位置及服务项目，并印制3万多张服务卡发放给辖区居民。街道与驻街100多家单位签订加盟协议，成立推进社区“十分钟服务圈”工作领导小组，街道分管主任任组长，辖区派出所、工商所、邮政所、电业所、煤气公司、企事业单位、部队、学校等领导任副组长，各科室科长、主任、社区书记和辖区单位选出一名成员，在社区服务中心设立办公室，为“服务圈”有效推进提供组织保障。组建近百名由大学生、失业人员、低保人员、退休人员等志愿者参加的义工队伍，通过教育培训、岗位实践，投入到“服务圈”服务当中，开展邻里间矛盾调解，为行动不便居民提供订餐、代购、代办等服务。6月，中山区民政局在高尚社区召开“十分钟服务圈”现场会，高尚社区的经验和做法在全区推广。

【创建星级科普社区】2010年，桃源街道积极探索创建星级科普社区工作途经，创新活动载体，在普及科学知识、倡导科学方法、传播科学思想、弘扬科学精神、促进市民科学素质发挥积极作用等方面积累了许多成功经验。长利社区成为大连市十佳科普社区之首、中山区唯一的市五星级科普社区。4月20日，大连市科协专门调研长利社区调研星级科普社区创建工作，对创建工作给予肯定。

【校园周边治安环境整治】2010年，桃源街道采取“积极协调，齐抓共管；实地检查，摸清底数；认真排查，消除隐患；建立机制，抓好防范”等4项措施全面启动校园幼儿园周边治安环境整治。成立综合治理学校、幼儿园周边治安环境工作领导小组，组织召开有公安、工商、安监、司法、行政执法、学校等单位和部门参加的综合整治校园幼儿园周边环境工作协调会，组织相关单位和部门检查辖区8所中小学校和6所幼儿园周边治安环境及安全设施，并突击检查网吧，开展社区矛盾大排查和重点人防控工作。同时，建立一支由公安派出所、社区安全协管员、居民志愿者组成的校园周边治安巡逻队，每天在上学和放学时段在学校周边进行治安巡逻。

【抓好抢险应急】2010年8月8日，大连市遭遇强降雨，桃源街道高原街85号挡土墙、桃源社区连胜巷19号挡土墙出现坍塌，街道办事处立即向区政府应急办公室紧急报告。配合相关部门设立警戒线，禁止车辆和行人通行。在挡土墙两侧堆放沙袋，缓解雨水流量，避免挡土墙再次坍塌。同时，24小时监控路段，做好附近居民思想工作和准备疏散等各项工作。8月9日中午，高原街100号中山区旺盛幼儿园二园身后山体出现部分脱落，街道立即启动紧急疏散预案，确保幼儿园里不留一人全部撤出，确保孩子生命安全。

市科协领导到桃源街道调研

【建立三维联动文化保障机制】2010年，桃源街道组建文联工作班子，班子分三个层面：机关干部和社区文体专干、业务突出的专业化队伍、群众性文化骨干及带头人，建立三维联动组织保障机制（活动运行机制、文艺人才培养机制、文艺精品创作工作机制），贴近基层、贴近群众，挖掘和整合大众化文化艺术资源，有效发挥文联组织联络、协调、服务和指导作用，搭建群众身边的艺术平台，开展主题宣传活动，满足社区居民日益增长的文化需求。街道文联从地域文化特点出发，组建舞蹈、音乐、书法、摄影、朗诵、民间艺术、模特表演等9个协会，举办“金秋颂和谐”专场文艺演出10场。全街道群众性文化队伍50多支，经常参加活动4000多人。

【搭建布艺文化活动基地】2010年8月31日，辽宁省委宣传部副部长李刚到桃源街道长利社区参观“布艺文化活动基地”，对桃源街道创建“布艺文化活动基地”，将民间文化推向产业化的做法给予肯定。长利社区“布艺文化活动基地”（即布贴画培训就业基地），成立于2004年6月，基地特聘2名专职教师对辖区失业人员进行布贴布艺技能培训，截至年末，活动基地先后培训700人，安置下岗失业人员160余人。布贴画多次参加大连市民间协会举办赏槐会日本风情街展会、大

天津河西区纪委赴桃源街道参观学习

连民间艺术节星海湾展会等，其作品远销日本、美国和比利时等国家。

【推进居家养老服务】2010年，桃源街道关爱老年人健康，面向老年人开展居家养老服务。创新服务方式和服务手段，开展全覆盖式服务：建立优抚、孤老对象家庭档案，入户走访了解和掌握老人家庭生活情况，每月为60岁以上的低保老人发放养老服务券，按时、足额发放货币化养老人员补贴，根据老人需要提供送医送药等服务。年内为67位60岁以上的低保老人发放养老服务券6.7万元，为10位货币化养老人员发放补贴1.85万元，为9名孤寡老人发放爱心医疗服务卡价值4500元，两节组织学生、志愿者和义工到养老院及孤寡老人家中服务。在洪顺社区建成面积为230平方米的托老所。桃源街道被评为“大连市关爱老年人健康行动先进集体”。

【再就业工作有成效】2010年，桃源街道把做好就业再就业工作作为一项惠民工程。年内完成实名制就业3208人，稳定就业1632人，再就业1576人，创业就业951人，培训545人，创业带头人55人，带动就业330人。先后与“车之翼”汽车美容连锁店、大连汕海集团、大连华城电子有限公司等多家企业联合，建立高校毕业生岗前技能培训中心，定期举办高校毕业生用工招聘会，为高校毕业生就业铺路搭桥。年内与汕海集团、大渔超市连锁机构等企业联合举办高校毕业生就业招聘会，提供就业岗位30多个，近百名高校毕业生参加用工洽谈，达成用工协议21人。

【拓展健康家庭指导站功能】2010年，桃源街道人口与计划生育工作创建“家庭生命周期服务链”模式，推出医校社区健康家庭指导站特色服务，由社区“健康家庭指导站”孵化出7个“健康家庭指导点”，为社区计划生育家庭提供快捷、殷实、温馨的便民服务，进一步拓展街道、社区健家指导站功能，成为计划生育工作新经验。医校社区被评为“全国人口和计划生育基层群众自治示范村居”，其特色服务经验被《中国人口报》刊登。中国人口福利基金会“幸福家庭”创建调研组到医校社区调研。

【制定城市管理考核标准】2010年，桃源街道制定《桃源街道城市管理考核标准》，建立城市管理工作常态管理机制，对所属9个社区实行系统分析和量化考核。考核内容包括：市容市貌、环境卫生、绿化、市政道路，楼院楼道、除四害、野广告、条幅、店外店、乱堆乱放，来信来访接待率要求达到100%，处理成功率达到90%以上。以开展爱国卫生月、文明城市创建为契机，投入资金6万余元，大规模集中整治辖区环境。清理生活垃圾、建筑垃圾1400余吨，清理野广告4.9万处。整治占道经营、店外店及私搭乱建等违法行为，清理占道经营无证商贩3658人次，店外店和出店经营376例，广告条幅226个、彩虹门43个，违章广告牌匾38个、灯箱41个，受理举报投诉113件，办结97件，年内执法立案43件，结案38件。

【维护社会稳定】2010年，桃源街道开展平安创建活动，维护社会和谐稳定。普及法律知识，增强干部群众的法律意识。聘请法官、律师走进机关和社区，为干部群众辅导法律知识、接待法律咨询、开展法律援助，全年解答群众法律咨询630余人次，举办大型广场宣传活动6次。开展矛盾排查活动。年内排查矛盾纠纷175起，调解175起，调解成功173起。做好安置帮教工作。衔接9名刑释解教人员帮教工作，办理一次性生活保障。全年接待来访53批，157人次，接收来信4人次，回复解决4人次，市、区信访局转送的初信按期办结率100%。街道被评为“中山区‘两会期间’信访工作先进单位”。

新闻链接

中山区桃源街道
“十分钟服务圈”便捷惠民

《大连日报》 2010年1月26日 王叶红

在整改落实阶段，中山区桃源街道针对群众要求进一步提高社区服务水平的建议，提出“立足社区，服务居民，以人为本，方便快捷，诚实守信，增进和谐”的原则，对社区资源进行全面整合，通过打造“十分钟服务圈”，为社区居民搭建起快捷，优质、高效的服务平台。

社区“十分钟服务圈”包括：“十分钟家政服务圈”、“十分钟卫生服务圈”、“十分钟文体服务圈”和“十分钟平安服务圈”。即：在10分钟内，居民就能得到所需的养老、家政、餐饮、医疗、文体活动、治安保卫、民事调解等多方面的资讯和服务。为了确保“服务圈”的有序运行，街道专门创建两个平台，为居民提供有效信息服务。设立了电话快捷咨询服务平台，并向社区居民公布了服务电话；建立了网络信息查询服务平台，街道辖区内行政服务机构、公共服务机构、医疗卫生机构、部队、学校就学等单位的地理位置情况及服务项目情况都能在上面查到。同时，街道印制了3万多张服务卡，发放给辖区居民。

街道与100多家辖区单位签订了加盟协议，专门成立了推进社区“十分钟服务圈”工作领导小组，由街道分管主任任组长，辖区的派出所、工商所、邮政所、电业所、煤气公司、企事业单位、部队、学校等领导任副组长，各科室科长、主任和社区书记及辖区单位选一名人员为成员，在社区服务中心设立了办公室，为“服务圈”的有效推进提供组织保障。街道还组建了由大学生、失业人员、低保人员、退休人员等志愿者近百人参加的义工队伍，投入到“服务圈”的服务当中，通过教育培训、岗位实践，目前，这些志愿者们已经渐渐融入了社区群众中，开展的邻里间矛盾调解，为行动不便居民订餐、代购、代办等服务得到了普遍的认可。

目前，桃源街道社区“十分钟服务圈”已经为500多人次提供了便捷高效的服务。随着“服务圈”的逐步完善，辖区居民将通过拨打社区信息服务电话号码或登录网络服务平台，享受到就业、医疗、救助、教育、体育、养老、安全、环境卫生、流动人口管理等方面以及家政、缴费、配送、娱乐、气象、旅游等更多的服务。

以社区“十分钟服务圈”建设为牵动，桃源街道社区服务水平也不断提高。建立了系统化、规范化、数字化的社区低保统计台账，为各类人员发放临时救济合计约30余万元。完成了经济适用住房货币补贴受理登记和初审公示工作，435户家庭档案已报送区国土房屋局审批。制定了劳动关系协调工作职责和流程，实行劳动监察两级网络化管理，对街道、社区劳动保障工作人员进行了相关业务和法规知识培训，劳动关系协调能力有所提高。通过开展流动人口“维权”宣传月和“关怀关爱”服务月活动，帮助农民工解决生活困难，提高流动人口接受管理的自觉性和主动性。对辖区多处生活垃圾和白色污染进行集中整治，共清除垃圾600余吨，清理解放路沿线野广告数千处，签订门前三包责任状526家，其中主干线222家。成立街道城市管理工作考核领导小组，制定了《桃源街道城市管理考核标准》，对辖区城市管理工作进行系统分析和量化考核。针对全球性甲型H1N1流感疫情，组织多次健康教育讲座，开展了疫情监测和卫生应急准备工作，落实24小时应急值班制度。认真对待居民举报，接待率100%。针对弃管楼的下水外溢和乱搭乱建问题，街道及时协调有关部门，问题得到妥善解决。

（李 华 程 微）

老虎滩街道

【概况】老虎滩街道地处大连市中山区东南部，东、南面临黄海，西临桃源街道和葵英街道，北与海军广场街道、桂林街道接壤。面积14.64平方公里，现有居民2.3万余户，居民6.5万余人，辖平安、中兴、迎宾、杏花、虎山5个社区，辖区内公安派出所2个，学校6所、部队6支、物业小区28个，有3条主要交通干线，是具有现代都市化生活气息的生活居住区。

2010年，老虎滩街道坚持“发展为先、百姓为重、和谐为本”工作理念，以建设“五型街道”为工作目标，推进辖区经济和社会各项事业协调发展。全年完成税收8300万元，完成固定资产投资15.6亿元，内资到位6.5亿元，实际利用外资725.47万美元，新办高科技企业7家。街道被评为“全国计划生育协会先进集体”、“大连市基层党建创新奖”二等奖、“大连市关爱老年人健康行动先进集体”、“大连市计划生育先进集体”、“大连市交通管理先进单位”、“大连市城区城镇居民可支配收入调查先进单位”、“大连市防范和处理邪教问题工作先进单位”、“大连市科协工作先进集体”。

【培育新的经济增长点】2010年，

老虎滩街道以调整产业结构为主要突破口，抢抓发展机遇，优化投资环境，加大招商引资力度，积极培育新的经济增长点，经济建设呈现良好发展态势。重点项目推进有力，投资增速较快。渔人码头项目基本完工；虎滩污水处理厂项目施工完毕；琥珀湾项目进入B区主体验收阶段；中山区美术馆项目主体完工。项目储备力度加大，发展后劲增强。山屏东街地块项目已经开工，磁头厂项目列入土地储备计划。区域发展布局不断完善，产业带动力提高。年内形成“中南路汽车特色街建设”及“旅游特色路街建设”两项实施方案，总投资30亿元的老虎滩景区综合升级改造工程破土动工。

辽宁省委宣传部领导到老虎滩街道考核学习型党组织建设示范街道工作

【创建学习型党组织】2010年，老虎滩街道党工委全力构建“四级联动”的团队学习体系，打造学习型领导班子，实现党员学习全覆盖。“四级联动”是：党工委定期集中学习扩大到党总支书记，形成领导干部带头学的局面；社区党总支按照党工委的学习部署抓好班子自身学习，协调和监督楼院党支部组织党员学习；楼院党支部作为党员学习的基本单位定期组织党员集中学习；党员中心户在党员自学中发挥学习骨干作用。

街道在学习实践中形成具有自身特色的“五位一体”学习模式（领导干部为重点，建设学习型领导班子；专题宣讲，保证党员学习全员覆盖；开展读书活动，形成浓厚的学习氛围；创建社区“功能型”党支部，发挥学习组群效应；推进党内民主，增强党组织的生机活力）。5个社区设立市民学校、“社区大讲堂”、党员服务站、社区书屋等党员学习活动场所80多个；党工委中心组完成9个专题学习，撰写理论调研文章12篇，读书心得体会14篇；组织理论讲座、观看宣传教育片等活动12次，参加人员800余人次。5个社区每月分别组织工作人员、党员集中学习1次，举办理论学习讲座62次，3000余人次参加，街道党工委被确定为省级学习型党组织建设示范点。

【“四级联动”阵地建设】 2010年3月，中央政策研究室党建局到老虎滩街道专门调研“四级联动”党员活动阵地体系。6月，中山区“四级联动”阵地建设现场会在老虎滩街道召开。“四级联动”阵地体系是指街道、社区、楼院、党员中心户同步推进。即：街道层面以扩建街道办公用房为契机，新建300平方米党员服务中心。社区层面以党员服务站为依托，以党员群众需求为引导，不断完善服务体系，拓展服务功能，落实服务目标。楼院层面以党支部为重点，探索创建具有不同功能的党支部活动阵地。党员层面按照“小型、灵活、地域相邻、易于集中，便于管理”的原则，以思想觉悟高、家庭住房宽裕的党员为骨干，创建“党员中心户”，解决社区党员开展活动“学习难、组织难、无场地”等实际困难。街道统一为“党员中心户”挂牌、建立活动制度、印制记录本、拨付活动经费以及配备相应的设施设备。全街道依托“党员中心户”建立党员活动场所50多个，有社会稳定、科技普及、公共事务、公共监督、服务群众、文体娱乐类等6类22种活动内容，覆盖党员500多名。

【开展“机关作风建设年”活动】2010年，老虎滩街道制定《老虎滩街道（社区）机关作风建设年活动实施方案》和《街道（社区）工作人员“十不准”和“十提倡”》，开展机关作风建设年活动。“十不准”是：不准无故迟到、早退，不准午餐饮酒，不准玩网上游戏，不准在会议期间接听电话，不准擅自离开工作岗位，不准在会议室吸烟，不准酒后开车，不准公车私用，不准浪费办公资源，不准在办公场所大声喧哗。“十提倡”是：提倡首次见面问好，提倡用个人电话办私事，提倡着正装上班，提倡多化淡妆、少配饰品，提倡按礼仪规范办事，提倡轻声通电话，提倡尊重他人的交友方式，提倡就餐不剩饭、剩菜，提倡多走楼梯、少坐电梯，提倡用节假日处理私事。

【发展社区公益服务事业】2010年，老虎滩街道强化社区中介组织建设，发展社区公益服务事业。建立健全社区志愿这队伍，1651名志愿者全部注册登记录入微机。启动社区服务网络建设体系，以服务热线、服务博客、服务QQ、服务告示板、服务手册的形式，建立“六大服务圈”（日常生活圈、基本卫生区圈、文体健康服务圈、和谐平安服务圈、便捷政务服务圈、文化教育服务圈），为社区百姓提供全方位服务。

【实现劳动保障“三到位”】2010年，老虎滩街道落实一把手工程，实现劳动保障工作“三到位”（责任到位、投入到位、措施到位）。制定工作计划，分解培训、监察指标，长计划、短安排，落实各项保障目标管理责任制，与6个社区居委会签订目标管理责任书，完善保障工作管理考核机制。加强基础档案建设，建立各种台账，采取信息沟通和通报反馈手段督促和指导基层工作。加强“网底工程”建设，成立劳动关系互助组织和信息网建设，保证劳动监察、劳动关系协调工作有序开展。年内完成普惠制培训300人，失业人员培训303人，创业培训73人，进城务工农民培训77人，技能鉴定203人。超额完成区政府下达13项再就业指标。其中，高校毕业生实名制就业率达100%，扶持自主创业大学生4名，社保卡数据确认办理6101人。全年挖掘各类就业岗位934个，促使失业人员灵活就业359人次。

【推行阳光低保】2010年，老虎滩街道规范操作程序，推行阳光低保。建立健全公示制度，实现低保动态管理。街道、社区成立阳光低保监督队伍，对低保户审批工作实现全程有效监督。全街道低保户208户、366人，人均保障额237.98元。年内，为21户低保家庭办理廉租房补，为136名低保人员办理低保医保，为127户低保家庭办理采暖费补贴，春节临时救济200户，发放款物价值3.5万元。建立“应急救助基金”，救助低保家庭7户2.9万元。

【关爱残疾人家庭】2010年，老虎滩街道全面启动残疾人家庭无障碍设施改造工程，全年为51户残疾人家庭改造无障碍设施，为11户残疾人家庭发放辅助器具，其中盲人手机3部，门铃8个。组织残疾人参加区、街残联举办的各类技能培训，促使1名残疾人实现就业。为7户残疾人家庭子女发放助学金9500余元。年内走访贫困残疾人家庭252户、439人，送去慰问金、慰问品价值9.7万元。

【加大市容管理力度】2010年，老虎滩街道以创建“文明城市”为契机，大力开展市容整治工作。落实“门前三包”责任制工作，与驻街561家单位签订责任状，完成率100%。全年出动车辆350余台次，参与1.1万余人次，清理卫生死角11处，楼院356个，野广告1.14万余处，建筑垃圾360余处。清理占道经营1200余处、1300余人次，规范早夜市12处，店外店160余家，清理软体广告、占道灯箱160余处，拆除违章建筑13处，制止劝停42处。创建健康街道、健康社区，提高居民健康素质，促进环境健康、人群健康、社会健康。开展环境保护宣传教育活动，倡导低碳生活，提高居民的环保意识。

【发挥楼院“自管委员会”作用】老虎滩街道阳光花园小区有居民150余户。2005年初，该小区被弃管，小区居民民主选举产生由主任、财会员、保管员、楼长等7人组成的首届自管委员会。自管委员会每年向每户收取80元作管理经费，一部分用于环境卫生开支，一部分用于小区公用设施养护，剩余的全部用于美化小区环境。账务情况被做成收

老虎滩街道在辖区广泛开展和谐楼院创建工作

支明细，定期张贴在小区公告栏上，公开透明，居民无一提出异议，缴费率达100%。至2010年，自管会用5年时间解决了小区“供热差、黄锈水、黄土路”三大难题，居住环境大为改善，居民生活日益安定，小区没有发生一起盗窃案件。

【强化安全防范】2010年，老虎滩街道着力提高居民安全防范意识，扼制重大安全事故发生。(1)加大安全宣传力度。在居民及辖区单位中广泛开展燃气、水、电、火等正确使用方法及事故自救常识教育，增强居民的安全意识和防范能力。(2)加大日常安检巡查力度。检查辖区单位500余家，消除安全隐患点55个，成功制止安全事故4起。(3)畅通应急通报渠道。街道建立完备的应急反应机制，对重大灾难事故迅速做出反应。

【中兴社区成为“全国妇女健身示范站点”】老虎滩街道中兴社区位于中山区中南路328号。近几年，社区落实《全民健身条例》，深化妇女健身活动，丰富妇女的文化体育生活，在创建市文明社区、品牌社区活动中突出社区文化品牌效应和健身效果，引导妇女运用科学、文明、健康方法健身。协调辖区单位联建和共建居民健身场所，加大社区文化体育设施建设力度，为妇女健身提供平台， 1万余名妇女被吸引参加社区健身活动。精心培育和发展特色妇女健身队伍，提高妇女身体素质和文化生活质量，社区组建太极拳队、合唱队、舞蹈队、腰鼓队、器乐小合唱队吸纳妇女参加，居民们在健身和娱乐活动中相识、交流，增进了解，更加和谐。2010年，社区被命名为“全国妇女健身示范站点”。

召开街道民主生活会

新闻链接

全力构建街区学习型党组织

《大连日报》 12月24日

张晓琳 许晓楠

大连市中山区老虎滩街道以强化学习体系、优化学习方式、转化学习成果为抓手，全力构建学习型党组织，使广大党员的素质不断提高，各级党组织的活力不断增强，经济社会不断发展，被辽宁省树立为学习型党组织建设示范点。

一、强化学习体系，奠定学习型党组织建设基础

老虎滩街道把建设学习型党组织作为一项系统工程，着力构建党员全员学习、终身学习的学习体系。

一是以党工委、党总支、党支部和党员中心户为基点，构建“四级联动”的团队学习体系。党工委定期集中学习，并扩大到党总支书记，形成了领导干部带头学的局面。社区党总支在抓好班子自身学习的同时，承上启下，按照党工委的学习部署，协调和监督各楼院党支部和广大党员的学习。楼院党支部作为党员学习的基本组织单位，定期组织党员集中学习。党员中心户主要是党员在自学中发挥学习骨干作用。

二是以党员“五分钟活动圈”为基点，构建团队学习阵地体系。以“处处是学习之所”为主旨，建设党员学习阵地，使每个党员走出家门5分钟，就有团队学习场所。目前，全街道有市民学校、“社区大讲堂”、党员服务站、社区书屋等党员学习活动场所80多个。同时，组织社区党员与老弱病残、家庭困难、外出务工等不能按时参加学习活动的党员结对子，送书到户、送课到人，形成了街道、社区、楼院、楼洞为一体的党员团队学习阵地建设体系。

三是以建立健全各项学习规章制度为基点，构建督学督察体系。建立领导班子集体学习制度，强化建设学习型领导班子是学习型党组织建设重中之重的意识，切实抓好领导干部的学习；建立调查研究和联系实际制度，强化学习与实践相结合意识，解决科学发展中的问题，办好顺应民心、体察民意的好事实事；建立考学述学评学等制度，强化学习约束和督察意识，使

学习成为党员、干部和组织的自觉行为，并纳入综合考评体系。

二、优化学习方式，构建“五位一体”学习模式

老虎滩街道在长期探索中，不断优化各种学习方式，形成了具有自身特色的“五位一体”学习模式。

一是以领导干部为重点，建设学习型领导班子。街道党工委以中心组学习为平台，以建设学习型领导班子为目标，以学习型、敬业型、团结型、服务型、廉洁型领导班子建设为抓手，本着学理论、议大事、出思路的原则，采取集中学习与个人自学相结合、学习讨论与调查研究相结合、专题辅导与外出考察相结合等方式，强化领导干部的理论武装。同时，以“共抓、共建、共享”为目标，开展“工作岗位换位思考”交流活动，使党工委与总支、总支与支部结对助学、街道党组织与辖区单位党组织结对互学，促进和带动辖区内各级各类党组织一班人的理论学习。

二是专题宣讲，保证党员学习全员覆盖。街道成立了方永刚理论宣讲团，还聘请本市的专家学者，就党的创新理论、改革发展中涉及的方针政策等对全体党员进行专题宣讲，保证党的创新理论发展到什么程度，全体党员都要进行系统学习。街道干部按照“讲座进社区，进楼院”的要求，或采取“微型党课”等方式，经常紧密结合改革发展实际和党员居民关心的热点难点问题，深入到最基层进行专题宣讲。

三是开展读书活动，形成浓厚的学习氛围。街道和各楼院普遍建立了图书室，按照市、区的统一部署，为党员选购各类书籍。社区创建了社区书屋和“好书大家读”俱乐部，为居民发放图书卡，开辟“居民读书心得园地”，开展读书征文评选、读书演讲比赛、“老少同读一本书，全家共同谈体会”等丰富多彩的读书活动。爱读书、读好书，已经成为街道党员和居民的一种风气。

四是创建社区“功能型”党支部，发挥学习组群效应。本着“个人自愿与社区建设相结合，党员特长与群众需求相结合”的原则，开展党员“分类设岗定责”活动，将通过学习形成一定特长的党员编入社区群众性组织，创建社区“功能型”党组织。目前，街道各基层党组织已创建了“治安巡逻队”、“艺润心田文艺队”、“便民服务队”等43个“功能型”党支部，涵盖了社区治安、扶贫帮困、楼道卫生、少儿托管、花草看护、看门望锁等各个方面，先后有100 多名党员被群众评为“党员服务明星”。

五是推进党内民主，增强党组织的生机活力。借鉴学习型组织作为科学管理的理论，采取“3+X”党务公开制度，保证和扩大党员的民主权力。即：每3个月对社区党组织工作通过10处党务公开栏、党员代表会等形式进行公布。还在辖区内设立百个“民情观察站”，成立百名党员组成的民情信息员队，创建“民情日记”、“民情表白会”、“民情征集会”等，畅通党内民主和社会民主渠道。

三、转化学习成果，在推进科学发展中见实效

老虎滩街道以谋求街区科学发展作为检验学习型党组织建设的实践标准，把学习成果转化为发展中的“三个实效”。

一是在明确发展定位上求实效。近几年来，老虎滩街道在学习与工作的融合中，按照中山区委确定的建设“旅游观光功能街区”的总体布局，提出和规划了以滨海路为线，以棒棰岛、石槽、琥珀湾、渔人码头和虎滩乐园为点的“一线五点”发展战略，全力推进生态宜居功能区和旅游观光功能区建设为重点的发展方式转变，促进经济社会又好又快发展。坚持以“发展为先、百姓为重、和谐为本”的工作思路，着力建设“五型”街道（旅游休闲特色型、环境优美宜居型、服务百姓满意型、安全稳定和谐型、基层党建示范型），争做中山区建设“大连科学发展首善区”的排头兵。

二是在服务群众上求实效。把坚持以人为本、心系民生、执政为民作为街道学习型党组织建设的要旨，树立群众为重的服务意识和服务理念，切实为群众谋福祉，办实事，解难题。坚持“以创业带动就业”，打造大连“就业优质服务窗口”；推进便民服务体系建设，打造“10分钟服务圈”；建立应急救助绿色通道，实现“最后一道防线”托底工程；率先实施“货币化养老”方略，使辖区贫困孤寡老人得到了实惠。

三是在促进平安、文明、和谐上求实效。以谋求“市民康乐生活”为目标，努力建设生态虎滩、亮丽虎滩、畅通虎滩、平安虎滩、文明虎滩。开展“讲文明、树新风”和“文明示范楼院”活动，打造大连精神文明建设标准化社区。通过建设综治信访维稳服务台，加大社会矛盾纠纷排查化解工作力度，建立重信重访专项治理长效机制，开展“大接访”活动，努力把矛盾解决在初始阶段；发挥“安置帮教基地”优势，在思想上转化和生活帮助刑释解教人员；发挥“群防群治”优势，组织志愿者对重点公共场所进行定人、定点、定时巡逻、监控，保证社区平安。街道连续5年被评为“大连市平安稳定街道”，2009年被评为“全国安全社区”。

（刘继瑞　韩　冰）

责任编辑　王玉玲

海军广场街道

①

2010年，海军广场街道党工委、办事处以科学发展观为指导，围绕“建设大连科学发展首善区”总目标，突出“建一流班子、带一流队伍、创一流业绩”工作思路，团结带领党员干部和群众“一心一意谋发展，千方百计保民生”，街道经济和社会事业健康发展。全年完成税收1.873亿元，固定资产投资38.412亿元，实际利用外资2.34亿美元，吸引内资20.47亿元，引进科技企业14家。社会保障、再就业与劳动保障、人口与计划生育、城建管理、社区建设、党建、精神文明建设、群团等各项工作实现创新发展。街道获“辽宁省民兵预备役武装工作先进单位”、“辽宁省妇女儿童维权服务、社会治安综合治理工作示范工作站”、“辽宁省关心下一代工作先进社区”、“大连市民主评议基层站所工作先进乡镇（街道）”、“大连市优秀人民调解委员会”等称号。

②

③

④

⑥

⑦

1.街道领导班子成员
2.街道“居家儿童”、“社区居家安全促进”两个项目，代表中山区“创建国际安全社区”接受世界卫生组织国际安全社区认证中心验收
3.李鸿雁等6名专家到街道认证审核ISO9000质量管理体系运行情况
4.市科协领导在区科协主席崔富国等陪同下，到港湾社区评估创建“大连市三星级科普社区”
5.街道（社区）党组织书记“双向述职”评议大会现场
6.街道召开第六次全国人口普查工作签状大会
7.街道与社区党员“喜迎‘七一’经典红诗咏诵会”
8.机关干部迎新春联欢会
9.在全区民办非学历学校“爱心回馈社会”公益活动中，大连明星小学与街道社区学校爱心对接现场
10.2010年4月20日港湾社区启用新址，办公面积245.3平方米

⑧

⑨

⑩

人民路街道

①

②

③

④

2010年，人民路街道党工委、办事处学习贯彻科学发展观，集中精力抓重点项目建设和内外资引进，抓税源增税收，完成全年各项经济指标。财政收入完成3.65亿元，房地产存量完成11273万元，固定资产投资完成18亿元，实际使用外资15933万美元，实际使用内资31亿元，新办科技企业16家，新办企业43家（内资企业37家、外资企业6家），其中注册资金300万元2家、500万元8家、1000万元5家、2000万元1家、5000万元3家，总注册资金2.7亿元。党建、精神文明建设注重抓基层打基础，初步形成具有自身特点的亮点品牌；社会民生关注社区群众的热点难点，较好地解决大学生就业和弱势群众实际困难；司法稳定工作注重人民调解，较好地消化吸收社会矛盾，促进辖区和谐进步和社会各项事业全面发展。街道被评为“大连市区域城镇居民收入调查工作先进单位”、“大连市退休人员社会化管理示范街道”、“大连市爱国卫生示范模范单位”、“大连市人社局2008－2010年优秀服务窗口”，兴和社区被评为“国家人口与计划生育全国协会示范村委会”、“辽宁省‘关心下一代工作’先进社区”、“2009－2010年度大连市星级平安稳定社区”、“大连市绿色志愿者服务先进集体”、“大连市‘社区文化节’优秀社区”，修竹社区被评为“2009－2010年度大连市星级平安稳定社区”、“大连市交通安全社区”，福寿社区被评为“大连市交通安全先进集体”。

⑤

⑥

⑦

⑧

⑨

⑩

1. 街道领导班子成员
2. 省市领导莅临街道听取司法工作汇报
3. 省计生协领导到街道指导工作
4. 市委书记夏德仁、区委书记李向东到建国前党员家中送温暖
5. 区领导到街道检查指导工作
6. 街道组织消防专项治理及消防知识培训会
7. 街道组织消防安全运动会
8. 边检官兵志愿者参加街道环境治理
9. 军民共同治理环境
10. 街道志愿者展现风采

桂林街道

2010年，桂林街道党工委、办事处贯彻落实区委十二届八次、九次全会和区政府全会精神，结合工作实际抓落实，经济建设、精神文明建设、党的建设和社会各项事业协调发展，圆满完成各项工作任务。税收完成18852万元，固定资产完成41.48亿元，外资完成6151.84万美元，内资完成37.53亿元，高新技术企业完成15家。完成全国第六次人口普查工作。街道获“全国模范人民调解委员会”、“全国和谐社区建设示范社区”、“全国人口和计划生育基层群众自治示范村居”、“辽宁省第二次全国经济普查先进集体”、“大连市文明街道”、“大连市民防建设先进单位”、“大连市防止民间纠纷激化先进集体”等称号。

1.党工委书记柳丽芳
2.办事处主任董震光
3.街道领导班子成员

4.省人大领导在市人大主任怀忠民陪同下到街道调研

5.区长江亲瑜到南山风情一条街考察特色街建设情况

6.民政部委托华北电力大学姚健平教授到街道调研城市低保工作

7.副区长郭云峰到街道调研经济工作，实地考察项目建设

8.区人大主任宋国伟到街道听取人大街工委及代表的意见和建议

9.区政协副主席孙诚谦到街道调研政协工作

10.街道在三八广场举办用工洽谈会

11.参观爱国主义基地关向应纪念馆

12.吟红诗，唱红歌，庆祝建党89周年

青泥洼桥街道

①

②

③

④

⑤

2010年，青泥洼桥街道党工委、办事处深入学习实践科学发展观，以“加快发展、改善民生、维护稳定”为主线，以“创建大连科学发展首善区最佳窗口街道”为目标，解放思想，创新思路，全力执行区委区政府“两圈一带”金融业发展总体布局，努力实现辖区经济、党的建设和社会各项事业快速健康发展。以重点项目为依托，以招商为牵动，以服务辖区企业为根本，经济工作取得成效。全年实现财政收入4.2亿元，完成固定资产投资总额32亿元，外资到位3050万美元，对内招商资金到位10.1亿元，新办科技企业13个，国税代征入库627万元，地税代征入库580万元，新办各类企业25家。在全区率先通过ISO9000质量管理体系认证，推动街道行政管理和服务工作现代化、标准化和规范化建设进程，促进行政效能全面提升。坚持“以人为本、服务社会”方针，构建和谐青泥、和谐社区。街道被评为“辽宁省文明单位”、“辽宁省优秀街道工会”、“大连市先进单位”、“大连市社会治安综合治理先进集体”、“大连市信访工作先进集体”、“大连市支持工会工作先进单位”。街道“三管好六个不”道德承诺被评为“大连市精神文明建设最佳品牌”，劳保所被评为市“AAA级劳动保障事务所”，团工委获“大连市红旗团委”称号。

⑥

⑦

1. 党工委班子成员
2. 街道领导班子成员
3. 街道阳光低保集体（听证）审批会议
4. 街道辖区基层站所与百姓零距离晒行风
5. 街道创建文明城市动员大会
6. 街道党工委组织党员参观关向应纪念馆
7. 庆“七一”新党员宣誓
8. 街道政协委员爱心座谈
9. 非公企业党团员活动日
10. 街道志愿者向农民工捐助衣物
11. 街道咨政顾问团与大学生“论道创业、共绘愿景”座谈会
12. 街道民兵参加劳动
13. 中小学生参与清除路街野广告
14. 街道关爱女性健康双丝带在行动

昆明街道

①

②

2010年，昆明街道党工委、办事处贯彻落实科学发展观，紧紧围绕中山区建设大连科学发展“首善区”目标任务，唱响“和谐昆明，你我同行”主题，务实创新，开拓进取，推进街道经济、党建、精神文明建设和社会各项事业健康、和谐、持续、稳定发展。街道税收总额完成1.15亿元，固定资产资金完成10亿元，引进内资实际到位额5.9亿元，引进外资实际到位额 780万美元，新办高新技术企业8家。街道被评为“全国安全社区”、“大连市残疾人之家”、“大连市妇联系统先进集体”、“大连市交通管理先进单位”、“大连市安全社区建设工作先进集体”、“大连市防范和处理邪教问题先进集体”等称号。

③

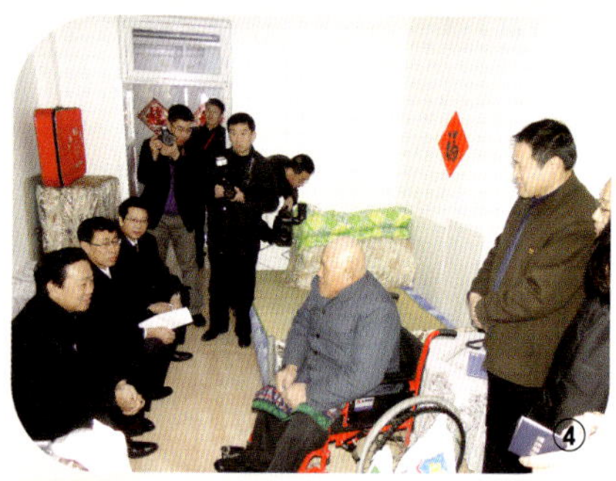
④

⑥

⑤

1.党工委书记范文斌
2.办事处主任桑京哲
3.中心组成员学习
4.5.市、区领导走访低保户
6.街道安全隐患排查整治百日会战动员大会
7.昆明街道“城市精神大讨论暨公民道德评述活动”现场会
8.武昌社区青年志愿者助残基地成立
9.街道治安巡逻队排查辖区楼道
10.街道关注老年人健康活动月生活健康知识讲座
11.街道庆新年文艺汇演
12.街道人大代表夏凉晚会
13.街道迎中秋自由乒乓球比赛

葵英街道

2010年，葵英街道党工委、办事处贯彻落实科学发展观，夯实组织基础，创新管理模式，发挥基层党组织的战斗保垒作用，党组织建设和党风廉政建设健康发展。坚持以经济建设为中心，全面落实各项经济指标，经济工作在战胜困难中取得较好成绩。全年实现财政税收5300万元，完成固定资产投资14.2亿元，对内招商7.5亿元，新办科技企业10家，外向型经济实际到位6215万美元。房产税征收实现翻一番目标，达到87万元。立足社区服务，为居民群众办实事、解难题，社会各项事业成效显著。葵英街道被评为“大连市群众文化先进单位”、“大连市百个优秀社会体育指导站”、“大连市城镇居民可支配收入调查先进单位”、“大连市关爱老年人健康行动先进集体”、“大连市反邪教先进集体”、“大连市残疾人职业技能培训先进集体”。街道司法所获“大连市优秀司法所”称号。

1. 党工委书记王猛
2. 办事处主任乔兵
3. 街道领导班子成员
4. 副省长陈超英莅临林海社区
5. 市委书记夏德仁走访慰问省优秀共产党于丽琴家庭
6. 市妇联在葵英街道启动“吾邻大会、以邻为荣”——大连明星邻居评选活动仪式
7. 大连市首届红十字志愿者服务基地创建仪式在向阳社区启动
8. 中山区机关廉政文化建设现场会在葵英街道召开
9. 街道机关工作人员基本功知识竞赛
10. 街道安全生产宣传活动在青云映山广场举行
11. 青云社区乔迁“新居”
12. 街道庆“七一”党员趣味运动会

桃源街道

①

2010年，桃源街道党工委、办事处坚定不移地贯彻落实科学发展观，紧紧围绕建设“大连科学发展首善区”目标，以经济建设为中心，以民生建设为重点，以党的建设为保证，推动经济和社会事业全面发展。全年实现区级税收4077万元，完成固定资产投资32.2亿元，实际利用外资额700万美元，内资额到位5.5亿元， 新引进高科技企业6家。完成ISO9000质量管理体系导入工作，初步建立较为完善的街道工作运行机制。实施“党支部堡垒工程”、“社区党建精品工程”、“群众满意工程”，党的建设和社会各项事业取得新成绩。街道办事处获“大连市2009-2011年度星级平安稳定街道”、“大连市2009-2010年度人口和计划生育工作先进集体”称号。

②

③

④

⑤

⑥

1.街道党工委委员和领导班子成员
2.国际安全社区验收
3.省宗教局领导到街道进行工作调研
4.省科协领导在区委副书记何守林陪同下到医校社区视察
5.6.街道党工委书记、社区党总支书记进行“双向述职评议”
7.科学发展观总结大会

8.创先争优动员部署大会
9.机关作风建设年推进会
10.街道党工委和民革中山工委共建和谐桃源研讨会
11.党员关心关爱研讨会
12.机关干部“一日兵”学军活动

老虎滩街道

①

②

③

④

2010年，老虎滩街道党工委、办事处按照区委、区政府确定的功能区建设总体目标，以“发展为先、百姓为重、和谐为本”为工作理念，以建设“五型街道”为工作目标，立足“推动发展、服务群众、凝聚人心、促进和谐”，扎实推进辖区经济、基层党建和社会各项事业的协调可持续发展，全面完成区委、区政府下达的各项工作任务。街道党工委被辽宁省委宣传部确定为省级学习型党组织示范点。街道荣获“全国计划生育协会先进集体”、“大连市基层党建创新成果二等奖”、“大连市防范和处理邪教问题工作先进单位”、“大连市关爱老年人健康行动先进集体”、“大连市城区城镇居民可支配收入调查先进单位”、“大连市交通管理先进单位”称号，中兴社区和杏花社区被评为“大连市星级平安稳定社区”、“大连市交通安全社区”，中兴社区被评为“大连市文明社区”，平安社区被评为“大连市未成年人思想道德教育示范点”。

⑤

⑥

⑦

1.党工委书记毕烨
2.办事处主任陈峰
3.街道领导班子成员
4.党工委中心组学习
5.中组部领导与市委组织部领导到老虎滩街道中兴社区党员服务站调研
6.市委组织部长宋善云、区委书记李向东到社区进行党建工作调研
7.外省市经常到街道参观学习党建工作
8.区长江亲瑜、副区长蔡先勃与老虎滩海洋公园负责人共商发展大计
9.区领导到街道进行经济工作调研
10.市区人大代表视察渔人码头
11.街道2010年工作总结暨2011年工作部署会议
12.街道召开安全社区议事会

春和社区

星级平安稳定社区

海军广场街道春和社区位于中山区荣民街47号，面积0.4平方公里，居民2587户，6134人。社区加强信访工作，成立信访代理服务站，搭建为民服务的新平台，解决居民的实际困难。社区信访代理服务站的成立实现信访工作“三转变”（思想观念上实现从阻止居民上访到代理居民上访的转变，规范信访秩序；工作方法上实现从“说和式”调解到依法调解的转变，增强解决信访问题的力度；工作作风上实现由居民上访到社区信访代理服务站主动下访的转变，密切党和政府与居民的联系）。2004—2010　年，解决居民信访问题490件，代理居民上访98件，引导居民走法律程序11件，辖区秩序平安稳定。社区被评为“全国零家庭暴力示范社区”、“全国先进计生协会”。先后获“辽宁省维护妇女儿童合法权益工作先进单位”、“辽宁省流动妇女平安之家”、“辽宁省先进妇代会”、“辽宁省青年文明社区”、“大连市先进社区”、“大连市文明社区”、“大连市平安社区标兵”等称号。

1. 区信访局在春和社区召开信访法律咨询服务站现场会
2. 社区信访服务站的工作人员在辖区了解民情民意
3. 社区领导和五老巡逻队员在辖区内巡视
4. 为居民提供法律咨询服务
5. 社区、派出所民警、巡防队员联席例会
6. 7. 社区信访站工作人员和华夏律师事务所的律师为居民和外来务工人员提供法律咨询服务

春景社区

文体活动特色社区

海军广场街道春景社区位于中山区春海街104号，占地面积0.4平方公里，办公面积678平方米，常住人口1947户、5864人，寄住人口818人，外来务工人员1223人。社区居民学习、休闲、娱乐、健身室内活动室421平方米，室内配备多套健身器材、文化娱乐等设备。社区从实际出发，开展丰富多彩的文化体育活动，吸引居民群众广泛参与，逐步发展为文化体育活动特色社区，拥有文体骨干志愿者606人，文化中心户202人，组建社区秧歌队、腰鼓队、迪斯科队、健身球队、乒乓球队、民乐队等10余支文体队伍。社区乒乓球队代表中山区参加大连市首届“退休杯”乒乓球大奖赛，取得好成绩。春景社区先后被授予“辽宁省先进文化社区”、“大连市先进文化社区”等称号。

1.社区工作人员合影
2.社区健身舞队在星海广场参加比赛
3.社区女子健身球队参加21届大连赏槐会中山分会场开幕式
4.社区老年人参加市健身比赛获健身球操男子组银奖
5.社区乒乓球队比赛现场
6.社区腰鼓队参加21届大连赏槐会中山分会场开幕式
7.第二届“星光杯”艺术节春景社区民乐队主场
8.社区民乐队霞光艺术团到八一养老院慰问演出

海军广场社区

弘扬新时期广场文化

海军广场街道海军广场社区位于中山区学士街127号，面积1.06平方公里，辖区单位236个。世界以海军命名的第三大广场——海军广场坐落在辖区内，是大连市政治、文化活动中心。海广社区发挥地域优势，弘扬新时期广场文化，组织居民开展丰富多彩的广场文化活动，成为东部文化的亮点。社区京剧队、腰鼓队、舞蹈队、太极拳队、太极剑队、太极扇队、健身操队等广场文化队伍经常带领居民活跃在广场中。社区开展双拥共建活动，举办夏季乘凉晚会、社区广场晚会，节目精彩纷呈，受到部队官兵欢迎。海广社区先后获“辽宁省文明社区”、“辽宁省绿色社区”、“辽宁省社会体育指导站”、“辽宁省残疾人工作先进社区”、“大连市文明社区”等称号。

1.社区文艺发展座谈会
2.“庆‘七一’颂歌献给亲爱的党”广场晚会
3.社区文艺队伍到武警送老兵文艺汇演
4.广场一角——京剧角
5.海军广场趣味运动会
6.广场一角——太极剑

外来务工子女社区学校

海军广场街道外来务工子女社区学校于2004年4月创建，旨在帮助外来务工子女度过“转学困难期”，弥补文化教育的地区差异，填补对外来务工子女教育的空白。社区学校师资队伍由中山区下派的专职教师和社会、学校各类志愿者组成，校舍百余平方米。学校开设英语、语文、数学等文化课和计算机、心理、法律等课程。建校以来免费培训外来务工子女976人。

1.区关工委宿秀兰老师教学生手工编织
2.消防官兵给学生上消防自护知识课
3.派出所民警给学生上法制安全课
4.大连理工大学志愿者给学生做物理实验演示
5.大学生志愿者给学生补习文化课
6.外教义工在社区学校上口语课
7.社区学校迎新春英语联欢会
8.社区学校实践老师教学生包饺子

大连吉渼霖抗衰养生滋养馆

大连吉渼霖抗衰养生滋养馆是高端魅力女性专属服务会所，会所面积2600余平方米，按五星级标准建造，有近20个具有私密空间的VIP包房。优雅、个性化的空间，巧妙融合国际一线品牌珠宝文化，拥有的天然氧吧、原液空运产品，首创的美容护理午夜盛宴、科学手法和技能以及全能的“金钥匙”服务理念，旨在打造内外兼修的吉渼霖魅力女性。

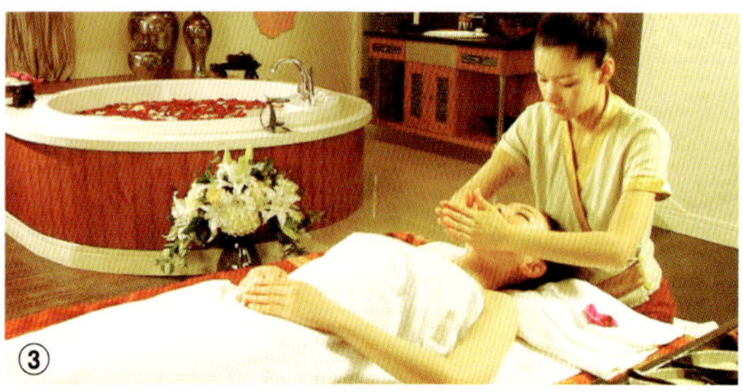

1.董事长钟燕冰部署工作
2.吉渼霖vip美容室
3.纯天然原液抗衰美容
4.吉渼霖大堂
5.吉渼霖香蒸房
6.吉渼霖夜景

百年人寿保险股份有限公司

百年人寿保险股份有限公司是经中国保险监督管理委员会批准成立的全国性人寿保险公司，2009年6月3日正式开业，总部选址大连。注册资本11.1亿元，由14家股东构成。百年人寿秉承“创新百年，关爱永恒”的企业文化理念，吸引众多业内精英加盟。公司汲取业内先进经营管理经验，在运营管理、财务与投资管理、产品设计、信息技术以及客户服务等方面多元化创新，不断推出具有百年人寿特色的、差异化产品、服务和灵活的作业流程，以实现客户价值的最大化。“一保通”是百年人寿在中国保险业创造的全新保险概念，借助共享集中化、标准化、电子化的服务平台，通过客户专属号码实现全方位家庭保障的服务功能。百年人寿计划用5年时间在全国20个省市建立分公司，完成全国主要城市的机构建立并形成稳健发展的业务格局。

①

②

③

④

⑤

1. 董事长何勇生
2. 百年人寿2011年度工作会议
3. 百年人寿北京分公司开业
4. 百年人寿河北分公司开业
5. 百年人寿河南分公司开业
6. 百年人寿黑龙江分公司开业
7. 百年人寿社区公益活动
8. 百年人寿与合作伙伴签署合作协议
9. 百年志愿者协会正式成立

⑥

⑦

⑧

福寿社区

双拥共建新型社区

人民路街道福寿社区位于繁华的人民路西段，面积1.25平方公里，居民2806户，7048人，辖区驻街单位202个，其中有富丽华、香格里拉等五星级大酒店和国际金融中心、亚太金融中心。社区坚持开展拥军爱民活动，长年与坐落在人民路上的好二连——通信二连和武警部队大连边防检查站携手双拥共建，共同谱写新时期军民鱼水情。以元旦、春节和“八一”建军节为契机，走访慰问部队官兵；开展军民同升国旗活动；与部队共建国防教育基地；组织老党员参观红军村等，进一步发展和巩固了“同呼吸、共命运、心连心”的新型军政军民关系。社区先后获“大连市先进社区”、“中山区先进党支部”、“中山区文明社区”、“中山区关心下一代先进集体”、“中山区再就业先进社区”、“中山区就业工作先进单位”、“中山区学雷锋先进集体”、“中山区计划生育工作先进集体”等称号。

1.军民同升国旗
2.部队官兵到社区宣讲温志军先进事迹
3.街道、社区领导到企业军转干部家中送温暖
4.迎国庆践行科学发展情系万家“感恩”活动
5.践行科学发展解放思想大讨论
6.人大代表进社区听民声关民意

锦州银行大连分行

锦州银行大连分行于2009年10月22日正式营业，下设黄河路、马栏广场两家支行。在“规范化起步，零风险运营”原则指引下，严格防范金融风险，真诚为大连市民、“三小”企业、地方经济提供优质、高效的金融服务。截至2010年末，大连分行各项存款余额本外币727818万元。

1.锦州银行大连分行行长路思伟
2.大连分行第一届员工业务技能大赛
3.大连分行银企座谈会
4.大连分行取得存款超过80亿元表彰大会
5.大连银监局到大连分行调研

大连锦联经典生活物业管理有限公司

大连锦联经典生活物业管理有限公司位于中山区长江路——修竹街——文林街——发达街的围合区域，毗临民主广场，由阳光海景白领公寓和4万平方米休闲文化夜生活区的临街商铺组成。公司隶属于锦联地产集团，是针对经典生活项目而成立的专业性物业管理公司。自2005年成立以来，公司在发展中形成一套适合企业自身发展和市场需求的管理体系，是一个观念新、机制灵、操作规范、管理模式先进、追求企业文化内涵的现代化物业管理公司。公司下设行政人事部、财务部、工程部、客户服务部、招商营运部、安管部6个部门，员工73人。所有员工都经过专项物业管理培训，对小区实行24小时全程式物业服务。物业管理公司2006年获“大连市优秀物业小区”称号，2007年在中国消费者协会满意度调查经典生活位列第二，获“全省物业管理优秀住宅小区”称号，2009年被评为免检企业。

1.经典生活物业公司总经理赛庆甫
2.哇莎米咖啡夜景
3.经典生活商街全貌
4.乐都会所正面夜景
5.艾丽丝酒吧夜景
6.经典生活极地酒吧

中海客轮有限公司

中海客轮有限公司（简称中海客运）位于大连市中山区民主广场1号，是中国海运（集团）总公司直属的国有专业海上客运企业，承担国内沿海特别是环渤海湾地区海上客、车运输生产任务，目前主要经营大连至烟台、威海、天津等地的航线。中海客运拥有多艘大型豪华客/车滚装船、高速客轮。中海客运全面落实科学发展观，坚持企业“安全温馨”的品牌核心价值观，精心构筑“安全链”和“服务链”，为大连市建设重要国际航运中心、中国海运集团建设世界一流航运企业、中海客运建设国内一流水上客运企业而努力拼搏，先后获“全国交通系统创建文明行业先进单位”、“中国海事局首批安全诚信公司”、“辽宁省文明单位”、“大连市文明单位”等称号。

1.总经理孟庆宽
2.驾驶台
3.安全温馨 中海客轮
4.豪华客滚船“棒棰岛”轮
5.“葫芦岛”轮
6.“龙兴岛”轮
7.豪华客滚船“普陀岛”轮

大连非得生物产业有限公司

大连非得生物产业有限公司是集研制、开发、生产、销售为一体的高科技型企业，成立于1999年12月，注册资金2000万元人民币，占地面积10668平方米，拥有6000多平方米的科研及生产大楼。公司秉承“以人为本，科技为先，开发海洋，造福人类”的经营理念，本着“诚信、创新、高效、务实”的经营方针，不断开拓，勇于创新。投巨资研发的非得海参肽胶囊获得国家卫生部保健食品批文，第一个建立海参保健食品的产品生产和技术标准，获得国家发明专利，被列为国家星火计划项目。2002年在同行业中率先通过ISO9001：2000国际质量体系认证，2003年通过国家保健食品GMP认证。产品先后被评为“大连市名牌产品”、“辽宁名牌产品”，被中国社会经济调查所授予“中国市场信誉产品”称号。大连非得生物产业有限公司先后获“中国民营经济科技创新百强企业”、“辽宁省十佳信誉知名企业”、“辽宁省科学技术进步一等奖”、“大连市科技十佳示范企业”、“大连市十大渔业产业化龙头企业”等称号。“非得”商标被评为“全国名优百强品牌”、“中国市场著名品牌”、“辽宁省著名商标”。

1.非得公司董事长李兆明
2.市委书记夏德仁为非得公司董事长李兆明颁发“十佳科技示范企业”奖牌
3.位于高新技术产业园区的科研及生产基地
4.非得海参酒
5.非得海参肽——海参保健品

大连嘉和房地产集团有限公司

大连嘉和房地产集团有限公司成立于1998年，是以房地产开发为主的综合性经营集团公司。现有员工258人，专业技术人员63人（其中高级职称6人，中级职称34人）。 公司坚持“以创新为灵魂、以市场为导向、以质量为生命、以人才为支撑、以管理促效益、走品牌化发展道路”的经营理念，倡导“以人为本、信仁勤智”的文化观，推崇“追求无止境、功到自然成”的企业精神，确立“创世界名牌、立百年企业”的发展目标。先后兴建大连轻工业学院教学区6万平方米教学楼、中山区嘉和园（嘉乐福）、嘉和·花样年华一期、二期、三期等项目，取得良好的经济效益和社会效益。先后获“AAA级信用企业”、市级“重合同守信用单位”、“打磨地产诚信品牌”首倡开发商等称号，嘉和园（嘉乐福）项目获得2002年辽宁省明星楼盘、2002年度老百姓最喜爱的房地产品牌、2003年首届“住在大连”精品楼盘评选活动最满意物业管理奖等奖项。

1. 嘉和广场项目盛大开盘
2. 嘉和广场项目B.C座封顶
3. 嘉和广场效果图
4. 家乐福、国美电器等众多商家为大连东部商圈的发展奠定了坚实基础
5. 嘉和花样年华三期项目

中国建设银行大连分行

1.《花儿还是那样红》建行之声视听音乐会
2.建行大连市分行办公大楼
3.大连建行员工向客户解答购车分期付款业务
4.成功举办“送金融知识下乡”活动

中国建设银行大连市分行是隶属于建行总行的38家一级分行之一，拥有营业机构115个，构建包括自助渠道、网上银行、电话银行、手机银行和短信银行在内完善的银行服务体系。本着“以客户为中心”的经营理念，将优质服务的触角延伸到大连地区的各个角落和广大市民工作生活的各个领域，经营规模及综合竞争能力在当地同业处于领先水平。

大连市分行积极履行社会责任，投身公益事业，真诚回馈社会，参与总行组织的“建设未来——中国建设银行资助贫困高中生成长计划”、“中国贫困英模母亲建设银行资助计划”、为南方遭受雨雪冰冻灾害地区捐款、为玉树地震灾区捐款等。

“南山1910”别墅

“南山1910”别墅项目位于大连市中山区南山七七街与南山路之间，是由大连共同地产控股下属的大连华成天宇房地产开发有限公司倾力打造的大连城市中央的高端别墅项目。“南山1910”首期67件艺术品，由美国建筑院士约翰·米勒及其领导的设计事务所担纲主创设计，除具有普遍意义上的居住功能之外，将大连城市的审美、情感记忆作为价值标准，以百年传统的欧洲建筑在美国发展和演变后形成的豪华舒适的别墅为参照，营造极具格调与品位的个性化家庭生活。其社区规划、建筑立面、庭院景观、居家空间等设计思想，质地用材，配置标准，精神气质等代表着现代城市的高标准和美好的情感归属。

1.D4楼外立面
2.景墙
3.厨房一角
4.两栋楼外立面
5.入口
6.书房

大连五一国际酒店

大连五一国际酒店是集客房、餐饮、娱乐、会议接待、旅行社等功能为一体、直属于大连市总工会的国有挂牌三星级酒店。酒店坐落在大连繁华地段——著名的中山广场南侧，有近百种独具特色的菜品加之装饰典雅的中餐包房，多种现代化标准、豪华客房150余间，设有面积50－300平方米不同的多间会议场所。酒店秉承“为职工服务，为社会服务，让利于消费者”经营理念，在全市同星级酒店中首创星级酒店。先后获“大连市首批绿色环保酒店”、“大连菜名店”、“大连海鲜名店”等称号。

1.五一国际酒店2010年度先进工作者表彰大会
2.酒店先进工作者合影
3.酒店大堂
4.四楼国际会议室
5.酒店夜景大楼
6.员工户外活动
7.酒店餐饮包间（牡丹厅）

青泥社区

和谐楼院　文明导乘

青泥洼桥街道青泥社区地处市内最繁华的商贸、金融、旅游中心区，占地面积0.45平方公里，社区居民1842户，4654人。2010年，社区以“创优争先”活动为载体，开展“和谐楼院一带一”主题实践活动，玉光街71号和五卅街22号两个楼院均被评为大连市“和谐楼院”。楼院“文明导乘小分队”数年如一日协助公交车始发站工作人员维护秩序，引导乘客文明上下车，调解乘客摩擦，为外地游客指点乘车站点，成为大连文明城市的一道靓丽风景线。青泥社区先后获“辽宁省先进社区”、“大连市文明社区”、“全市就业先进单位”、“大连市平安社区标兵”、“大连市交通安全社区”等30多项荣誉称号。

①

1.社区干部研究工作
2.文明导乘小分队在行动中
3.楼院“五老”积极投入辖区治安巡逻
4.楼院居民参加大型文艺演唱活动
5.楼院党员兴趣盎然“看大连新变化”
6.社区开展“庆国庆、讲传统”活动
7.社区举办建国六十周年图片展

②

③

④

⑤

⑥

⑦

天津社区

整合辖区资源 为居民办实事

青泥洼桥街道天津社区坐落于中山区常兴巷4号，占地面积0.48平方公里，居民2785户，7065人。天津社区地处市内最繁华的商贸、金融、通信中心区，辖区企事业单位及个体户1000余家，大厦9座。社区发挥资源优势，推进和谐社区建设。组织辖区单位和楼院结互帮对子，在4个楼院建立服务站，实行挂牌服务，开展"党员牵手活动"。重大节日社区和驻街单位联合走访慰问贫困居民，共建社区文化。天津社区先后获"辽宁省妇联基层组织建设'三级五好'"、"中山区和谐社区"、"中山区文明社区"、"中山区关心下一代先进集体"等称号。

1. "泰康杯"社区文化活动启动仪式
2. 社区党总支召开"党员牵手活动表彰会"
3. 党员牵手活动中评选出来的先进代表
4. 社区党员参加清理楼院活动
5. 社区干部在党员牵手活动中登台表演文艺节目
6. 社区党员参观爱国主义教育基地旅顺博物馆

大连希望大厦

大连希望大厦地处大连市中央商务区，位于中山区中山路136号，占地1.7万平方米，建筑面积9万平方米，建筑高度170.6 米，地上40层，地下3层为停车场，有车位400余个，配套设施与智能化设备齐全，达到国家甲级写字楼硬件标准，为政府引进外资及世界500强等知名公司积聚办公之地。希望大厦物业管理处于2006年11月成立以来，以尊贵舒展的空间理念，启动人性化商务，建立各项管理制度、岗位职责、服务标准、工作指导书等。日常基础管理突出服务的重要性，在物业、安管、工程等传统服务的基础上，增设礼宾人员为业户提供更加细致周到的服务。保洁、绿化、工程维修、消防治安、处理客户投诉、对客户提供便捷服务等各项工作取得良好成绩。2007年被市物业协会授予“优秀大厦”称号，2008年被评为“辽宁省优秀大厦”，2009年通过“国家示范大厦”评比。

1.希望大厦物业管理处总经理陈华达
2.领导班子成员
3.希望大厦全家福
4.希望大厦的业户们参与植树活动
5.希望大厦开展员工培训活动
6.希望大厦员工们经常开展拓展训练活动
7.希望大厦的业户们参与羽毛球比赛
8.希望大厦业户们参与大连市徒步走活动

中山区永和小学

中山区永和小学位于长江路162号，学校创建于1956年，改建于1998年，占地面积2500平方米，建筑面积6301平方米，有微机室、语音室、电教室、美术室、舞蹈室、阅览室及多功能室等11个专用教室，配备液晶投影仪、摄像机、闭路电视等现代化教学设施，在岗教师36人，12个班级，学生近300名。学校坚持“以人为本，育人臻美”的教学理念，努力构建向美至善，充盈思想、情感、智慧的现代化优质学校，逐步形成小班型美育特色。学校先后被评为“辽宁省中小学图书馆示范校”、“省一级档案先进单位”、“大连市校园艺术文化学校”、“大连市办学设施标准化学校”、“大连市交通安全学校”、“大连市曲棍球后备人才培养基地”、“中山区教育科研先进单位”、“中山区教育改革先进单位”、“中山区新课程与课堂教学先进单位”、“区级示范三级学校”。

1.校长张燕玲
2.安全教育走进课堂
3.多动手活动加快着孩子们的成长
4.农民工子女们在接受礼物
5.学生们在学校歌咏比赛上
6.学校的兴趣小组——航模队
7.学校故事大赛后选手合影

华昌社区

文化学习型社区

昆明街道华昌社区位于解放路东侧，占地面积0.16平方公里，居民6564人。社区坚持以人为本、服务居民，以“提高居民整体素质、构建和谐楼院、促进社区和谐”为目标，推进“文化学习型”特色社区建设。社区成立“华韵”诗社，创办《华采》期刊，年内举办赛诗会3次，收集作品65篇，参加诗社活动158人。《华采》期刊每季度一期，全部由社区工作人员采编，内容包括社区特色工作、居民典型、社区干部工作感言、“华韵”诗社获奖作品、科普常识等内容。社区开办普通话普及班和英语培训班，成立青少年校外文化活动站，开展富有特色的青少年校外文化活动。华昌社区被评为“全国和谐社区建设示范社区”，先后获“辽宁省先进社区”、“辽宁省文明社区”、“辽宁省妇联先进社区”、“辽宁省残疾人工作先进社区”、“大连市充分就业社区”、“大连市无家庭暴力示范社区”、“大连市平安社区标兵”、“中山区创建首批全国文明城市工作优秀组织单位”等称号。

1. 社区居民代表全家福
2. 老外进社区 全民学外语
3. 华昌居民趣味运动会
4. 社区义工阳光艺术团
5. 6. 全国、省和谐社区牌匾

武昌社区

残疾人工作示范社区

昆明街道武昌社区位于中山区武昌街406号，占地1.7平方公里。社区残疾人康复活动中心驻武昌街452号1-4，面积120平方米。全社区301名残疾人中，党员7人，2010年成立全市首家残疾人党支部。社区视力残疾人69人，其中盲人居多。据此特点，1989年街道投资12万元建立50多平方米盲人求索书屋，2001年成立全市第一支盲人艺术团， 2007年街道投资30多万元扩建200多平方米集活动、学习、培训、康复为一体的多功能电教化残疾人康复中心，购置书架、书橱，订购文学、医学、曲艺、音乐、科技等盲人书籍1100余册，世界名著、中国古代文学等有声读物、CD光盘356盘，订阅《盲文月刊》《文化世界》《读者》等文刊，满足盲人需求，被评为“大连市精品工程”。2009年末，市区两级残联支持区图书馆盲人图书分馆与社区搭建借阅图书平台，定期为求索书屋更换借阅图书，扩大盲残人借阅书籍的范围。武昌社区被评为“国际化安全社区”、“全国社区服务示范社区”。先后获“大连市社区残疾人工作先进社区”、“大连市盲人定向行走示范社区”等称号。

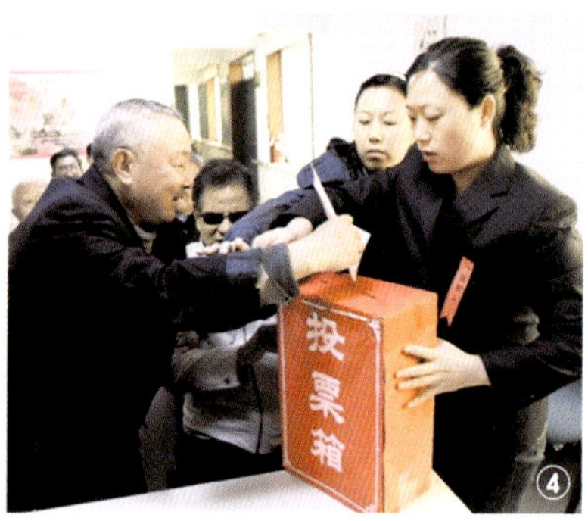

1. 残联专职委员教授世界卫生组织专家定向行走
2. 青年志愿者一助一助残志愿者基地启动仪式
3. 社区举行“书香大连爱心捐书仪式”
4. 残疾人党支部投票
5. 理工大学志愿者手语培训
6. 盲人艺术团演出
7. 盲人求索书屋

大都会购物广场

大都会购物广场地处大连市最繁华的商贸、金融、休闲、旅游、信息中心，紧邻青泥洼商业步行街，瑞士酒店、凯宾斯基饭店两家国际五星级酒店左右相间，与劳动公园隔街相望。大都会购物广场定位“fast fashion 快时尚购物广场”，集潮流性、国际性、体验性、大众性于一身，是以“快速、流行、低价和限量”为核心价值的“快时尚”服装服饰为核心、主题娱乐餐饮为辅助的商业聚合体。

1. 大都会开业
2. 大都会活动
3. 大都会明星见面会活动
4. 大都会开业演出
5. 大都会外观

大连地一大道·爱尚首尔

大连地一大道·爱尚首尔是人和商业控股有限公司斥资在大连打造的第一个项目，致力于打造纯韩文化血统的大型中国地下商业连锁商场，2010年8月8日正式开业运营。该项目建筑面积1.5万平方米，毗邻青泥洼商圈百年城、麦凯乐、太平洋百货、大商新玛特等重量级商场，项目规划结合区域商业特点，集购物、观光、文化、娱乐、休闲、运动、餐饮等多种综合需求为一体，再造集韩装、韩饰、韩国民族料理、韩国化妆品、韩国食品、韩国工艺品等为一体的专业街区。

1.开业典礼
2.领导视察
3.4.店铺内景
5.公益活动
6.店铺外景

独立社区

家庭接待外国友人接待站

昆明街道独立社区是全国首个“家庭接待外国友人接待站”，大连市惟一涉外社区，拥有30余年家庭接待外宾的历史，被誉为城市的“友谊之窗”。社区以家庭接待外宾特色工作为出发点，以发挥党员、志愿者、辖区单位积极作用为着力点，以为民办好事、实事为落脚点，建立“五色志愿者”队伍，联合铁路物业、消防、公安、交警等多部门为社区营造环境整洁、治安有序、交通顺畅的绿色宜居环境。开展党员“亮身份、重承诺、做奉献、树品牌”等主题实践活动，党员带动群众“继承民族传统，弘扬中华文明，彰显城市精神”，推进和谐、开放型社区建设。社区先后获“大连市文明社区”、“大连市民主法治示范社区”、“大连市平安社区标兵”等称号。

1.居民用最具中国特色的美食——饺子，款待远道而来的外国朋友

2.外宾在居民家体验“顶鸡蛋”这一中国传统游戏

3.文明友善，让城市更美好——公民道德暨城市精神评述活动现场会

4.30多年来，独立社区居民家每年都能迎来近千名世界各地的游客

5.独立社区志愿者定期清理环境卫生，维护城市环境优美

文化社区

残疾人心理疏导及寄托服务站

葵英街道文化社区地处中山区捷风街29号，有残疾人112人。社区残疾人心理疏导服务站帮助残疾人家属解决残疾人看护困难，设置活动场所供残疾人寄托、康复训练、技能培训等，是街道残疾人日间照料站的延续和拓展。疏导服务站根据残疾人家庭情况提供两种方式、四种服务。社区工作人员对重度残疾人上门服务，楼长就近照看服务，登门发放电话联系卡应急服务。社区提供寄托服务场地，残疾人家属根据实际情况选择社区残疾人寄托服务站，由社区提供照料、康复训练、技能培训。社区通过3个流程为残疾人进行心理疏导：定期举办《残疾人心理知识健康》讲座和《残疾人心理疏导》讲座，帮助残疾人树立自信、自强的信念和生活勇气；志愿者、楼长上门服务，鼓励残疾人走出家庭，积极参与社区文体活动和社会活动；帮助残疾人解决家庭困难，融洽家庭关系，积极配合康复训练。

1.2.2010年9月文化社区残疾人心理疏导及寄托服务站成立

3.社区志愿者黄老师为社区残疾人做心理疏导

4.残疾人在社区寄托服务站接受串珠技能培训

5.社区残联专职委员照料残疾人宋双

6.社区寄托服务站用智力拼图开发残疾人的智力

大连上通别克解放路店

大连上通别克解放路店位于中山区解放路智仁街2号，2010年8月10日盛大开业。作为大连地区颇具影响力的别克汽车4S店，秉承“专业、快速、精益、持续”的工作方针和“以人为本，让员工与企业共同成长；客户至上，让车主终身享受别克关怀”的理念，顺应汽车服务市场的发展需要，通过专业的汽车销售与五星级服务，将更加便捷、优质的服务带到顾客身边。

1.上通别克解放路店销售精英
2.保险接待专员
3.客服人员内勤
4.二楼销售接待
5.二楼汽车展示区
6.售后接待大厅

林海社区

关爱空巢老人志愿者行动

葵英街道林海社区地处中山区中青街158号，占地面积30万平方米，辖青云林海、青云映山2个居住小区，人口2158户，6474人，其中空巢老人41户，87人。社区开展“关爱空巢老人志愿者行动”，发挥“三位一体”管理优势，建立空巢老人、志愿者、服务网络为主线的“三位一体”志愿者服务站，依托物业志愿者的专业优势，形成关爱空巢老人的合力和良性互动机制。关爱服务内容包括：生活帮助服务、情感抚慰服务、应急救助服务、免费体检健康保健服务、法律援助服务、安全保障服务、文体健身服务等。林海社区每年有10名志愿者被评为“感动林海十大人物”。

1. 大连市关爱空巢老人志愿服务行动仪式在林海社区青云映山广场启动
2. 街道领导陪同外国友人到空巢老人家了解情况
3. 国际安全社区认证机构负责人汉克等一行看望社区空巢老人的家居安全情况
4. 关爱空巢老人党组织在行动
5. 社区志愿者为空巢老人包饺子
6. 志愿者定期看望空巢老人
7. 空巢老人向社区志愿者赠送锦旗

芙蓉美容美发中心

芙蓉美容美发中心位于葵英街道葵英社区——葵英街27号，成立于1997年。美发店经理刘福荣身残志不残，热心慈善事业。2003–2010年，每个月带领店里员工到福利院为老人义务理发，8年间免费为老人理发5000余人次。美容美发店开业14年，免费培训下岗、失业人员和困难家庭子女30余人，学成后自立创业。每年“八一”建军节到部队义务为老红军及家属理发、按摩、拔罐、保健等，赢得社会各界的赞誉。经理刘福荣被授予“大连慈善人物慈孝奖”、“大连市‘巾帼建功’标兵”、“大连市先进个体工商户”、“大连慈善优秀项目奖”、“中山区劳动模范”称号。

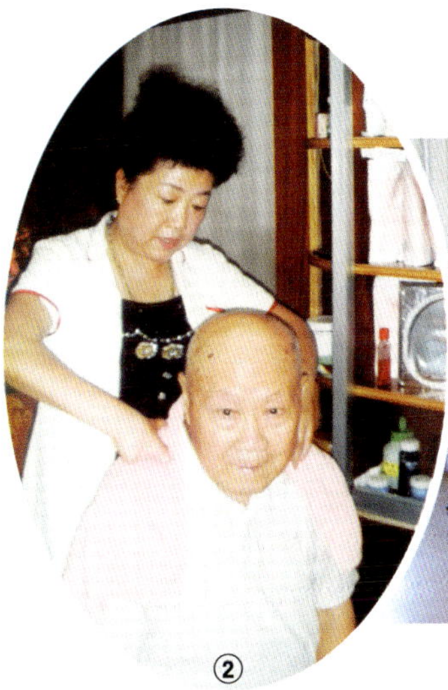

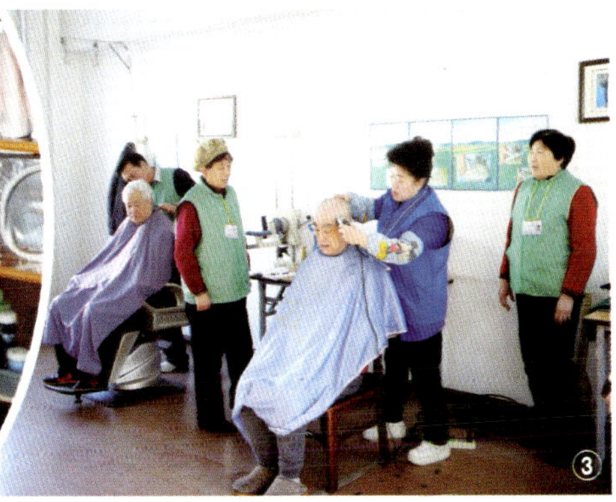

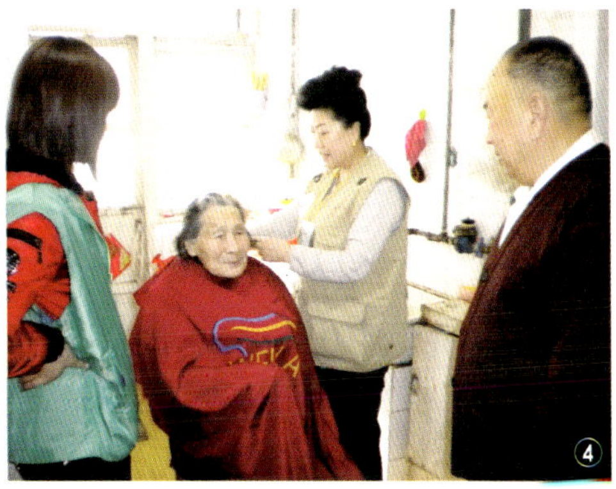

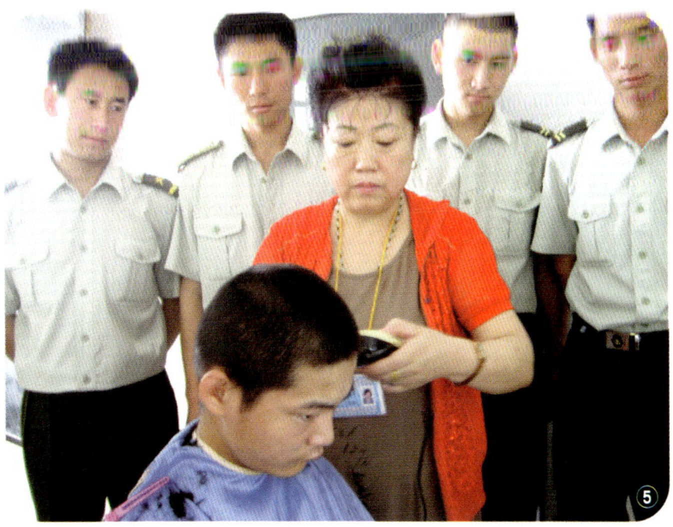

1.经理刘福荣
2.为红星村老红军义务理发
3.为社会福利院老人义务理发
4.为社区90岁老人义务理发
5.为警卫连战士义务理发

大连市第四十二中学

大连市第四十二中学地处中山区拥军巷35号，有教师97人，其中市区级骨干教师17人，市区名师工作室成员8人。

学校坚持“实施双自主发展教育，促进师生共同发展”办学理念，以扎实的“课堂教学改进”工程引领教师自主提能，打造一支过硬的教师队伍，教学质量大幅提升。坚持以自主规范的学生管理培养优良品质，引领学生把握人生方向；以独具匠心的校园文化，创设和谐的育人氛围，塑造真实、健康、豁达、向上的学生队伍；以个性鲜明的学校特色，激励每一名同学积极进取，书写奇迹。2010年中考，有四成学生升入重点高中。学校先后获“辽宁省基础教育课程改革先进集体”、“辽宁省‘十五’教育科研成果一等奖”、“大连市文明单位”等称号。

1.校长潘虹
2.校本课程
3.靓丽的青春，多彩的校园
4.参加区跳绳比赛囊括全部五项冠军
5.教学展示
6.青年教师培训

长利社区

推进离休干部“四就近”服务

桃源街道长利社区地处街道西南端，地域面积1.5平方公里，有居民3126户，8278人。60岁以上老人1446人，80岁以上高龄老人181人。其中，离休干部69人，平均年龄81岁，老红军1人，抗战时期7人，解放战争时期21人，建国前参加工作40人。长利社区坚持以人为本，创新服务模式，推进离休干部“四就近”服务（就近学习、就近活动、就近得到关心照顾、就近发挥作用），成立“四就近”服务志愿者队伍，建立以“社区为面、楼院为线、家庭为点”的三级教育宣传网络和离休干部信息档案，做到“三清、四有、三到位、三融入”。长利社区被评为“全国敬老爱老助老十佳社区”、“辽宁省精神文明先进单位”、“辽宁省文明社区标兵”、“辽宁省文化建设先进单位”、“辽宁省雷锋号社区”、“大连市文明社区标兵”、“大连市平安社区标兵”、“大连市学习型社区标兵”。

1.市区老干部局领导听取社区“四就进”服务工作汇报
2.市区领导视察老干部“四就近”服务工作
3.社区大学老人英语角
4.社区健康讲座
5.市、区领导在社区“四就近”服务工作拉练会现场
6.市老干部局领导看望社区数码摄影协会成员
7.社区党总支看望离休老干部

滨海社区

党员“议事苑”

桃源街道滨海社区坐落在市区南部，辖区面积2.8平方公里，是临山而建、滨海而居的居民居住区。社区始建于1998年，常住人口4370户，10300余人，暂住人口412户，1700余人，辖区单位68个。2002年，滨海社区党总支根据社区的特点及发展要求，确定“自我管理、自我教育、自我监督、自我完善”主线，坚持以党内民主带动民众民主，逐步培育社区民主自治的意识和参政议政的能力。2006年5月成立滨海社区党员“议事苑”，由社区议事监督委员会和居民联络员49人组成。党员“议事苑”是畅通谏言渠道、解决百姓困难的民主平台，党员议事苑议事内容涉及居民衣食住行、生活工作、环境卫生、矛盾纠纷、安全防范等诸多百姓身边的事。如今滨海社区在民主政治的建设中，形成了以党员“议事苑”为表现形式的品牌特色和相对完整的体系架构及有效的民主议事信息沟通机制。2006-2010年，党员“议事苑”受理百姓反映的各种问题185件，协调解决涉及取暖、公厕、楼院花坛、挡土墙、楼院路面破损等问题105件。

1.议事苑成果展示现场会
2.领导参观成果展示
3.帮助脑瘫患儿捐款
4.5.议事苑讨论解决旱厕和柏油马路的修建问题
6.7.解放路808号楼前道路修复（修复后、修复前）
8.楼院花坛覆盖

大连陆港工程造价咨询事务所有限公司

大连陆港工程造价咨询事务所有限公司是以专业提供项目投资咨询及投资全程解决方案为主营业务，涵盖项目工程造价咨询、全过程管理、项目投资机会研究、可行性研究、产业发展规划（战略）研究、招投标代理、不动产评估咨询等业务的综合性咨询公司，拥有多名注册造价工程师、注册咨询（投资）工程师、注册土地评估师、注册资产评估师、高级工程师等从事工程咨询业务20年左右的资深专家，建有多学科、高层次的专家库，与业内人士建立了广泛的业务联系渠道和信息传递网，可对港口及航道工程、工业及民用建筑、市政公用、装饰装修、机械设备安装、电力、视听照明、交通航运、设备及其他工程进行全方位、专业化、高质量的工程技术咨询服务。

1.总经理唐红玲
2.班子成员
3.工作场景
4.员工风采
5.办公大楼

大连锦坤信息科技有限公司

大连锦坤信息科技有限公司坐落在中山区友好路101号，曼哈顿大厦B座4152号。公司从2007年开始投身新一代节能光源LED的研发设计和开发，遵循倡导和实践低碳生活、低碳照明的发展方针，全力打造LED定型封装及应用产品的研发、生产和销售的精品产业链。2009年大连锦坤信息科技有限公司控股大连开发区日资企业大连喜姆电子有限公司，实现LED节能照明产品的大批量工业化生产，进一步保证了产品质量，提高了成本可控度，增强了应对市场变化的能力。定名为“锦坤照明”的LED节能照明事业部是大连锦坤信息科技有限公司与大连喜姆电子有限公司全面合作的结晶。通过密切的合作，使得双方在LED工程设计规划和商业照明领域的设计经验和研发能力得到共享和加强，客户的售前、售后技术服务满意度也得到了提升。

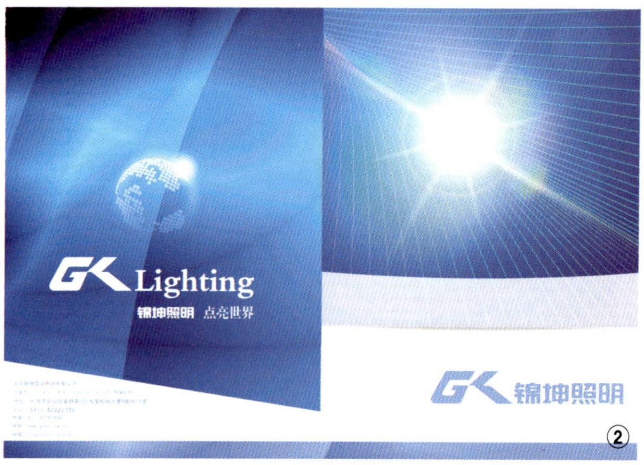

1.总经理王毅敏
2.3.产品举例
4.企业产品

医校社区

军嫂特色服务

桃源街道医校社区坐落在沈阳军区卫生技术干部培训中心家属院内，地域面积0.4平方公里，常住居民1309户，3369人。域内驻军单位2个，行业单位76个。社区结合地域特点，打造军嫂社区品牌，推进军嫂“三有”工作方针（有所为、有所学、有所乐），努力建设军嫂之家，先后安置11名军嫂在社区岗位实现就业和再就业。社区经常组织军嫂开展技能培训和科学文化知识学习，提高军嫂的文化素质和职业技能。社区成立军嫂合唱团、健身队、书法、书画等活动队伍，为军嫂提供免费休闲娱乐场所。社区“军嫂之家”、“退役军官之家”、“军民和谐家园”推进了和谐社区建设，军民关系得到进一步巩固和深化。医校社区先后获“全国人口和计划生育基层群众自治示范村居”、“大连市2009-2010年度人口和计划生育工作先进集体”、“大连市星级科普社区”、“大连市平安稳定社区”等称号。

1. 中央记者团检查军嫂安置工作
2. 军嫂进社区现场会
3. 社区军嫂讲坛
4. 社区军嫂党校开班典礼
5. 社区军嫂签订结对“一帮一”协议书
6. 社区和谐家庭建设成果展

大连老虎滩渔人码头

老虎滩“渔人码头” 是由海昌集团世博房地产公司开发的集观光、娱乐、文化、餐饮、购物和度假等多项功能为一体的综合性特色主题商业区，位于大连市中山区滨海路风景区虎滩渔港内，山海相依，地理条件优越，自然景色优美。项目规划占地面积6万平方米，总建筑面积68600平方米，东西长480米，南北长500米，山体围海形成环抱，风景层次分明，动静相宜。海岸线长1768米，西侧和东南角区域有天然沙滩，南侧有一条长约280米的栈桥。建筑风格秉承北美滨海小镇的精髓，是一种带有第二帝国风格、维多利亚式风格以及北美海滨/盐盒式殖民地建筑风格的多文化遗迹建筑，通过塔楼、屋顶平台、尖顶、钟楼等建筑元素清晰地表达，互相联系并创造出一种独特的建筑轮廓线，直观地展现了异域文化和历史记忆。2010年5月，老虎滩渔人码头——大连银行滨海路分行和羽映像婚纱影楼店相继开业。首次敲响的老虎滩渔人码头金融钟，是海昌集团专门从加拿大定制，钟体四面高3.3米，重量达1吨多，造型古朴，采用传统的魁北克设计风格，与渔人码头的北美滨海小镇风格交相呼应。

1.总经理王刚致祝酒辞

2.王刚总经理为孤儿们带来节日礼物

3.儿童村的小朋友们表演节目《感恩的心》

4.渔人码头俯瞰图

5.展现异域文化和历史记忆的建筑风格

6."世界杯之夜"开幕式

7.[illegible]

8.渔人码头夜景

9.无缝幕墙大屏幕

10.快乐的"跑风"活动

11.模特婚纱秀

12.曼蒂菲儿

13.浪漫渔人码头寻找大连最美新娘颁奖盛典

14.最美新娘羽映像婚纱大奖冠军

大连棒棰岛宾馆

大连棒棰岛宾馆隶属于大连市人民政府接待办公室，全民所有制事业单位，实行企业化管理，员工400余人。宾馆坐落在市中心东南8公里海滨，占地面积87万平方米，建筑面积6.8万平方米，始建于1959年4月，是大连市接待党和国家领导人、省市领导、外国元首和举办大型国际国内会议的国宾馆，也是集旅游观光、餐饮娱乐为一体的园林度假宾馆，18栋中、欧式迥异的别墅参差错落于海边。全馆设中、西式总统套房、豪华套房、标准客房305间，床位513张，大小餐厅35间，可容纳1000人同时用餐，各种功能会议室19间，改建后的温泉会馆设施功能齐全，另有室内外网球馆及16万平方米草坪的高尔夫球场。建馆50多年来，先后接待众多的老一辈革命家、共和国元帅、将军、党和国家领导人及外国元首和贵宾。被评为“全国总工会模范职工之家”、“国家4A级旅游景区”、“辽宁省接待系统文明单位”、“辽宁省接待系统敬业创优树形象先进单位”、“大连市文明单位”、“大连市先进集体”、“创建中国最佳旅游城市先进单位”、“达沃斯会议接待特殊贡献单位”、“大连五一奖状”、“十佳旅游景区”、“十大魅力风景”、“安全社区建设工作先进集体”。

1.宾馆16（A）号楼
2.新建设的观海别墅外景
3.滨海浴场夏日景象
4.位于宾馆大门岗处的喷泉
5.黄昏后的海滨浴场迷人夜景
6.“棒棰岛”石头雕刻

老虎滩海洋公园

老虎滩海洋公园坐落在国家级风景名胜区大连南部海滨中部，占地面积118万平方米，海岸线4000余延长米，园内有极地馆、海兽馆、珊瑚馆、鸟语林、群虎雕塑、旅游观光船、大型跨海空中索道、蹦极、四维特种电影、马驷骥根雕艺术馆和老虎滩海洋公园投资新增的一些情境游乐项目，是集游览、观赏、娱乐、科普、文化于一体的现代化主题海洋公园。建园10余年先后被评为“国家首批4A级旅游景区”、“国家首批5A级旅游景区”、“中国旅游协会旅游景区副会长单位”、“国家风景名胜区先进集体”、“中国旅游知名品牌”、“辽宁省优秀旅游企业”、“辽宁省精神文明建设先进单位”、“辽宁省五十佳景点”，并连续数年蝉联“大连市十佳景点”。

1.公园正门
2.虎雕广场
3.鸟语林孔雀东南飞
4.极地馆白鲸表演
5.珊瑚馆小丑鱼

大连老虎滩海上游艇旅游公司

大连老虎滩海上游艇旅游公司隶属于老虎滩海洋公园，拥有大型旅游船舶4艘、旅游快艇8艘，从事海上旅游观光服务业有20多年历史。海上旅游观光航线有老虎滩至棒棰岛、星海公园至付家庄、老虎滩至龙王塘，是大连南部海区“海上看大连”的一个重要窗口。公司坚持“游客至尊，文明规范，注重细节，高效快捷”的服务理念，竭诚为海内外游客提供优良的服务。公司管理上采用ISO9001和ISO14001国际质量和环境管理体系的标准及要求，持续提高质量和环境管理水平。 2010年，大连老虎滩海洋公园规划改造被列为大连市重点工程开工建设，其中菱角湾旅游船码头改造被列入规划之中，经过改造，菱角湾码头硬件必将大幅提升，与之配套的是拟再造大型豪华旅游船一艘、豪华游艇两艘。届时，大连老虎滩海上游艇旅游公司将以崭新的面貌迎接四海宾朋，为发展大连海运事业和大连市旅游业作出新贡献。

1.旅游观光船游览归来
2.旅游观光船码头繁忙景象
3.旅游观光船航行中
4.旅游观光船返航途中
5.观光快艇准备起航
6.观光快艇码头
7.观光快艇海上航行

大连老虎滩极地海洋动物馆

大连老虎滩极地海洋动物馆坐落在大连虎滩风景区，依山傍海，景色迷人，是由海昌集团、新加坡西瑞克石油公司、老虎滩海洋公园3家共同投资兴建、极具特色的极地、海洋现代化大型展馆，内设极地馆、海兽馆、欢乐剧场。建筑面积3.6万平方米，占地面积2万平方米，是国家首批5A级景区，被国家海洋局极地办公室授予"极地科普教育基地"称号。

①

②

③

④

⑤

⑥

1.欢乐剧场——"美女与野兽"
2.诞生在中国的第一代"国产"北极熊
3.欢乐剧场
4.2010年中国首次成功繁育的帝企鹅
5.极地馆表演场
6.海豚表演

2010年中山区领导人员

·中共中山区委员会·

书　记　李向东

副书记　江亲瑜
　　　　何守林

常　委　李向东
　　　　江亲瑜
　　　　何守林
　　　　李玉宝
　　　　从滋全（任职至2010年11月）
　　　　周　勤（女）
　　　　沙　东（2010年11月任职）
　　　　宋建龙（任职至2010年7月）
　　　　任　力（任职至2010年8月）
　　　　曲寿巍
　　　　蔡先勃
　　　　时振军（2010年7月任职）

办公室
主　任　常　强
副主任　包树江
　　　　王　韧
　　　　张力夫

政策研究室
主　任　王彦静（女）
副主任　王　韧（2010年3月任职）

党史办
主　任　王彦静（女）

保密局
局　长　曹　君（女）

组织部
部　长　从滋全（任职至2010年11月）
　　　　周　勤（女，2010年11月任职）
副部长　孙惠民
　　　　王秀娟（女）
　　　　谭晓棠（女）
　　　　许治强
　　　　鲁　帆
副处级干部监督员　谭晓棠（女，任职至2010年12月）

非公有制企业党工委
书　记　王秀娟（女）

宣传部
部　长　曲寿巍
副部长　曲波远（任职至2010年3月）
　　　　宋建龙（2010年12月任职）
　　　　文　艳（女，任职至2010年3月）
　　　　孟泓禄（2010年3月任职）
　　　　刘　辉（女）

精神文明建设指导委员会办公室
主　任　文　艳（女，任职至2010年3月）
　　　　孟泓禄（2010年3月任职）

政法委员会
书　记　胡家耿

维护社会稳定工作领导小组办公室
主　任　胡家耿
副主任　姜学勇

社会治安综合治理办公室

主　任　艾　军
副主任　陈继光

统战部

部　长　张东红（女）
副部长　肖玉琳
　　　　崔丽峰（女）

机关党工委

书　记　　　张力吉
纪工委书记　辛秀红（女）

机构编制委员会办公室

主　任　郝耀奇

老干部局

局　长　许治强
副局长　朱　延（女）

党　校

校　长　　鲁　帆
总支书记　鲁　帆（任职至2010年3月）
　　　　　杨桂春（2010年3月任职）
副校长　　王黎昕（女，任职至2010年3月）
　　　　　王畅江

·中山区人大常委会·

主　任　　　宋国伟
副主任　　　李英胜
　　　　　　付　颙（女）
　　　　　　岳君年
　　　　　　马进明
　　　　　　范成华
党组书记　　宋国伟
党组副书记　付　颙

办公室

主　任　王　猛（任职至2010年3月）
　　　　刘觉民（2010年3月任职）
副主任　李志华（2010年12月任职）

财经工作委员会

主　任　韩树谦

人事代表室

主　任　解传波

教科文卫工作委员会

主　任　任福义

法制办公室

主　任　刘惠斌

信访室

主　任　杜峻岐（2010年3月任职）

环境资源工作委员会

副主任　　　　　毕艳波（女，2010年10月任职）
常务委员会委员　刘　洋（女）
　　　　　　　　丛建英（女，2010年12月任职）
　　　　　　　　辛　宁（女，2010年12月任职）

·中山区人民政府·

区　长　　江亲瑜
副区长　　蔡先勃
　　　　　王世海
　　　　　于　笑（女）
　　　　　姜朝明
　　　　　任　力（2010年8月任职）
　　　　　郭云峰
　　　　　张锦明（2009年5月至2011年5月挂职）
党组书记　江亲瑜

办公室

主　任　孙继武
副主任　梁俊海（任职至2010年3月）
　　　　朱兰萍（女）
　　　　刘　艳（女，任职至2010年7月）
　　　　吴永智（2010年7月任职）
　　　　刘军海（任职至2010年8月）

法制办

主　任　孙继武

副主任　梁俊海（任职至2010年3月）
刘　艳（女，2010年3月任职，任职至2010年7月）

公共行政服务中心

主　任　朱兰萍（女）

应急办

主　任　孙继武

信访局

局　长　刘军海（2010年8月按副区级干部管理）
副局长　王晓莉（女，任职至2010年3月）
石向明
刘　彦（女）

发展和改革局

局　长　吴晓辉
副局长　金永宏（任职至2010年3月）
尹执刚
牛金华（2010年3月任职）

经济合作办公室

局　长　郑万林
副局长　尹作利（任职至2010年12月）
郑文峰

监察局

局　长　张建军
副局长　赵丽萍
徐少峰（2010年3月任职）

安全生产监督管理局

局　长　王文福
副局长　王在熙

教育局

局　长　尹兴宇
副局长　王义新
王大力（女，任职至2010年3月）
李春娥（女，2010年8月任职）
李　军（2010年8月任职）
党委书记　陈　松
副书记　尹兴宇

工会主席　于　明（女）

政府督学室

主　任　宋学红（女，任职至2010年3月）
汤惠卿（女，2010年3月任职）

经济和信息化局

局　长　李赫楠（女）
副局长　李军星

民政局

局　长　桑茂科
副局长　吴长清
党委书记　桑茂科（任职至2010年3月）
李兰芝（女，2010年3月任职）
副书记　桑茂科（2010年3月任职）

司法局

局　长　王　伟(任职至2010年3月）
刘长凯（2010年3月任职）
副局长　张海燕（女）
吴晓壮

财政局

局　长　董曙勤
副局长　王占东
林乐永
总会计师　李广义（女，任职至2010年1月）

人力资源和社会保障局

局　长　谷艳敏（女）
副局长　刘　韬
康　强（女）
寇传国（2010年3月任职）
党委书记　谷艳敏（女，任职至2010年3月）
赵江松（2010年3月任职）
副书记　谷艳敏（女，2010年3月任职）

就业服务中心

主　任　季　青
党支部书记　季　青

退管中心

主　任　王成德（任职至2010年3月）

城建局

局　长　翟云龙

副局长　关建华

董震光（任职至2010年3月）

王　黎

党委书记　王清运（任职至2010年3月）

王立军（2010年3月任职）

副书记　翟云龙

人民防空办公室（民防办公室）

主　任　翟云龙

副主任　董震光（任职至2010年3月）

环卫处

主　任　杜　辉

党总支书记　温　霞（女）

园林处

主　任　曲凤君

行政执法局

局　长　叶　平

副局长　王光强

唐文杰

党总支副书记　柳义松（任职至2010年3月）

海域清理办公室

主　任　叶　平

副主任　王光强

城区改造办公室

主　任　高允山

供热办

主　任　王　乐（任职至2010年3月）

柳义松（2010年3月任职）

审计局

局　长　李洪敏

副局长　王晓美（女）

王　刚

王书诏

卫生局

局　长　曲莉明(女)

副局长　董　蕾（任职至2010年3月）

王国志

宋　艳（女）

赵大磊

党委书记　赵礼群

党委副书记　曲莉明　（女）

中山区人民医院

党总支书记　张志国

食品药品监督管理局

局　长　姜长贵

副局长　李向伟

刘传利（2010年10月任职）

人口和计划生育局

局　长　张美林（女）

副局长　朴　斐（任职至2010年3月）

张静艳（任职至2010年10月）

文化体育局

局　长　殷传军

副局长　原宜广

孙力刚（2010年3月任职）

党委书记　顾　宏（女）

纪委书记　顾　宏（女）

体育活动中心

主　任　原宜广

统计局

局　长　杜峻岐（任职至2010年3月）

梁俊海（2010年3月任职）

副局长　崔富国（任职至2010年3月）

李伟光

孙　力（2010年10月任职）

商务局

局　长　王相平

副局长　赵江松（任职至2010年3月）
权基善（任职至2010年3月）
金永宏（2010年3月任职）
端彩玲（女）
曹　松（2010年3月任职）

党委书记　王相平

副书记　权基善（2010年3月任职）

服务业局

局　长　王相平

东港商务区推进办公室

副主任　曹　松（2010年3月任职）

民族宗教事务局

局　长　孙　洁（女）

行管办

主　任　魏思泉（任职至2010年7月）
刘　艳（2010年7月任职）

副主任　吴永智（任职至2010年7月）

旅游局

局　长　孙中琦

副局长　唐丽贤（2010年10月任职）

三山岛管委会

主　任　孙德胜

大连火车站站南地区管理处

主　任　孙绍礼

副主任　帅　军
邹洪伟

大连市天津街商业步行街管理办公室

主　任　迟福维（任职至2010年7月）
魏思泉（2010年7月任职）

副主任　牟善军
刘明国（任职至2010年3月）

党工委书记　迟福维（任职至2010年7月）
魏思泉（2010年7月任职）

档案局

局　长　王　钦

副局长　汤　军（任职至2010年3月）

工业总公司

总经理　王其章

副书记　刘淑芬(女)

纪委书记　刘淑芬(女)

教师进修学校

校　长　蔡维勇

副校长　王　锋（任职至2010年3月）
李　军（任职至2010年8月）
于　美（女，2010年8月任职）
张旭阳（2010年8月任职）

党总支书记　杨　艳（女）

·政协中山区委员会·

主　席　薛京利（女）

副主席　孙诚谦
张东红（女）
孙　超

副主席（不驻会）　杨　凌
何彤梅（女）

党组书记　薛京利（女）

党组副书记　孙诚谦

秘书长　赵黎明

办公室

主　任　赵黎明

提案委员会

主　任　赵黎明（任职至2010年3月）
王晓莉（女，2010年3月任职）

副主任　张晓琳（女，任职至2010年3月）

经济科技委员会

主　任　潘远凤（女）

文教法制委员会

主　任　郝晓蓓（女）

人口资源环境委员会

副主任 张静艳（女，2010年10月任职）

委员工作委员会

副主任 韩宏伟（2010年12月任职）

·中共中山区纪律检查委员会·

书　记 李玉宝
副书记 张建军
　　　　周玉堂（2010年3月任职）
常　委 张建军
　　　　周玉堂
　　　　从者舜
　　　　殷　虹（女）
　　　　孙秀梅（女）

办公室

主　任 周玉堂（任职至2010年3月）
　　　　殷　虹（女，2010年3月任职）

信访室

主　任 刘　珺（女）

案件检查室

主　任 孙秀梅（女）

案件审理室

主　任 从者舜

党风教育室

主　任 殷　虹（女，任职至2010年3月）

执法监察室

主　任 赵丽萍（女）

·大连市公安局中山分局·

局　长 姜朝明
政　委 刘顺成
副局长 王晓峰（任职至2010年12月）
　　　　王忠民
　　　　徐　明（任职至2010年12月）
　　　　于　庄
　　　　曲　波（任职至2010年12月）
　　　　朱　毅（2010年12月任职）
　　　　初乐成（2010年12月任职）
　　　　张　晨（2010年12月任职）
党组书记 姜朝明
副书记 刘顺成
党委书记 刘顺成
副书记 连正东
政治处主任 连正东
纪检组长 张　晨（任职至2010年12月）
　　　　范　强（2010年12月任职）

·大连市工商局中山分局·

局　长 吕春荣
副局长 王立强
　　　　遇　玲（女）
党委书记 吕春荣
副书记 杨德有
纪委书记 杨德有

·中山区人民法院·

院　长 毕凤有
副院长 徐炳礼
　　　　辛振武
　　　　吴　斌
政治处主任 孙玉琴（女）
纪检组长 [illegible]学良
执行局长 刘传森
审委会委员 关庆涛
　　　　郭　滨
党组书记 毕凤有
党组副书记 徐炳礼

·中山区人民检察院·

检察长 王岩坡
副检察长 潘红岩
　　　　方嘉伟
　　　　刘惠畅
　　　　王　枢

政治处主任　张绍华(女)
反贪局长　江志良
纪检组长　赵　军
检委会委员　孙锡铅
邵亚南（女）
党组书记　王岩坡
党组副书记　潘红岩

·中山区群团组织·

总工会
主　席　周　勤（女，任职至2010年11月）
沙　东（2010年11月任职）
副主席　林义伟

共青团中山区委员会
书　记　李井山（任职至2010年3月）
杨晨光（2010年10月任职）
副书记　杨晨光（任职至2010年10月）
刘莎莎（女）
张鹏宇（2010年10月任职）

妇女联合会
主　席　陈立军（女）

工商业联合会
主　席　戚建成（2010年3月任职）
副主席　于占凯

科学技术协会
主　席　范　倩（女，任职至2010年3月）
崔富国（2010年3月任职）
副主席　丛茂昆

残疾人联合会
理事长　闫利军
副理事长　尹作利（2010年12月任职）
王飞舟（女）

红十字会
常务副会长　朴　斐（2010年3月任职）

·中山区街道·

中共海军广场街道工作委员会
书　记　刘觉民（任职至2010年3月）
迟　磊（女，2010年3月任职）
副书记　王立军（任职至2010年3月）
曲波远（2010年3月任职）
杨桂春（任职至2010年3月）
林　伟（女，2010年3月任职）

海军广场街道办事处
主　任　王立军（任职至2010年3月）
曲波远（2010年3月任职）
副主任　孙万刚（任职至2010年3月）
林　伟（女，任职至2010年3月）
王　乐（2010年3月任职）

中共海军广场街道纪律检查工作委员会
书　记　杨桂春（任职至2010年3月）
林　伟（女，2010年3月任职）

中共海军广场街道工作委员会政法委
副书记　杨桂春（任职至2010年3月）

中共人民路街道工作委员会
书　记　张岩君
副书记　乔　兵（女，任职至2010年3月）
杨海三（2010年3月任职）
訾玉茹
汤　军（2010年3月任职）

人民路街道办事处
主　任　乔　兵（女，任职至2010年3月）
杨海三（2010年3月任职）
副主任　单成义（任职至2010年3月）
曹　华（女）

中共人民路街道纪律检查工作委员会
书　记　訾玉茹

中共人民路街道工作委员会政法委
书　记　汤　军（2010年3月任职）

人民路街道人民武装部

部　长　单成义（任职至2010年3月）

中共桂林街道工作委员会

书　记　柳丽芳（女）
副书记　杨海三（任职至2010年3月）
　　　　董震光（2010年3月任职）
　　　　卫天录

桂林街道办事处

主　任　杨海三（任职至2010年3月）
　　　　董震光（2010年3月任职）
副主任　林义军
　　　　周　强
　　　　牛金华（任职至2010年3月）

中共桂林街道纪律检查工作委员会

书　记　卫天录

中共青泥洼桥街道工作委员会

书　记　孙世夫
副书记　迟　磊（女，任职至2010年3月）
　　　　李井山（2010年3月任职）
　　　　汤艳新（女）

青泥洼桥街道办事处

主　任　迟　磊（女，任职至2010年3月）
　　　　李井山（2010年3月任职）
副主任　戚建成（任职至2010年3月）
　　　　王　琳
　　　　刘明国（2010年3月任职）

中共青泥洼桥街道纪律检查工作委员会

书　记　汤艳新（女）

中共青泥洼桥街道工作委员会政法委

副书记　汤艳新（女）

中共昆明街道工作委员会

书　记　范文斌
副书记　桑京哲
　　　　汤惠卿（女，任职至2010年3月）
　　　　王黎昕（女，2010年3月任职）

昆明街道办事处

主　任　桑京哲
副主任　赵　林（任职至2010年3月）
　　　　寇传国（任职至2010年3月）
　　　　王　锋（2010年3月任职）

中共昆明街道纪律检查工作委员会

书　记　汤惠卿（女，任职至2010年3月）
　　　　王黎昕（女，2010年3月任职）

中共昆明街道工作委员会政法委

副书记　汤惠卿（女，任职至2010年3月）

中共葵英街道工作委员会

书　记　刘伟民（任职至2010年3月）
　　　　王　猛（2010年3月任职）
副书记　刘长凯（任职至2010年3月）
　　　　乔　兵（女，2010年3月任职）
　　　　王言章（2010年3月任职）

葵英街道办事处

主　任　刘长凯（任职至2010年3月）
　　　　乔　兵（女，2010年3月任职）
副主任　傅晓杰
　　　　王言章（任职至2010年3月）

中共葵英街道工作委员会政法委

副书记　王言章（任职至2010年3月）

中共桃源街道工作委员会

书　记　邵元秋
副书记　孟泓禄（任职至2010年3月）
　　　　董　蕾（2010年3月任职）
　　　　边卓君（女）

桃源街道办事处

主　任　孟泓禄（任职至2010年3月）
　　　　董　蕾（2010年3月任职）
副主任　索跃伟
　　　　曹　松（任职至2010年3月）

中共桃源街道纪律检查工作委员会

书　记　边卓君（女）

中共桃源街道工作委员会政法委

副书记 边卓君（女）

桃源街道人民武装部

部　长 索跃伟

中共老虎滩街道工作委员会

书　记 毕　锋
副书记 陈　峰
李兰芝（女，任职至2010年3月）
张晓琳（女，2010年3月任职）

老虎滩街道办事处

主　任 陈　峰
副主任 罗海光
徐少峰（任职至2010年3月）

中共老虎滩街道纪律检查工作委员会

书　记 李兰芝（女，任职至2010年3月）
张晓琳（女，2010年3月任职）

中共老虎滩街道工作委员会政法委

副书记 李兰芝（女，任职至2010年3月）

（杨春晖）

先进集体 先进人物

·获国际荣誉称号·

（仅限区属范围）

国际安全社区

大连市中山区

·获国家级荣誉称号单位（集体）和个人·

（仅限区属范围）

全国白内障无障碍区

大连市中山区

2009—2010年度全国商业街先进集体

中山区天津街商业步行街管理办公室

全国妇女健身示范站

大连市中山区老虎滩街道

全国模范人民调解委员会

大连市中山区桂林街道

全国和谐社区建设示范社区

大连市中山区桂林街道

第二次全国经济普查先进集体

大连市中山区桂林街道

全国创建学习型家庭示范社区

大连市中山区桂林街道解放社区

全国计划生育药具知识竞赛优胜奖

大连市中山区计生局（代表辽宁省）

全国计划生育药具知识竞赛最佳组织奖

大连市中山区计生局（代表辽宁省）

全国计划生育协会先进集体

大连市中山区老虎滩街道

全国人口与计划生育基层群众自治示范村（居）

大连市中山区桃源街道长利社区
大连市中山区桃源街道医校社区
大连市中山区人民路街道兴和社区
大连市中山区桂林街道解放社区
大连市中山区老虎滩街道中兴社区

全国妇联基层组织建设示范社区

大连市中山区桃源街道长利社区

全国第七届五好文明家庭标兵户

马仁典

全国计划生育药具知识竞赛优秀选手奖

刘君茜

全国计划生育协会先进工作者

金霞

全国计划生育协会先进个人

路兴凯

·获省级荣誉称号单位（集体）和个人·

（仅限区属范围）

辽宁省流动人口服务和管理示范区

大连市中山区

辽宁省人口和计划生育工作综合改革示范区

大连市中山区

2009年度全省无传销县（市）区

大连市中山区

辽宁省和谐家庭示范社区

大连市中山区老虎滩街道中兴社区
大连市中山区桃源街道长利社区

辽宁省妇女儿童维权服务暨社会治安综合治理示范工作站

大连市中山区海军广场街道春和社区
大连市中山区老虎滩街道杏花社区
大连市中山区桃源街道长利社区
大连市中山区桃源街道医校社区

辽宁省"关心下一代工作"先进社区

大连市中山区人民路街道兴和社区
大连市中山区海军广场街道春和社区
大连市中山区桃源街道长利社区

辽宁省检察机关先进基层院

大连市中山区检察院

辽宁省信访工作先进集体

大连市中山区信访局

辽宁省统战工作先进集体

大连市中山区统战部

辽宁省2008-2009年度文明学校标兵

大连市第十五中学

辽宁省2008-2009年度文明单位

大连市中山区财政局机关

辽宁省2008-2009年度文明学校

大连市第九中学

辽宁省2008-2009年度文明街道

大连市中山区青泥洼桥街道

辽宁省2008-2009年度文明社区

大连市中山区桃源街道长利社区

辽宁省优秀街道工会

大连市中山区青泥洼桥街道工会

辽宁省个体私营企业系统先进协会

大连市中山区个体私营企业协会

辽宁省文明优质服务竞赛参赛单位

大连市中山区青泥工商所
大连市中山区天津工商所

辽宁省扶持残疾人就业创业先进集体

大连市中山区残疾人联合会

辽宁省计划生育协会工作先进集体

大连市中山区老虎滩街道杏花社区

辽宁省统一战线招商引资工作先进个人

崔丽峰

辽宁省精神文明建设先进工作者

杨文麒

全省工商系统公务员公文写作能手

张文成

辽宁省优秀人民调解员

蔡民强

辽宁省二等功

王　丽

辽宁省“化解矛盾在基层”活动先进个人

石桂凤

辽宁省文化系统先进工作者

伞佳卉

·获大连市荣誉称号单位（集体）和个人·

（仅限区属范围）

大连市2008—2009年度文明街道标兵

中山区青泥洼桥街道
中山区桃源街道

大连市2008—2009年度文明社区标兵

中山区人民路街道兴和社区

大连市2008—2009年度文明单位

中山区信访局
中山区环境卫生管理处
中山区城建管理行政执法局
中山区文化市场稽查队
中山区卫生监督所
中山区就业服务中心
中山区人才服务中心
中山区慈善总会
天津街步行街管理办公室

大连市2008—2009年度文明街道

中山区桂林街道

大连市2008—2009年度文明社区

中山区海军广场街道春景社区
中山区青泥洼桥街道青泥社区
中山区昆明街道独立社区
中山区葵英街道光华社区
中山区老虎滩街道中兴社区

大连市2008—2009年度文明学校

中山区春德小学

大连市先进单位

中山区青泥洼桥街道办事处

大连市支持工会工作先进单位

中山区青泥洼桥街道党工委

大连市2009年度优秀人民调解委员会

中山区海军广场街道司法所
大连市扶残助残先进集体
中山区民政局

大连市防止民间纠纷激化先进集体

中山区桂林街道

大连市2007—2009年度“民主评议基层站所”工作先进乡镇（街道）

中山区海军广场街道

大连市第七届职工运动会乙组金牌、奖牌和总成绩三项第一

中山区总工会

大连市2007—2009年度社区百姓评议基层站所工作先进集体

中山工商分局

大连市政风行风建设先进基层站所

中山工商分局青泥工商所
中山工商分局春海工商所
大连市残疾人之家
中山区残疾人联合会
中山区昆明街道

大连市安全社区建设工作先进集体

中山区昆明街道

大连市社会治安综合治理先进集体

中山区青泥洼桥街道

大连市2009—2010年度人口和计划生育工作先进集体

中山区老虎滩街道
中山区昆明街道
中山区桃源街道
中山区桃源街道医校社区

2009–2010年度大连市星级平安稳定街道
中山区桃源街道

2009–2010年度大连市星级平安稳定社区
中山区人民路街道兴和社区
中山区人民路街道修竹社区

大连市区域城镇居民收入调查工作先进单位
中山区人民路街道

大连市社区文化节优秀社区
中山区人民路街道兴和社区

大连市绿色志愿者服务先进集体
中山区人民路街道兴和社区

大连市先进司法所
中山区人民路街道司法所

大连市交通安全社区
中山区人民路街道修竹社区

大连市交通安全先进集体
中山区老虎滩街道
中山区人民路街道福寿社区

大连市爱国卫生示范模范单位
中山区人民路街道

大连市2008–2010年优秀服务窗口
中山区人民路街道

大连市退休人员社会化管理示范街道
中山区人民路街道

大连市2008–2009年度劳动模范
艾建国　李玉军　李圣波　张晓燕　于玲秋
张衍芳　黎　鸿　陈宝信　季　青　王晓莉
王　野　唐　勇　刘淑霞　田永浩　周　怡
王　翔

大连市2008–2009年度先进人民调解员
康凤祥

大连市爱国卫生先进个人
于　波

大连市防范和处理邪教问题先进个人
于业利

大连市维稳先进工作者
蔡民强
王圣云

大连市反邪教工作先进工作者
王圣云

大连市2008–2009年度民主评议基层站所工作先进工作者
李圆圆

大连市精神文明建设先进工作者
李兰芝
郭　红

大连市基层站所政风行风建设先进个人
徐　伟

大连市优秀残疾人工作者
王[illegible]、田　萍

大连市计划生育先进个人
王秀萍

大连市交通管理先进个人
赵爱华

大连市2007–2009年度民主评议基层站所工作先进工作者
于淑花

2007–2009年度大连市民主评议基层站所工作优秀评议员
宋良忠

部分先进人物介绍

李圣波

男，1970年出生，大学文化，1994年10月参加工作，中共党员，现任中山区实验学校教导主任。

李圣波坚持用心做教育，坚持学科领路，以事业心凝聚集体。他连续7年担任初三年级的教学工作，积累了丰富经验。作为一名教研组长、市骨干教师，他深知一花独放不是春，万紫千红才能春满园。他带动数学组形成浓厚的教研风气，组内的年轻教师纷纷挑起重担，年轻骨干队伍专业成长速度加快，形成集体凝聚力。数学组被评为“大连市青年文明号”。2003年，李圣波获市级骨干教师资格，2004年被大连教育学院聘为兼职教研员，同年被评为“大连市优秀教师”，2005年《考虑不同的权重》一课获“大连市优质课一等奖”，2005年-2006年连续两年获“东北三省四城市作课大赛一等奖”，2008年被评为“辽宁省优秀班组长”，2009年在市骨干教师复评中再度被评为市骨干教师。

李圣波勇担重任，以责任心育人。他连续6年用自己的人格魅力和一颗火热的心，将4个问题班级引入正轨，成为领导放心、家长满意、作风过硬的班集体。自从2001年夏季开始担任班主任工作以来，他一直是在初三接班，所接的班级都是学校的“差班”、“乱班”。就是这些在别人眼里的问题班级经李圣波调教奇迹般地变成全校学风最好、班风最正的“优秀班集体”，他“点石成金”的秘诀就在于对学生和家长高度负责的责任心。李圣波认为，“差生”实际上是优点尚未被发现的学生，当学生看起来最不可爱的时候，恰恰是学生最需要爱的时候。从接手“差班”那天开始，他就像一个细心的园丁，全身心地关爱每一颗“花草”，对有这样那样缺点的孩子，更是呵护有加，在感情上不厌弃，思想上不歧视，态度上不粗暴，细心抹掉孩子们心灵上的疵点，给孩子传递向上的勇气和力量。3年6班学生刘凯的父亲是爷爷抱养的一个聋哑人，父母亲离异，跟着爷爷过，爷爷的溺爱使他养成好吃懒做爱说谎的毛病。初二过元旦时，学校帮助贫困学生，给他家捐助一袋大米和一桶豆油，竟然被他拿到校门口卖给了民工，然后拿着钱到网吧上网。班级的同学都远离他，身边没有朋友。李圣波有意识地培养他的荣誉感，经常跟课任老师和复印室的工作人员打好招呼，让刘凯去送材料或去印卷子，当他按要求完成时，就当着同学的面表扬他懂事、会做事。时间一长，刘凯发生了很大变化，变得懂自尊，开始自觉地去帮助别人，并在帮助别人的过程中享受到快乐，也改掉了爱撒谎的毛病。他在毕业时送给李老师一张贺卡，上面写着“谢谢您，让我找回了诚信”。李圣波就是这样把“差生”转变成“优等生”，他所带的班级多次被评为区、校三好班级，2005年被评为“大连市优秀班主任”。

李圣波以爱心滋润学生的心灵。他认为善之本在教，教之本在师，班主任就应该像润物无声的春雨，撒满学生心灵的角角落落，让他们浸润在爱的海洋中。3年11班有个学生叫曲鑫，开学第二天因车祸住进医院，不到2个月花费医疗费近30万元，医生说有可能下肢瘫痪。为了唤起曲鑫对疗伤和生活的信心，他自掏200元买了花篮，带领全班同学去医院看望他。为了不让他感到孤单寂寞，每天安排两名同学放学后去医院陪他聊天。为鼓舞他战胜伤痛，李圣波用录音机录下每位同学的一句祝福送到病床前。他还发动全班同学为曲鑫捐款，奉献爱心。当曲鑫终于能站立的时候，第一时间给李圣波打来电话，他哽咽地说：“老师，我之所以能重新站起来，多亏了您和同学们给我的力量，谢谢您！”李圣波以其人格魅力、学识水平和敬业精神赢得了同事、学生和家长的好评，被评为“大连市2008-2009年度劳动模范”，2010年被评为“辽宁省优秀教师”。

季青

男，1955年1月出生，1972年8月参加工作，中共

党员，大专文化，现任中山区就业服务中心主任，党支部书记。

季青坚持学习贯彻科学发展观，积极探讨就业服务工作新思路、新方法，团结党支部一班人，依靠全体工作人员，坚决贯彻落实上级党委和区政府下达的各项工作任务，组织动员全区8个街道劳动保障战线的工作人员共同做好中山区就业和再就业工作。

季青工作兢兢业业，勇于创新。他提出创业带动就业新思路，在全市率先开展了“中山区加盟创业对接洽谈活动”和“创业孵化基地对接活动。他亲自走访远离市内的创业企业”，了解企业经营情况及困难等等，为创业人员送去政策与慰问，使他们亲身感受到党和政府的关怀。在他带领下，全区扶持创业带头人1331人，带动就业8040人，搭建创业孵化基地13家，成功进驻创业人员134人。

季青关注民生，动真情、解难题。他注重基层工作的开展，组织和调动全区各街道、社区人员的积极性，把各项就业工作任务落到实处。他经常组织就业服务中心科级以上干部深入街道、社区，对就业工作做深入细致的调查研究，广泛征求群众意见，在与基层干部的交流中不断完善工作思路，解决工作中遇到的难题。

季青情系百姓，坚持为群众办实事、做好事。他始终把工作着力点放在为群众排忧解难、为群众办实事上，发挥共产党员的模范带头作用。在“党员干部走进千家万户”实践活动中，他帮扶的特困户林丽华独身抚养一个12岁上小学3年级的男孩，林丽华本人没有工作，患有严重的皮肤病，靠低保费维持生活，2001年开始欠缴劳动保险费，以至因无钱到医院住院治疗而加重病情。季青根据其家庭实际情况制定帮扶计划，他个人借款2万元，又动员林丽华从亲友处筹借资金5000元，终于使她能够住进医院，缓解病情蔓延。他还帮助林丽华把欠缴9年的劳动保险全部补齐，让这个贫困家庭看到了新的希望。

季青带领的中山区就业服务中心先后被评为“辽宁省农民工工作先进集体”、“辽宁省2010年度公共就业服务系统先进单位”、“辽宁省三八红旗集体”、“大连市2004—2005年度文明单位”、“大连市就业先进单位”、“大连市培训就业工作先进集体”、“中山区2008年最佳服务窗口先进集体”、“中山区先进党支部”。季青本人获“辽宁省优秀劳动保障监察员”、“大连市2008—2009年度劳动模范”称号。

于玲秋

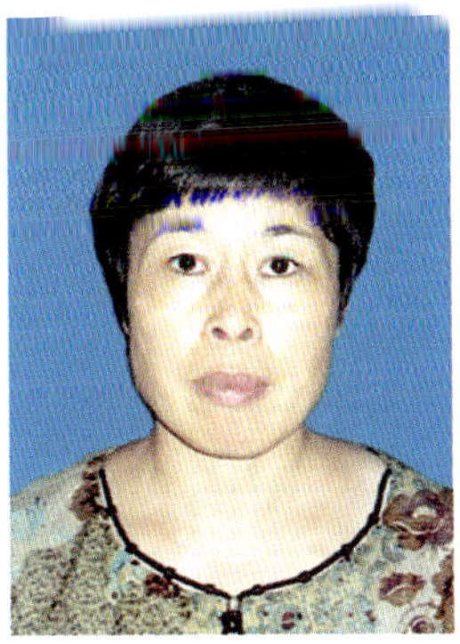

女，1963年11月出生，1982年11月参加工作，中共党员，大专文化，现任中山区环卫处虎滩所所长。

于玲秋立誓做一颗螺丝钉，拧到哪里就在哪里发挥作用。她参加工作至今在环卫岗位上度过了23个春秋，期间曾经历了两次人生的重大抉择。第一次是当仅有19岁对未来充满憧憬的她，被招到环卫处从事清扫工时，哭肿了脸的她经过激烈的思想斗争后，决定听从父亲的话：“只要你有志气，在哪里干都会有出息！”从此，她当上了一名清洁女。第二次是中山区成立全市第一家全托幼儿园，她领导从一线选送一批优秀青年女工到专科学校培训幼儿教师，于玲秋被保送学习，两年后，她以品学兼优的成绩当上了幼儿教师，一干就是13年。1997年环卫事业改革，幼儿园停办，摆在于玲秋面前的出路只有2条：要么改行，放下粉笔拿扫帚，要么待岗。经过思想斗争，她坚定了自己的信念，既然立誓做一颗革命的螺丝钉就不能食言，于是她和伙伴们互勉着重新走上清扫岗位。在党组织的培养教育下，她从一名清洁工被选拔当上了检查员（支会主席），2003年被聘任为管理所所长。她把办公地点设在清扫一线，每天早来晚走，日工作时间长达10多个小时，2年时间干了3年的工作量。

于玲秋常说“是党员就要做一面旗帜”。刚担任所长的头几天，她连续几宿失眠，深感压力大，因为虎滩所担负着近30万平方米的路街扫保和垃圾不落地管理任务，同时又有中南路、迎宾路、山峦路等重要的迎宾路线，每年还要经历150余次的各级各类卫生大检查。她满脑子想的是如何带领身边近50名姊妹们干好工作。大年三十，大部分女同志都在忙乎喜迎新春佳节，而她却抡了一天的扫帚，回家后匆忙吃点饭又赶回所里，因为她担心露天存放的扫帚苗的安全，怕欢庆的鞭炮纸火星溅到苗上，于是她就同值班人员一起不间断地巡查，一直查到下半夜2点清扫鞭炮纸的职工上岗后，她会同新上岗的职工一起投入到清扫厚得像铺了一层红地毯似的鞭炮纸，边扫边指挥，虽然寒风凛冽，可她们却干得热水朝天，天刚一放亮，路街就又恢复了洁净的原貌，而她却已连续干了34个小时。2月的一天下起大雪，她带领全所职工扫的扫，推的推，一干就是一整天，而此时她的腰间盘突出病又犯了，腰疼得直不起来，大家多次劝她回所里休息休息，可她却婉言谢绝了，带领部分骨干继续工作在扫雪一线上，一直干到下半夜3点，回所只在沙发里躺了2个小时，就又投入到第二天的工作之中。

于玲秋厚人薄己，严格管理，改革创新。中山区建设国际航运中心对路街清扫质量提出新的要求，需要打造一支能打硬仗、能充分发扬中山区城建新的四种精神的职工队伍，把虎滩所建成一个学习型的管理所。于玲秋在职工中建立亲情关系，做职工的贴心人，从理解、关心职工入手，对职工动之以情。每逢酷暑三伏天，热浪袭人，有时路面温度高达近60度。为防止职工中暑，她自掏腰包买来菊花茶给职工泡好，再带上煮好的绿豆水一天反复多次骑车逐个街巷把水送到每个职工手中，职工喝上了解暑茶，可她却累得满头大汗。每天粗略计算她行程近50里，相当于骑自行车从市内到后盐骑了个往返。女工许晶在清扫作业时被车撞伤，她立即陪同到医院救治，晚上又亲手做了可口的饭菜送到医院并陪她熬过疼痛难熬的头一宿。临时工房文经患脑血栓，她经常为其捐钱捐物，开导病人与病魔做斗争。她因陋就简在所里办起小食堂，解决职工吃饭难问题。女工朱连香因生活拮据夫妇俩经常吵架，她就不断地做调解工作，并筹资为孩子缴纳开学后的1000元学费。而她自己年迈多病已70多岁的婆母却没有时间尽孝道，年幼挂着钥匙上学的孩子也没有时间关照饮食和学习，她这种厚人薄己，关心职工胜过关心自己的精神，深深地打动了全所职工，在她带领下，该所连续多年被评为市、区先进集体。于玲秋在管理中对职工晓之以理。为实现道路清扫保洁工作规范化、科学化，她与领导班子制定完善各项规章制度，建立职工劳动纪律质量检查评比表、班组劳动竞赛、政务公开等。为确保职工自觉遵章守纪，她把相关的规定、安全知识等写成纸条供职工随时随地学习，采取集中竞赛的方式，对获胜者颁发小奖品以示鼓励。对未请假脱岗的职工，她总是先顶上去干，职工回来后，深感愧疚，主动承认错误并主动要求给予扣分处分，于玲秋以情教育人的方法在实践中得到了很好的验证。她还在全所开展班长竞聘、班员双向选择班组、挂牌服务、班组轮流换岗等，调动职工的积极性。她注重建设职工之家，建立图书角，举办劳动竞赛、乘凉晚会、“十小”活动等，增加职工队伍凝聚力，把虎滩所打造成人心齐、干劲足、作风正的好集体。于玲秋被评为“大连市2008-2009年度劳动模范”。

张衍芳

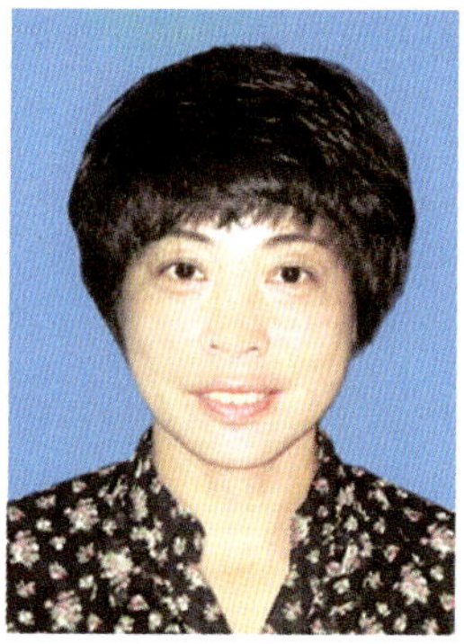

女，1967年6月出生，中共党员，大学文化，1984年6月参加工作，现任中山区环卫处三八所所长。

张衍芳被人们称作“每天送走太阳和月亮的人”。每天当太阳落山后，她才从一线工作岗位返回单位，每天凌晨当月亮离去、旭日东升时，她已在一线工作了近一个小时，真可谓“两头不见太阳”。三八管理所现有在编职工142人，负责82条路街巷的60万平方米的路街清扫保洁、垃圾点管理。这里的环境卫生工作特点是：“一密、三多”。即：居住人口密集，居户多、商贩多、垃圾死角多。面对这种工作环境和每年迎检、大型中外活动卫生保障工作的高质量卫生标准要求，要想干好本职工作只有一条路，那就是发扬宁愿一人脏、换来万人洁的奉献精神，务实加实干，而她就是用“干活没有累死人”的信条，每天工作10个小时以上，在考勤本上看不到一个“休”的字样，在办公室里也根本看不到她的身影。她深知身教重于言教的道理，总是时时处处用自身的表率来影响职工。平日和职工同甘共苦，突击任务时加班加点，年均献工100多个工作日。

张衍芳被人们称作“拼命三郎”。2009年国家检查团到大连视察的日子里，工作量猛增，为了确保环境质量万无一失，她干脆就吃住在所里，有一次因为过度疲劳，骑车在道线上检查工作时，双眼发黑摔倒在地上，膝盖疼痛难忍，许久站不起来，她挣扎着去了医院，医生为她包扎伤口并开了一个月的病休诊断书，可是第二天一早她又硬撑着到单位上班，腿部缠着绷带不能弯曲，她索性解下绷带，忍着钻心的疼痛坚持到一线工作，晚上再到医院包扎，一连包了三天，拆了三次，医生感到很奇怪，别人一包一周换一次，这个人怎么每天换一次呢？看着医生疑惑的眼神，她没有解释，索性不再去医院包扎，一瘸一拐地坚持工作，所里的姊妹们心疼地说："你真是豁出命来干。"从此，她的膝盖落下了严重的后遗症，每当阴天下雨，腿部就会格外疼痛。

张衍芳在环卫事业改革中敢于大胆创新。在垃圾点管理中，她采取招标形式，聘用素质高的人员专职看点，并将原有的100多个垃圾点撤并成30多个，制定了管理及考核制度，使垃圾点的污染控制在市行业标准之内。在路街扫保方面，她总是把自己当成一名班长，带领职工日复一日地拼搏，大年三十午夜12点，她第一个出现在清扫鞭炮纸屑现场。2006年元月两场大雪，又是她带头一周吃住在所里，每天连轴转地干，最长一天工作时间达15个小时，渴了抓把雪来解渴，困了握着铁锹把打个盹，吃饭时连筷子都拿不住，只好用勺子，外衣是雪水，内衣是汗水……，她硬是用拼命三郎的工作精神感染和带动全所职工，她领导的三八所多次荣获市区先进单位称号，张衍芳本人被评为"大连市环卫行业十大标兵"。

张衍芳对待所里的职工亲如手足。大家说她工作中像个"老爷们"，浑身有使不完的劲，可对待所里的职工，特别是外来务工人员却亲似姐妹。她把所里每个人的自然情况、包括生日都登记在册，届时给他们送去生日礼物。在日常工作中，她细心观察每位职工，在交谈中了解每个职工的家庭状况，以便在第一时间为他们排忧解难。像家庭纠纷、子女上学、租借住房等等，凡是被她知道的她总是想尽一切办法帮助解决，解除她（他）们的后顾之忧，全身心地投入到工作中。临时工刘平余手指被锐器刺伤并感染，当张衍芳得知他是因没钱而耽误了治疗后，立即掏出200元亲自带他去医院疗伤。临时工王云玲丈夫2004年去世，照顾家中3个年幼的孩子和公公婆婆的重担全部压在了王云玲一人身上，张衍芳又心生同情，靠省吃俭用，每年从自己微薄的收入中拿出400元为其捐款。

张衍芳发挥共产党员的先锋模范作用，用雷锋精神对待工作和同志，带领全所职工克服困难，圆满完成各项工作任务，被评为"2008–2009年度大连市劳动模范"。

责任编辑 王玉玲

经济社会统计资料 JING JI SHE HUI TONG JI ZI LIAO

国民经济

2010年中山区概况

项 目	单 位	2010年	2009年	项 目	单 位	2010年	2009年
一、全区土地总面积	平方公里	43.85	43.85	六、固定资产投资	万元	2126686	1451402
二、全区年末总户数	万户	13.4	13.4	七、社会消费品零售总额	万元	3596272	3034398
三、全区年末总人口	万人	35.7	35.8	八、实际使用外资额	万美元	66000	42600
四、地区生产总值	万元	2219184	1890533	九、出口创汇额	万美元	72405	50999
五、财政收入	万元	185866	142877	十、工业总产值	万元	117762	116859

2010年中山区地区生产总值

单位：万元

项 目	绝对值	比上年增长(%)	项 目	绝对值	比上年增长(%)
地区生产总值	2219184	15.5	交通运输、仓储和邮政业	620216	19.4
第一产业	28352	2.5	批发和零售业	254505	10.5
农林牧渔业	28352	2.5	住宿和餐饮业	158786	16.7
第二产业	200221	17.5	房地产业	105662	0.9
工业	46338	17.0	营利性服务业	527098	17.5
建筑业	153883	17.7	非营利性服务业	324344	13.6
第三产业	1990611	15.5			

注：为2010年快报数字

2010年中山区财政收入

单位：万元

项 目	金 额	项 目	金 额
收入合计	185866	5.房产税	12613
1.增值税	9153	6.土地使用税	2300
2.营业税	64474	7.土地增值税	36944
3.企业所得税	25757	8.印花税	12033
4.个人所得税	16735	9.非税收入	5857

2010年中山区财政支出

单位：万元

项　目	金　额	项　目	金　额
支出合计	170629	8.城乡社会事务	21927
1.一般公共服务	17075	9.农林水事务	977
2.公共安全	5136	10.资源勘探信息等事物	5451
3.教育	38506	11.商业服务生等事物	190
4.科学技术	4281	12.住房保障支出	14626
5.文化体育与传媒	1010	13.其他支出	13677
6.社会保障和就业	37070	14.基金预算支出	1701
7.医疗卫生	8096		

2010年中山区社会消费品零售总额

单位：万元

项　目	2010年	2009年	项　目	2010年	2009年
社会消费品零售总额	3596272	3048780	住宿业	93626	77899
批发业	268321	212957	限额以上	78494	65640
限额以上	89306	69950	限额以下	15132	12260
限额以下	179015	143007	餐饮业	318472	265815
零售业	2915853	2492109	限额以上	96707	86050
限额以上	1129988	1020707	限额以下	221765	179765
限额以下	1785866	1471402			

2010年中山区规模以上工业企业主要经济指标

单位：万元

企业分类	企业数（个）	年平均人数（人）	资产总计	工业总产值（当年价格）	工业销售产值（当年价格）	其中：出口交货值	利税总额	利润总额
总计	[illegible]	[illegible]	1515790	701173	683528	9928	32167	17739
1.内资企业	17	1834	1482810	642813	628203	3247	38644	24583
国有企业	1	40	5880	12896	11142	—	2157	1927
中央企业	1	40	5880	12896	11142	—	2157	1927
有限责任公司	4	158	464853	70443	67007	—	11045	10757
国有独资公司	1	57	355616	16600	16600	—	4500	4500
其他有限责任公司	3	101	109237	53843	50407	—	6545	6257
股份有限公司	2	177	38011	36136	36136	—	3425	278
私营企业	10	1449	974066	523338	514008	3247	22017	11621
私营独资企业	1	60	7222	18691	18691	—	858	18
私营有限责任公司	9	1389	966844	504647	495317	3247	21159	11603
2.港、澳、台商投资企业	1	70	11584	11443	9780	—	-990	-995

续表

企业分类	企业数（个）	年平均人数（人）	资产总计	工业总产值（当年价格）	工业销售产值（当年价格）	其中：出口交货值	利税总额	利润总额
合资经营企业	1	70	11584	11443	9780	—	-990	-995
3.外商投资企业	3	131	21396	46917	45455	6681	-5487	-5849
中外合资经营企业	1	70	7661	15673	15267	6681	145	-188
外资企业	2	61	13735	31244	30188	—	-5632	-5661
在总计中：亏损企业	7	610	300578	140066	131377	8079	-7152	-10699
在总计中：国有控股企业	2	97	361496	29496	27742	—	6657	6427
在总计中：轻工业	6	434	76404	118313	109206	6681	6857	1214
重工业	15	1591	1439386	582860	574322	3247	25310	16525
在总计中：中型企业	1	691	622200	310000	310000	—	5123	4558
在总计中：小型企业	20	1334	893590	391173	373528	9928	27044	13181

2010年中山区渔业投入及产出情况

项 目	单位	数量	项 目	单位	数量
机动船数量	艘	561	水产品产值	万元	73570
吨位	吨	22206	水产品产量	吨	37263
马力	千瓦	37109			

2010年中山区旅游业情况

项 目	单位	数量	项目	单位	数量
旅游总收入	亿元	70	海外接待人数	万人次	18
其中：创汇	亿美元	1.2	星级宾馆	家	57
国内接待人数	万人次	550	旅行社	家	137

2010年中山区限额以上批发和零售业法人企业经营情况

单位：千元

企业分类	企业数（个）	年平均人数（人）	资产总计	主营业务收入	主营业务税金及附加	主营业务利润	其他业务收入	其他业务利润
总计	277	25961	57553796	101270838	173177	4281642	518620	352522
一、批发业	232	11246	43989501	82333100	72411	3538110	347390	198089
1.按批发行业小类分								
农畜产品批发	29	748	7274203	7076823	3613	370137	81226	81131
食品、饮料及烟草制品批发	20	307	693185	1915753	1508	150427	4163	2172
纺织、服装及日用品批发	45	1903	9630958	7010818	4673	364550	132175	4480
文化、体育用品及器材批发	7	111	270235	319698	8	28200	—	—
医药及医疗器材批发	7	148	352187	647453	705	39077	138	62

续表

企业分类	企业数（个）	年平均人数（人）	资产总计	主营业务收入	主营业务税金及附加	主营业务利润	其他业务收入	其他业务利润
矿产品、建材及化工产品批发	91	7184	20520380	61812799	55867	2246678	119946	104392
机械设备、五金交电及电子产品批发	32	840	5230292	3506570	6019	338723	9735	5845
其他批发	1	5	18061	43186	18	318	7	7
2.按登记注册类型分								
内资企业	218	11045	42506172	80177130	72071	3326980	339283	194643
国有企业	7	586	1317710	2849907	7715	64843	500	441
有限责任公司	35	1158	[illegible]	[illegible]	19049	552503	54857	53657
股份有限公司	7	5619	14859464	37255806	25089	1326969	11273	10937
私营企业	169	3682	14866641	24275554	20218	1382665	272653	129608
港、澳、台商投资企业	3	37	124493	393728	235	101815	—	—
外商投资企业	11	164	1358836	1762242	105	109315	8107	3446
二、零售业	45	14715	13564295	18937738	100766	743532	171230	154433
1.按零售行业小类分								
综合零售	12	10865	9751383	13453139	92248	170378	40123	37941
食品、饮料及烟草制品专门零售	1	10	8175	13100	12	1198	—	—
纺织、服装及日用品专门零售	8	905	1268527	935457	1789	186359	13304	12616
文化、体育用品及器材专门零售	7	949	437798	481438	818	99401	6330	6014
医药及医疗器材专门零售	6	414	204830	149369	388	25177	674	605
汽车、摩托车、燃料及零配件专门零售	5	260	538643	1695965	1146	145042	3919	3703
家用电器及电子产品专门零售	6	1312	1354939	2209270	4365	115977	106880	93554
2.按登记注册类型分								
内资企业	39	12839	10930644	15244414	83181	573845	155492	139504
国有企业	1	362	109202	84943	505	23193	3522	3219
有限责任公司	13	3224	860766	2308145	7937	233691	29719	27614
股份有限公司	3	[illegible]	[illegible]	[illegible]	[illegible]	[illegible]	[illegible]	295
私营企业	22	[illegible]	[illegible]	[illegible]	16390	315819	121905	108376
港、澳、台商投资企业	4	1676	2137030	3566436	17474	141783	[illegible]	[illegible]
外商投资企业	2	200	496621	98873	27904	—	—	21774
3.按经营形式分								
独立门店	37	11501	11918472	13719601	470751	59133	55811	865632
连锁总店	6	2604	1401599	2216523	196246	112097	98622	250987
连锁门店	2	610	244224	238718	76535	—	—	30501
4.按零售业态分								
有店铺零售	45	14715	13564295	16174842	743532	171230	154433	1147120
便利店	2	1229	72182	283062	82683	6813	6347	74826
超市	1	131	47678	84980	36994	1323	1323	18211
大型超市	2	597	116208	293418	11685	17832	16497	51875

续表

企业分类	企业数（个）	年平均人数（人）	资产总计	主营业务收入	主营业务税金及附加	主营业务利润	其他业务收入	其他业务利润
百货店	8	9213	9877012	10864440	92165	27459	26390	657998
专业店	18	1865	2136566	2299117	177886	108449	95041	214126
专卖店	14	1680	1314649	2349825	342119	9354	8835	130084

2010年中山区限额以上住宿和餐饮业法人企业经营情况

单位：千元

企业分类	企业数（个）	年平均人数（人）	资产总计	主营业务收入	主营业务税金及附加	主营业务利润	其他业务收入	其他业务利润
总计	92	13710	5638103	2718020	138235	1154486	4424	703
一、住宿业	55	8485	4887252	1459553	72137	544719	352	295
1.按住宿行业小类分								
旅游饭店	52	8366	4868584	1439984	71052	533785	341	284
一般旅馆	3	119	18668	19569	1085	10934	11	11
2.按登记注册类型分								
内资企业	39	3868	1794468	542746	28125	339168	350	293
国有企业	15	1375	438525	162075	7677	94204	11	11
集体企业	1	149	45792	16246	898	5910	—	—
有限责任公司	15	1572	1096794	234817	12697	143021	320	264
私营企业	8	772	213357	129608	6853	96033	19	18
港、澳、台商投资企业	11	4022	2636948	814148	38808	157400	2	2
外商投资企业	5	595	455836	102659	5204	48151	—	—
3.按经营形式分								
独立门店	51	8208	4764000	1396257	68409	501682	347	290
连锁门店	4	277	123252	63296	3728	43037	5	5
4.按星级分								
五星	4	2543	2048150	627474	29143	12131	—	—
四星	9	2036	1523333	314785	16093	204651	315	259
三星	20	2451	840046	293679	15714	192176	2	2
二星	13	608	180379	105088	5393	57736	24	23
其他	9	847	295344	118527	5794	78025	11	11
二、餐饮业	37	5225	750851	1258467	66098	609767	4072	408
1.按餐饮行业小类分								
正餐服务	30	2884	440394	566468	31059	192481	339	301
快餐服务	4	2079	285258	650434	33097	391117	3594	-32
饮料及冷饮服务	2	208	22021	36505	1689	24448	139	139
其他餐饮服务	1	54	3178	5060	253	1721	—	—
2.按登记注册类型分								
内资企业	22	2853	433362	527886	29319	175204	339	301

续表

企业分类	企业数（个）	年平均人数（人）	资产总计	主营业务收入	主营业务税金及附加	主营业务利润	其他业务收入	其他业务利润
有限责任公司	5	777	58213	109011	6037	54751	63	62
私营企业	17	2076	375149	418875	23282	120453	276	239
港、澳、台商投资企业	6	346	34071	84630	4162	41761	—	—
外商投资企业	9	2026	283418	645951	32617	392802	3733	107
3.按经营形式分								
独立门店	35	4185	614592	824408	44166	331946	3960	1520
连锁总店	1	1020	133030	430786	21751	276482	112	−1121
连锁门店	1	20	3229	3273	181	1339	—	—

2010年中山区营业收入200万元以上服务业企业经营情况

单位：万元

企业分类	企业数（个）	年平均人数（人）	资产总计	营业收入	营业税金及附加	利润总额
总计	396	52292	9128317	2572512	77339	403631
按行业分						
1.交通运输、仓储和邮政业	166	35079	6963751	1415469	42872	75088
道路运输业	2	224	7012	4698	196	167
城市公共交通业	7	13474	497395	108402	3781	−9793
水上运输业	16	13074	6027306	847612	32112	75179
装卸搬运和其他运输服务业	141	8307	432039	454758	6784	9534
2.信息传输、计算机服务和软件业	20	4645	702722	788263	22404	297601
电信和其他信息传输服务业	6	4264	668899	776447	22213	298143
计算机服务业	6	180	2959	3568	48	−536
软件业	8	201	30864	8248	143	−5
3.金融业	6	178	241747	11870	462	4268
4.房地产业	66	5862	[illegible]	[illegible]	[illegible]	15503
5.租赁和商务服务业	90	3355	496777	169039	3523	3214
租赁业	1	35	312	1085	19	111
商务服务业	89	3320	496465	167954	3504	3104
6.科学研究、技术服务和地质勘察业	21	627	20979	25068	946	2366
研究与试验发展	1	5	176	235	0	−16
专业技术服务业	16	525	18978	21763	845	2413
科技交流和推广服务业	4	97	1825	3070	102	−31
7.水利、环境和公共设施管理业	4	569	42443	22238	642	4306
环境管理业	1	380	32346	12878	376	4258
公共设施管理业	3	189	10097	9361	266	49
8.居民服务和其他服务业	11	635	8561	6414	274	−30

续表

企业分类	企业数（个）	年平均人数（人）	资产总计	营业收入	营业税金及附加	利润总额
居民服务业	8	414	7375	4058	224	−126
其他服务业	3	221	1186	2356	50	95
9.教育	1	106	3581	405	15	−68
10.卫生	2	134	1777	1949	7	317
11.文化、体育和娱乐业	9	1102	96431	25640	1170	1066
新闻出版业	3	837	76907	18515	976	−2135
广播、电视、电影和音像业	4	153	18818	5921	84	3317
娱乐业	2	112	705	1205	111	−116

2010年中山区房地产开发企业经营情况

单位：千元

企业分类	年平均人数（人）	年初存货	流动资产	其中：存货	主营业务收入	其中：商品房销售收入	主营业务税金及附加	主营业务利润
总计	2487	17234502	4344521	19122591	7589090	7385151	963700	2476537
一、按登记注册类型分								
1.内资企业	1923	10506679	35659505	12787449	2588187	2549230	216242	896335
国有企业	1	9924	51750	—	14893	14893	1112	—
集体企业	15	38058	50583	36652	—	—	—	—
股份合作企业	11	1793	15841	1368	502	502	28	49
国有联营企业	8	—	35320	8875	56000	56000	2360	48
其他有限责任公司	635	3655836	7668200	3557070	732624	706189	73778	179346
股份有限公司	91	1426174	11705442	2613407	198434	197433	14757	40678
私营有限责任公司	1041	4460917	14053116	5576931	1531896	1520375	121464	662922
私营股份有限公司	50	679	16599	679	—	—	—	—
其他企业	71	913298	2062654	992467	53838	53838	2743	13292
2.港澳台商投资企业	218	1296434	4099886	1325401	947930	782948	82017	244290
与港澳台商合资经营企业	105	673078	1674902	773143	113931	107638	10325	18035
与港澳台商合资合作经营企业	19	391682	552632	346587	85195	62596	4164	−7979
港澳台商独资经营企业	94	231674	1872352	205671	748804	612714	67528	234234
3.外商投资企业	346	5431389	7585130	5009741	4052973	4052973	665441	1335912
中外合资经营企业	204	1496315	2881086	1471852	948399	948399	65687	264722
外资企业	142	3935074	4704044	3537889	3104574	3104574	599754	1071190
二、按隶属关系分								
中央	45	263821	243966	134061	186312	186312	13791	40543
地区（州、盟、省辖市）	343	3769751	15416406	5029621	399466	390363	41839	126734
县（区、市、旗）	13	18732	65226	18105	1802	1802	126	846
街道	3	63280	371583	39181	35662	35662	4005	7559
其他	2083	13118918	31247340	13901623	6965848	6771012	903939	2300855

2010年中山区建筑业生产经营情况

单位：千元

企业分类	企业数（个）	年末从业人数（人）	建筑业总产值	竣工产值	房屋建筑施工面积	其中：新开工面积	资产合计	工程结算收入	工程结算利润
总计	97	17817	6098085	3124791	797134	327888	12286201	5931967	855389
一、按行业分									
房屋和土木工程建筑业	24	10523	4551152	1903921	417409	308763	10029948	4207008	653697
建筑安装业	46	4262	956574	858496	379725	19125	1862358	1121884	97798
建筑装饰业	23	2912	579403	352146			[illegible]	592119	101735
其他建筑业	4	120	10956	10228	—	—	21846	10956	2159
二、按登记注册类型分									
内资企业	93	16969	5829768	3021170	797134	327888	12211499	5645983	792797
国有企业	1	587	100860	—	—	—	90670	100339	10077
集体企业	3	78	38201	5257	—	—	55161	61549	6178
股份合作企业	1	26	3203	3203	360600	—	15504	3582	551
有限责任公司	13	9275	4331416	2078020	111646	13000	10569359	4168801	615363
股份有限公司	1	10	4800	—	—	—	9137	24468	10649
私营企业	73	6986	1348814	934690	324888	314888	1470368	1284770	149865
其他企业	1	7	2474	—	—	—	210	2474	114
港、澳、台商投资企业	2	583	87317	103621	—	—	13626	76172	10690
外商投资企业	2	265	181000	—	—	—	8951	209812	51902
三、按隶属关系分									
中央	2	792	458329	403125	—	—	62654	246989	11922
地区（州、盟、省辖市）	14	8726	3950310	1664898	110146	13000	2574990	4032675	615137
县（区、市、旗）	1	47	48408	4900	—	—	36474	23968	5193
其他	80	8252	1641038	1051868	686988	314888	772446	1628335	223137

劳动就业

2010年中山区从业人员情况

	年末人数（人）			
	单位数（个）	单位从业人员	其中：在岗职工	其他从业人员
合计	1195	132718	112131	20587
企业	942	110926	92829	18097
事业	204	14592	12416	2176
机关	49	7200	6886	314

2010年中山区平均人数与劳动报酬情况

	平均人数（人）		劳动报酬（千元）		平均劳动报酬（元）	
	单位从业人员	其中：在岗职工	单位从业人员	其中：在岗职工	单位从业人员	其中：在岗职工
合计	130347	110424	6879623	6093563	52779	55183
企业	108722	91136	5648689	4911012	51955	53887
事业	14410	12386	771338	728139	53528	58787
机关	7215	6902	459596	454412	63700	65838

2010年中山区国有单位从业人员情况

	年末人数（人）			
	单位数（个）	单位从业人员	其中：在岗职工	其他从业人员
合计	358	39841	36620	3221
企业	111	18229	17458	771
事业	198	14412	12276	2136
机关	49	7200	6886	314

2010年中山区国有单位平均人数与劳动报酬情况

	平均人数（人）		劳动报酬（千元）		平均劳动报酬（元）	
	单位从业人员	其中：在岗职工	单位从业人员	其中：在岗职工	单位从业人员	其中：在岗职工
合计	39448	36407	2539313	2454677	64371	67423
企业	18006	17262	1314439	1277647	73000	74015
事业	14227	12243	765278	722618	53791	59023
机关	7215	6902	459596	454412	63700	65838

2010年中山区企业从业人员情况

	年末人数（人）			
	单位数（个）	单位从业人员	其中：在岗职工	其他从业人员
企业	800	91461	74170	17291

2010年中山区企业平均人数与劳动报酬情况

	平均人数（人）		劳动报酬（千元）		平均劳动报酬（元）	
	单位从业人员	其中：在岗职工	单位从业人员	其中：在岗职工	单位从业人员	其中：在岗职工
企业	89423	72616	4294994	3594692	48030	49503

2010年中山区劳动争议处理情况

经济类型	受理案件（件）		案件处理（件）			挽回经济损失（万元）
	总数	其中：职工申诉案	结案总数	企业胜诉	职工胜诉	
合计	148	147	143	22	121	119.54
国有企业	15	15	13	—	13	4.36
私营企业	133	132	130	22	108	115.18

人口与计划生育

2010年中山区人口户数及人口情况

	总户数（户）	总人口（人）				总户数（户）	总人口（人）		
		合计	男	女			合计	男	女
合计	133942	356625	175167	181458	桂林街派出所	15205	46112	22603	23509
青泥洼桥派出所	5394	13519	6544	6975	人民路派出所	4549	12929	6779	6150
天津街派出所	4041	9787	4818	4996	秀月街派出所	12820	33952	16357	17595
民主广场派出所	4814	13744	7081	6663	虎滩街派出所	5198	13785	6772	7013
昆明街派出所	12585	32905	15867	17038	桃源街派出所	11790	31001	15186	15815
春海街派出所	11835	29890	14580	15310	葵英街派出所	22103	57165	28305	28860
海军广场派出所	11476	30174	14860	15314	中南路派出所	12132	31662	15415	16247

2010年中山区人口自然变动情况

单位：人

	出生			死亡				出生			死亡		
	合计	男	女	合计	男	女		合计	男	女	合计	男	女
合计	2365	1230	1135	2539	1410	1129	桂林街派出所	257	128	129	244	144	100
青泥洼桥派出所	92	45	47	110	59	51	人民路派出所	81	42	39	103	52	51
天津街派出所	69	35	34	74	40	34	秀月街派出所	243	131	112	207	114	93
民主广场派出所	80	48	32	89	45	44	虎滩街派出所	107	62	45	68	41	27
昆明街派出所	211	95	116	238	133	105	桃源街派出所	166	82	84	242	137	105
春海街派出所	196	97	99	230	129	101	葵英街派出所	434	255	179	479	278	201
海军广场派出所	212	106	106	237	121	116	中南路派出所	217	104	113	218	117	101

2010年中山区人口迁入迁出情况

单位：人

项目	迁入			迁出			项目	迁入			迁出		
	合计	省内	省外	合计	省内	省外		合计	省内	省外	合计	省内	省外
合计	3484	1789	1695	1774	340	1434	桂林街派出所	797	364	433	601	83	518
青泥洼桥派出所	130	72	58	28	5	23	人民路派出所	253	122	131	73	11	62
天津街派出所	55	26	29	21	3	18	秀月街派出所	275	168	107	127	15	112
民主广场派出所	405	213	192	89	29	60	虎滩街派出所	135	68	67	53	15	38
昆明街派出所	210	121	89	78	12	66	桃源街派出所	335	182	153	226	80	146
春海街派出所	208	74	134	65	6	59	葵英街派出所	270	153	117	190	39	151
海军广场派出所	278	158	120	139	35	104	中南路派出所	133	68	65	84	7	77

2010年中山区计划生育情况

区域	出生人数（人）	计划生育率（%）	计划内出生（人）						
			合计	一孩		[illegible]		二孩	
				男	女	男	女	男	女
全区总计	2169	100	2169	997	989	96	78	5	4
海军广场街道	348	100	348	161	154	17	16	—	—
人民路街道	161	100	161	77	73	6	5	—	—
桂林街道	222	100	222	101	92	11	16	1	1
青泥洼桥街道	153	100	153	71	67	7	8	—	—
昆明街道	212	100	212	95	100	5	9	3	—
葵英街道	399	100	399	188	184	16	9	1	1
桃源街道	379	100	379	169	186	17	6	—	1
老虎滩街道	295	100	295	135	133	17	9	—	1

2010年中山区育龄妇女人数、已婚育龄妇女节育情况

单位：人

区域	人数	其中：已婚妇女		
		人数	其中：育龄妇女	其中：采取节育措施数
全区总计	102978	65170	58121	46499
海军广场街道	17033	10238	9067	7156
人民路街道	7107	3664	3172	2464
桂林街道	15644	9667	8764	7170
青泥洼桥街道	6518	4326	3765	2973
昆明街道	9583	6752	5978	4876
葵英街道	15797	9732	8674	6782
桃源街道	18246	11980	10735	8704
老虎滩街道	13050	8811	7966	6374

注：育龄妇女统计范围为15—49岁

2010年中山区育龄妇女初婚情况

区域	初婚人数（人）	其中：23周岁以上（人）	晚婚率（%）
全区总计	3126	3021	96.64
海军广场街道	517	496	95.94
人民路街道	361	353	97.78
桂林街道	350	339	96.86
青泥洼桥街道	185	176	95.14
昆明街道	272	262	96.32
葵英街道	539	519	96.29
桃源街道	553	541	97.83
老虎滩街道	349	335	95.99

2010年中山区现有一孩有偶育龄妇女领取独生子女证情况

区域	人数（人）	其中：领证数（人）	领证数占比（%）
全区总计	44766	22975	51.3
海军广场街道	6900	3638	52.7
人民路街道	2397	823	34.3
桂林街道	6939	3457	49.8
青泥洼桥街道	2805	1254	44.7
昆明街道	4714	2656	56.3
葵英街道	6324	2955	46.7
桃源街道	8570	4791	55.9
老虎滩街道	6117	3401	55.6

科技·教育

2010年中山区科技工作完成情况

项目	单位	数量
引进、新办企业	个	130
申请国家专利	项	1250
申请发明专利	项	300
获得国家创新资金项目	项	3
获得省创新资金项目	项	1
获得市软件产业项目	项	3
获得市创新资金项目	项	4
获得市信息产业计划项目	项	—
认定国家高新技术企业	个	3

2010年中山区科协活动情况

项目	数量（次）	受益人数（人次）
科普讲座（报告）	2224	118750
科普展览	2	5650
科普咨询	255	765
科普竞赛	13	2350
组织开展主题科普活动	4	5700
科普影视放映	204	10540
青少年科普活动	134	6520
张贴科普挂图	350（张）	229000
科普手册	4万（册）	12000

2010年中山区学校基本情况

学校分类	学校（所）	班级（个）	学生（人）	学校分类	学校（所）	班级（个）	学生（人）
合计	38	825	27911	特殊教育	1	7	72
公办初中	11	260	9642	民办初中	2	46	1886
公办小学	22	461	14804	民办小学	2	51	1507

2010年中山区中小学教职员工情况

单位：人

学校分类	教职员工总数	其中：女性	其中：专任教师	专任教师学历			
				研究生及以上	大学本科	大学专科	中专（中师）
中学	1380	1020	1065	174	790	95	6
小学	1143	985	986	68	616	280	22

文体·卫生

2010年中山区娱乐场所情况

场所分类	数量	场所分类	数量
卡拉OK	120	棋牌室	70
书店	210	酒吧（舞厅）	33
音像零售（出租）	46	电子游戏场	—
台球厅	35	网吧	87

2010年中山区文化团体、设施及活动情况

分　类	数量	分　类	数量
文艺团体（个）	4	社区文化活动室（个）	51
区文化馆（个）	1	图书馆藏书（万册）	15
区图书馆（个）	1	读者活动（万人次）	3.9
区美术馆（个）	1	外借图书（万人次）	4.8
街道文化站（个）	18	读书活动（次）	31
街道图书馆（个）	8		

2010年中山区体育事业活动开展情况（一）

项　目	单位	合计	中学	小学	项　目	单位	合计	中学	小学
学校总数	个	33	11	22	良好	%	52.6	50.2	51.7
在校学生总数	人	23819	10522	13297	优秀	%	16.8	16.3	18.7
国家学生体质健康标准达标率					传统项目布局学校数	所	15	4	11
及格	%	28.4	31.1	27.5					

2010年中山区体育事业活动开展情况（二）

项　目	次数	人数	项　目	次数	人数
1.参加市级比赛	16	1170	田径	1	370
田径	1	45	篮球	1	520
篮球	3	140	足球	2	610
足球	4	260	排球	1	420
排球	1	90	其他	23	14560
乒乓球	1	40	3.培训体育干部	8	860
其他	6	595	4.向上级输送人才	—	35
2.区举办比赛	28	16680			

2010年中山区卫生机构、床位、人员情况（区域）

分类	机构数（个）	床位数（个）	人员数（人）				
			卫生技术	其他技术	管理	工勤	合计
总计	188	3581	4167	214	285	338	5171
医院	9	2831	2913	150	154	211	3591
疗养院	3	750	88	14	53	50	205
卫生防治站	1	—	40	2	1	—	43
疾病预防控制中心	1	—	25	6	4	1	36
妇幼保健所	1	—	26	—	4	—	30
卫生监督所	1	—	30	1	7	2	40
门诊部	16	—	263	5	34	42	344
个体诊所	134	—	532	—	—	12	544
社区卫生服务中心	10	—	136	7	14	11	168
企事业卫生所（站）	12	—	114	29	6	9	126

2010年中山区急性传染病发病情况

项目	2010年		2009年		比2009年	项目	2010年		2009年		比2009年
	例数	发病率/10万	例数	发病率/10万	(%)		例数	发病率/10万	例数	发病率/10万	(%)
伤寒	3	0.6987	2	0.5068	+37.9	肺结核	124	28.8796	313	33.1942	-13.0
菌痢	223	51.9367	302	76.5241	-32.1	淋病	122	28.4138	78	19.7645	+43.8
急肝	105	24.4545	106	26.8594	-8.9	梅毒	392	91.2968	168	42.5697	+114.5
麻疹	—	—	2	0.5068	-100.0	艾滋病	1	0.2329	—	—	—
猩红热	38	8.8502	50	12.6696	-30.1	合计	1008	234.996	839	211.54	11.1

2010年中山区妇幼卫生情况

项目	单位	数量	项目	单位	数量
产后检查产妇人数	人	1248	婴儿死亡数	人	7
占产妇总数	%	58.9	婴儿死亡率	‰	2.8
产后检查婴儿人数	人	1284	1-4岁儿童死亡数	人	8
占活产总人数	%	60.1	1-4岁儿童死亡率	‰	3.75
分娩人数	人	2119	新生儿死亡数（<7天）	人	3
妇女病普查数	人	36844	新生儿死亡率	‰	1.41
妇女病患病率	%	36.9	出生体重<2500克新生儿	%	1.92
婚前检查人数	人	241	围产儿死亡数	人	6
婚前检查患病率	%	3.1	围产儿死亡率	%	0.28
0-6岁儿童数	人	11292	“四苗”覆盖率	%	99.66
0-4岁检查<X-2SD	%	0.08	“四苗”接种人数	人	36292
0-2岁内佝偻患病率	%	0.5	卡介苗接种数	人	2286
0-6岁缺铁性贫血患病率	%	1.8	卡介苗接种率	%	99.2

环境·绿化

2010年中山区城市环境卫生情况

项 目	单 位	数 量	项 目	单 位	数 量
一、环境卫生			三、环卫设施		
清理生活垃圾	万吨	15.6	居民垃圾收集	处	356
清理建筑垃圾	吨	1000	其中：定时收集处	处	218
二、道路清扫			袋装收集户	万户	15.5
清扫道路	条	666	[illegible]	处	45
其中：两班制	条	279	四、环卫车辆		
全区道路长度	米	440817.3	垃圾车	辆	72
全区道路面积	万平方米	436	扫路车	辆	10
环卫清扫	万平方米	436	洒水车	辆	2
其中：两班制	万平方米	260	货车	辆	7

2010年中山区绿化种植情况

项 目	单 位	数 量	项 目	单 位	数 量
一、全部绿地面积	万平方米	1879	人均绿地面积	平方米	53
公共绿地面积	万平方米	446	人均公共绿地面积	平方米	12.52
其中：公园	万平方米	372	二、绿地覆盖面积	万平方米	1887
街道	万平方米	64	绿化覆盖率	%	43.02
小游园	万平方米	10	三、苗木实有数	株	1517847
风景林面积	万平方米	1158	其中：行道树	株	11975
其中：区管风景林	万平方米	939	落叶乔木	株	30456
市管风景林	万平方米	219	常绿乔木	株	21978
单位附属绿地	万平方米	170	花灌木	株	47826
居住区绿地	万平方米	104	绿篱	株	1405612
生产绿地	万平方米	0.5			

（区统计局）

责任编辑　石黎明

索引 SUO YIN

说明：

1.本索引采用主题分析索引方法，按照索引词汉语拼音字母顺序排列。英文字母、阿拉伯数字开头的索引词排在最后。

2.类目、分目、子分目标题用黑体字。

3.索引词后的阿拉伯数字表示内容所在的页码，字母表示左、中、右栏。

A

B

C

N

O

P

Q

R

S